MICHEL BRÛLÉ

4703, rue Saint-Denis
Montréal, Québec H2J 2L5
Téléphone : 514 680-8905
Télécopieur : 514 680-8906
www.michelbrule.com

Maquette de la couverture : Roxane Vaillant
Mise en pages : Jimmy Gagné
Illustration de la couverture : *The Ball,* circa 1878, James Tissot
Photo de l'auteur : Jimmy Hamelin
Révision : Corinne Danheux
Correction : Hubert Saint-Germain

Distribution : Prologue
1650, boul. Lionel-Bertrand
Boisbriand, Québec J7H 1N7
Téléphone : 450 434-0306 / 1 800 363-2864
Télécopieur : 450 434-2627 / 1 800 361-8088

Distribution en Europe : D. N.M. (Distribution du Nouveau Monde)
30, rue Gay-Lussac
F-75005 Paris, France
Téléphone : 01 43 54 50 24
Télécopieur : 01 43 54 39 15
www.librairieduquebec.fr

Les éditions Michel Brûlé bénéficient du soutien financier de la SODEC, du Programme de crédits d'impôt du gouvernement du Québec et sont inscrites au Programme de subvention globale du Conseil des Arts du Canada. Nous reconnaissons l'aide financière du gouvernement du Canada par l'entremise du Programme d'aide au développement de l'industrie de l'édition (PADIÉ) pour nos activités d'édition.

Société
de développement
des entreprises
culturelles
Québec ✚ ✚

Bibliothèque et Archives nationales du Québec
Bibliothèque nationale du Canada
ISBN 13 : 978-2-89485-400-6

CASSANDRE,
fille d'Eugénie

René Forget

Cassandre, fille d'Eugénie

MICHEL BRÛLÉ

Ma langue est d'Amérique
Je suis née dans ce paysage
J'ai pris souffle dans le limon du fleuve
Je suis la terre et je suis la parole
Le soleil se lève à la plante de mes pieds
Le soleil s'endort sous ma tête
Mes bras sont deux océans le long de mon corps
Le monde entier vient frapper à mes flancs
J'entends le monde battre dans mon sang

Ode au Saint-Laurent
de Gatien Lapointe

CHAPITRE I
Les séminaristes

Pendant la période des Fêtes, de Noël à l'Épiphanie, Eugénie et François accueillirent leurs deux garçons, André et Jean-François, pensionnaires au Petit Séminaire, à la maison de Bourg-Royal. Encore au début de sa grossesse et en parfaite santé, Eugénie avait décidé de choyer ses enfants. Elle se mit à cuisiner avant la fin de l'Avent, en cachette de François qui était souvent parti au Petit Séminaire pour terminer l'ambon d'un oratoire, les petites surprises culinaires qui feraient la joie de ses grands garçons. Le jambon à l'érable, le mets préféré de tous, ainsi que la tarte de suif, appelée tarte à la farlouche, répandirent leur fumet sucré à partir de la date et de l'heure définies par l'archevêché comme signifiant la fin de l'Avent.

Eugénie s'était dit : *Ce sont quatre semaines de pénitence pour nous, les adultes, mais mes garçons viennent de subir quatre mois de jeûne au réfectoire du Petit Séminaire. Je ne tarderai pas à leur faire plaisir. Heureusement qu'ils ont dû profiter de quelques douceurs chez Mathilde, les dimanches après-midi. Je lui ai dit de ne pas les gâter, mais je connais Mathilde, elle ne peut rien refuser à ses garçons.*

Lorsque Eugénie entendit les grelots accrochés au harnais de cuir de Tibie, la jument, tinter dans l'air sec et pur de cette journée froide et ensoleillée du 24 décembre, elle se dépêcha d'enlever son tablier de lin et d'ouvrir la porte de la maison. Il avait neigé sur la route, et malgré la couverture en peau d'orignal de la berline, les garçons avaient le visage rougi par le froid.

Quand elle les aperçut, Eugénie se précipita vers eux en leur disant :

— En voilà de la belle visite qu'il me fait plaisir de recevoir. Venez embrasser votre mère. Mais, ma parole, vous êtes presque des hommes !

Elle poursuivit, pleine d'entrain :

— Mon Jean-François, je ne te reconnais presque plus. Et toi, André, un vrai costaud ! Êtes-vous heureux d'être à la maison ? Jean, Georges et Simon-Thomas, venez saluer vos grands frères, les séminaristes de Québec.

— Nous sommes contents d'être à la maison, maman, répondit André, le plus âgé.

— Alors, enlevez-moi ces pelisses, que je puisse vous voir.

Après avoir aidé ses fils à se débarrasser de leurs pardessus d'hiver, Eugénie s'empressa de les embrasser à tour de rôle, sans leur laisser le temps de s'asseoir sur le banc le long du mur pour enlever leurs mocassins. Elle remarqua qu'ils dégageaient une forte odeur de crasse et se dit : *Divine Providence ! Il était temps qu'ils reviennent prendre un bain à la maison !*

Au même moment, François qui venait de reconduire la jument à l'écurie, pénétra dans la maison.

— François, peux-tu faire une flambée dans l'âtre ? Le feu s'est trop assoupi à mon goût. Je vais mettre la soupe à réchauffer. Venez vous réconforter, mes garçons, et apprêtez-vous à apprécier les délicieux lardons de ma soupe aux pois !

Elle continua de distribuer les consignes.

– Jean, va chercher la plus grosse miche de pain de ménage dans la huche. Et toi, Georges, le beurre à la laiterie. Non, non, le contraire. C'est Jean qui ira. Il a de plus longues jambes. Habille-toi bien, Jean, pour ne pas prendre froid. Le docteur ne voudra pas être dérangé ce soir. Il fête la Nativité, lui aussi. En tout cas, je l'espère pour lui.

Dans son excitation, Eugénie revit le visage de Manuel Estèbe à la vitesse de l'éclair. Mais c'est la voix de François qu'elle entendit clairement.

– Laisse, Eugénie. C'est moi qui irai chercher le beurre à la laiterie. J'aimerais que les garçons puissent se retrouver!

Là-dessus, François extirpa de sa poche deux pipes d'argile, qu'il remit à André et à Jean-François. Il sortit aussi sa propre pipe ainsi que sa blague, et distribua le tabac blond de Virginie qu'il venait d'acheter chez un marchand de Québec. Il récupérait un tison dans l'âtre, quand il entendit Eugénie s'indigner.

– Tu ne devrais pas, François, à leur âge…

– Laisse-les, ma femme, ce sont presque des hommes, maintenant. Tenez.

Quand François présenta le tison à Jean-François, ce dernier refusa, à la stupéfaction de son père.

– Non, père. Le tabac est mauvais pour ma gorge et pour ma voix. Je n'en veux pas.

Eugénie intervint aussitôt, fière de l'attitude de son garçon.

– D'où te vient cette idée, Jean-François?

Croyant avoir vexé son père, le garçon conserva le silence. C'est alors qu'André répondit à sa place.

– C'est le chanoine Charles-Amador Martin qui lui met toutes ces fadaises dans la tête !

Aussitôt, un silence gênant s'installa, rompu par Eugénie.

– Alors, va chercher le beurre, François ! Pendant ce temps, je mets les assiettes sur la table. À ton retour, nous mangerons. Vous fumerez après. Il vaut mieux la senteur de ma cuisine que celle du tabac pour nous mettre en appétit.

La bonne odeur des pâtés en croûte et du rôti de porc qui mijotait dans son jus eut tôt fait d'installer un sourire sur les lèvres des garçons qui, durant tout leur séjour, ne parlèrent plus que de faire bombance. Eugénie était ravie de voir grandir ses hommes et de profiter de cette période de festivités pour ressouder les liens familiaux.

Après que François eut reconduit les garçons au Petit Séminaire pour le second semestre, Eugénie lui fit part de certaines de ses préoccupations.

– Ne trouves-tu pas curieux que nos fils n'aient pas semblé très joyeux de revenir à la maison après quatre longs mois de privations. Pourtant, ils retrouvaient leurs parents, leurs frères, leur famille… Et, quoique je sois loin d'être pour le tabac à leur âge, je trouve étonnante cette allusion au chanoine Martin…

– Ils étaient probablement gênés de te parler. Ce ne sont plus tes bébés. La présence féminine, même de leur mère, les rend gauches.

Il ajouta, préoccupé :

– J'avoue que je les ai trouvés plutôt avares de paroles et même un peu distants lorsque je les ai reconduits au séminaire, comme s'ils nous en voulaient de les avoir chassés de la maison. Et pourtant, tu les as gavés de ce qu'ils pouvaient manger de meilleur. Je peux t'assurer que la nourriture du Petit Séminaire est loin d'être de la qualité de ton ordinaire, ma femme. Je la subis régulièrement et pourtant, moi, je mange au réfectoire des clercs, comme tu le sais. Et puis les élèves du Petit Séminaire ne mangent presque pas de viande… Que des fruits, pour ainsi dire.

Eugénie bondit de sa chaise.

– Quoi? Ils sont privés de nourriture? Mais c'est insensé! Veut-on en faire des martyrs? Je parie qu'il y a deux ordinaires, un pour les pères jésuites et un autre pour les élèves.

– Et même un troisième, pour les petits Hurons, si tu veux le savoir!

– Mais voyons donc! C'est impensable qu'ils soient traités différemment de nos enfants blancs. Qu'est-ce qu'ils mangent? Des restes? Il va falloir que j'aille moi-même m'en plaindre à l'archevêché, et même à Monseigneur de Laval, affirma Eugénie, outrée.

Pour tempérer l'émotion de sa femme, François avança calmement:

– Je ne pense pas qu'il le sache, le saint homme; il ne mange même plus lui-même!

– Mais tout de même. Pourquoi faire une différence? Ton frère de sang, Houatianonk, nous a traités comme ses égaux et même comme des invités de marque à chaque fois que nous lui avons rendu visite. Si nos bons Sauvages nous respectent et nous considèrent, c'est la moindre des choses que nous fassions de même.

– Bien entendu, Eugénie. Mais il doit bien y avoir une raison pour les traiter de la sorte! Leur hygiène ou leurs manières à table, quelque chose du genre. Ils ont l'habitude de manger avec leurs mains. Ils considèrent les couverts comme des racloirs à peaux. Tu le sais mieux que moi, toi qui as vécu chez eux!

– Et je n'ai jamais fait de distinction entre leurs coutumes sauvages et mes manières, tu penses bien. Alors, pourquoi les pères jésuites le font-ils au séminaire?

– Parce que l'ascétisme fait partie de la règle des Jésuites. Et ils ont à cœur l'éducation des garçons, qui sont triés sur le volet, ne l'oublie pas. Nous avons de la chance que nos fils aient été acceptés dans cet établissement de prestige. Ils en feront des hommes disciplinés, crois-moi!

– Mais je ne voudrais pas que ce soit au détriment de leur santé. Et puis…

– Et puis quoi, Eugénie?

– As-tu vu la croûte de saleté sur leur peau? Ils étaient si réticents à se laver dans la baignoire! Il faudra que je questionne Mathilde pour savoir si ses garçons ont eu la même réaction. C'est à croire que, sous prétexte d'améliorer l'esprit, les Jésuites négligent l'hygiène corporelle. *Mens sana in corpore sano!* Ils devraient être les premiers à comprendre cette locution latine.

– Tu sais, au Petit Séminaire, ils ne prennent leur bain que toutes les deux semaines. Par contre, ils n'ont pas de poux. Leurs cheveux sont coupés court. Mais, qu'as-tu dit, Eugénie? Je n'ai pas saisi.

– Oh! C'est ce que me répétait souvent le chapelain du monastère de Tours, quand je lui demandais de me parler en latin. Ça veut dire: Un esprit sain dans un corps sain, ce qui ne me semble pas être le cas de nos garçons…

François regarda Eugénie d'un air malheureux, la mine basse. Perspicace, celle-ci devina immédiatement qu'il lui cachait quelque chose.

– Toi, tu en sais plus que ce que tu veux bien dire. Alors, qu'y a-t-il?

– C'est que les élèves n'ont pas tellement le goût de se laver à la noirceur. L'hiver, ils se lèvent à quatre heures trente du matin, bien avant le lever soleil. Mais à la fin du printemps, il fait plus chaud… quoique le lever soit à quatre heures… Enfin, ça va les préparer à la vraie vie de travail de l'habitant !

– Ah oui ? Accepterais-tu, François Allard, de ne manger que des fruits pour tenir toute la journée ? Et ces enfants-là font des efforts d'apprentissage scolaire ! Je connais bien peu de nos bons habitants qui voudraient en faire autant. En plus, ce ne sont encore que des enfants !

– Tout ça, nous le savions, Eugénie. Le chanoine de Bernières ne nous a rien caché. Nos garçons sont traités comme les autres… Peut-être mieux que les autres parce que je peux les entrevoir à l'occasion.

Eugénie toisa son mari, sceptique.

– Ah oui ? S'ils étaient si bien traités, ils seraient propres, gras et heureux. Moi, je les ai trouvés sales, amaigris et taciturnes. Alors, il me semble que nos opinions sont tout à fait divergentes !

François se rendait compte qu'il n'aurait pas le dernier mot. Pour amadouer sa femme, qui ne devait pas s'emporter en raison de sa grossesse, il répondit :

– Nous sommes au moins d'accord sur un point.

– Ah oui ? Et sur lequel, François ?

– Sur le fait que tu es une femme et une mère hors du commun et que nous avons la chance de t'avoir pour nous à la maison !

Eugénie regarda à nouveau son mari avec méfiance, mais ne put réprimer un sourire. Par fierté et pour se donner bonne contenance, elle prit son temps pour répliquer, le regard adouci.

— Alors, tu ferais mieux de surveiller tes manières à table, François Allard, car je t'ai à l'œil!

Plus sérieusement, Eugénie continua :

— Au fait, il va falloir que j'observe la façon dont nos bons pères éduquent nos garçons. Tu sais, la vigilance d'une mère est requise même si l'instruction qu'ils reçoivent dépasse mes compétences. Après tout, ce ne sont que des hommes célibataires. Le regard féminin ne peut être de trop.

— J'aimerais bien les voir plus souvent quand je fais mes contrats, mais je ne veux pas les déranger.

Eugénie rétorqua :

— Il va falloir que tu t'occupes d'eux davantage et que nos garçons voient leur père plus souvent. Il y a quelque chose qui m'échappe... À la maison, Jean-François n'a pas été capable de tailler, de fendre ni de manier sa plume d'oie pour écrire. J'aurais juré qu'il manquait de forces! Tiens, nous irons au Petit Séminaire le premier mai. Ce n'est pas seulement une fête païenne[1]; mai est aussi le mois de la Vierge Marie.

— La maie[2] est aussi le coffre que je fabrique pour pétrir et conserver le pain, Eugénie. Ne l'oublie pas. Je m'occupe des garçons du mieux que je peux, répondit François, contrarié.

— Je me suis mal exprimée, François. Surtout, ne va pas te vexer. La situation me rend nerveuse, répliqua Eugénie en replaçant sa coiffe d'un geste maladroit.

Monseigneur de Saint-Vallier avait en effet tenu à ce que la colonie honorât de façon particulière la Vierge Marie en mai, le

---

1. Le premier jour du mois de mai, la colonie célébrait le retour du printemps, appelé la fête du Mai, en dansant autour d'un arbre, un sapin ou un pin surmonté d'une couronne de fleurs. Cette coutume païenne était critiquée par le clergé.
2. Coffre sur pied qu'on utilisait autrefois pour pétrir et conserver le pain.

mois du renouveau printanier, afin de canaliser la foi des colons. D'aucuns avaient vu dans cette décision l'expression de sa rivalité avec Monseigneur de Laval, le prélat charismatique qui faisait preuve d'une dévotion sans borne envers la bonne sainte Anne, et qui incitait ses ouailles à prier à la chapelle de la côte de Beaupré.

Au Petit Séminaire de Québec, l'évènement revêtait une importance particulière, car il permettait aux éducateurs d'organiser des activités de prière dans la grande cour. La récitation du rosaire donnait lieu à de longues heures de recueillement que les citadins de Québec pouvaient observer et auxquelles ils pouvaient participer, le nez collé aux grilles. Au cours de ces manifestations quotidiennes du mois de mai, qui avaient lieu après l'Angélus et le souper, les séminaristes vêtus de leur uniforme et les Jésuites portant leurs vêtements sacerdotaux pastel défilaient autour de la grotte dédiée à la Vierge Marie en chantant des cantiques.

Au début de mai 1688, Eugénie et François, Mathilde et Guillaume-Bernard, ainsi qu'Anne et Thomas, en tant que parents de séminaristes, furent invités, un dimanche après-midi, à la procession inaugurant le mois dédié à la Vierge Marie. Eugénie, ronde de ses mois de grossesse, avait décidé de se rendre à Québec pendant que sa santé le lui permettait encore. La canicule précoce du début de mai lui sembla favorable pour tenter le trajet. Elle avait bien hâte d'assister à l'évènement, car elle avait appris par François que le chanoine Charles-Amador Martin, le premier musicien natif du pays, responsable de la chorale mariale, avait choisi son Jean-François, âgé de quatorze ans, pour interpréter un cantique en solo.

Eugénie et François arrivèrent chez Mathilde et Guillaume-Bernard, rue du Sault-au-Matelot, sur le coup de midi, juste avant le dîner. Les enfants Allard avaient obtenu du chanoine Henri de Bernières la permission d'accueillir leurs parents. La contribution d'Eugénie et de François Allard à la Confrérie de la Sainte-Famille avait, sans doute, facilité cette décision.

Mathilde se faisait toujours une joie de recevoir sa grande amie et elle avait hâte de la féliciter pour sa sixième grossesse. Les deux amies se jetèrent dans les bras l'une de l'autre.

– Ma parole, Eugénie, ta rondeur est différente de tes autres grossesses ! Tu verras, ce sera une fille, cette fois-ci ! Sois la bienvenue, comme toujours. J'avais tellement hâte de te voir après ce dur hiver. Tu n'as pas eu trop à en souffrir, j'espère !

– Heureusement, non. Enfin, pas trop. Un peu plus de fatigue et d'irritabilité que d'ordinaire.

– Tu es rendue à ta sixième grossesse, Eugénie. Tu viens de me dépasser. Et puis, nous vieillissons, alors il est normal d'être fatiguées et plus maussades. Nos corps réagissent, j'imagine. Tu verras, tu auras la plus jolie petite fille de la colonie. Je te trouve chanceuse.

– Tu me féliciteras quand tu la verras, cette petite ! En attendant, c'est François qui subit mes sautes d'humeur. Et toi ? Comment te portes-tu avec la charge de mes enfants les dimanches après-midi ? Je te remercie mille fois pour ce service que je te revaudrai, bien entendu.

– Ce n'est rien, Eugénie, ils tiennent compagnie aux miens.

– Mais tu en as déjà cinq !

– Mais les tiens sont bien élevés, répondit Mathilde en riant.

Plus sérieusement, elle ajouta :

– Ils apportent de la discipline et de la dévotion dans cette famille. Surtout ton Jean-François. Un exemple pour les miens.

– Comment ça, Jean-François ? Que fait-il de différent d'André ?

– Il n'arrête pas de parler et surtout d'agir comme un mystique. Il mange à peine, pour faire pénitence, alors qu'il est en pleine croissance, et au lieu de jouer il récite son chapelet.

– Depuis quand, Mathilde ? questionna Eugénie, à la fois intriguée et inquiète.

– Depuis le début du carême. Peut-être un peu avant, vers la fin de janvier.

Eugénie regarda Mathilde avec une anxiété évidente.

– Lorsqu'ils sont arrivés à Noël, on aurait dit qu'ils n'avaient pas le goût d'être à la maison…

Subitement, Eugénie interrogea François qui était en train de discuter avec Guillaume-Bernard.

– Tu ne t'es rendu compte de rien au sujet de notre Jean-François, au Petit Séminaire ? Il ne t'a pas semblé avoir un comportement bizarre ?

– À part le trouver amaigri, non, Eugénie, je n'ai rien remarqué.

– Amaigri ?

– C'est un peu normal, avec la nourriture du séminaire. Nous en avons déjà parlé.

– Tout de même ! Les autres enfants de Bourg-Royal qui demeurent à la maison, mangent leur miche de pain de blé chaque jour, en plus de la viande et du poisson, et ils sont gras. Alors que nos fils…

Prenant sur elle, elle ajouta à l'intention de tous :

– Vous me connaissez assez pour savoir que je suis pour l'application d'une saine discipline. Mais si j'ai été élevée dans un monastère à Tours, sachez que ma prieure a eu la bonté et la lucidité de ne pas me priver de nourriture !

Eugénie se tourna vers Mathilde, comme pour lui demander conseil.

– Tu sais bien, Mathilde, que je serais fière de le voir un jour devenir prêtre. Mais, quatorze ans, n'est-ce pas un peu trop tôt pour l'orienter aussi radicalement vers le sacerdoce ? Je vais en discuter avec le chanoine de Bernières. Qu'il chante à la chorale, c'est bien. Mais pour le reste…

C'est alors que François s'interposa.

– Mais, Eugénie, tu sais bien que Jean-François est de belle promesse ! Le préfet des études m'a dit qu'il était très doué pour l'apprentissage du latin. Et il suit le même cours que s'il avait étudié à Paris, à la Sorbonne, ne l'oublie pas. S'il ne devient pas prêtre, il pourrait devenir magistrat. C'est tout un honneur pour une famille !

Eugénie regarda silencieusement François en se disant que son artiste de mari, parfois, manquait de sens pratique. Par égard pour leurs hôtes, elle répliqua :

– Les enfants de Mathilde aussi sont talentueux. Vous n'avez pas à vous plaindre des Jésuites, n'est-ce pas Mathilde ?

Mathilde, consciente de la légère tension pesant sur la conversation, ajouta délicatement :

– Mes enfants n'ont pas d'aussi belles voix que ton Jean-François. Et le chanoine Charles-Amador Martin porte une attention particulière à son talent.

Eugénie resta un moment pensive, puis planta ses yeux bleus dans ceux de François.

– As-tu conversé avec l'abbé Martin, ces derniers temps ?

Comme Eugénie avait connu l'abbé Charles-Amador Martin à son arrivée en Nouvelle-France en 1666, la retrogradation de l'ecclésisatique de la part de celle-ci ne présageait rien de bon.

– Je l'ai salué de la tête, sans plus.

– Alors, je pense que je me dois de le rencontrer, et ce ne sera pas uniquement pour discuter de musique !

– Mais, Eugénie, attendons de voir Jean-François, et après nous aviserons !

Penaude, Mathilde, qui avait l'impression d'en avoir trop dit, ajouta :

– François a raison, Eugénie. Je ne veux pas jeter le blâme sur un ecclésiastique aussi réputé que le chanoine Martin.

Eugénie toisa Mathilde avec un regard mauvais. Mathilde, qui connaissait bien cette expression, tenait absolument à éviter la confrontation. *L'éclair avant le coup de tonnerre*, se dit-elle.

Elle fit dévier la conversation.

– Et si nous passions à table ? Anne et Thomas devraient arriver d'une minute à l'autre. Et nos garçons du Petit Séminaire arriveront sitôt notre repas terminé.

À ces mots, Anne et Thomas frappèrent à la porte. Les félicitations qu'ils lui adressèrent adoucirent l'humeur d'Eugénie. Mathilde actionna la clochette et les serviteurs commencèrent à servir les plats mijotés. Mathilde, toutefois, demeurait préoccupée par la réaction d'Eugénie.

CHAPITRE II
La réaction d'Eugénie

Aussitôt le repas du midi terminé, les garçons s'étaient précipités vers la Basse-Ville[3] en empruntant la côte de la Montagne. Le trajet se faisait en quelques minutes. Il s'agissait pour les garçons d'une épreuve de vitesse. Ils arrivaient habituellement essoufflés et Mathilde leur servait aussitôt leur mets favori, des tartines imbibées de sirop d'érable, accompagnées, l'hiver, de lait bouillant aromatisé aux poudres de chocolat, de vanille et de cannelle que Guillaume-Bernard faisait venir des Antilles, en même temps que sa provision personnelle de rhum.

Mais, quand les séminaristes se présentèrent à la porte de la résidence de la rue du Sault-au-Matelot, Jean-François Allard manquait à l'appel.

Eugénie demanda à André ce qu'il était advenu de son frère cadet. Ce dernier lui répondit :

---

3. L'auteur a choisi délibérément de mettre des majuscules à Basse-Ville et Haute-Ville dans le but de définir l'importance du relief dans l'évolution de la jeune ville de Québec, tant pour sa sociologie que pour son urbanisme, à des fins politiques, religieuses et militaires.

– Le chanoine Martin lui a demandé de répéter son solo pour cet après-midi. Le chanoine est très exigeant avec Jean-François. Il ne demande rien de moins que la perfection.

– Mais il n'aura pas pris son dîner. C'est mauvais pour sa croissance.

– Le chanoine lui a dit qu'il valait mieux se nourrir de musique et de cantiques divins, plutôt que d'aliments terrestres, maman!

– Il a dit ça? Mais ce n'est pas bon pour sa santé, il risque de ne pas grandir!

Entendant cette réflexion, François Allard qui ne parlait pas souvent, lança d'un trait:

– Il aurait eu tout avantage à manger quand il le fallait, le chanoine! Il n'aurait peut-être pas aujourd'hui sa voix de fillette!

L'ironie de François, qui, dans d'autres circonstances, aurait fait bondir Eugénie, la fit sourire et fit s'esclaffer les autres membres de l'assemblée. Après quelques longues secondes, Eugénie ajouta candidement:

– Tout de même, François… Un peu de respect pour le seul musicien de carrière de Nouvelle-France.

Prenant le parti de François, Thomas, qui avait toujours jugé étrange la voix fluette du chanoine, ajouta:

– Bien dit, François. Bien dit.

Pour ne pas demeurer en reste, Guillaume-Bernard qui prisait son tabac de Virginie, ponctua du son guttural caractéristique des amateurs du tabac blond:

– Hum, hum!

Anne et Mathilde apprécièrent, amusées, le consensus spontané. C'était la première fois qu'elles obtenaient l'opinion de la gent masculine concernant l'attitude maniérée du chanoine Charles-Amador Martin. Elles n'en étaient guère surprises.

En son for intérieur, Eugénie s'inquiéta.

Jean-François Allard, vêtu de sa soutane rouge des jours de fête liturgique et de son surplis immaculé, arriva après le dessert, le souffle court et le corps amaigri. Eugénie s'exclama, après l'avoir embrassé et regardé de près :

– Jean-François, que t'arrive-t-il ? Je ne te reconnais plus. As-tu mangé ?

– Je n'en ai pas eu le temps, maman. Il a fallu que je pratique mon solo pour la procession.

– Mais voyons, mon garçon, tu deviens squelettique !

Mathilde, qui voulait détendre l'atmosphère, avança :

– Il est en pleine période de croissance, Eugénie. À quatorze ans, il grandit trop vite. C'est normal qu'il paraisse plus maigre.

François Allard regarda Eugénie, curieux de savoir ce qu'elle allait rétorquer.

Eugénie lança un regard sévère à Mathilde et répliqua.

– Quatorze ans, c'est plutôt jeune pour se donner en sacrifice à la cause musicale. Je vais assister à ton solo et après nous irons féliciter le chanoine Martin pour la qualité de sa direction de la chorale du Petit Séminaire.

François n'osait croiser le regard d'Eugénie. Il savait bien qu'il ne pourrait influer sur la décision de sa femme de questionner le chanoine Martin, mais il espérait que son intervention n'affecterait pas ses liens contractuels avec l'archevêché.

Mathilde ordonna que l'on servît un repas complet à l'adolescent, qui mangea de bon cœur pâté, beignets et confitures.

Prenant Mathilde à part, Eugénie lui demanda :

— Te serait-il possible de le prendre pour dîner les dimanches ? Je sais que c'est beaucoup te demander, mais, sans cela, je crains d'être obligée de le retirer du Petit Séminaire.

— Ce sera avec grand plaisir. Ma cuisinière va peut-être s'en plaindre, puisque c'est elle qui devra préparer cinq couverts de plus.

— Un couvert de plus !

— Non, cinq. Jean-François, André et les trois miens, qui sont quasiment des hommes. Nous allons demander à l'archevêché de nous faire une faveur spéciale et tous nos enfants viendront dîner à la maison les dimanches. Tu ne trouves pas que nous donnons suffisamment à la Confrérie de la Sainte-Famille ? Une petite faveur serait bien naturelle, il me semble. Veux-tu t'occuper de la demander ?

— Je préfère que ce soit toi, Mathilde, vu mon état.

— Eugénie Languille ! Je ne te reconnais plus, toi qui, autrefois, défiais les autorités ecclésiastiques. Que se passe-t-il ? La fatigue, sans doute…

Eugénie se raidit quelque peu, réagissant à la remarque de Mathilde.

— D'accord. Nous demanderons audience à Monseigneur de Laval ensemble. Mais avant, j'aurai deux mots de félicitations à dire au chanoine Charles-Amador Martin.

— Ne le félicite pas trop fermement, notre chanoine, Eugénie ! Je préfère que notre évêque lui fasse les recommandations d'usage. Venant de son supérieur, les arguments auront une meilleure portée. Davantage que ceux de deux femmes. Tu comprends ce que je veux dire ?

— Même de deux mères ? Il n'y a rien de plus important que l'intérêt et la protection d'une mère envers son enfant.

— Tu sais, à partir du moment où nous confions nos garçons au Petit Séminaire, nous acceptons que les Jésuites prennent notre relève pour en faire des hommes responsables.

— En somme, tu veux dire que nous nous déchargeons de l'éducation de nos fils pour qu'ils deviennent des militaires, des ecclésiastiques, des fonctionnaires, des marchands ou des artisans…

— Tout à fait. Comme nos maris. Tu vois, Guillaume-Bernard est un haut fonctionnaire et François est un artisan. Thomas est un marchand. Or, le Petit Séminaire forme des prêtres. Aussitôt qu'ils repèrent un élève prometteur pour la prêtrise, les Jésuites le prennent sous leur aile et essaient d'affermir sa vocation. Habituellement, cette mission est dévolue à un directeur spirituel qui tente de transmettre le message divin à l'adolescent et de le protéger de Satan. Comme toi, Eugénie, Jean-François a une jolie voix. Rappelle-toi comment la supérieure du couvent de Tours et mère Marie de l'Incarnation à ton arrivée en Nouvelle-France ont tenté de te convaincre de continuer leur œuvre…

Eugénie écoutait Mathilde, attentive. Un flot de souvenirs lui revenait à la mémoire. Personne n'aurait pu la faire dévier de son désir de se rendre en Nouvelle-France. Et personne n'aurait pu l'obliger à devenir nonne malgré elle. De fait, elle avait choisi la voie du mariage après une longue période de réflexion. Mais elle avait alors dix-neuf ans et son oncle Urbain Toucheraine veillait sur elle.

Eugénie laissa Mathilde continuer.

— Tu as fait ce que tu souhaitais parce que ton caractère s'est affirmé. Jean-François traverse la même situation. Il est tout à fait normal que le chanoine Martin lui serve de guide spirituel et musical. Ton fils est, de plus, doué pour les études. C'est un étudiant rêvé pour ces bons pères!

— Mais, Mathilde, ce n'est pas une raison pour l'affamer. Et d'après ce que j'ai entendu au dîner, je ne suis pas la seule dans cette maison à me méfier du chanoine.

— Je te comprends, Eugénie, et, pour tout te dire, je suis contente que mes garçons ne soient pas chantres dans la chorale. Cela dit, nous n'avons aucune preuve. Si nous y faisions allusion auprès de Monseigneur de Laval, nous risquerions de l'irriter. Mettre en doute, sans véritable fondement, la moralité de ses prêtres pourrait nuire à la carrière de nos maris!

Eugénie, malgré la lourdeur de son ventre, se leva d'un bond. Elle pointa un index accusateur vers Mathilde.

—Tu ferais passer la carrière de nos maris avant la santé de nos garçons?! Je ne te reconnais plus, Mathilde de Fontenay Envoivre.

Cette dernière essaya de calmer son amie.

— Tu m'interprètes mal, Eugénie. J'ai simplement dit que nous n'avions aucune preuve étayant nos soupçons. Nous aurions l'air stupide, nous, les zélatrices de la Confrérie de la Sainte-Famille…

— Je te rappelle que la sainte Famille comprenait une femme!

— Non, Eugénie, ce n'est pas tout à fait exact. La sainte Famille comprenait la Vierge Marie. Pour un prêtre, la Vierge est divine, puisqu'elle est la mère de Dieu. Pour notre prélat, la Confrérie de la Sainte-Famille prépare les familles canadiennes à fournir des religieux à l'Église. Il considère que notre rôle est d'enfanter des serviteurs de Dieu. Si Jean-François est dans la ligne de mire de l'archevêché, Monseigneur de Laval comprendra mal notre intervention.

– Mais, Mathilde, ce n'est pas en étant privé de nourriture que Jean-François va parcourir la Nouvelle-France en raquettes ou qu'il va emplir de sa voix le jubé de la basilique !

– Qui nous dit que les autorités du Petit Séminaire le privent de manger ? Peut-être sa privation est-elle volontaire ? Peut-être prend-il pour modèle Monseigneur de Laval lui-même, reconnu pour son ascétisme. Ton Jean-François a peut-être la vocation, ou du moins, le pense-t-il. Entre nous, il aurait de qui tenir ! Et à son âge, les erreurs de jugement sont courantes.

Eugénie n'osait plus regarder Mathilde en face, tant ses remarques lui semblaient pertinentes.

– Tu as raison, Mathilde. Je te charge de t'occuper de nos garçons les dimanches à partir de midi, pour autant que Monseigneur de Laval nous en donne la permission. De mon côté, je vais diplomatiquement m'entretenir avec le chanoine Charles-Amador, de musique et de chant, bien entendu.

– Parfait, Eugénie. Maintenant, repose-toi donc un peu avant de monter la côte de la Montagne pour aller écouter Jean-François. Tu auras besoin de toutes tes forces, parce que vous êtes deux maintenant.

Les séminaristes défilèrent derrière les grilles du Petit Séminaire en chantant des cantiques dédiés à la Vierge Marie. Ils étaient vêtus d'un costume aux couleurs mariales, c'est-à-dire bleu ciel et blanc. Seuls, les servants aux vêpres portaient la soutane rouge.

Jean-François Allard interpréta l'*Ave Maris Stella*, le cantique que sa mère avait chanté le long des côtes du Labrador au cours de la traversée des filles du Roy en 1666[4], afin de confier le navire à la protection de la Vierge. Il portait une redingote bleu ciel avec des gallons d'un blanc immaculé aux épaules.

---

4. Voir *Eugénie, Fille du Roy*, tome 1.

En entendant le cantique, Mathilde et Eugénie, les larmes aux yeux, se regardèrent en silence. Des souvenirs qu'elles croyaient enfouis dans les tréfonds de leur mémoire rejaillirent. Elles se rappelèrent tout à coup la mer de glace du Labrador et ses périls, Pierre Boucher et le capitaine Magloire qui essayaient de les rassurer, madame Bourdon qui avait perdu son assurance, leur amie Violette et son béguin pour Germain Langlois, le voisin des Allard, leurs compagnes de traversée et leur hâte à se marier avec un prince charmant.

Mathilde se remémora son amourette avec Thierry Labarre, cet étourdi fou d'amour pour elle, qui ne pouvait pas contenir ses passions. *Qu'est-il devenu, Thierry? Sans doute est-il encore en train de conter fleurette à une demoiselle beaucoup plus jeune que lui… À moins qu'il se soit assagi? À quoi pourrait bien ressembler un Thierry plus sage? Est-ce seulement possible? Et si oui, quelle charmante créature peut avoir le bonheur d'en être témoin? S'il n'avait pas été aussi volage, mon Thierry, je l'aurais sans doute épousé. Quelle aurait été ma vie avec lui? Aurait-il été explorateur et moi semblable à Madeleine d'Allonne? Peut-être bien. Il n'aurait sûrement pas été haut fonctionnaire comme Guillaume-Bernard. Probablement marchand de fourrure comme Thomas. Ah oui, c'est ça! Je l'aurais bien vu faire la traite de fourrure. Mais il aurait rencontré de nombreuses Sauvagesses et pas seulement Dickewamis, une sainte… Enfin, une sainte, pas tout à fait. Je suis sûre qu'elle s'est faite Ursuline pour fuir la condition des Iroquoises. C'est quand même elle qui a dépucelé mon Thierry!*
Thierry, où es-tu?
Mais, qu'est-ce qui te prend, Mathilde de Fontenay Envoivre, de soupirer pour un fantôme, qui de plus, t'a manqué de respect? Il l'a bien regretté, d'ailleurs… Prends sur toi, Mathilde. Tu es mariée avec Guillaume-Bernard, qui est sans reproche, et tu as cinq beaux garçons. Ne recule pas dans le temps. Tourne la page sur le passé, c'est beaucoup mieux.

Pour sa part, Eugénie se revoyait à l'avant du bateau, frissonnant avec seulement un châle sur les épaules, tentant de redonner de l'espoir aux passagers et aux membres de l'équipage, de braves marins à la foi usée par les dangers de la mer et par les filles des différents ports.

Mathilde… Toujours aussi naïve et sensible. Les cantiques la font pleurer depuis que je la connais! Elle ne changera jamais celle-là. Toujours aussi ingénue! C'est sans doute pour cela qu'elle gâte autant ses garçons. Son caractère est toujours aussi jeune. Elle passe pour leur grande sœur. Évidemment, elle s'est mariée très jeune: dix-sept ans; alors que moi…

Mon Dieu, qu'il chante bien, mon garçon! Est-il possible qu'il pense à devenir prêtre à quatorze ans. Les Jésuites ont dû lui mettre cette idée dans la tête. Il a tellement de talent pour les études. Mais il est si jeune! Qu'il prenne la peine d'y penser comme il faut. Si, à son âge, il aspire au noviciat et par la suite au scolasticat, il n'aura rien connu de l'existence, ce garçon! Cependant, que pourrait-il avoir d'autre comme avenir? L'atelier avec François? C'est André qui est doué pour la sculpture. La terre? Pas lui, pas maintenant. Une carrière musicale? Il lui faudrait beaucoup de détermination pour réussir sans être ecclésiastique.

Bah, Jean-François peut dire aux Jésuites que la prêtrise l'intéresse et puis il verra. Il fera comme moi…

À la fin de la cérémonie religieuse, Eugénie alla féliciter son garçon. Le chanoine Martin faisait ses dernières remarques à la chorale en vue de la procession du dimanche suivant. Apercevant Eugénie, il la salua de sa voix fluette, tout en jetant un regard suspicieux sur son abdomen.

— Mademoiselle Languille ou plutôt madame Allard, je suis grandement heureux de vous revoir. J'ai tellement de bons mots à vous dire au sujet de Jean-François.

— Vous m'en voyez ravie, monsieur l'abbé, ou plutôt monsieur le chanoine.

Gêné par l'attitude d'Eugénie qu'il avait toujours trouvée hautaine et qui l'avait toujours intimidé, la chanoine continua, de sa voix haut perchée:

– J'ai des projets pour votre fils, madame Allard. Il pourrait me seconder à la basilique. Pas maintenant, bien sûr, mais dans quelques années, quand sa voix aura mué. Son oreille est si juste qu'il devine la musique qu'il lit sur mes partitions. C'est un talent rare. Je dirais même unique. À part le vôtre, bien entendu.

– Oh, vous savez, monsieur le chanoine, il n'y a pas de mal à dire ou à penser qu'il a plus de talent que moi! Mais, franchement, je ne pensais pas qu'il en avait autant. À la maison, c'est mon petit Georges qui fredonne constamment.

– Vous avez un autre petit qui chante. Tiens, tiens. Justement, il me manque une voix de chérubin.

– Georges est beaucoup trop jeune. Et puis vous avez assez d'un de mes garçons pour le moment.

Devant cette réponse un peu sèche, le chanoine regarda Eugénie avec étonnement et ajouta avec réserve :

– Vous savez toute l'admiration que j'ai pour vous, pour votre courage et pour votre talent musical, madame Allard. Je ne veux en aucune façon risquer de vous déplaire.

La voix de Charles-Amador Martin était montée de quelques tons, trahissant sa nervosité. Son visage était livide et ses petits yeux, d'ordinaire fuyants, semblaient vouloir sortir de leurs orbites.

Eugénie continua, en fixant son interlocuteur.

– Je me dois de protéger mon fils.

Charles-Amador Martin rassembla ses forces pour siffler :

– Qu'avez-vous à me reprocher, madame Allard? Je ne veux que le bien de Jean-François. Je trouve qu'il me ressemble quand j'avais son âge…

– Monsieur le chanoine, Jean-François a des parents bien vivants et c'est à eux qu'il ressemble.

– Bien entendu, madame, répondit l'ecclésiastique, penaud.

Eugénie ajouta d'un ton ferme :

– Jean-François ne mange plus. Il est tout maigre. Vous le faites trop chanter, monsieur le chanoine.

Charles-Amador Martin croisa le regard d'Eugénie et eut le courage de lui annoncer :

– Votre fils et moi avons un secret à vous révéler, ou plutôt une confidence importante à vous faire… Il est temps que vous le sachiez.

Eugénie perdit soudain sa faconde. Elle se mit à transpirer. Son visage devint rouge de crainte et de honte. *Mon Dieu, est-ce possible ? Il ne va tout de même pas m'avouer son péché d'immoralité abjecte ! Pourquoi a-t-il fallu qu'il jette son dévolu sur mon fils ? Moi qui lui faisais tellement confiance. Quelle horreur ! Que va-t-il arriver à Jean-François, maintenant ? Est-il condamné à l'enfer, lui aussi ? Ce n'est pas de sa faute, il est si jeune. C'est de ma faute au contraire s'il a du talent pour la musique… Ah ! Satan est encore en train de rôder autour de moi. Il se sert de mon fils pour m'atteindre. Vierge Marie, aidez-moi !*

Le chanoine continua :

– Dans votre condition, madame Allard, il est cependant préférable d'attendre afin de ne pas vous causer trop d'émoi. Nous reprendrons cette conversation l'an prochain, si vous le voulez bien, le temps que vous mettiez votre enfant au monde et que vous soyez pleinement rétablie.

Craignant le pire pour Jean-François, Eugénie répliqua :

– J'aime autant l'apprendre maintenant, monsieur le chanoine. Avouez!

Le chanoine la regarda, décontenancé. Il ne comprenait pas l'allusion d'Eugénie. Il répondit lentement, contrairement à son habitude, lui qui semblait plutôt mû par les émotions que par la raison.

– Mais, madame, il ne s'agit pas d'aveu, mais d'art et de beauté…

– Vous trouvez que ça ressemble à de la beauté de souiller l'âme de mon garçon?

Eugénie n'avait pas vu Jean-François s'approcher. Elle sursauta lorsqu'il demanda:

– Mais, maman, que veux-tu dire? Que j'irai en enfer parce que mon âme est souillée?

Je vous l'avais dit, monsieur le chanoine, que je ne faisais pas assez de sacrifices pour mériter le paradis. Il faut que je fasse pénitence…

Eugénie dévisagea son garçon. Elle prit bien son temps pour lui répondre.

– Ai-je bien compris, Jean-François? T'imposes-tu toi-même ces sacrifices?

– Mais beaucoup moins que Monseigneur de Laval ne le fait. Nous savons qu'il a atteint la sainteté parce qu'il porte un cilice. Mes amis et moi essayons de l'imiter par des privations.

Eugénie, les yeux pleins de rage, déversa sa colère sur Charles-Amador.

– Et vous, monsieur le chanoine, vous ne faites rien pour les en empêcher?

Le chanoine recula d'un pas en ajoutant :

– Mais… madame… je lui permets…

– En fait, maman, le chanoine me gâte de sucreries. Il me dit que les bonbons à l'érable vont adoucir ma voix qui va bientôt muer, et que je dois les manger, parce que c'est le règlement ! Il me dit aussi qu'il faut que j'aie la plus belle des voix pour le concert que nous allons donner, toi et moi.

– Comment ça ? Quel concert ? s'entendit demander Eugénie.

Le chanoine, heureux de reprendre le contrôle de la situation, s'empressa de répondre.

– C'est ce que je tentais de vous expliquer, madame Allard. Jean-François a émis le souhait de chanter accompagné par sa mère au clavecin. Vous savez que Monseigneur de Saint-Vallier est mélomane. Il est épris de clavecin. Il a rapatrié celui du château Saint-Louis, celui-là même que vous aviez apporté de France pour le gouverneur de Courcelles.

Eugénie écoutait le chanoine avec curiosité.

– J'en suis étonnée ! Mais, continuez, je vous prie.

– J'ai informé notre nouveau prélat de votre virtuosité au clavecin, laquelle avait déjà été fort appréciée du gouverneur de Courcelles !

Eugénie, gênée par l'allusion au gouverneur, tenta de changer de sujet.

– Mais c'était il y a bien longtemps. Très longtemps. En fait, je n'ai pas touché à un clavecin depuis vingt ans.

– Mais à l'orgue et à l'harmonium, oui ! C'est du moins ce que Jean-François m'a dit. Vous êtes organiste et responsable de la chorale de la paroisse de Saint-Charles-Borromée de Charles-bourg, n'est-ce pas?

Eugénie acquiesça silencieusement.

– La musique se vit dans l'âme, poursuivit le prêtre. Orgue, harmonium et clavecin ne sont que des instruments pour parvenir à l'extase céleste. Mais, évidemment, il faut savoir s'en servir. Je sais pertinemment que votre doigté n'avait pas d'égal. Alors…

– Et vous voudriez que je joue du clavecin tandis que mon Jean-François chanterait?

– Oui, madame Allard. J'ai déjà composé quelques pièces charmantes pour clavecin et voix.

– Et c'est la raison pour laquelle Jean-François et vous êtes si souvent ensemble?

– Oui, maman. Et aussi parce que le chanoine me fait avaler des bonbons à l'érable.

– Qui lui donnent des forces, parce que Jean-François a, disons, une vocation au martyre un peu trop développée pour son âge. Il se prive de l'essentiel alors qu'il devrait dévorer.

– Mais les bonbons sont bons pour ma voix, n'est-ce pas? continua Jean-François, en s'adressant au chanoine

Eugénie se dépêcha de prendre la parole avant le chanoine:

– Bien entendu, Jean-François. Le sucre d'érable donne du velours à la voix, pour autant qu'elle soit déjà très belle. Comme c'est ton cas, je t'encourage à continuer. Mais ce conseil vient d'abord de ton directeur de chorale.

– Alors, madame Allard, qu'en pensez-vous? Du concert, bien entendu.

Eugénie se hâta de répondre, enchantée :

– Si tout se passe bien avec le bébé, nous donnerons ce concert dès l'an prochain.

Avec un sourire épanoui, le chanoine Martin rétorqua :

– Vous me faites grand plaisir. Je ferai en sorte que le clavecin soit disponible pour vos répétitions.

– Est-ce que le sucre d'érable donne de la souplesse aux doigts, monsieur le chanoine ? Parce que j'aimerais bien pouvoir en profiter moi aussi.

Le chanoine apprécia l'humour d'Eugénie et ne se fit pas prier pour ajouter :

– Sans doute. Et je suis convaincu qu'il donne aussi de l'entrain.

Jean-François s'interposa avec le sérieux d'un adolescent à la piété précoce.

– Mais, pendant le carême, jamais, maman !

– Mai non, mais non.

– Alors, ce concert, devons-nous le prévoir après Noël ou après Pâques ?

– Misons sur l'après Pâques. C'est plus prudent, avec les routes.

– Mais ma voix aura peut-être mué à ce moment-là, maman ?

– Eh bien ! le sucre d'érable te sera encore plus nécessaire, mon garçon. N'est-ce pas, monsieur le chanoine ?

Charles-Amador Martin regarda Eugénie avec complicité et ajouta :

— Notre érablière de l'île d'Orléans est là pour pourvoir aux besoins de nos élèves talentueux, même s'ils muent, madame !

Quand Eugénie discuta avec François, le soir au coucher, elle osa lui avouer :

— Imagine-toi que j'ai accusé le chanoine Martin de grossière indécence. Ou presque.

— C'est une grave accusation, passible de procès. D'indécence envers qui ?

— Jean-François.

— Quoi !

— Plus de peur que de mal.

— C'est-à-dire ?

— Le chanoine est efféminé, surtout avec sa voix haut perchée, mais il n'a pas de penchant pour les jeunes garçons. Pas pour le nôtre, en tout cas.

— Ouf ! J'aime mieux ça.

— Imagine-toi que Jean-François a une inclination pour la mortification et qu'il imite en cela l'attitude de Monseigneur de Laval.

— C'est pour cela qu'il a tant maigri ?

— Oui, et c'est le chanoine Martin qui le sauve en le gavant de sucre d'érable sous prétexte qu'il est essentiel pour préserver sa voix.

– Alors, tout est bien qui finit bien.

– Mais, pas du tout! Cela ne règle pas le problème.

– Comment cela?

– S'il ne mange pas, son aspiration à la sainteté va le mener tout droit à l'Hôtel-Dieu!

– En tout cas, il ne tient pas ça de moi.

Eugénie dévisagea son mari, courroucée.

– Que veux-tu dire, François? Que j'exagère et qu'il en fait autant?

– Non, non. Mais tu as toujours eu tendance à te rapprocher de tout ce qui porte un voile ou une soutane.

Hors d'elle-même, Eugénie répondit:

– Je te rappelle que j'ai porté tes enfants et que j'en porte un en ce moment même. Il me semble donc que je suis bien loin de la condition religieuse! Et ce n'est pas en m'insultant que tu trouveras une solution au problème de Jean-François. S'il a ma voix, n'oublie pas qu'il a aussi ton sang.

François prit conscience de son manque de tact et il suggéra:

– Au lieu d'intervenir auprès de Monseigneur de Laval pour l'entretenir de la mauvaise alimentation des petits Sauvages, peut-être pourrais-tu lui parler de la façon dont se nourrit notre fils. Après tout, il y est pour quelque chose…

Eugénie répliqua immédiatement:

– Pourquoi ne serait-ce pas toi qui en parlerais? Après tout, tu es le père!

François toisa son épouse dont le physique était rendu imposant par la grossesse. Il prit son temps pour répondre.

– Mais parce que le vieux prélat est mon patron, voilà! Il pourrait me congédier. Imagine la mauvaise réputation que cela me donnerait. Ne mêlons pas la clientèle et la vie de famille.

– Oui, mais nous collaborons tous les deux à la Confrérie de la Sainte-Famille. Le prélat en est content, il me semble.

– Bien sûr, parce que nous ne mettons pas en doute son autorité. À l'intérieur des murs du séminaire, c'est autre chose.

– Et ne pourrait-il pas être mécontent de mon intercession à moi aussi?

– Peut-être, mais c'est en tant que parent que tu interviendrais. Par ailleurs, il ne pourrait pas te congédier, puisque tu ne travailles pas pour lui. Enfin, et c'est le plus important, s'il veut que Jean-François postule à la prêtrise, l'archevêché a tout intérêt à amadouer sa mère!

Eugénie ne sut que répondre. Haussant les épaules, elle donna son accord.

– Bon. Je me ferai accompagner par une autre mère, Mathilde.

– Une mère qui, de surcroît, a de l'influence auprès du prélat.

Semblant découragée, Eugénie ajouta:

– Nous, les mères, nous sommes toujours en train de parler de l'alimentation de nos enfants…

François alla souffler la chandelle, espérant qu'Eugénie ne remarquerait pas son petit sourire moqueur.

– C'est parce que les mères se préoccupent avant tout de la santé et de l'éducation de leurs enfants.

François entendit Eugénie répondre dans un bâillement.
– Les pères, eux, ont des préoccupations plus importantes, comme l'avenir et le travail de leurs garçons, n'est-ce pas?

François s'allongea, veillant à ne pas heurter le ventre proéminent de sa femme.

– Nous finissons l'œuvre amorcée par la mère. Pas de structure qui tienne sans un solage solide. Comme pour un bâtiment de ferme.

– Ah! Vous avez le beau rôle, les pères. Vous finissez dans le propre ce que nous avons commencé dans le bourbier.

François s'attendait à une répartie provocante de la part d'Eugénie. Pressentant que cet échange pourrait être long et sachant qu'il n'aurait pas le dessus, il préféra clore la discussion.

– Tu ferais mieux de dormir, Eugénie. Tu as besoin de toutes tes forces pour rencontrer Monseigneur de Laval. Bonne nuit.

Eugénie ne répondit pas. François connaissait bien le caractère de sa femme et il savait que ce n'était pas le sommeil, mais la colère qui expliquait son mutisme.

CHAPITRE III
Le rôle de mère

Eugénie avait décidé de rencontrer Monseigneur de Laval le plus tôt possible. Pensant qu'être accompagnée par d'autres mères donnerait plus de poids à sa requête, elle demanda à Mathilde et à Anne de venir avec elle. Les trois amies choisirent le dimanche après-midi, jour du repos dominical, pour rencontrer le chef de l'Église diocésaine de la Nouvelle-France. Elles se présentèrent au parloir du Petit Séminaire vêtues sobrement et attendirent patiemment le saint homme, tout en établissant une stratégie.

— Eugénie, c'est toi qui prendras la parole la première. Après tout, Jean-François est ton fils, et nous sommes ici pour toi, ne l'oublie pas!

Anne Frérot ne se sentait pas très à l'aise dans ce décor austère dont l'air humide était vicié par les volutes montant des cierges en cire d'abeille qui brûlaient devant la statue du Sacré-Cœur, projetant des ombres inquiétantes sur les murs.

— Ne trouvez-vous pas que l'odeur de cette pièce est vraiment déplaisante? Elle manque d'aération. Il n'y a même pas de fenêtre, uniquement une meurtrière. Comme si le Petit Séminaire risquait d'être attaqué, ici, sur le promontoire!

— Ma parole, Anne, tu ne sembles pas très heureuse de nous accompagner. Tu n'avais qu'à le dire. Nous sommes ici pour faire valoir nos préoccupations de mères, pour que nos fils soient mieux nourris. Il me semble que notre point de vue est respectable, il vaut la peine que tu fasses un effort. Comment veux-tu que nous convainquions Monseigneur de Laval si nous ne faisons pas montre d'une solidarité sans faille ?

Eugénie rabrouait sa cousine. Elle la regarda dans les yeux, comme pour asseoir son autorité. Celle-ci répondit, gênée :

— Mais voyons, Eugénie, ne le prends pas sur ce ton. C'est juste que je n'aime pas l'odeur de cette pièce parce qu'elle me rappelle celle de la Piété-Salpêtrière. C'est à peine respirable. Tu sais bien que je suis de ton côté, quoique mon Charles dévore tout ce qui lui tombe sous la dent quand il rentre à la maison. Il me répète constamment que mon ordinaire est excellent !

À ces mots, Eugénie prit la mouche.

— Veux-tu dire, Anne, que je ne sais pas faire à manger ? Tu sauras que jamais personne ne s'en est plaint. Au contraire, tes filles, Marie-Renée et Charlotte n'arrêtent pas de me demander mes recettes. Est-ce qu'elles te le demandent à toi ? Permets-moi de penser…

Mathilde empêcha Eugénie de terminer sa phrase.

— Arrêtez les filles ! Nous ne sommes pas ici pour nous chamailler. De quoi aurions-nous l'air si nos enfants nous entendaient ! Anne, tu sais qu'Eugénie est enceinte de six mois et qu'elle souffre beaucoup plus que nous de l'air insalubre. Essaie de la ménager. Maintenant, faisons la paix et utilisons notre énergie à convaincre l'archevêque.

Eugénie et Anne se regardèrent, penaudes, puis se sourirent. Anne Frérot essaya de détendre l'atmosphère.

— C'est normal que l'air soit si lourd, avec l'odeur des cierges, de l'encens et du bois de France.

Anne n'avait ni vu ni entendu le frêle prélat arriver.

— Vous avez déjà oublié les bienfaits de notre mère patrie, madame. Il ne faut jamais oublier qui vous êtes ni d'où vous venez,

Monseigneur de Laval avait parlé avec calme, habitué à dispenser des conseils. Il avait le don de convaincre les foules et savait rassurer les colons de la Nouvelle-France dans l'adversité.

Anne Frérot se retourna prestement, le teint livide à la vue de l'homme qui avait célébré les obsèques de son petit Clodomir. Eugénie se rendit compte de son malaise en enchaînant :

— Justement, Éminence, nous sommes trois filles du Roy, reconnaissantes de ce que la France a fait pour elles.

— Oui, madame, je me souviens de vous. Vous êtes la jeune femme qui avez instruit les petits Hurons de l'île d'Orléans.

Mathilde renchérit.

— Bien entendu, Éminence, vous connaissez la contribution d'Eugénie à la Confrérie de la Sainte-Famille, dans la paroisse de Charlesbourg.

— Une des meilleures paroisses du diocèse. Mais vous n'êtes pas venues m'entretenir de la Confrérie, j'imagine…

— Non, Éminence, répondit Mathilde, impressionnée.

— Nous sommes venues vous parler de nos enfants, Éminence, affirma Anne.

Le prélat dévisagea Anne Frérot et lui demanda, avec une légère hésitation :

– Vous êtes bien l'épouse du marchand Thomas Frérot, le seigneur de la Rivière-du-Loup, madame?

– Oui, Éminence. Vous avez célébré les obsèques de mon petit garçon après l'incendie qui a détruit la Basse-Ville.

– Oui, je m'en souviens. Quelle tristesse pour les parents des disparus et pour notre communauté. Avez-vous eu d'autres enfants, depuis?

– Un petit garçon, Éminence.

Monseigneur de Laval grimaça. Anne expliqua:

– Mon mari est parti en France pendant une longue période après le décès de Clodomir.

– Nous sommes tous au courant de l'absence prolongée de votre mari, madame, et des dangers qu'une telle situation peut faire encourir à un foyer uni.

Gênée et soucieuse d'en venir au but de leur visite, Eugénie intervint.

– Nous avons un problème d'importance à vous soumettre, Éminence. Il concerne le bien-être de nos garçons au Petit Séminaire.

À ces mots, le visage du vieil évêque se renfrogna.

– Que voulez-vous dire, madame? Que nos petits séminaristes sont mal traités ou mal éduqués? Sachez que je veille personnellement à leur éducation religieuse et à leur bien-être corporel.

Adepte de la mortification, le prélat faisait peu de cas du bien-être de ses protégés. Eugénie décida de lui avouer immédiatement la raison de leur visite.

– Monseigneur, il s'agit de l'alimentation de nos garçons, et non de leur instruction.

Quoique soulagé, le prélat grogna.

– Que voulez-vous dire? Que nos séminaristes ne mangent pas à leur goût ou à leur faim?

– Ce qu'Eugénie veut dire, Éminence, c'est que son garçon Jean-François souffre de sous-alimentation, dit Mathilde.

Monseigneur de Laval regarda Eugénie avec étonnement.

– Jean-François Allard est votre fils! J'aurais dû m'en douter. Du talent à revendre. C'est notre meilleur choriste, d'après le chanoine Martin qui est un musicien averti. Je ne vous cacherai pas, madame, que je suis surtout impressionné par sa dévotion. Il est toujours le premier arrivé aux offices et le dernier à quitter la chapelle. Une vocation semble poindre. C'est justement ce que je disais à votre mari ces derniers temps.

– Vous avez entretenu François de vos espoirs concernant la vocation de notre fils? Il ne m'en a jamais fait mention. Est-ce que François vous a dit que notre Jean-François se privait de nourriture? Je crois que l'appel de Dieu qu'il ressent le porte à croire qu'il est voué à la sainteté ou au martyre. Il est cependant un peu jeune pour comprendre la portée d'une telle démarche: des années de prière, de contemplation, de jeûne et de mortification, sans compter l'éventuel silence de Dieu qui est la pire des souffrances.

– Ne vous inquiétez pas, madame Allard, je vais faire en sorte que votre garçon oriente sa vocation différemment et veiller à ce qu'il mange à sa faim. La mortification n'est pas de son âge. Nous avons besoin de futurs prêtres en bonne santé pour porter la parole de Dieu aux colons.

Eugénie regardait le prélat avec consternation. De futurs prêtres... De futurs prêtres... *Était-il possible que Jean-François devienne...?*

Eugénie sortit de ses pensées quand elle entendit le prélat lui dire:

– Il faudra que je vous revoie, avec votre mari et, bien sûr, votre garçon, pour discuter plus longuement de sa vocation.

Ne perdant pas de vue son objectif, Eugénie s'empressa de continuer:

– Éminence, nous avons pensé, Mathilde, Anne et moi, que nos garçons pourraient prendre le repas du dimanche midi à la maison. Ça leur ferait le plus grand bien et les aiderait à mieux observer la discipline du Petit Séminaire.

Monseigneur de Laval regarda les trois mères à tour de rôle.

– Vos garçons ont-ils tous la vocation sacerdotale? Si tel était le cas, nos efforts auraient donné des résultats dépassant nos espérances!

Eugénie, Mathilde et Anne observèrent le silence. Fier de son effet, l'archevêque poursuivit:

– À l'évidence, non! Ne croyez pas que cela soit nécessaire. Il nous faut aussi de bons colons instruits qui puissent diriger nos institutions civiles, comme la mairie ou la fabrique, et d'autres qui puissent détenir des offices plus prestigieux, comme votre mari, madame Dubois de l'Escuyer!

Mathilde rougit de vanité et remercia le prélat.

– Je vous remercie au nom du procureur général, Éminence.

– Le neveu de dame Barbe d'Ailleboust est une fierté pour la Nouvelle-France, un natif qui donne le plus bel exemple à ses compatriotes. Et vos grands garçons semblent vouloir suivre les traces de leur père, d'après ce que je sais. Des vocations civiles, mais combien prometteuses !

Monseigneur de Laval croisa le regard d'Anne et lui demanda :

– Et vous, madame Frérot, vous avez un fils, n'est-ce pas ? Cherche-t-il à suivre les traces de son père ou désire-t-il se consacrer à Dieu ?

Surprise par cette question, Anne ne savait trop que répondre. Elle balbutia :

– Pour le moment, nous n'en savons rien. Charles pourrait être tenté par le métier des armes ou devenir chef pompier. Il démontre une aptitude au commandement, de toute évidence. Nous aimerions, son père et moi, qu'il soit plus dévot.

Anne avait fait cette dernière remarque dans l'espoir de contenter le prélat. Celui-ci en profita pour rétorquer :

– Dans ce cas, madame, il serait indiqué que vous deveniez, comme vos amies, zélatrice de la Confrérie de la Sainte-Famille. Un tel exemple conduirait votre fils à plus de dévotion, j'en suis certain.

Anne répondit sans conviction.

– J'en parlerai à mon mari, Éminence.

– Fort bien, fort bien. Je compte sur vous pour convaincre le sieur de Lachenaye.

Se tournant vers Eugénie, il ajouta :

– Pour vous remercier de votre implication au sein de la Confrérie de la Sainte-Famille, qui me tient tant à cœur, je permets à vos garçons de refaire leurs forces le dimanche midi, en profitant de la bonne chair préparée par leur maman. Excepté durant le carême et l'Avent, cela va de soi.

– Merci, Éminence! s'écrièrent les trois amies de concert.

Mathilde en profita pour glisser:

– Éminence, comme Eugénie demeure à Charlesbourg, c'est chez moi, rue du Sault-au-Matelot, que ses garçons viendront dîner le dimanche. Eugénie et François viendront les y retrouver à l'occasion.

Le prélat acquiesça en souriant et sortit.

– Comme tu vois, Eugénie, tu as atteint ton but, la félicita Mathilde. Ton Jean-François va redevenir comme avant.

– Pas tout à fait, Mathilde, pas comme avant.

– Comment ça?

– J'ai eu l'impression d'échanger mon fils contre un plat de lentilles, comme Joseph, le fils de Jacob. L'archevêque en fera un prêtre, je le sens.

– En tout cas, ça n'arrivera pas avec mon Charles, coupa Anne. Si l'archevêque s'imagine que je vais militer pour sa Confrérie de la Sainte-Famille, il se trompe.

Eugénie et Mathilde la regardèrent, médusées: elles ne savaient pas Anne aussi entêtée.

CHAPITRE IV
Les embêtements judiciaires

Devenu propriétaire terrien à Charlesbourg en 1670, François Allard fit l'acquisition de la terre de son voisin, Jean Michel, immédiatement après son mariage, puis acheta une autre terre à Bourg-Royal, en novembre 1672, à son seigneur, l'intendant Jean Talon. En 1685, François acheta finalement la terre de son voisin et ami Georges Sterns, à Bourg-Royal. En juin 1688, soucieux d'agrandir encore ses terres afin de subvenir aux nouveaux besoins familiaux et d'établir ses garçons qui piaffaient déjà d'impatience, il en vint à la conclusion qu'il avait besoin d'argent.

François aurait pu fabriquer quelques beaux meubles, comme des armoires de style en noyer, mais il manquait de temps. Outre son travail pour l'archevêché de Québec, les travaux de ferme – soins des animaux, transport de l'eau, ouverture et entretien des chemins, coupe de bois de chauffage – étaient de plus en plus exigeants, particulièrement l'hiver. François ne disposait que des quelques semaines de repos après les semences du printemps pour se consacrer à son atelier. Il y fabriquait des coffres, des tables et des chaises en pin et en érable. Son fils André l'aidait en fabriquant des sabots durant ses vacances.

Un soir, alors qu'Eugénie, après avoir péniblement sarclé le potager durant la journée, se reposait sur leur lit à baldaquin,

François vint s'asseoir près d'elle, lui prit la main et lui fit part de ses inquiétudes.

– Comment te sens-tu, Eugénie ? Est-ce que ta grossesse se déroule comme prévu ? Tu n'as rien mangé… Aimerais-tu que je te prépare un bouillon ?

Eugénie regarda son mari avec étonnement.

– Ce que tu es prévenant ! Comment se fait-il que tu ne sois pas à l'atelier ? Aurais-tu quelque chose à te faire pardonner ? Où sont Jean, Georges et Simon-Thomas ? Je ne les entends plus.

– Ne crains rien. Si tu ne les entends pas, c'est parce que je leur ai donné la permission d'aller voir le veau et les porcelets qui viennent de naître… Je m'attendais à ce que la truie nous en donne davantage. J'attendais que tu te réveilles pour me rendre à l'atelier. Je ne voulais pas te laisser seule.

Eugénie se redressa et voulut enfiler ses sabots. François s'empressa de l'aider, jugeant que son ventre l'empêcherait de le faire seule. Bien que ce fût sa sixième grossesse, c'était la première fois qu'il réalisait vraiment les difficultés de sa femme à se mouvoir.

Eugénie dit en souriant :

– Nous ne pouvons pas prévoir le nombre d'enfants que nous allons mettre au monde, nous les mères ! Il me semble que mon ventre est plus pointu et plus gros que d'habitude. J'attends peut-être des jumeaux, ou des triplés… Peut-être même des quadruplés, comme Violette[5]. Rien n'est impossible après tout !

Devant le visage de marbre de son mari, Eugénie s'inquiéta.

– Toi, tu as quelque chose qui ne va pas. Dis-moi ce qui te tracasse.

---

5. Voir *Eugénie, Fille du Roy*, tome 1.

François prit la main d'Eugénie pour l'aider à se lever et avoua timidement :

– Je me demande comment je vais pouvoir augmenter nos revenus pour faire vivre convenablement notre famille, avec le ou les nouveaux bébés.

Eugénie, incrédule, regarda son mari.

– Mais voyons, François, il y a très peu de chance que j'aie quatre enfants à la fois, tu n'as pas à t'inquiéter. Notre bébé ne sera qu'une très petite bouche à nourrir.

François décida d'aller droit au but.

– Eugénie, il nous faut penser à établir les garçons. Que dirais-tu si j'achetais une autre terre ?

Eugénie avait regagné la cuisine et commençait à débarrasser la table des écuelles et des assiettes qui traînaient. Elle se retourna avec surprise, assez rapidement compte tenu de sa grossesse avancée.

– Avec quel argent, François ? Nous n'avons même pas fini de payer celle de ton ami Georges Sterns. Si je me souviens bien, il nous reste un dernier versement.

François saisit les assiettes des mains de sa femme et les déposa nerveusement près de l'évier.

– Laisse, Eugénie, c'est moi qui laverai la vaisselle ce soir.

Sa proposition ne parvint pas à distraire Eugénie, qui répéta :

– Je te disais donc qu'il nous reste un dernier versement, si ma mémoire est bonne, n'est-ce pas ?

– Tu as raison, Eugénie, mais Georges Sterns est toujours mon ami, même s'il vit à Québec, maintenant. Je lui expliquerai notre situation quand j'irai chercher les garçons au Petit Séminaire, la semaine prochaine. Georges comprendra et il acceptera sans doute de retarder ce dernier paiement.

– Si tu le dis, François ! Tu le connais mieux que moi. Cependant, je ne compterais pas trop dessus, si j'étais à ta place. Excuse-moi d'y revenir encore, mais pourquoi ne fabriquerais-tu pas des meubles luxueux que tu pourrais vendre aux riches habitants de Québec, où tu as bonne réputation. Pense à l'avenir d'André, à l'atelier. Il a tant de talent.

– Crois-moi, j'y pense. André mérite une clientèle de qualité et aisée. Sais-tu que les colons se mettent à fabriquer leur propre mobilier, avec le bois de pin blanc qu'ils trouvent sur leurs terres et qui est facile à travailler ? Je sais que je devrais me tourner vers les bourgeois et les nobles, mais je manque de temps et avec le travail aux champs...

Eugénie saisit la balle au bond.

– Écoute-moi, François. Tu ne peux pas tout faire. André est encore trop jeune pour prendre ta relève à l'atelier, et je ne veux pas qu'il travaille la terre, parce que c'est un artiste. Quant à Jean-François, je crois pouvoir affirmer, après ma récente conversation avec Monseigneur de Laval, qu'il ne deviendra jamais un habitant. Les autres sont encore à l'âge de nourrir les poules... Si tu achètes de nouvelles terres, tu vas encore t'échiner à les défricher seul !

François sortit sa pipe d'argile de sa veste, en bourra le fourneau de tabac, l'alluma puis répondit :

– Je vais quand même demander un délai à Georges.

Comme Eugénie ne répondait pas, il ajouta :

– Je vais aller porter la bouillie de pois à la truie. Elle mérite bien ça.

— Eh bien, je vais faire rentrer les enfants pour la prière…

Sur ce, François saisit le chaudron de la crémaillère et ouvrit la porte de l'annexe, adjacente à la pièce principale, où se trouvaient les femelles qui mettaient bas. L'odeur caractéristique de la porcherie se mêla à celle du tabac.

Frustrée, Eugénie haussa les épaules. Quelques instants après, elle sortit sur le seuil de la porte, un châle sur les épaules, car il faisait frais en cette soirée de début juin, et appela ses garçons pour qu'ils viennent réciter la prière du soir. Elle n'attendit pas le retour de François pour commencer.

Comme prévu, François rendit visite à son ami Georges Sterns sur le chemin du Petit Séminaire. Tailleur de pierre de métier, ce dernier profitait des possibilités d'affaires que l'expansion de la ville de Québec offrait aux personnes entreprenantes. Il demeurait maintenant dans la Basse-Ville tout près de la fontaine de Champlain.

François n'avait pas revu Georges depuis qu'il lui avait acheté sa terre, en 1685. Après l'accolade et les civilités d'usage, Georges demanda :

— Es-tu toujours heureux sur ta ferme, François ?

— Bien entendu, quoique ça ne soit pas toujours facile, comme tu le sais.

— Tu fabriques toujours des meubles pour les colons et les notables, n'est-ce pas ? Ça doit te rapporter gros.

— Pas vraiment. Je produis des meubles de qualité, malheureusement les colons fabriquent de plus en plus souvent leurs propres meubles et les familles les plus aisées de Québec font venir leur ameublement de France.

– Tu n'as qu'à embaucher des apprentis. Ça te permettrait de te consacrer à la recherche de clients.

– Eugénie, ma femme, me dit exactement la même chose. D'ailleurs, j'ai déjà le jeune Louis Jacques. Mais, il me faudrait les loger, les nourrir et les vêtir à mes frais, sans parler de leur prêter l'argent nécessaire pour qu'ils puissent démarrer leur propre commerce. Ce sont les règles de la Confrérie des artisans ébénistes-sculpteurs. Je n'en ai pas les moyens.

– Il te faudrait un comptable pour te guider…

– C'est ma femme qui fait office d'économe chez nous. Nous avons beaucoup de dépenses et les récoltes sont souvent pauvres.

– Tu n'as pas de fils qui puisse t'assister?

– André, mon plus vieux. Mais il étudie au Petit Séminaire et il ne peut m'aider qu'au moment des vacances.

– Si je comprends bien, les finances ne sont pas florissantes.

– Pas vraiment.

François baissa le ton et s'approcha de l'oreille de Georges Sterns.

– Entre nous, je me suis engagé à rembourser mon cousin jusqu'au dernier sol, tu sais le marchand de la maison du chevalier, Thomas Frérot. C'est lui qui a remboursé mes dettes envers Gustave Précourt qui siège au Conseil souverain.

– Oui, oui. Tout le monde a entendu parler ou connaît la spacieuse maison de Gustave Précourt, rue Royale. Il paraît que sa dame s'enorgueillit de sa verrerie de Venise et de sa vaisselle en porcelaine. C'est probablement toi qui as fabriqué ses meubles!

François ne répondit pas. Comprenant qu'il en avait trop dit, Georges Sterns reprit, avec compassion:

– Si je te comprends bien, tu ne roules pas sur l'or, François.

– Loin de là. C'est la raison pour laquelle je suis venu te rendre visite, mon ami. Je voulais te demander si je pouvais reporter mon dernier versement. Je me suis dit que ça ne devrait pas te causer de problème, puisque la construction se porte bien par les temps qui courent... Je me suis laissé dire que tu avais travaillé chez les Denys de la Trinité, les Le Gardeur de Repentigny et Les Guyon du Buisson... et même chez le marquis de Denonville, notre gouverneur. Tout ça doit être très payant !

Georges Sterns regarda François méchamment.

– Écoute-moi bien, François. Moi non plus, je ne roule pas sur l'or. Bien au contraire. Je me suis associé l'an passé avec un vil individu, un noble paresseux, véritable filou qui n'avait en fait pas le sou et de qui j'ai été obligé de payer toutes les dettes. Ma situation financière est précaire. Je suis désolé, mais tu vas devoir t'acquitter de ton dernier versement dans les prochains jours.

– Mais, Georges, ma femme est enceinte de plusieurs mois et sa santé est fragile. Cet argent pourrait me servir à acheter une autre terre. Ainsi, mon dernier versement pourrait être plus généreux, le moment venu. Tu n'as qu'à fixer un taux d'intérêt. Je te paierai, sois sans crainte.

– Et si tes affaires tournaient mal ? Mauvaises récoltes, épidémies... Nous serions tous les deux en faillite. Non, il me faut mon dû. Maintenant.

– Je n'ai pas de quoi te payer pour l'instant. Je fais beaucoup de crédits, tu sais, d'abord aux colons, mais aussi à l'archevêché. Le diocèse vit de charité et les prélats pensent que je fais de même.

– Demande à ton cousin Thomas Frérot. Il est riche, lui.

– Je refuse de le solliciter une nouvelle fois. Et puis il investit des sommes vertigineuses dans ses commerces. Georges, ma femme est enceinte, ce n'est pas le meilleur moment, tu peux le comprendre. Après tout, tu es un ami…

– François, je suis ton ami, mais aussi ton créancier. Il faudra que tu me rembourses le mois prochain, comme prévu, sans quoi je devrai prendre les mesures qui s'imposent. Tu comprends? J'ai, moi aussi, des obligations.

Quand Eugénie demanda à son mari si sa rencontre avec Georges avait été fructueuse, François, persuadé que son ami était plus à l'aise qu'il voulait bien le laisser entendre et refusant de prendre ses menaces au sérieux, répondit:

– Tu connais Georges et son cœur d'or. Il me permet de retarder le dernier versement.

Eugénie, sceptique, insista:

– En es-tu certain? Te l'a-t-il confirmé par écrit?

Mal à l'aise, François bredouilla, sans oser la regarder:

– Non, pas par écrit.

– Il t'a au moins donné sa parole d'honneur, n'est-ce pas?

Excédé, François la coupa.

– Si je te dis que Georges reporte l'échéance, c'est qu'il va le faire!

– Tu connais ton ami mieux que moi, François. Pourtant…

Elle n'osa insister et la conversation en resta là.

Un mois plus tard, le lendemain de l'échéance, Georges Sterns réclama son dû par ordre d'huissier, payable par cordes de bois, par animaux de ferme ou en argent sonnant.

Quand l'huissier se présenta à Bourg-Royal, vêtu d'une redingote noire, d'une chemise blanche amidonnée et de sa calotte de notaire avec pompon, il causa un émoi parmi les habitants. Les grands garçons Allard l'aperçurent en revenant des champs, à l'heure du dîner, et s'empressèrent d'alerter leur mère. Eugénie, enceinte de sept mois, se déplaçait avec peine. Elle venait de préparer une chaudronnée de légumes bouillis, accompagnée de lard salé, dont le fumet embaumait la maison.

Eugénie accueillit l'homme de loi avec curiosité. Elle qui n'avait jamais côtoyé d'huissier croyait avoir affaire à un apothicaire ambulant, si ce n'est que son porte-documents ne pouvait contenir de flacons de remèdes.

Narcisse Dicaire, établi dans la Basse-Ville de Québec, non loin de l'Hôtel-Dieu, agissait à la fois à titre de notaire et d'huissier. Sa visite signifiait bien souvent la mise en faillite de son interlocuteur. Constatant sa mine sérieuse, voire lugubre, Eugénie commença à s'inquiéter.

– Bonne journée, madame. Suis-je bien au domicile de monsieur François Allard?

Eugénie, peu rassurée, bredouilla :

– Euh… oui. Que lui voulez-vous?

– Je dois lui remettre ce document légal en main propre, répondit l'huissier, en lui présentant un document parcheminé et enrubanné.

Comme Eugénie s'apprêtait à saisir le papier, il la mit en garde avec force.

– C'est à monsieur François Allard en personne que la loi m'oblige à remettre ce document.

– Je suis Eugénie Allard, sa femme. Je lui remettrai votre document, soyez sans inquiétude, monsieur. Et d'abord, qui êtes-vous pour venir importuner mon mari?

– Je m'appelle Narcisse Dicaire et je suis huissier en plus d'être notaire. Je viens remettre une sommation à monsieur François Allard, en main propre. Je représente la justice de la Cour du Québec et je serai bientôt officiellement nommé magistrat du Palais de justice de Charlesbourg. Ce n'est qu'une question de temps.

Impressionnée par les titres professionnels de l'homme de justice, Eugénie invita l'homme à entrer. L'huissier ne fit pas de remarque sur la grossesse de son interlocutrice : dans sa profession, on ne devait pas faire de sentiment. Une fois à l'intérieur, il examina la pièce à la recherche de biens à saisir. Son regard acéré avait l'habitude de dresser rapidement l'inventaire des biens meubles.

L'attitude du huissier n'échappa pas à Eugénie qui s'empressa de lui dire :

– Mon mari ne devrait pas tarder à revenir des champs. Comme vous le voyez, nous nous apprêtions à dîner. Accepteriez-vous de partager notre repas?

Eugénie avait lancé cette invitation dans le but d'amadouer l'intrus, au grand désespoir des garçons à l'appétit vorace, qui n'appréciaient guère l'idée que leur ration fût diminuée.

L'huissier s'indigna :

– Jamais, madame, dans l'exercice de mes fonctions. J'aurais l'impression d'être soudoyé. Que vaut un homme de loi s'il ne reflète pas lui-même la justice qu'il représente?

Narcisse Dicaire se redressa comme pour donner de la crédibilité à sa dernière remarque. Il avait répété maintes fois cette réplique. Chez les représentants de la justice, le décorum était de mise.

Eugénie et ses garçons regardèrent l'homme de loi avec encore plus de méfiance, lorsque ce dernier avança :

– Je vois que vous avez du mobilier d'aristocrates. Étonnant pour des colons. Comment les avez-vous obtenus ?

– Mon mari a fabriqué lui-même ces meubles. C'est un artisan reconnu jusqu'à Québec. Mais en quoi, au juste, vous intéressent-ils ?

– Vous savez, un notaire, est un spécialiste de l'inventaire.

Eugénie ne répondit pas. L'attitude de plus en plus arrogante du huissier commençait à l'inquiéter. Celui-ci continua.

– Vous pourriez obtenir un bon prix de ce mobilier : armoire, coffre, bahut et cette table…

Eugénie bondit :

– Mais ils ne sont pas à vendre. Ils nous appartiennent. Voulez-vous nous déposséder ?

L'huissier ajusta son monocle, se gratta la tête et répliqua :

– Vous allez sans doute être obligée de le faire, madame.

Eugénie lança un « Oh ! » sonore qui se répercuta dans la pièce. Au même moment, François entra dans la maison.

– Eugénie, mais que se passe-t-il ? Dois-je aller chercher Odile[6] ou quérir le docteur ?

---

6. Odile Langlois, leur première voisine. Voir *Eugénie de Bourg-Royal*, tome 2.

Au même moment, François aperçut le notaire, dans son habit lugubre. *Georges...*

– Êtes-vous François Allard, domicilié à Bourg-Royal, paroisse de Charlesbourg?

– C'est bien moi, en effet.

François se mit à détailler l'intrus. Il en avait des sueurs froides. L'huissier continua :

– Monsieur Allard, en tant qu'huissier et représentant de la Cour de justice de Québec, bientôt magistrat à Charlesbourg, je vous remets cette sommation qui vous oblige à payer ce que vous devez à mon client Georges Sterns, séance tenante, en cordes de bois, en animaux de ferme, en argent sonnant ou... en mobilier de style. Les meubles que je vois ici feraient très bien l'affaire.

– Mais ce sont les meubles de ma femme, même si je les ai fabriqués moi-même. Vous ne pouvez pas nous en dessaisir. Georges comprendrait ça !

Narcisse Dicaire releva le menton avec l'intention ferme d'éviter la compassion. Il se leva de sa chaise en babiche et se dirigea vers la chambre des maîtres.

– Tiens, tiens. Un lit à baldaquin à torsades. Comme à Versailles. Madame se paie du luxe à ce que je vois. Est-ce que monsieur Sterns connaît l'existence de cette œuvre magnifique ? Je devrai la lui mentionner... Ce coffret à bijoux que je vois là-bas est superbe et beaucoup plus facile à transporter ! Puis-je en voir la facture ? Il me semble reconnaître la façon de Boulle, le maître ébéniste royal.

Estomaqué par l'impertinence de l'avoué, François ne savait que répondre. Eugénie se ressaisit plus rapidement.

– Ce coffret est le cadeau de mariage que m'a offert mon mari[7] ! Jamais je ne le céderai. Jamais. Est-ce clair, monsieur le représentant de la justice des mécréants ? La vraie justice n'entend pas égorger le petit monde. Si Georges Sterns n'est pas assez courageux pour venir réclamer son dû lui-même, il ne mérite pas d'être remboursé de cette façon.

Eugénie, qui s'était levée de sa chaise, fulminait. Elle poursuivit sur sa lancée.

– Sachez, monsieur, que Charles-André Boulle est un ami de mon mari. Vous devriez nous ficher la paix, puisque nous ne sommes pas en faillite. Nous avons juste un léger retard sur l'échéance d'un dernier versement.

Eugénie s'avançait vers Narcisse Dicaire, menaçante. L'huissier recula d'un pas, plissa les yeux et articula :

– Cette faillite ne saurait tarder, madame, car la loi est la loi. Le débiteur qui n'est pas capable de régler sa dette risque de tout perdre au profit de son créancier. Cette décision appartient toute-fois à mon client, monsieur Sterns. Mais, comme mon mandat est de repartir avec le règlement complet de votre dette, je me dois de rapporter à mon client une preuve de votre bonne volonté… comme ce coffret que je vous oblige à lui remettre illico.

Les petits yeux emplis de rage, l'huissier vociféra :

– Il me le faut, vous m'entendez, il me le faut !

À ces mots, il se précipita dans la chambre et saisit le coffret. Eugénie s'interposant l'agrippa en criant :

– Non ! Pas mon coffret, pas mon coffret !

La lutte qui s'engagea la fit chuter lourdement. Le coffret lui glissa des mains et s'ouvrit au contact du sol, laissant échapper

---

7. Voir *Eugénie, Fille du Roy*, tome 1.

une douce mélodie de clavecin. Assommée par l'intensité de la douleur qu'elle ressentait dans le bas-ventre, Eugénie s'évanouit.

François se précipita vers sa femme, qu'il croyait morte.

– Eugénie, Eugénie… Non, non !

Constatant qu'elle respirait encore, il ordonna :

– Vite, André, va chercher le docteur Estèbe à son cabinet et ramène-le. Toi, Jean-François, va trouver Odile. Dis-lui que ta mère a fait une chute et qu'elle est inconsciente.

Georges et Simon-Thomas pleuraient à chaudes larmes, en poussant des cris de désespoir.

François prit sa femme à bras-le-corps et alla la déposer sur le lit, aidé de Jean. Aussitôt fait, il s'empressa de retourner dans la cuisine. Il saisit le notaire au collet et lui souffla, menaçant :

– Votre comportement stupide vient de mettre en danger la vie de ma femme et celle de mon enfant à naître. Retournez dire à Georges Sterns qu'il n'est plus mon ami et que je le rembourserai jusqu'au dernier sol. Maintenant, disparaissez de ma maison et n'y revenez plus jamais. Souhaitez qu'il n'y ait pas de décès, parce que c'est moi qui vous enverrai à la potence. Allez, foutez le camp !

Il poussa violemment le notaire hors de la maison. Celui-ci heurta la corpulente Odile Langlois, qui fit son entrée avec fracas.

– Eugénie, Eugénie… Mon doux Jésus ! Eugénie, réveille-toi. Ah ! Elle est inconsciente. François, aide-moi, vite ! Des compresses.

François s'exécuta prestement.

– Des compresses froides et propres, si c'est possible. Avec cette chaleur étouffante ! A-t-on idée de faire chuter une femme enceinte? Eugénie pourrait perdre son enfant! Et peut-être même mourir aussi. Sainte miséricorde, sauvez-la, ainsi que son bébé!

Elle appliqua les compresses sur le visage d'Eugénie.

– Allez, Eugénie, réveille-toi. C'est moi, Odile, ton amie et ta voisine.

Comme Eugénie restait sans réaction, Odile commença à verser des larmes et à réciter quelques *Ave*. Son attitude augmenta la crainte des enfants qui se mirent à pleurer à leur tour.

Après un certain temps, François se risqua à informer Odile.

– Le docteur Estèbe devrait arriver sous peu. André est allé le chercher.

Paniquée, Odile répondit:

– C'est peut-être le curé qu'il aurait fallu demander pour les derniers sacrements, François.

Sur ces entrefaites, le docteur Estèbe arriva. Il entra dans la maison en trombe et se précipita vers la chambre.

– Allez, allez, laissez-moi examiner la parturiente! s'exclama-t-il sans regarder les autres occupants de la maison. Madame Allard, Eugénie, c'est moi, votre médecin… Manuel.

Il sortit de sa trousse un flacon d'algues marines séchées concentrées. La forte odeur qui en émanait fit plisser le nez aux enfants et larmoyer les adultes. Eugénie remua les narines.

– Elle semble revenir à elle, clama le docteur.

Odile ne put réprimer un « Ah ! » de satisfaction, et encouragea François à se rapprocher de sa sa femme. Constatant sa réticence, le docteur s'exclama :

– Venez, venez, mon bon ami. Votre femme sera fort heureuse de vous apercevoir près d'elle dès qu'elle ouvrira les yeux !

Tandis que François bredouillait « Merci, docteur », Eugénie reprit ses esprits et l'interrogea.

– Est-il parti, François ? Je ne veux plus jamais le revoir. Me le promets-tu ?

Eugénie ne s'était pas rendu compte de la présence du docteur Estèbe. Celui-ci prit sa remarque pour lui et grimaça. François s'avança et répondit en lui prenant la main :

– Ne t'épuise pas, je t'en prie. Le docteur Estèbe est à tes côtés. Tout ira pour le mieux, maintenant. Le notaire est parti.

– Le notaire ? questionna Odile.

À ces mots, Eugénie feignit une crampe dans le bas-ventre et demanda à s'asseoir. Odile se précipita pour l'aider.

– Est-ce déjà le temps, Eugénie ? Interrogea François.

– Je ne le crois pas, François. Le bébé serait prématuré.

– Qu'en pensez-vous, docteur ? Ma femme n'est pas blessée, j'espère. Et l'enfant non plus.

– Non, je ne le pense pas. Mais il faudrait que je l'examine. Manuel Estèbe regarda François dans les yeux et ajouta :

– Ça serait plus raisonnable. Vous assisterez à l'examen… ou madame Langlois, si vous le préférez.

Avant que François n'ait pu répondre, Odile s'empressa de dire :

– Oh ! Je préfère que ce soit son mari. Moi, les examens médicaux, vous savez…

Eugénie coupa court à la conversation.

– Mon mari sera là, docteur. Allez, procédez à l'examen.

– Bien, madame.

Après examen, le médecin conclut:
– Vous avez eu de la chance, madame Allard. La grossesse se déroule normalement. L'enfant n'aura pas de séquelles et vous n'avez pas de blessures.

– Dieu soit loué! s'exclama Eugénie, tandis que François lui prenait la main avec tendresse.

La semaine suivante, Narcisse Dicaire refit son apparition avec deux brefs d'assignation pour François, l'un pour avoir négligé de régler le dernier versement dû à Georges Sterns et l'autre pour n'avoir pas payé ses cens et rentes à son seigneur.

Le paiement des cens et rentes était une obligation de verser au seigneur des redevances sur le ou les lots octroyés par ce dernier, une obligation aussi importante que le défrichement de la terre, à laquelle le censitaire ne pouvait déroger. Comme tous les autres habitants de Bourg-Royal, François n'avait pas payé ces charges, parce que son seigneur Jean Talon, retourné en France depuis quinze ans, ne les avait jamais réclamées.

François devait comparaître en cour le mardi suivant, ainsi que tous les habitants de Bourg-Royal.

Germain, le mari d'Odile, décida de convoquer ses concitoyens chez lui. Jean Daigle et son beau-père Étienne Proteau, Jean Boudreau, André Coudray, Michel Boutet dit Lépine, David Corbin, Robert Séguin et François se retrouvèrent devant un bol de cidre, dans la cuisine des Langlois. Germain commença:

– Vous savez tous quel est le motif de cette réunion, puisque nous avons tous été appelés à comparaître en cour la semaine prochaine.

Tout en parlant, il bourra sa pipe et l'alluma, ce qui provoqua la colère de Jean Daigle.

– Écoute, Germain, nous ne sommes pas venus ici pour fumer ou pour boire, mais pour discuter de la plus grande traîtrise possible.

– Jean a raison, Germain, reprit Jean Boudreau. Jean Talon nous a menti en nous garantissant une absence de cens et rentes. Et dire qu'il nous appelait ses censitaires préférés, quelle tromperie !

– En tout cas, il me ruine, renchérit Jean Daigle. Déjà que je ne possède plus rien, après l'incendie de ma maison, que je dois rebâtir avec de l'argent emprunté… Que vais-je devenir ? Irai-je en prison ?

Germain tenta de le rassurer.

– Tu sais bien que nous ne te laisserons pas tomber, tu es notre ami.

– Ah oui ? Et c'est toi, Germain, qui vas financer la reconstruction de ma maison ?

– Euh, non. Peut-être que François pourrait t'aider. Il pourrait te laisser l'usufruit d'une de ses fermes. Son atelier de meubles lui rapporte gros.

François but une bonne gorgée de cidre et avoua :

– Je ne pourrai pas vous être d'un grand secours, malheureusement. Je n'ai pas payé ma dernière échéance à Georges Sterns et je dois comparaître à ce sujet la semaine prochaine.

– Georges Sterns s'en est bien tiré, celui-là, en te vendant sa terre, répondit André Coudray. Toi qui m'avais dit que tu faisais une bonne affaire. Tu dois maintenant payer les arrérages. Tu n'as vraiment pas de chance, François. Tu vois, Jean Daigle, tu n'as pas de raison de te plaindre autant!

– Toi, mon salaud, j'aimerais bien te voir à ma place! répliqua Jean Daigle, le poing levé, échauffé par ses quatre bolées de cidre.

Odile intervint:

– Silence, les hommes. On ne s'entend plus parler, ici. Dis-moi, François, est-ce qu'Eugénie est au courant pour les cens et rentes?

Tous les regards se tournèrent vers François Allard qui répondit, penaud:

– Non, pas encore. Je ne sais pas comment lui apprendre la nouvelle. Dans son état, je ne veux pas lui causer de soucis.

– Il va bien falloir que tu lui annonces un jour. De toute façon, elle finira par l'apprendre. Eugénie sait toujours tout. Et crois-moi, le plus tôt sera le mieux, foi d'Odile!

La réunion se poursuivit. Jean Daigle estimait qu'il fallait traîner Jean Talon devant les tribunaux et il demanda à François d'en parler au procureur général Guillaume-Bernard Dubois de l'Escuyer. François refusa: selon lui, jamais un magistrat ne contesterait une décision royale et il valait mieux se conformer à la décision de la Cour de justice.

Quand François comparut la semaine suivante, il fut condamné à payer d'abord la somme intégrale due à Georges Sterns avec intérêts, et à verser à Jean Talon cent onze livres et quatre sols, et plusieurs minots de blé. De plus, il devrait à l'avenir verser chaque année quarante livres et quarante sols.

Le découragement se lisait sur son visage et il dut avouer sa déconfiture judiciaire à Eugénie. Sous le choc, elle s'évanouit. Puis les premières contractions commencèrent.

CHAPITRE V
La naissance d'une petite fille

Marie-Renée Allard naquit à l'aube du 3 juillet 1688 et son baptême eut lieu quatre jours plus tard. Marie-Renée Frérot, âgée de quinze ans, fut choisie comme marraine, à la demande de sa mère Anne, et François Guyon, âgé aussi de quinze ans, fils de Denis Guyon, un ami de Thomas Frérot, fut désigné comme parrain. Thomas Frérot avait promis à Eugénie et à François de prendre en charge les frais inhérents au baptême de leur petite Marie-Renée.

La petite était née quatre semaines avant terme. On disait qu'elle connaîtrait sans doute un destin particulier, elle qui était née juste au moment où son père connaissait des revers de fortune.

Pour mettre un peu de baume sur les plaies de la communauté de Charlesbourg et de la famille Allard, Mathilde Dubois de l'Escuyer avait obtenu de Monseigneur de Laval qu'il officie à la cérémonie de baptême.

Les paroissiens se pressèrent à l'église pour écouter l'homélie de l'archevêque.

– Eugénie et François ont su gagner l'affection des dirigeants de la colonie, dit-il, par leur courage, leur ténacité et leur implication sans faille dans la Confrérie de la Sainte-Famille, dont je suis si fier. François est un colon entreprenant et un artiste de renom, et Eugénie une épouse dévouée et responsable. Leur famille nombreuse en fait foi. La naissance de la petite Marie-Renée est un moment de joie pour nous tous. Elle témoigne de la vitalité de la colonie. Le gouverneur de la Nouvelle-France est heureux d'octroyer à la paroisse de Charlesbourg les sommes nécessaires à l'achat des matériaux de construction du nouveau presbytère qui devrait être achevé l'an prochain. Nous demandons à tous les paroissiens valides de participer à la corvée de la construction. Le curé du Bos continuera à être votre bon pasteur en mon nom.

En 1686, la compagnie de Jésus, propriétaire de la seigneurie de Notre-Dame-des-Anges, avait donné à la fabrique de Charlesbourg un terrain de cinq arpents au centre du Trait-Carré en prévision de la construction d'une église et de son presbytère.

– Que la Providence veille sur votre paroisse et sur vos familles ! poursuivit l'archevêque avec enthousiasme. Le malheur ne doit pas vous abattre. Rendez à César ce qui est à César et à Dieu ce qui est à Dieu ! Prenez exemple sur le Christ qui a souffert dans sa chair pour nous garantir la vie éternelle à ses côtés. Aujourd'hui est un jour de réjouissance puisque la petite Marie-Renée est maintenant une enfant de Dieu. Alléluia !

Après la cérémonie, Monseigneur de Laval se rendit à la réception donnée par Eugénie et François, guidé par le chanoine Henri de Bernières. Odile Langlois, Anne Frérot et Mathilde de l'Escuyer avaient remplacé Eugénie, alitée, à la préparation d'un repas typiquement colonial, fait de viande de gibier, de poisson, de légumes du potager et de pommes du verger de François.

– Je vais leur montrer aux bons pères comment il faut nourrir ses invités, avait affirmé Eugénie. Ça leur servira d'exemple pour le Petit Séminaire.

Monseigneur de Laval ne tarit pas d'éloges envers Eugénie, louant son courage, sa détermination et son zèle pour avoir assuré l'instruction des petits Hurons à l'île d'Orléans et pris en charge ses œuvres diocésaines à Charlesbourg, en plus d'être la responsable du chant et de l'accompagnement à l'harmonium. Il la remercia pour l'accueil reçu et les somptueuses agapes, à la plus grande satisfaction d'Eugénie.

Quelques semaines plus tard, Eugénie se rendit compte que les difficultés financières, la naissance prématurée de sa petite fille qui demandait beaucoup de soins et la fatigue étaient en train de miner son moral. Elle était triste et irritable, et elle se mit à perdre du poids et à tousser. François redoutait une récidive de tuberculose.

Quand Anne Frérot vint lui rendre visite avec sa fille Marie-Renée, la jeune marraine, Eugénie lui confia :

– Je me demande si je suis capable d'être une bonne mère pour ma petite fille ! J'ai honte d'être constamment fatiguée. À quarante et un ans, j'ai peur de ne plus avoir l'énergie d'avant.

Anne Frérot s'approcha d'Eugénie, lui prit la main et lui répondit avec affection :

– Mais que me dis-tu là, Eugénie ? Toi, plus d'énergie ? Tu es la plus dynamique de nous toutes. Et regarde comme ta petite est belle dans les bras de sa marraine ! C'est un bijou que tu nous as donné là, Eugénie.

Eugénie resta muette. Deux grosses larmes coulaient sur ses joues amaigries. Étonnée et inquiète, Anne continua :

– Là, là… j'ai bien peur que tu doives te reposer plus que tu ne le penses, Eugénie.

– Mais, Anne, j'ai tellement d'obligations. Et puis… il y a François!

– François? Nous sommes de la même famille, mais nous sommes aussi amies, Eugénie. Tu peux tout me dire…

Eugénie réussit à regarder Anne dans les yeux et ajouta péniblement:

– François… François ne semble pas disposé à me laisser autant de temps pour récupérer que je le voudrais. Comprends-tu? Je n'ai ni l'ardeur ni le moral nécessaires pour le satisfaire. Pas encore.

Anne répliqua vivement, outrée:

– Ah! Les hommes! Ils sont bien tous pareils. S'ils se mettaient à notre place, tout serait beaucoup plus simple. Ils cherchent à oublier leurs malheurs au lit, sans penser que nous souffrons autant qu'eux et que nous avons bien d'autres préoccupations en tête. C'est comme Thomas après la mort de Clodomir! C'était la seule façon qu'il avait trouvée pour se remonter le moral. Mais, voilà, je n'avais pas le cœur à ça. D'ailleurs, il ne m'a jamais demandé ce que j'en pensais. Les désirs de *monsieur* étaient des ordres. Heureusement que je ne suis pas tombée enceinte!

Eugénie éclata en sanglots.

– Eugénie… Eugénie, voyons! Que se passe-t-il?

– C'est que… Anne… justement, j'ai peur de retomber enceinte. Mais je ne peux quand même pas me refuser à François. À part nos ennuis financiers, notre mariage va plutôt bien. Que dois-je faire? Que lui dire? En plus, j'ai mes responsabilités à la paroisse…

Voyant sa cousine s'écrouler sous le fardeau quotidien, Anne s'écria:

– Justement, il va falloir que tu abandonnes quelques activités pour le moment. Et tu as besoin d'aide. C'est décidé, je vais venir t'aider.

– Mais tu as ta maisonnée, Thomas et tes garçons...

– Marie-Renée est en âge de tenir la maison. Ne t'en fais pas, tout ira pour le mieux. Laisse-moi le temps de m'organiser et je serai de retour, disons dans dix jours. Ça ira pour toi?

Comme Eugénie ne répondait pas, Anne ajouta :

– Je dormirai avec toi dans le lit à baldaquin et nous enverrons François au grenier... mieux que ça, à son atelier. J'ai hâte de voir sa tête!

Pour seule réponse, un flot de larmes se répandit sur le visage d'Eugénie.

– Bon, il vaudrait probablement mieux que j'arrive avant dix jours. Et si...

– Si quoi, Anne?

– Et si Marie-Renée restait ici pour quelques jours? Je m'arrangerai avec les Ursulines pour ses journées d'absence. Elles comprendront. Elles conservent un excellent souvenir de toi, spécialement Aurore et Dickewamis. Es-tu d'accord?

Comme Eugénie se taisait, Anne pousuivit :

– Alors, Marie-Renée restera ici et s'occupera de sa filleule. Je viendrai prendre le relais très bientôt.

En guise de remerciement, Eugénie balbutia :

– Si tu savais comme je me sens coupable de vous contraindre à ça, ta fille et toi.

– Mais pourquoi ces scrupules ! Nous le faisons pour notre plus grand plaisir. Marie-Renée aura des enfants un jour ou l'autre, et c'est une belle occasion pour elle d'envisager avec sérieux ses futures responsabilités de mère de famille. Quant à moi, ça me permettra de dorloter ma cousine, laquelle me le refuserait certainement en d'autres circonstances ! Et puis, je prends ça comme des vacances à Bourg-Royal, sans mondanités. Ça ne fera pas de tort à Thomas de se prendre en main à la maison !

Une semaine plus tard, Anne eut la surprise de voir arriver sa fille Marie-Renée, accompagnée d'Eugénie, pimpante, sa petite fille dans les bras.

– Eugénie ! En voilà une surprise ! Tu as l'air en pleine forme.

– Ta fille s'est si bien occupée de sa filleule que je me suis remise sur pied très rapidement. C'est un miracle de la bonne sainte Anne ! Alors, je suis venue reconduire Marie-Renée.

– Tout de même, la température commence à se rafraîchir, en septembre. Pense à tes poumons !

– Avec François, nous sommes venus reconduire les garçons au Petit Séminaire, pour leur année scolaire. Tu sais qu'ils entament leur seconde année loin de la maison.

Quand Eugénie s'en fut retournée à Bourg-Royal, Anne et Mathilde eurent l'occasion de discuter de son si subit rétablissement.

– Je l'ai trouvée euphorique, dit Mathilde. Il y a quelque chose qui m'échappe dans sa bonne humeur. Celle-ci ne me semble pas réaliste.

– À moi non plus. Et je pense qu'elle y va un peu fort avec sa santé fragile…

Quelques semaines plus tard, François profita d'un passage à Québec pour venir demander des conseils financiers à Thomas. Quand il sonna au domicile de la rue Royale, Anne l'accueillit avec joie. Sa première question concerna Eugénie.

– Comment va notre miraculée?

- Assez bien, Anne.

Aussitôt, mal à l'aise, François se racla la gorge

Cette réponse évasive ne satisfit par Anne qui insista.

– Toi, tu me caches quelque chose…

François prit bien son temps avant de répondre.

– Tu as raison. Eugénie ne va pas bien du tout. Sa santé vacille.

– Encore ses poumons?

– Non. C'est pire que ça.

– Pire?

– Son moral est au plus bas. Elle m'inquiète.

– Que veux-tu dire, François? Tu me fais peur!

– Elle met constamment en doute ses compétences de mère. Et la petite qui pleure tout le temps.

– Et le médecin? Qu'est-ce qu'il en dit?

– Le docteur Estèbe dit que ça passera avec le temps. Son malaise est normal pour une nouvelle accouchée de son âge. Mais ça ne la guérit pas! Parfois…

– Quoi donc?

– Eugénie parle de plus en plus souvent de la mort. Tu la connais assez pour savoir que ce n'est pas son genre de conversation, elle qui est constamment pleine de projets. Je ne sais plus quoi faire…

Les trémolos dans la voix de François s'étaient transformés en sanglots. François n'avait jamais plus pleuré depuis la mort de Catherine Duquesne, sa fiancée de Blacqueville, en Normandie[8]. Surprise et gênée par le désarroi de son cousin, Anne tenta de le réconforter.

– Je vais repartir avec toi à Bourg-Royal et ramener Eugénie ici avec la petite. Elle pourra vivre chez moi ou chez Mathilde, selon ses préférences. Nous allons la remettre sur pied. Évidemment, tu pourras venir lui rendre visite avec les garçons. Et puis nous allons trouver une nourrice parmi les filles du Roy.

François faisait confiance à Anne.

– Merci, Anne. J'ai hâte de te confier mon Eugénie, dit-il, en recommençant à pleurer.

– Maintenant, François, je te laisse avec Thomas. Tu n'as plus à te préoccuper de la santé d'Eugénie. Mathilde et moi, nous nous en occupons!

Quand François pénétra dans le bureau de Thomas, les yeux rougis, celui-ci se rendit vite compte de la détresse de son cousin. Il entra dans le vif du sujet.

– Qu'est-ce qui ne va pas, François? Encore Gustave Précourt[9], ce requin?

---

8. Voir *Eugénie, Fille du Roy*, tome 1.
9. Voir *Eugénie de Bourg-Royal*, tome 2.

– Cette fois-ci, c'est bien pire. Mes ennuis financiers sont en train de détruire la santé d'Eugénie.

– En quoi puis-je t'aider, cousin ?

François raconta en détail ses démêlés judiciaires avec Georges Sterns et les cens et rentes réclamés par Jean Talon.

– Je pense que Jean Talon n'a pas eu le choix, dit Thomas. Quand je l'ai rencontré, il y a cinq ans, à Versailles, il m'a dit avoir conservé un excellent souvenir de ses censitaires, notamment d'Eugénie et de toi. Mais le Roy prélève un important tribut sur les cens et rentes de Jean Talon, par le biais de Seigneray, le fils de Colbert, qui perçoit ces arrérages pour les rendre au trésor de guerre. À mon avis, la seule solution est de reporter ou d'échelonner votre dette. Je pense que le ministre des Colonies le comprendrait facilement, parce que vous êtes nombreux dans cette situation. Guillaume-Bernard pourrait demander au gouverneur Denonville d'écrire au Roy en votre nom pour lui expliquer la situation… Je vais lui en glisser un mot.

Thomas réfléchissait tout haut, la pipe au coin des lèvres.

– Il y aurait peut-être une alternative, mais beaucoup plus incertaine…

– Laquelle, Thomas ?

– Eh bien, vous pourriez demander la grâce du Roy lui-même !
– Comment ? Qui pourrait lui écrire ? Le gouverneur ?

– Non, il ne prendra pas ce risque pour ne pas compromettre sa carrière. Aucun d'entre vous n'est noble ni n'a épousé une aristocrate.

– Alors qui ?

– Vous tous, par l'intermédiaire de votre seigneur, Jean Talon.

– Mais aucun de nous ne possède assez d'instruction pour écrire correctement. Il nous faudrait l'aide d'un notaire.

– Tout juste ! Un notaire qui connaît la corde sensible de Jean Talon.

– D'accord, mais aucun d'entre nous n'en connaît…

Thomas regarda François avec affection.

– François ! Tu réagis plus vite que ça d'habitude. Ton côté artistique prend le dessus sur ton sens pratique, ma parole.

François analysa le sourire en coin de Thomas.

– Ah ! Mais j'y suis : toi !

– Évidemment, moi.

– Tu ferais ça pour nous ?

– Bien entendu, et sans honoraires. Je le fais surtout pour Eugénie et toi, il va sans dire !

Le sourire réapparut sur le visage de François. Il sortit sa blague de tabac de Virginie que Thomas appréciait tant, et risqua :

– Et si Jean Talon refuse ?
– Alors, j'écrirai à madame de Maintenon, l'épouse du Roy, qui a bien apprécié mon bonnet de castor. Nous irons jusqu'au plus haut échelon. Hum… Il y a un autre moyen, mais il est bien plus risqué… Non.

– Quoi ?

– Remettre votre lettre au Roy par le biais de sa favorite, la marquise de Pauillac.

François était dépassé. Thomas poursuivait :

– Non, bien sûr. Mais Frontenac la connaît bien. Ce vieux grincheux ne serait pas malheureux de faire perdre la face à Jean Talon devant la cour de Versailles. Il en parlerait sans doute à l'un de ses amis intimes, le comte Joli-Cœur, amant de la marquise…

– Eh bien, Thomas, je ne savais pas que tu faisais partie du cercle intime du Roy.

– Tout s'apprend vite à Versailles. Mais, rassure-toi, ce n'est pas mon monde. Je suis d'ici.

– Et la poursuite de Georges Sterns ? L'huissier Dicaire ne lâchera jamais le morceau. Il est en train de faire mourir Eugénie à petit feu. Tu sais qu'il a failli la tuer ainsi que la petite Marie-Renée ?

– Narcisse Dicaire a posé sa candidature au poste de magistrat à la paroisse de Saint-Charles-Borromée de Charlesbourg. Et ce qu'il ne sait pas, c'est que c'est Guillaume-Bernard qui décide du choix du magistrat. Tu me comprends ?

– Moi, oui. Mais le notaire va-t-il comprendre ?

– Oh ! Il a intérêt. Je vais moi-même lui expliquer la situation délicate dans laquelle il s'est fourré. Guillaume-Bernard aime beaucoup Eugénie et il est très en colère contre Sterns et Dicaire. Et Guillaume-Bernard est tout de même ministre de la Justice de la Nouvelle-France ! D'ailleurs, il m'a demandé de parler à mon confrère en des termes peu équivoques. Quand Guillaume-Bernard se fâche, ses paroles portent.

– Qu'as-tu l'intention de lui dire ?

– C'est simple. Je vais négocier avec Narcisse Dicaire le report ou l'échelonnement de ta dette. Il saura convaincre son client. Sterns n'a pas le choix, il n'a plus les moyens de payer les honoraires d'un autre notaire. Il est ruiné. Quant à Dicaire, s'il ne réussit pas, il pourra dire adieu à son poste de magistrat de Charlesbourg.

– Mais s'il l'obtient, pourra-t-il nous en tenir rigueur, par la suite?

– Sans doute. Mais encore faudra-t-il qu'il obtienne effectivement le poste et que sa candidature soit entérinée par le Roy. Il y a encore loin de la coupe aux lèvres, crois-moi!

Ravi de voir le sourire revenir sur les lèvres de son cousin, Thomas conclut:

– Occupe-toi bien de tes enfants pendant l'absence d'Eugénie, François. Le bonheur sera très bientôt de retour chez les Allard.

Pendant l'absence d'Eugénie, Marie-Renée Frérot tissa des liens solides avec sa filleule, Marie-Renée Allard, qu'elle surnomma Marie-Chaton parce qu'elle était du même âge que le chaton que lui avait offert son parrain, François Guyon. Eugénie appréciait ce surnom, qui lui rappelait une compagne de traversée, Marie Chaton, maintenant installée à Batiscan avec son mari, le marchand Pierre Lagarde.

Malheureusement, la stratégie élaborée par Thomas ne produisit pas les résultats escomptés. Narcisse Dicaire ne réussit pas à infléchir la volonté de Georges Sterns et Thomas dut avancer la somme à François. Narcisse Dicaire ne fut pas promu au rang de magistrat de Charlesbourg.

Jean Daigle, qui n'avait jamais cru que le stratagème imaginé par Thomas Frérot pour obtenir la grâce du Roy marcherait, s'était fait embaucher comme charpentier au chantier naval de la rivière Saint-Charles, à mi-chemin entre Québec et Charlesbourg. Il convainquit François de travailler comme ébéniste sur le chantier.

– Ton talent d'artiste ébéniste te rapportera beaucoup d'argent si tu travailles le bois précieux pour le gouvernail, François. Nous pourrons renflouer rapidement nos caisses, tu verras.

Le domaine de la construction navale devenait le fer de lance de l'économie de la Nouvelle-France en raison de l'abondance du bois de charpente. De plus, il fournissait les bateaux destinés à défendre la Nouvelle-France contre une éventuelle offensive des Anglais. Ainsi, en 1687, les ouvriers avaient déjà construit deux cents bateaux à fond plat servant au transport de troupes et de vivres en territoire iroquois.

Compte tenu de la santé précaire d'Eugénie, François préféra se rendre au chantier naval à son insu, prétextant des livraisons de meubles à sa clientèle de Québec. Il réussit ainsi à économiser suffisamment d'argent pour rembourser son cousin Thomas.

CHAPITRE VI
La colère de Guillaume-Bernard

Le chevalier de Troyes avait décidé de chasser les Anglais de la baie d'Hudson, en dépit des consignes que lui avait fait parvenir le procureur général de la colonie, Guillaume-Bernard Dubois de l'Escuyer, qui respectait ainsi la décision du gouverneur Denonville. Celui-ci craignait en effet une riposte sévère de l'Angleterre.

Non content de désobéir aux ordres, le chevalier avait également attaqué les forts Rupert et Albany, mettant en danger la vie des otages français détenus par les Anglais, notamment celle d'un coureur des bois, peut-être le meilleur des interprètes, Jean Péré, ami de Radisson et de Thomas Frérot.

Comme les vivres des soldats français commençaient à manquer, le chevalier de Troyes invoqua la bonne sainte Anne, lui promettant, si elle le conduisait à la victoire, de prendre à sa charge les dépenses nécessaires aux réparations de l'église de la côte de Beaupré dont elle était la patronne.

Le 26 juillet 1686, le jour de la fête de sainte Anne, les Anglais capitulèrent et le chevalier de Troyes rentra à Québec avec ses soldats. Les Français, qui avaient saisi cinquante mille peaux de castor de première qualité, reprirent temporairement le contrôle du commerce de la fourrure de la baie d'Hudson. Ils avaient démontré aux Anglais leur détermination à ne pas se laisser dominer. Le 16 novembre suivant, la France et l'Angleterre ratifièrent un traité de neutralité.

Le chevalier de Troyes tint à remettre personnellement la cargaison de fourrures au procureur général de la colonie, Guillaume-Bernard Dubois de l'Escuyer, qu'il connaissait bien pour avoir déjà habité chez lui, rue du Sault-au-Matelot[10].

Dès son retour à Québec, il fut chargé de surveiller la construction de deux cents bateaux à fond plat qui devaient servir au transport des troupes et des vivres lors d'une prochaine expédition en territoire des Tsonnontouans, à la jonction des lacs Ontario et Érié. Le chevalier de Troyes devait mener une offensive contre les Iroquois à partir du fort Niagara.

Plutôt que de se battre, les Iroquois s'enfuirent dans les bois avant même l'arrivée des troupes ennemies. Déçu de cette victoire trop facile, le chevalier de Troyes demeura au fort Niagara jusqu'à la fin du printemps 1688, puis finit par remettre sa démission à l'intendant Champigny. Il ne pouvait se contenter de surveiller les Iroquois alors qu'il voulait les attaquer. Il décida donc de s'en retourner à Québec et de se lancer dans le commerce de la fourrure en s'associant a`un marchand de renom.

Plein d'audace, le chevalier de Troyes décida d'aller frapper au domicile de Thomas Frérot, jouxtant son commerce, sans se faire annoncer.

Anne Frérot se trouvait chez elle en compagnie de Mathilde, venue discuter de l'organisation de la paroisse de la basilique Notre-Dame et de la collecte de fonds pour la Confrérie de la Sainte-Famille. Anne en profita pour lui raconter ce qu'elle avait entendu dire concernant Madeleine d'Allonne, sa compagne de traversée de 1671, anciennement fiancée à Cavelier de LaSalle.

---

10. Avant de se rendre en mission secrète à la baie d'Hudson afin d'y déloger les Anglais, le chevalier de Troyes avait été hébergé par Mathilde et Guillaume-Bernard, rue du Sault-au-Matelot. Voir *Eugénie de Bourg-Royal*, tome 2.

— Tu n'as pas idée de ce que Thomas m'a appris à propos de Madeleine d'Allonne !

— Madeleine ? Non ! Mais dis-le sans plus tarder, parce que j'ai l'intuition que c'est quelque chose de particulier.

— Très particulier, en effet.

— Je brûle de le savoir.

Anne Frérot prit une longue inspiration puis expliqua en choisissant chacun de ses mots.

— Imagine-toi que mademoiselle, je dis bien mademoiselle et non pas madame, que mademoiselle de Roybon d'Allonne, ancienne fiancée du séduisant René-Robert Cavelier de LaSalle, fait maintenant la traite des fourrures sur la concession de Lachine, au nord de Montréal, que celui-ci lui a laissée en héritage.

— Eh bien, j'aurai tout entendu !

— Non, Mathilde, tu n'as encore rien entendu.

Fière de son effet, Anne poursuivit.

— Elle a été attaquée, il n'y a pas très longtemps, par les Iroquois, qui l'ont faite prisonnière avec trois soldats.

— Des Iroquois ? Vierge Marie, aidez-nous ! Ne me dis pas qu'ils rôdent encore dans la colonie, ces Sauvages. L'ont-ils torturée ?

— Ça, je ne le sais pas. Mais je sais qu'ils l'ont emmenée jusqu'en Nouvelle-Angleterre !

— Madeleine d'Allonne la brave, prisonnière des Iroquois. Elle l'a bien cherché, elle qui n'a jamais voulu se marier ! Elle est sans doute l'esclave de plusieurs guerriers. Tu vois ce que je veux dire ?

C'est encore pire que le poteau de torture. Sait-on ce qu'il est advenu d'elle?

– Tu ne le croiras pas, mais elle a été reconnue en tant que compagne de Cavelier de LaSalle par des soldats anglais qui l'ont délivrée et envoyée à New-Amsterdam. Aussitôt remise de ses émotions, leur gouverneur l'a fait ramener à Montréal.

– Pour une nouvelle, c'est une nouvelle, en effet! Je te parie qu'elle ne se mariera jamais avec toutes ces aventures!

– Effectivement, je ne miserais pas sur son mariage! Sa mésaventure ne risque pas de la faire changer d'avis. Je me souviens, sur le bateau, durant notre traversée, elle n'adressait la parole qu'au capitaine. Les matelots n'étaient pas assez importants pour mademoiselle d'Allonne!

– J'ai l'impression que les Iroquois n'ont pas dû lui servir du *mademoiselle,* en lui faisant la courbette! Euh… Anne… Penses-tu que Madeleine et René-Robert étaient intimes?

– Je n'en ai aucune idée, mais je sais comment trouver la réponse. Nous allons le demander à Eugénie, elle qui sait toujours tout!

Anne et Mathilde s'esclaffèrent comme deux adolescentes. C'est à ce moment que l'on frappa à la porte. Anne s'excusa auprès de Mathilde, le sourire encore accroché au visage. Quand elle ouvrit la porte, elle resta bouche bée. Pierre de Troyes se tenait sur le seuil. Feignant la surprise, le chevalier s'introduisit.

– Ah! Anne…. Quelle bonne surprise! Moi qui étais venu rencontrer votre mari pour affaire, me voilà doublement choyé. Comment allez-vous, très chère?

Muette de surprise, Anne ne répondit pas. Elle était blême et ses yeux semblaient vouloir sortir de leurs orbites. Ses mains tremblaient, sa respiration était haletante et sa gorge sèche.

Le chevalier de Troyes saisit la main d'Anne, l'approcha de ses lèvres et y déposa un baiser, tout en l'observant du coin de l'œil.

– Mais voyons, ma chère, c'est moi, Pierre. Vous me reconnaissez sûrement, n'est-ce pas? Vous n'avez pas pu m'oublier si vite! Auquel cas, je m'en voudrais d'avoir combattu les Anglais et les Iroquois et de vous avoir négligée.

Anne avait toujours le regard fixé sur le beau visage du militaire. Elle semblait incapable de reprendre ses esprits, bouleversée par la séduisante apparition de l'homme qui l'avait déjà émue, au point de lui faire oublier pendant un certain temps ses devoirs d'épouse et de mère[11]. Le chevalier de Troyes gardait la main d'Anne Frérot au creux de la sienne, attendant d'elle une remarque galante, tentant de l'hypnotiser de ses yeux bleu glacier.

Dans la mi-trentaine, Anne Frérot avait l'éclat de la femme consciente à la fois de sa jeunesse et de sa maturité. Sans être une beauté, elle faisait tourner les têtes de l'élite de Québec par son port altier et sa silhouette sculpturale. La vue de son capitaine lui enlevait cependant son aplomb habituel.

– Pierre, c'est vous? Je ne croyais pas vous revoir! balbutia-t-elle, émue.

– Mais, comment, Anne, aurais-je pu vous oublier? Je n'ai jamais cessé, ne serait-ce qu'un instant, de penser à vous!

– Vous m'aviez dit que vous alliez combattre les Anglais…

– Je les ai même vaincus! Maintenant, je suis de retour à Québec.

Sur ces entrefaites, Mathilde, qui s'inquiétait de l'absence d'Anne, vint la rejoindre. Le chevalier l'aperçut avant Anne et s'empressa d'ajouter:

---

11. Voir *Eugénie de Bourg-Royal*, tome 2, chapitre « Le désarroi d'Anne ».

– Évidemment, le principal motif de ma venue est de discuter affaires avec votre mari, le sieur de Lachenaye. J'ai rapporté une imposante cargaison de fourrures de la baie d'Hudson. Le procureur général Dubois de l'Escuyer est mon garant.

En entendant prononcer le nom de Guillaume-Bernard, Mathilde signifia sa présence. Le chevalier, feignant la surprise, lui présenta ses hommages en s'inclinant.

– Mais quelle bonne surprise, Mathilde ! Je venais justement rencontrer le sieur de Lachenaye, parrainé par votre mari. Sa dame me dit qu'il est absent. C'est dommage, mais je ne peux m'en prendre qu'à moi-même, puisque je ne m'étais pas annoncé.

Surprise, Mathilde lui rendit son salut.

– Quel bon vent vous amène à Québec, chevalier ? Je suppose que ça a un rapport avec les Anglais. Mon mari me disait dernièrement que vous leur aviez infligé une défaite cinglante au fort Albany, les refoulant jusqu'au poste de Port Nelson.

– C'est tout à fait vrai, madame. Et j'ai le grand privilège d'avoir rapporté avec moi cinquante mille peaux de castor de première qualité, suffisamment pour décourager le commerce des Anglais. Justement, je disais à Anne…

En entendant prononcer son prénom par la belle voix de baryton du chevalier, Anne Frérot sortit de sa torpeur.

– Le chevalier vient rencontrer Thomas, Mathilde ! Sur les recommandations de Guillaume-Bernard, me dit-il. C'est étrange que tu ne le saches pas.

Le ton sec d'Anne choqua Mathilde. Offensée, elle répondit du bout des lèvres :

– Tu sais bien, Anne, que Guillaume-Bernard est tenu au secret d'État, quand il s'agit de décisions gouvernementales. Et puis, il est tellement occupé qu'il n'a pas le temps de tout me dire. C'en est même navrant, parfois. Moi, je m'occupe de la maisonnée et de la Confrérie de la Sainte-Famille…

La remarque d'Anne avait peiné Mathilde. Le chevalier de Troyes s'aperçut de son malaise et voulut corriger la situation.

– Mathilde ne pouvait le savoir, Anne, puisque j'ai considéré que l'appui du procureur allait de soi, sans l'en informer. De fait, je m'apprêtais à le rencontrer à son cabinet. On m'a recommandé comme marchands Thomas Frérot et Gustave Précourt, mais comme ce dernier a mauvaise réputation dans les Pays-d'en-Haut, j'ai pensé que Thomas serait un meilleur choix. C'est pour cette raison que je souhaite faire sa connaissance le plus rapidement possible. Comme il est absent, je reviendrai…

À ces mots, le chevalier adressa un sourire à Anne, et prit congé en fendant l'air de son chapeau à large bord. L'aigrette du tapabord balaya le plancher. Il tourna ensuite les talons et le claquement de ses bottes résonna comme un tir de mousquet.

– Avait-il annoncé sa visite? demanda Mathilde. Tu m'as semblé embarrassée.

Anne rétorqua d'un ton cinglant :

– En quoi sa venue peut-elle te préoccuper, hein? Le chevalier a dit qu'il était venu rendre visite à Thomas. Il n'y a pas de mal à ça.

– Mais, voyons, Anne! C'est juste que les affaires de Thomas vous regardent tous les deux, rien de plus.

– Très bien. Nous sommes assez adultes, me semble-t-il, pour agir selon notre conscience et non pas selon les convenances! Si Pierre de Troyes veut discuter affaires avec Thomas, c'est bien ainsi. Et s'il désire nous fréquenter comme amis, il est le bienvenu.

Mathilde regarda Anne, ahurie. Elle ne put s'empêcher de remarquer :

– Mais comment veux-tu que Thomas soit son ami, alors qu'ils ne se connaissent pas encore !

Anne rougit de honte et de rage. Elle venait d'exprimer, trop clairement à son goût, son désir de revoir le beau chevalier Pierre de Troyes, le vainqueur de la baie d'Hudson.

Devant le mutisme d'Anne, Mathilde crut bon de battre en retraite.

– Bon, il est grand temps que je me sauve. Les garçons sont sur le point d'arriver du Petit Séminaire pour le dîner. Notre fidèle Philibert peut leur servir le potage. Mais, avec leur appétit, ils ne se contenteront pas de ça. De plus, je dois m'occuper de la tenue vestimentaire de Guillaume-Bernard. Le commandant anglais du poste d'Albany, Henry Sergeant, en tant que prisonnier de marque, doit être accueilli au château Saint-Louis avec les honneurs dus à son rang. Il paraît qu'il est très cérémonieux. Nos diplomates entendent bien lui faire ratifier un traité de neutralité. Imagine-toi que Guillaume-Bernard a été mandaté par notre gouverneur Denonville pour mener les négociations. Il se doit de porter sa plus belle tenue !

Anne regarda Mathilde, sans mot dire. Ses yeux lançaient des éclairs. Mathilde, effrayée et n'ayant jamais observé une telle attitude chez son amie, ajouta doucement :

– Je reviendrai une autre fois, Anne. Quand tu le souhaiteras, nous reparlerons de la collecte dominicale pour l'œuvre de la Sainte-Famille.

– C'est ça, Mathilde, nous en reparlerons plus tard.

Quand Mathilde fut partie, Anne se précipita vers le petit balcon du deuxième étage, qui donnait sur la rue Royale et offrait une bonne vue sur la côte de la Montagne, espérant apercevoir le chevalier de Troyes qui se rendait au château Saint-Louis. Peine perdue. Elle demeura sur le balcon plusieurs minutes, perdue dans des pensées qu'elle n'aurait voulu partager avec quiconque.

Quand Guillaume-Bernard rentra à la maison pour le dîner, Mathilde lui relata la visite inopinée du chevalier de Troyes. Il entra dans une colère épouvantable.

– Mais, ce militaire, pour qui se prend-il donc? Sa victoire sur les Anglais ne l'autorise pas à parler en mon nom. C'est un crime passible d'emprisonnement. Ah! Je ne voudrais pas être à sa place. Oh! que non!

Mathilde n'osa pas contredire son mari.

– Je suis d'accord avec toi, Guillaume-Bernard.

– D'ailleurs, j'ai mon idée sur le véritable vainqueur de la baie d'Hudson. À mon avis, c'est plutôt l'intrépide d'Iberville: il est imbattable. Quand je pense que j'ai accéléré le départ de ce chevalier prétentieux et que ça lui a profité... La baie d'Hudson n'était pas encore assez loin. Dire que nous lui avons offert l'hospitalité et qu'il ne s'est pas gêné pour abuser de notre confiance en s'affichant de manière éhontée avec Anne qui s'est couverte de ridicule! Elle ne semble même pas avoir compris le manège de cet infatué! Je me demande comment va réagir Thomas, parce qu'il est bien au pays cette fois-ci et pas en France.

– Ne sautons pas trop vite aux conclusions. Anne n'a encore rien fait de répréhensible!

– Pas encore, Mathilde, pas encore. Il ne faut surtout pas que Thomas l'apprenne. Mais comment faire?

– Tu as certainement une idée, Guillaume-Bernard. Pour ma part, je vais consulter Eugénie. Elle a toujours une autorité morale sur Anne, tu sais!

– Oh oui, je sais. C'en est parfois agaçant. Mais, cette fois-ci, Eugénie ne pourra mettre un terme aux égarements d'Anne.

– Je t'en prie, ne t'attaque pas à Eugénie. Elle te tient en très haute estime, tu sais.

– Parfois, je me demande comment François fait pour la supporter, avec ses grands airs de dame patronnesse !

– Assez ! Ta tante Barbe a toujours été une dame patronnesse, ne l'oublie pas, et je le suis aussi, maintenant.

– Excuse-moi, Mathilde. Je me suis emporté. Eugénie vaut de l'or. Comme amie et comme soutien aux bonnes œuvres. Le Conseil souverain apprécie sa valeur. Mais revenons à Anne… Je pense qu'elle a besoin de votre soutien, Eugénie et toi. Pour ma part, je m'occupe de Thomas et du beau chevalier.

– Que vas-tu faire ?

– Tu verras. Entre-temps, il serait bon que tu rendes visite à nos amis de Charlesbourg.

Mathilde ne se fit pas prier. Elle demanda à Philibert de préparer l'attelage qui commençait à connaître le chemin qui longeait la rivière Saint-Charles.

Lorsqu'elle se présenta à la maison d'Eugénie à Bourg-Royal, cette dernière était occupée à ramasser les citrouilles, les courges et les potirons de son jardin.

À la vue de Mathilde, Eugénie parut surprise : elle se rendait beaucoup plus souvent à Québec que son amie à Charlesbourg.

– Mathilde, quel bon vent t'amène ? De bonnes nouvelles, j'espère !

Eugénie invita Mathilde à entrer dans la maison. Elle informa Mathilde que François était chez les Langlois, en train de réparer un soc de charrue en bois dur qui s'était fendu sur une grosse roche.

– Alors, que me vaut le plaisir de ta visite ? Est-ce que mes garçons me font honneur au séminaire ? J'espère qu'ils ne vous dérangent pas trop quand vous les accueillez le dimanche…

– Ne t'en fais pas, Eugénie, tes garçons sont bien élevés et ils sont les bienvenus à la maison. Tes fils et les miens se considèrent presque comme des frères.

– Veux-tu me parler de la Confrérie de la Sainte-Famille ?

– Pas cette fois-ci.

– D'Anne ?

– Eh oui ! Anne ! Encore Anne !

– Ne me dis pas que son beau chevalier est revenu dans le décor…

– Si, je le crains.

– As-tu pu lui parler ?

– Pour le moment, elle se renfrogne et ne veut parler à personne.

– Et le cousin Thomas ?

– Il se trouve pour le moment en voyage d'affaires à Montréal. Mais il ne devrait pas tarder à rentrer à Québec et à se rendre compte de la situation.
– Ah ! Le beau chevalier fera tomber Anne dans ses filets, tôt ou tard.

– Il vaudrait mieux que Thomas soit en ville. Ma parole, Anne n'est pourtant plus une gamine ! Elle qui discourt sur le patriotisme et sur la vocation d'épouse et de mère ! Bon, il faut que quelqu'un la remette sur le droit chemin. Préfères-tu que ce soit Thomas ? Monseigneur de Laval ?

– Évidemment pas.

– Mais que pouvons-nous faire ?

– Je pense qu'il faut la surveiller du mieux que nous le pouvons.

– Mais Anne n'est plus une enfant, Eugénie, voyons !

– Elle agit tout comme.

Mathilde semblait déconcertée.

– Nous ne pouvons pas faire ça. Et que fais-tu de Thomas, Eugénie ? Veux-tu lui avouer la faiblesse d'Anne ?

– Surtout pas ! Il l'a toujours choyée comme une enfant. Elle agit donc comme tel. Dans la vie, on récolte ce que l'on sème, tu le sais bien ! Ça vaut aussi pour le mariage.

– Je suis surprise que tu puisses juger Anne si sévèrement. Je pensais que tu l'estimais davantage.

– Mais elle est en train de gâcher son mariage, s'indigna Eugénie, et l'honneur de notre famille. Apparemment, elle s'en fiche. Il faut bien que quelqu'un s'en occupe !

– Et pourtant, elle t'a déjà été de bon conseil, Eugénie !

– Que veux-tu dire, Mathilde ?
Eugénie avait parlé d'un ton dur. Ses yeux bleus étaient assombris par la rage. Mathilde avoua, hésitante :

– Eh bien ! soit, je te le dis. Anne m'a confié ton béguin pour tu sais qui… Alors, il me semble que tu es mal placée pour lui faire la morale, Eugénie.

Eugénie était pétrifiée, comme la femme de Loth. Elle finit par siffler, la voix pleine de colère :

— Elle n'avait pas le droit de te révéler ce secret. Elle vient de perdre mon amitié.

Mathilde regarda son amie, penaude, sortit son mouchoir de dentelle, et ajouta doucement :

— Il fallait bien que je prenne sa défense… Tu n'y allais pas de main morte, Eugénie.

Cette dernière fixa Mathilde pendant de longues secondes, jusqu'à lui faire baisser les yeux. Puis elle articula perfidement :

— Vous faites la paire toutes les deux, n'est-ce pas ? Je suis convaincue que tu penses encore à Thierry Labarre, Mathilde. En fait, tu ne l'as jamais oublié. Regarde-toi… Tu es toujours en train de renifler dans ton mouchoir. C'est certainement un signe de ton infidélité… du moins en pensée.

Mathilde éclata aussitôt en sanglots. Se pouvait-il que sa meilleure amie la traitât de dévoyée, comme madame Bourdon l'avait fait sur le Sainte-Foy, au cours de la traversée de 1666[12] ?

Mathilde reprit ses esprits et avoua d'une voix faible :

— J'aime Guillaume-Bernard de tout mon cœur. Il est l'homme de ma vie, en plus d'être le père de mes garçons. Je te souhaite d'aimer François autant.
Eugénie sursauta.

— Comment peux-tu en douter ? Ai-je donné l'impression du contraire ?

Mathilde reprenait le dessus.

---

12. Voir *Eugénie, Fille du Roy*, tome 1.

– Il me semble que tu cherches constamment à démontrer que tu es une femme de devoir, une femme parfaite…

– Et, qu'y a-t-il de mal à ça?

– Il n'y a aucun mal, bien sûr, c'est même préférable, pour autant que tu sois une femme de chair et de sang avec ton mari. Tu me comprends, n'est-ce pas?

Désarçonnée, Eugénie toisa longuement Mathilde. Soudainement deux grosses larmes vinrent imbiber l'azur de ses yeux. À la surprise de Mathilde, elle se leva et la serra dans ses bras.

– Tu as raison Mathilde, ma grande amie. J'ai souvent tendance à me donner en exemple aux autres et à les juger. C'est ce qui m'arrive actuellement avec Anne et avec toi.

Mathilde regardait Eugénie avec étonnement. Celle-ci poursuivit.

– Tu sais, j'ai une confidence à te faire, mais n'en prends pas ombrage. J'envie ton bonheur avec Guillaume-Bernard. Vous m'apparaissez être le couple parfait, en plus d'être la famille parfaite. Vous êtes d'une grande générosité et vos garçons font honneur au séminaire. Et puis Guillaume-Bernard te vénère.

Mathilde fixa Eugénie estomaquée. Soudain, elle se mit à rire de bon cœur.

– Et moi qui pense que François et toi formez le couple parfait! Deux artistes avec des garçons qui ont hérité du talent de leurs parents. Ta beauté, Eugénie est sans égal à Québec, tu sais. Et bien du monde se souvient de ton concert de clavecin.

– Tiens, je l'avais oublié ce concert devant ce cher gouverneur de Courcelles. Quel prétentieux! Mais talentueux diplomate… Un mondain aux manières un peu trop libertines. Ma beauté, tu disais? C'est toi Mathilde qui est restée la plus belle. Tu n'as pas une ride et tes yeux pétillent toujours autant, lorsqu'ils ne larmoient pas bien entendu.

Mathilde riait toujours.

– Maintenant que nous nous sommes trouvé des qualités, que faisons-nous au sujet d'Anne? Il faudrait l'aider au lieu de la condamner.

Eugénie croisa le regard de Mathilde et sourit.

– Tu as raison. Mieux vaut passer l'éponge et trouver un moyen de l'aider avant que Thomas ne l'apprenne. Quant revient-il?

– Sous peu, d'après ce qu'Anne m'a dit.

– Alors, il ne nous reste plus grand temps.

– Que suggères-tu, Eugénie?

– Je viens d'avoir une idée. Que dirais-tu si nous donnions une responsabilité importante à Anne dans la Confrérie de la Sainte-Famille?

– Je lui ai déjà proposé, mais elle m'a répondu qu'elle n'avait pas le temps.

– Cette fois-ci, nous la solliciterions en tant qu'épouse du seigneur de la Rivière-du-Loup. Dans ce rôle, elle serait chargée de sensibiliser les censitaires aux bienfaits de la Confrérie.

– Tu sais bien que ça ne fonctionnera pas! Anne a peur des Iroquois. Elle a décidé de ne plus retourner au manoir seigneurial, même l'été, pendant les vacances scolaires. Il vaut mieux trouver autre chose…

– Eh bien! qu'elle agisse de Québec, comme porte-parole auprès de l'archevêché.

– Ça la rapprocherait de Monseigneur de Laval et de Monseigneur de Saint-Vallier. Elle n'aurait pas d'autre choix que d'avoir une conduite irréprochable. Sinon, c'est la réputation de Thomas qui en pâtirait.

– Bien sûr, elle pourrait refuser. Ou sa faiblesse pourrait prendre le dessus, quoi que nous fassions…

– Tut, tut… Malgré les apparences, Anne est toujours très amoureuse de Thomas. Et elle sait tenir son rang, crois-moi. Non, elle ne faiblira pas. Je la connais. Alors, Eugénie, qui va aborder le sujet?

– Mais toi!

– Non. Anne va immédiatement se douter de mes intentions. J'aimerais plutôt que ça vienne de toi.

– Pas cette fois-ci, je le crains[13]. Je ne représente que le chapitre de la Confrérie de la paroisse de Saint-Charles-Borromée de Charlesbourg. Il faudrait que la demande vienne de beaucoup plus haut.

– Monseigneur de Laval le lui a déjà demandé, tu te souviens? Elle nous a déjà dit qu'il n'en était pas question. Et pourtant, le saint homme a enterré son Clodomir, il y a cinq ans… Il ne le lui redemandera pas.

– Qui alors?

– La seule personne que je vois diriger la Confrérie de la Sainte-Famille avec Monseigneur de Laval, est ma tante Barbe d'Ailleboust.

13. Voir *Eugénie de Bourg-Royal*, tome 2, chapitre intitulé «L'intervention d'Eugénie».

– Mais oui ! Ta grand-tante d'Ailleboust. C'est elle qui devrait convaincre Anne.

– Tu as raison, Eugénie. Je vais m'empresser de le lui demander.

– Ne va surtout pas lui dire qu'Anne doute de la cause. Non seulement ta grand- tante refuserait, mais Anne risquerait de l'apprendre un jour ou l'autre.

– Elle n'en saura rien Eugénie, je te le promets.

CHAPITRE VII
La confession d'Anne

Anne attendait avec anxiété dans le parloir de Monseigneur de Laval. La pièce n'était meublée que de quelques chaises sans apparat, austères même, à l'image du prélat lui-même. Une petite table en bois de rose du Brésil et un prie-Dieu fabriqués par François Allard les accompagnaient. Au mur, le Christ en croix offrait son cœur blessé, d'une taille démesurée par rapport au crucifix.

Vêtue de gris et de noir, Anne attendait, perdue dans ses pensées. Le prélat la fit sursauter lorsqu'il lui présenta son anneau épiscopal. Anne s'agenouilla immédiatement.

– Je vous ai fait venir, madame, pour une cause qui me tient grandement à cœur, celle de la Confrérie de la Sainte-Famille. Peut-être celle dont je suis le plus fier et qui accompagnera mes brebis sur le bon chemin après ma mort, lorsque la sainte Providence, en aura décidé ainsi, bien entendu.

Anne répondit du bout des lèvres, impressionnée.

– Je suis votre servante, Éminence, je ferai ce que vous me demanderez.

– Alors, relevez-vous mon enfant, et écoutez-moi bien.

– Je suis tout ouïe, Éminence.

– Madame, j'ai pensé à vous en tant que seigneuresse de la Rivière-du-Loup et maîtresse d'un foyer exemplaire. Comme vous le voyez, je n'ai plus la force de me rendre aux confins de la colonie comme j'avais l'habitude de le faire, en canot, jusqu'en Gaspésie et même en Acadie. Dorénavant, j'aimerais que mon message soit transmis par les laïcs les plus en vue.

Le regard du prélat transperçait Anne, qui ne bronchait pas, figée par la peur et le remords. Elle se souvenait qu'elle avait été l'objet de ragots dans la bonne société de Québec quand se promenait au bras du chevalier de Troyes, sur le quai, à la brunante.

Mon Dieu, faites qu'il ait oublié cette histoire. C'est chose du passé ! se disait-elle.

Aussitôt, Anne se rappela l'émoi qu'avait provoqué en elle le retour de Pierre de Troyes. Des sueurs froides baignèrent immédiatement sa nuque.

Le prélat a dû l'apprendre… Mais comment ? Seule Mathilde est au courant de la visite de Pierre. La Confrérie de la Sainte-Famille ? Mathilde en est la responsable à Québec. Ah ! Mathilde est dans le coup, bien entendu.

Après tout, je ne sais rien de Pierre, sinon qu'il gagne ses batailles contre les Iroquois et les Anglais. Est-il vraiment l'homme honnête pour lequel mon cœur bat ? Mais voyons, Anne ! Tu aimes Thomas et il est le père de tes garçons. Pierre vaut-il la peine de risquer de perdre Thomas et l'estime de tes enfants ?

Je suis quand même chanceuse que Thomas n'ait jamais su ce qui m'était arrivé avec Pierre de Troyes pendant qu'il était en France. Il l'a peut-être su, après tout, mais il aura passé l'éponge. Oui, il l'a certainement su puisque tout se sait à Québec ! Quelle grandeur d'âme, mon Thomas ! Et quel homme ! Il faut absolument que je le lui dise dès son retour très bientôt, avant que Mathilde ne répande des mensonges...

Devant l'hésitation d'Anne, le prélat insista.

– Eh bien! madame Frérot, pourriez-vous, au nom du diocèse et au nom de notre mère la sainte Église, prendre en charge cette responsabilité? Le sieur de Lachenaye est un père de famille exemplaire; il vous secondera dans cette œuvre, j'en suis sûr. Vous saurez attendrir le cœur de nos vieux militaires, nos anciens officiers du régiment de Carignan, devenus seigneurs.

– Bien entendu, Éminence, j'y mettrai toute mon âme et toutes mes énergies. Ça me permettra de voir plus souvent mes amies Mathilde Dubois de L'Escuyer et Eugénie Allard.

– Des âmes pieuses et des zélatrices de qualité. Des femmes remarquables, il faut le dire.

La voix du prélat avait baissé d'un demi-ton.

– Si vous le voulez bien, madame de Lachenaye, j'aimerais vous entendre en confession avant que vous ne vous prosterniez devant ce crucifix. Le Christ absoudra vos péchés. Votre âme doit être sans tache pour entreprendre cette mission divine. Si vous voulez bien vous agenouiller.

Le vieil ecclésiastique s'empara de l'étole violette bien placée au centre du prie-Dieu, la posa autour de son cou et la baisa. Puis il approcha sa chaise du prie-Dieu et se signa.

– *In nomine Patris et Filii, et Spiritus Sancti.*

Anne fit le signe de la croix, se racla la gorge d'effroi et récita:

– Pardonnez-moi, mon père parce que j'ai péché.

Aussitôt, la voix lui manqua. Aucun son ne put sortir de sa bouche. Le confesseur, après quelques longues secondes d'attente, avança, les yeux fermés :

– Il n'y a pas de péché si énorme que Dieu ne puisse vous pardonner, ma fille. Dieu est miséricorde. Il tient à rassembler ses brebis. Il préfère même celles qui se sont le plus égarées ! Confiez-lui votre faute. Il saura l'effacer à tout jamais.

Anne prit une grande inspiration et avoua sa faiblesse.

– Mon père, je m'accuse d'avoir désiré un autre homme que mon mari.

– Avez-vous commis le péché de la chair avec cet homme, ma fille ?

Anne prit quelques secondes et répondit :

– Non… Euh ! oui. Enfin, pas vraiment, pas cette fois-ci.

Le ton du confesseur monta d'un cran.

– L'avez-vous fait, oui ou non ? Savez-vous que vous ne pouvez rien cacher à Dieu qui sait tout ? Je suis son représentant et vous devez me parler comme si c'était votre Dieu qui vous confessait.

Impressionnée par l'autorité du prélat, Anne ajouta faiblement :

– J'ai commis le péché d'impureté avec cet homme, mais pas jusqu'au bout.

– Que voulez-vous dire, ma fille ? Il n'y a pas de nuance dans le péché mortel, vous le savez bien, surtout lorsque l'on trompe son mari. Davantage lorsqu'il est un mari modèle.

Mais il n a pas le droit de me parler comme ça…

– Je veux dire, mon père, que ma faute ne compromet en rien ma vertu vis-à-vis de mon mari. Je n'ai pas commis le péché de luxure avec un autre homme.

– Mais vous l'avez désiré, m'avez-vous dit !

– Oui, mon père. Mais je n'ai pas désiré tromper mon mari. Seulement…

– Seulement quoi ? Allez, ma fille, confiez-vous à Dieu.

Anne, paniquée, répondit, les mains moites :

– Seulement, cet homme a été plus entreprenant que je ne l'aurais souhaité.

– Qu'est-ce à dire ? Qu'il vous a embrassée ?

– Oui. Et je lui ai rendu ses baisers. Seulement…

– Seulement quoi, encore ?

– Je l'ai regretté, mon père.

– Qu'avez-vous regretté exactement, ma fille ? Eh bien ! dites-le !

Le vieux prélat venait d'asséner un coup de coude au prie-Dieu. L'écho du bruit sec du bois résonna dans le parloir. Anne eut un mouvement de recul et perdit l'équilibre. Elle se retint de tomber, de sa main gantée.

– J'ai regretté d'avoir cédé devant son audace.

– A-t-il abusé de votre condition charnelle de femme ?

Anne commençait à être irritée par l'insistance du confesseur.

– Non mon père. Mes intentions à son égard étaient nobles.

– Alors, ma fille, que faisiez-vous avec cet homme au lieu d'être avec votre mari?

Anne ne sut que répondre. Elle éclata en sanglots. Après quelques minutes, elle marmonna d'une voix étranglée:

– Mon père, je le regrette tellement. Je m'en accuse et vous demande pardon.

Le confesseur, heureux de l'aveu du péché qui, somme toute, n'était pas si mortel, ajouta:

– Ce n'est pas à moi qu'il faut demander pardon, mais à votre créateur. Allez, récitez votre acte de contrition et ne trompez plus votre mari Thomas, un homme juste dont la confession est toujours exemplaire.

En entendant ces mots, Anne fut prise de nouveaux sanglots, qu'elle refoula tant bien que mal. Elle se sentait coupable et irresponsable. Comment avait-elle pu risquer de perdre son mari pour une illusion aux épaules carrées et à l'uniforme médaillé?

Ah! Je le réalise maintenant, j'ai agi comme une gamine et je m'apprêtais à récidiver. Le prestige de l'uniforme, voilà! Il est beau, il est conquérant, mais Pierre n'est qu'une silhouette éthérée. Tandis que mon Thomas, c'est du solide. Je dois m'appuyer davantage sur lui à l'avenir. Et si, tout à coup, il en trouvait une autre à son goût? Non, Thomas ne se permettrait aucun écart. Que j'ai hâte de recevoir cette absolution. Tout recommencera à zéro.

– Mon Dieu, je vous demande pardon de vous avoir offensé et vous promets de ne plus recommencer, dit-elle.

D'un ton solennel, le confesseur ordonna:

– Pour votre pénitence, madame Frérot, dites le *Confiteor* pour le repos de l'âme de votre petit Clodomir, qui attend sans doute encore dans les limbes. Sachez que votre conduite sur cette terre, si elle est exemplaire, le délivrera de sa condition pour qu'il se joigne aux autres chérubins. Quand? Je ne saurais le dire. Sans être la cause de son décès, vous êtes responsable devant Dieu de son salut éternel, vous, sa mère. Et maintenant, faites votre *mea culpa* pendant que je vous absous de votre péché d'insouciance. *In nomine Patris, et Filii, et Spiritus Sancti.*

L'archevêque fit signe à Anne de se relever, enleva son étole après l'avoir embrassée et la déposa sur le prie-Dieu où elle attendrait jusqu'à la prochaine confession. Anne se releva péniblement, livide. Elle se dirigeait vers la sortie lorsqu'elle entendit le prélat.

— Notre prochaine rencontre aura lieu bientôt, madame la seigneuresse de la Rivière-du-Loup! Il me tarde de vous voir exercer votre ministère auprès de ces charmantes dames patronnesses.

Anne se sentit soudainement écrasée sous le poids de ses nouvelles responsabilités.

Serai-je à la hauteur? ne cessait-elle de se demander. *Pourrai-je délivrer Clodomir des limbes?*

Parvenue dans l'embrasure de la porte, elle répondit en tâchant de dissimuler son appréhension.

— Oui, Éminence, à très bientôt. J'ai déjà assisté à quelques réunions, je suis prête à recommencer, avec Thomas, s'il le veut bien.

Anne sursauta quand elle entendit François Allard s'adresser à elle.

— Tiens, cousine, pour une surprise, c'est une surprise! Et qu'est-ce que tu es prête à recommencer avec Thomas? À propos, est-ce que Thomas est de retour? J'aimerais lui parler sérieusement…

François revenait de la chapelle, son ciseau à sculpter en main. Il aperçut soudain Monseigneur de Laval qui sortait du petit parloir, le nez dans son bréviaire et le visage grimaçant. François regarda Anne, perplexe. Cette dernière répondit brusquement :

— Je suis pressée, les enfants m'attendent à la maison, François. Nous en parlerons une autre fois, si tu le veux bien. D'accord ?

— Mais, Anne, dis-moi seulement si Thomas est de retour.

— Qui ? Ah oui, Thomas. Non, pas encore. Quoique… En fait, il est peut-être à la maison. Je vous le ferai savoir, à Eugénie et à toi.

Anne se dépêcha de sortir du Petit Séminaire, tremblante. Et si François avait entendu sa confession, les oreilles collées à la porte du parloir ?

J'espère qu'il n'ira pas répéter ma confession et mon histoire avec Pierre de Troyes… Il est grand temps que je fasse preuve de ma conduite exemplaire à Eugénie ! C'est moi qui serai dorénavant la femme parfaite. Ah ! Mon cher Clodomir, maman va te mener au paradis, elle te le jure. Tu vas être fier de maman, crois-moi.

Quand Pierre de Troyes se présenta au domicile de la rue Royale, le lendemain, c'est avec froideur qu'Anne l'accueillit.

— Monsieur le chevalier, c'est en tant qu'épouse de Thomas Frérot, sieur de Lachenaye et seigneur de la Rivière-du-Loup, que je m'entretiens avec vous. Pour le moment, il n'y est pas. Mais je lui ferai part de votre visite, bien entendu.

— Mais, Anne, je tenais à vous dire…

— Vous n'avez rien à me dire, chevalier. Je suis une conjointe et une mère, membre de la Confrérie de la Sainte-Famille. Mon célibat s'est terminé quand j'ai épousé un homme merveilleux, Thomas Frérot, le meilleur d'entre tous. Revenez le voir, si vous le désirez. Pour ma part, je ne le souhaite pas. Adieu monsieur !

Là-dessus, Anne ferma la porte. Deux grosses larmes roulèrent sur ses joues. Elle prit une grande inspiration et esquissa un sourire victorieux.

Merci Clodomir, cher petit ange. Je sais que tu vas aider ta maman à rester vaillante. Tu seras bientôt au paradis, je te le jure!

De retour chez lui, François raconta à Eugénie son face à face avec Anne.

— Je te l'assure, Eugénie. Je pense qu'elle venait de se confesser à Monseigneur de Laval, et elle a dit qu'elle voulait tout recommencer avec Thomas. Elle a sans doute voulu quitter Thomas pour ce militaire. Imagine! Et Thomas qui se conduit toujours de manière exemplaire. Je devrais peut-être lui en faire part...

— Dis-lui, François Allard, et je te jure que ta vie conjugale deviendra infernale!

— Mais Thomas est mon cousin!

— Ce qu'il ne sait pas ne peut pas lui faire de mal... Cette famille a déjà été suffisamment éprouvée par le décès de Clodomir. Tu es bien placé pour le savoir.

— Hum...

— Tu interprètes sans connaître toute la vérité. De toute façon, c'est un secret de confessionnal.

— Tu as sans doute raison, Eugénie, répondit François, tout heureux que la réaction d'Eugénie en reste là.

Quelques jours plus tard, la famille Allard reçut la visite de Thomas et d'Anne à Bourg-Royal. Thomas rayonnait en raison de la reprise du commerce de la fourrure.

– Je me cherche un associé qui connaisse les territoires de la baie d'Hudson. J'ai appris que le chevalier de Troyes s'était acoquiné avec Gustave Précourt. C'est dommage, parce qu'il aurait fait un collaborateur d'envergure.

– Justement, Thomas, je veux m'entretenir avec toi d'un sujet de la plus haute importance.

– Saviez-vous que Thomas et moi, allions œuvrer pour la Confrérie de la Sainte-Famille? coupa Anne. Nous devions bien ça à Monseigneur de Laval.

– Tu vois, François, les bienfaits de la Confrérie de la Sainte-Famille. Elle rend les ménages heureux, s'empressa d'ajouter Eugénie, en fixant François avec intensité.

– Eh bien, nous nous verrons plus souvent, c'est formidable, répondit François, que le regard de sa femme mettait mal à l'aise.

– Et ton sujet d'importance, François? questionna Thomas.

– Oh! Ça peut attendre… Une autre fois, Thomas, une autre fois. Nous avons bien le temps.

Eugénie pressa la main de son mari et glissa, avec un pâle sourire:

– Le silence est d'or, François, un métal aussi précieux que ton aide.

Une fois de plus, Eugénie a raison, pensa François.

CHAPITRE VIII
La légende du Diable rouge

François Banhiac Lamontagne et Jean-Jacques Gerlaise de Saint-Amand[14], après avoir accosté leurs barques au petit quai de la rivière du Loup, s'accroupirent derrière les bosquets de l'aulnaie qui bordait la rivière, en retenant leur souffle. Ils prévoyaient une attaque des Mohawks qui rôdaient dans les environs.

Rosaire Bergeron et Clovis Landry étaient postés en amont de l'autre côté de la rivière, et le vicomte de Manereuil, officier à la retraite qui avait été leur seigneur avant de vendre sa seigneurie à Thomas Frérot, surveillait les battures du lac Saint-Pierre avec deux Abénaquis en qui il avait confiance.

Les habitants de la Rivière-du-Loup s'étaient fait dire par les Abénaquis du lac Saint-Pierre que le capitaine de l'expédition iroquoise était surnommé « Diable rouge », tant en raison de sa ruse que pour sa longue crinière enduite de terre argileuse, qu'il ramenait au sommet de son crâne en chignon. Diable rouge pouvait comprendre le langage des Français aussi bien que celui des Mohawks. On lui prêtait des actes d'atrocité sans précédent, comme celui d'avoir mangé le fœtus d'une femme de colon qu'il

---

14. Originaire de Liège en Belgique.

venait d'éventrer, et parodiant la sainte Eucharistie, d'avoir crié, à tue-tête en français «Ceci est mon corps», et de s'être ensuite léché les mains dégoulinantes de sang, en hurlant «Ceci est mon sang».

Marguerite Pelletier, la femme de François Banhiac Lamontagne, était hébergée temporairement par un voisin, Pierre Couc. Elle venait de donner naissance à une fille, Étiennette. Elle qui était sage-femme avait été assistée dans son accouchement par Bérengère Boisseau, la femme de Clovis Landry, un colon de la Rivière-du-Loup, et par Jeanne Trudel, la femme de Jean-Jacques Gerlaise de Saint-Amand. Judith Rigaud, pionnière de la région et ex-femme du médecin des Trois-Rivières, avait proposé son aide, mais Marguerite avait refusé tout net.

Judith Rigaud avait eu une aventure avec Clovis Landry et avait la réputation de coucher avec la plupart des coureurs des bois. Plus d'un souhaitait passer entre les mains expertes de la ribaude, surnommée la *rigaude* par dérision.

Marguerite berçait son nouveau-né, qu'elle avait emmitouflé dans un lainage du pays. Le silence était de rigueur dans la maisonnette des Couc, en attendant le signal du départ vers Saint-François-du-Lac. Les fillettes Lamontagne, Marie-Anne, Agnès, Madeleine, Geneviève et Antoinette, entouraient leur mère. Marie-Anne, l'aînée, prit la petite Antoinette dans ses bras, la serra bien fort pour l'empêcher de geindre et pour la rassurer, quoique elle-même mourrait d'effroi. Le seul nom de «Diable rouge» envahissait l'imagination et nourrissait la peur. Marie-Anne savait ce Sauvage sanguinaire, pour avoir entendu son père lui raconter les atrocités commises par l'Indien.

Pour sa part, si d'une main, Marguerite caressait la tête de son poupon, de l'autre, elle égrenait son chapelet et murmurait des *Ave* en fixant la statuette de la Vierge Marie, sculptée et offerte par François Allard, un habitant de Bourg-Royal, lorsqu'elle avait agi, seize années plus tôt, comme sage-femme au cours de l'accouchement d'Eugénie, sa conjointe.

Deux colons de la seigneurie, Marin Marais et Pierre Couc, se virent confier la responsabilité d'escorter la nouvelle maman et son nourrisson, Étiennette, jusqu'au manoir Crevier, de l'autre côté du lac Saint-Pierre. Les Mohawks pouvaient à tout moment entrer profondément dans les terres et prendre les fuyards en souricière par derrière. Pierre Couc connaissait bien la férocité des Mohawks pour avoir déjà été fait prisonnier en Iroquoisie.

Pour l'instant, Isabelle Couc, Judith Rigaud, Jeanne Trudel et Bérengère Boisseau attendaient le signal du départ, dans la maison de Pierre Couc, où la femme[15] de ce dernier veillait sur la nouvelle maman. Déjà, Isabelle s'apprêtait à faire équipe avec Marin Marais et son père. Joachim Germano, son mari absent depuis de longs mois, faisait le commerce de la fourrure dans les Pays-d'en-Haut avec ses beaux-frères, Fafard et Ménard, qui connaissaient bien la cruauté des Mohawks pour avoir déjà été capturés, eux aussi, en Iroquoisie. Mais les remèdes de Marie Couc pouvaient aussi servir aux relevailles de Marguerite Lamontagne, au cas où les soins de Bérengère Boisseau ne suffiraient plus.

Jacques Julien, l'autre voisin de Pierre Couc, Clovis Landry et Rosaire Bergeron avaient décidé d'attendre de pied ferme les Iroquois le long de la rivière, plus à l'intérieur des terres que l'escouade commandée par le vicomte de Manereuil. Jacques Julien avait été désigné pour revenir à la maison, donner le signal du départ et diriger ce convoi risqué à travers les bois et les clairières, jusqu'à l'endroit où le vicomte de Manereuil avait amarré une grande barque en prévision de la traversée du lac Saint-Pierre.

À leur arrivée en Nouvelle-France en 1666, Gerlaise de Saint-Amand et Banhiac Lamontagne, soldats de la Compagnie

---

15. Marie Mite8ameg8k8e Couc, une Atticamègue des Trois-Rivières, nation de la confédération algonquine, avait déjà sauvé la vie de Jacquelin Frérot, le frère de Thomas, torturé par les Iroquois en 1665, à leur arrivée en Nouvelle-France. Elle avait acquis, avec ses remèdes mystérieux, une réputation de guérisseuse, attribuable à la magie de la médecine algonquine. Voir *Eugénie, Fille du Roy*, tome 1, chapitre « La capture de Jacquelin Frérot ».

La Fouille, et leur lieutenant, le vicomte de Manereuil, avaient accompagné le capitaine du régiment de Carignan, Pierre de Sorel, dans des expéditions punitives contre les Iroquois.

Fine lame, portant un chapeau à larges bords et à plume d'autruche, Charles Duguay Rozoy de Manereuil, à vingt-deux ans, avait préféré l'aventure de la Nouvelle-France à la guerre conventionnelle sur l'échiquier européen. Il ambitionnait un combat corps à corps avec un Iroquois, dans lequel son épée l'emporterait sur le tomahawk

Revêtus de l'uniforme du soldat, d'une redingote bleue avec un collet blanc en toile à rabat par-dessus leur pourpoint, ainsi que de hauts-de-chausses et de bottes en cuir jusqu'aux genoux, de couleur brune, Saint-Amand et Lamontagne se souvenaient encore du discours de bienvenue de Sorel, capitaine à la carrure solide et au discours direct, devant Bâtard Flamand, négociateur iroquois et prisonnier des Français avec sa fille Dickewamis.

– Bienvenue au Canada, soldats et joignez-vous à votre compagnie du régiment. Auparavant, regardez bien à quoi ressemble un Iroquois. Regardez ses traits remplis de cruauté. Il n'a qu'une envie : celle de vous tuer et bien sûr de vous torturer avant.

Banhiac Lamontagne et Gerlaise de Saint-Amand avaient fixé avec intérêt l'allure de Bâtard Flamand qui souriait avec mépris, tel un fauve aux crocs jaunis, et provoquait la peur et la haine dans l'assistance de badauds rassemblés. Pour sa part, Dickewamis, la belle Indienne, offrait une silhouette sculpturale, le regard absent comme si elle communiquait avec les esprits de ses ancêtres.

Sorel continua.

– Dites-vous bien que ces Sauvages sont des bêtes féroces qui ne pensent qu'à nous déloger de notre beau pays. Car, ne vous y trompez pas, ce pays étant le nôtre, nous y apportons la civilisation qu'ils n'auront jamais par eux-mêmes.

Sorel pesait ses mots dans le but évident d'évaluer la résistance mentale de ses soldats.

– Apprenez à haïr ces Iroquois, que nous irons exterminer chez eux. Là-bas, ils seront encore plus barbares, devant leurs femmes et leurs enfants. Les Iroquois ne valent pas mieux que leurs chiens qu'ils mangent, pour le plaisir de tuer et de torturer. Ils feront de même avec vous si vous êtes capturés comme ils l'ont fait à vos compagnons de bataillon, tombés au combat sournois. Ces Sauvages n'ont qu'une apparence humaine ! Ce sont des diables déguisés. Ils vous trancheront en petits morceaux à la première occasion. Comme soldats, vous devez apprendre à tuer avant d'être tués. Maintenant, faites une belle parade de la puissance de l'armée du Roy de France à ce chef sanguinaire ! Le temps est venu, soldats, de montrer à ces vauriens de quel bois nous nous chauffons. Nous nous battrons jusqu'à la mort, s'il le faut. Notre général en chef, le marquis Alexandre Prouville de Tracy, ne veut rien de moins que l'extermination de cette vermine, femmes et enfants compris. Partons maintenant pour notre mission périlleuse !

Au fur et à mesure que le capitaine de Sorel haranguait la garde, les soldats regardaient le chef iroquois avec de plus en plus d'animosité.

On s'en souviendra, la paix avait été conclue avec les Iroquois en 1667. Les officiers et les soldats du régiment de Carignan furent démobilisés.

Le capitaine Pierre de Sorel fut nommé, en 1672, seigneur des terres bordant l'embouchure de la rivière Richelieu et du fleuve Saint-Laurent. Son compagnon d'armes, Alexandre de Berthier, reçut les terres situées sur la rive nord, derrière l'île Dupas et l'île Saint-Ignace qui faisaient face à la seigneurie de Sorel.

Pour sa part, l'enseigne Charles Duguay Rozoy, vicomte de Manereuil, s'était vu concéder la seigneurie de la Rivière-du-Loup en 1672, près des Trois-Rivières. Le vicomte, déjà installé à la Rivière-du-Loup, blessa grièvement en duel, au

Cap-de-la-Madeleine, Benjamin Anseau, pilier de la taverne de Jean Crevier, seigneur de Saint-François-du-Lac et jeune beau-frère de Pierre Boucher, qui avait épousé Marguerite Hertel, la sœur de François Hertel de la Fresnière qui libéra Jacquelin Frérot quelques années plus tôt.

Benjamin Anseau, ivre, l'avait provoqué en duel, pensant que le vicomte de Manereuil refuserait d'être hors-la-loi en acceptant le combat. Les duellistes étaient passibles de la peine capitale en Nouvelle-France. Contre toute attente, Manereuil, lui-même très aviné, dégaina son épée. Il prit rapidement le dessus sur son adversaire quand le tenancier Crevier lui asséna un coup de pommeau d'épée sur le crâne. Cependant, Anseau, blessé au bras et à la cuisse, avait perdu beaucoup de sang. Une fois guéri, il intenta un procès au vicomte.

Cet épisode n'était pas le premier du genre à s'être produit au Cap-de-la-Madeleine. Mais une telle rixe, impliquant un ancien enseigne du régiment de Carignan, c'était du jamais vu. Jean Talon en fut, bien sûr, informé par Pierre Boucher, d'autant que les Madelinois lui avaient adressé une pétition pour faire cesser la vente d'alcool dans le village.

Afin de sauver la réputation du régiment de Carignan même démantelé, l'intendant Talon persuada le ministre des Colonies, Colbert, de rendre légal le commerce de l'alcool, de répandre l'usage de la bière chez les colons et surtout de favoriser l'industrie brassicole pour diminuer l'importation de vin et d'eau-de-vie qui affaiblissait les finances de la Nouvelle-France.

Le décret de Colbert, qui avait mis fin au procès et innocenté de ce fait le vicomte, sauva Manereuil de la prison ou de l'exil. Crevier continua d'exercer son commerce, maintenant en pleine légalité, et le gouverneur Pierre Boucher sauva l'honneur de sa belle-famille. Les grands perdants furent les habitants du Cap-de-la-Madeleine, qui continuèrent à subir les débordements d'ivrognerie des piliers de la taverne de Crevier.

Quand le vicomte devint le seigneur de la Rivière-du-Loup, les Madelinois qui se souvenaient du duel entre Anseau, un de leurs compatriotes, et le vicomte de Manereuil, un protégé de Jean Talon, ridiculisèrent à leur manière la fredaine[16] de l'enseigne en fredonnant :

Venu au Cap avec l'épée,
Le bel enseigne a dégainé,
Si Crevier sauva Anseau d'une mort atroce
Le vicomte, lui, en fut quitte pour une bosse.

Pour sa part, le soldat François Banhiac Lamontagne, démobilisé, s'était établi sur la côte de Beaupré. Il avait rejoint son ancien lieutenant, le vicomte de Manereuil à la Rivière-du-Loup en 1674 et était devenu sabotier. Il se maria une première fois avec Madeleine Doyon en 1677 et la seconde fois en 1680 avec Marguerite Pelletier, la sage-femme des Trois-Rivières.

De son côté, Jean-Jacques Gerlaise de Saint-Amand se maria en 1667 avec Jeanne Trudel et le couple s'établit à l'Ange-Gardien, près de Québec. En 1674, ils déménagèrent à la Rivière-du-Loup.

Jean-Jacques Gerlaise de Saint-Amand et François Banhiac Lamontagne retrouvèrent deux autres soldats de la Compagnie de La Fouille, Pierre Brugnon et Joachim Germano, gendre de Pierre Couc.

Vingt années plus tard, les Iroquois avaient repris leur guerre et continuaient à menacer les colons toujours susceptibles d'être victimes d'une embuscade. Le gouverneur de Denonville avait bien voulu anéantir les intentions guerrières des Tsonnontouans en détruisant leurs villages en 1687 et en expédiant une quarantaine de prisonniers aux galères royales de Marseille, mais cette action militaire n'avait fait qu'intensifier la furie guerrière des Iroquois, en particulier des Mohawks, contre des habitants des environs de Ville-Marie, des Trois-Rivières et de Québec.

---

16. Fredaine : écart de conduite.

Les compères, donc, cachés sur les berges de la rivière du Loup, avaient décidé d'en finir une fois pour toutes avec ces Sauvages, même au risque de leur propre vie. François Banhiac Lamontagne, la rage au cœur et la gorge serrée à l'idée de perdre à la fois sa femme et la petite qui venait de naître, remerciait le ciel de pouvoir compter sur d'aussi valeureux compagnons.

Les anciens fantassins du régiment de Carignan, maintenant colons, défendaient leurs familles et leur territoire. Clovis Landry, Rosaire Bergeron et Jacques Julien, coureurs des bois la plupart du temps, serraient la crosse en noyer et en laiton de leur fusil à pierre à long canon et de leur pistolet. Un coutelas complétait leur armement. Pour leur part, Banhiac Lamontagne et Gerlaise de Saint-Amand arboraient leur fusil à platine, qu'ils avaient ramenés de France sur le *Sainte-Foy*, et portaient l'épée sur le côté, comme s'ils avaient gradué au rang d'officier. Ces anciens militaires, comme les coureurs des bois, maintenaient en bandoulière la corne à poudre noire, mélange de soufre, de carbone et de salpêtre, qui servait à charger l'arme et à faire partir la décharge, ou portaient cette poudre dans une poire sous l'aisselle pour la garder au sec.

Le vicomte de Manereuil venait de camoufler la barque, qui permettrait aux femmes de se sauver des Iroquois, dans une crique connue de tous les pêcheurs qui habitaient la Rivière-du-Loup. Seuls les Iroquois ignoraient l'emplacement. Le vicomte s'éloigna rapidement pour se mettre à l'affût d'un gibier des plus redoutables : les Mohawks.

Manereuil guettait l'ennemi à l'embouchure de la rivière du Loup avec deux Abénaquis de la tribu Socoquis, qui vivaient près des rivières Bécancour et Saint-François[17]. Les sept nations qui composaient la Confédération abénaquise[18], alliée des Français, résidaient dans la région du Maine, en Nouvelle-Angleterre,

17. Actuellement entre Précieux-Sang et Bécancour.
18. Appelée Waban Aki ou peuple du pays de l'Est, la Confédération comprenait les Pesmocodys, les Pentagouets, les Canibas, les Socoquis, les Malécites, les Mohicans et les Micmacs.

ainsi que dans la région acadienne[19], contrairement aux cinq nations iroquoises, alliées des Hollandais et des Anglais, dont les territoires allaient de la rivière Richelieu au lac Ontario. Les Abénaquis naviguaient sur la rive sud du lac Saint-Pierre, aux environs de la longue pointe[20], pour voir les Iroquois arriver de l'autre côté du lac et alerter leurs alliés français.

Manereuil escomptait que les oiseaux aquatiques, canards, sarcelles, sauvagines, tourtes, qui habitaient les berges, les avertiraient de la présence des Iroquois.

Soudainement, par une stratégie très risquée, le lieutenant de Manereuil ordonna de surprendre l'ennemi du lac. Le trio prit place dans un canot construit pour le transport des ballots de fourrure et qu'on avait dissimulé dans les hautes herbes. Les guetteurs longeaient depuis peu l'aulnaie de la rivière, lorsqu'ils aperçurent un campement iroquois, composé de tentes rudimentaires faites de branchages de sapin. Quelques Indiens s'affairaient à manger autour d'un feu dans un trou. Manereuil soupçonnait que d'autres pouvaient dormir ou revenir de leur tour de garde. Leurs mousquets de fabrication hollandaise étaient appuyés sur un tronc d'arbre. Trois canots étaient accostés sur la berge.

La rivière à cet endroit n'était pas très large. À peine quelques coups d'aviron. Le courant froid du début de l'automne se faisait toutefois sentir. Manereuil leva le bras droit afin d'avertir ses compagnons que l'attaque était imminente. Il leur fit signe de vérifier leurs mousquets. La poudre et les balles étaient au fond du canot. Chacun en possédait toutefois dans sa giberne qu'il portait à la hanche gauche. La hanche droite étant réservée au pistolet.

Un silence de mort régnait, comme si la faune et la flore appréhendaient le combat. Le Français et les Abénaquis serrèrent la crosse de leurs fusils et pointèrent l'ennemi. Soudain, une volée

19. Nouveau-Brunswick actuel.
20. Aujourd'hui, Baie-du-Febvre.

de flèches vint transpercer les parois de leur canot qui se mit à prendre l'eau, à la stupéfaction des passagers.

– Vite, à la rive. Ramons et surtout ne mouillons pas la poudre et les fusils. Mettons-nous à l'abri avant qu'ils récupèrent leurs mousquets. Sitôt à terre, restons regroupés, ordonna Manereuil avec autorité.

Avant que les Iroquois n'eussent le temps d'ajuster leur tir, le trio avait posé les pieds sur la rive et s'était camouflé dans les branchages.

Manereuil voulait être certain de sa cible avant de tirer pour ne pas risquer de dévoiler le positionnement du petit détachement. Une forme humaine se dessina dans le fourré. Manereuil repéra un Iroquois tapi dans la mousse. Le Sauvage avait le nez busqué et un visage aux pommettes saillantes, peinturé de rayures rouges. Les côtés de son crâne étaient rasés et sa hure aux poils de jais lui donnait un air encore plus féroce. Il portait une lanière de cuir autour de sa tête, qui retenait une plume de rapace. Manereuil dégaina silencieusement son épée et d'un bond alerte l'enfonça en plein cœur de l'Indien, qui râla avec force. Un râle de mourant dont le poumon venait d'être perforé.

Un des Abénaquis récupéra une embarcation iroquoise. Prestement, le trio canota sur la rivière vers l'intérieur des terres, suivi de près par les Mohawks qui criaient dans le but d'effrayer l'ennemi. La guérilla indienne se gagnait souvent par la peur. Les Iroquois se dévoilèrent ainsi à Lamontagne et Saint-Amand qui reconnurent l'ennemi, le mirent en joue et tirèrent. Deux Iroquois tombèrent immédiatement dans l'eau.

Après avoir été ramené rapidement à l'orée du bois par ses anciens subalternes, Manereuil, dissimulé derrière un petit arbuste pour se mettre à couvert, ordonna :

– Messieurs, finissons-en avec cette vermine. En joue !

Lamontagne et Saint-Amand voulurent recharger leur fusil. Ils devaient pour cela prendre une cartouche de poudre, l'insérer dans le bassinet du canon et charger ce dernier d'une balle de plomb. La manœuvre prit plus de temps qu'il en fallut aux Iroquois qui suivaient en canot afin de venir prêter main-forte à leurs congénères. Saint-Amand n'eut pas le temps de recharger. Gagné par la peur, l'ancien soldat préféra couper à travers bois et s'éloigner en courant. La forêt, dense et touffue de conifères et de feuillus, protégea un temps sa fuite.

Saint-Amand se mit à ramper dans le sous-bois entre les troncs d'arbre, refuge de moisissures et d'épaisses couches de feuilles encore mouillées de la rosée du matin. Quelques carcasses de petits animaux piégés indiquaient que cet endroit était connu des trappeurs. Arrivé près d'un arbre assez gros pour le cacher, Saint-Amand décida de se mettre en position debout, histoire de se dégager de la fange, de reprendre son souffle et de recharger son fusil. La forêt dégarnie lui joua un mauvais tour. L'ennemi parti à ses trousses réussit à le traquer.

Saint-Amand reçut une première flèche en haut du bras gauche. Une douleur intense lui laboura l'épaule. Il regarda en direction de l'archer. Aussitôt, il fut touché par une deuxième flèche au mollet droit qui lui fit plier les genoux. Saint-Amand entendit un cri féroce, celui de l'Iroquois qui fonçait sur lui en brandissant son tomahawk. Son visage hideux était strié de bandes de couleur rouge et noire. Un véritable démon sorti tout droit de l'enfer.

Le soldat eut juste le temps de dégainer son pistolet qui était heureusement chargé et d'atteindre l'Indien en plein thorax. Ce dernier tomba raide mort en s'affalant de tout son long, près de Saint-Amand.

Au moment où ce dernier était sur le point d'appeler François Banhiac à son secours, un autre Iroquois surgit subitement avec les mêmes intentions. Saint-Amand, perclus de douleurs et se traînant sur le sol du boisé, mort de peur, s'apprêtait à défendre chèrement sa vie. Il sortit son couteau de son fourreau avec grande difficulté alors que l'Iroquois se préparait à lui asséner un coup avec son terrible tomahawk.

Saint-Amand reçut une giclée de sang en plein visage. Une détonation avait fait éclater la tête de son agresseur qui s'écroula lourdement sur lui, brisant les flèches toujours insérées dans ses chairs. L'intense douleur des deux pointes, le fit hurler de douleur. Il perdit conscience.

François Banhiac Lamontagne qui venait de retrouver Saint-Amand qu'il cherchait désespérément à secourir, après avoir entendu la détonation du pistolet de son ami, s'apprêtait à recharger son mousquet lorsqu'il entendit Manereuil s'écrier :

– Soldat Lamontagne, faites attention. Il y en a un qui attaque.

François Banhiac Lamontagne leva les yeux et vit un Iroquois qui courait dans sa direction. Il cessa immédiatement l'opération complexe du rechargement du fusil, se coucha à plat ventre pour être moins visible et sortit son pistolet. L'homme lança avec force son tomahawk qui rata sa cible. Il allait dégainer son coutelas quand Lamontagne le mit en joue et tira, l'atteignant en plein front. L'Indien roula par terre.

Le soldat prit le temps de recharger son fusil et son pistolet, quand il entendit des bruits de bagarre. Le lieutenant Manereuil se débattait avec son agresseur. Une mare de sang souillait le tapis de feuilles. Manereuil avait déjà logé une balle en plein front d'un Iroquois tandis qu'un autre lui avait amoché une oreille d'où s'écoulait un sang chaud et vermeil qui maculait sa joue et le collet de son uniforme.

L'Iroquois lui hurla sans doute une invective dans sa langue, dont l'écho résonna à travers les bois. Le cri eut l'avantage d'alerter Manereuil qui réagit à la vitesse de l'éclair en lui plantant sa baïonnette en pleine poitrine. Du sang bouillonnant sortit à torrent du poumon perforé de l'Indien qui s'agenouilla en agonisant, les yeux hagards et injectés de sang, de rage et de stupeur. Finalement, il s'affaissa près de l'autre Iroquois quand François Banhiac Lamontagne lui transperça la tempe d'une balle.

Lamontagne prit la parole.

– Tout va bien, monsieur. Vous l'avez échappé belle !

– Rechargez vos armes, il y en a d'autres qui s'en viennent.

Le vicomte de Manereuil s'était déjà relevé, malgré sa blessure à oreille qui continuait à inonder son visage de sang et qui l'affaiblissait. Mais il commençait à chanceler. Il divaguait.

– Je veux que vous les exterminiez tous. M'avez-vous compris, soldats ? Tous !

– Oui, mon lieutenant.

– Brûlez leurs wigwams, si nous voulons gagner la guerre, soldats.

Manereuil avait prononcé cette dernière phrase avec peine, dans son délire. Soudain, il s'écroula. François Banhiac Lamontagne était sur le point de prêter main-forte à son ancien officier quand il ressentit une vive douleur à la tête. Il se retourna suffisamment pour faire dévier le coup du tomahawk de l'Iroquois, qui lui aurait été fatal, pour apercevoir à travers le brouillard de ses yeux, à la lisière de la forêt, les trois trappeurs canadiens, Clovis Landry, Rosaire Bergeron et Jacques Julien, coiffés de bonnets en laine et chaussés de bottes en peau d'orignal et en fourrure de castor. Ils faisaient feu à distance sur l'ennemi. Les Abénaquis, les frères Wapwi et Matawi Medzalabanleth les accompagnaient.

Du sang s'échappait du côté droit de la tête de François Banhiac Lamontagne, qui perdit connaissance au moment où il s'apprêtait à se rendre au chevet de son ami Saint-Amand tandis que ses sauveteurs s'approchaient de lui. Ils venaient de blesser l'Iroquois aux jambes. Ce dernier s'écroula en rugissant de douleur. Un des Abénaquis allait scalper l'Iroquois quand son congénère l'interpella. L'autre s'arrêta et se contenta de frapper le vaincu d'un solide coup de pied en plein visage. Puis, il l'empoigna par les cheveux et le traîna un peu plus loin près d'un gros bouleau.

– Bergeron, occupe-toi de ces blessés avec Julien. Je vais voir plus loin.

Clovis Landry partit dans le boisé qui faisait face à la petite clairière, où se trouvait l'arbre qui allait servir de poteau de torture à l'Iroquois.

Déjà, ce dernier y était solidement attaché, dévêtu et livré aux morsures du froid de la fin de journée. Un des frères abénaquis préparait un feu dont les flammes commençaient déjà à pointer vers le ciel. Des pierres plates y chauffaient, véritable antre de l'enfer. Le prisonnier avait commencé à chanter sa mélopée de mort. Rosaire Bergeron et Jacques Julien se rendirent au chevet de Manereuil et de Lamontagne pour sonder leur état de santé.

Reconnaissant son ancien seigneur, Bergeron s'exclama :

– Le vicomte est vivant, mais il a perdu beaucoup de sang. Regarde son oreille ! Mais il devrait s'en remettre. Je vais le couvrir avec ma pelisse. Et l'autre ?

– C'est Banhiac Lamontagne. Il a reçu un bien vilain coup sur la tête. Il ne se réveillera pas de sitôt, répondit Jacques Julien.

Attendons le retour de Clovis. Il nous dira ce qu'il a l'intention de faire. En attendant, regardons faire les Sauvages.

Bergeron sortit de sa gibecière une fiole d'eau-de-vie et la présenta à Julien.

– Tiens ; bois ce tord-boyaux. Tu m'en donneras des nouvelles ! renchérit-il.

Il but goulûment, s'essuya la bouche avec le rebord de sa veste de peau et remit le flacon à Bergeron. Ce dernier fit de même. Les deux amis remplirent ensuite leur pipe en plâtre de tabac indien et fumèrent. Pendant ce temps, les deux Abénaquis avaient commencé à torturer leur prisonnier, tout en se régalant de morceaux de chien braisés.

Wapwi et Matawi avaient d'abord chauffé la lame d'un couteau qu'ils avaient appliqué soigneusement sur la blessure dégoulinante qui ornait ce qui restait du cuir chevelu de l'Iroquois afin de cautériser malicieusement la plaie. La vive douleur du contact de la lame rougie avec la chair indiqua au prisonnier que la séance de torture commençait et qu'il devait se préparer à mourir.

Pour les Indiens, la torture permettait à la victime de prouver sa bravoure. Un grand guerrier impressionnait par sa résistance à la douleur, et il devait affronter la mort avec dignité. L'Iroquois continuait son chant de mort, en défiant ses tortionnaires du regard.

Les Abénaquis se mirent à lacérer lentement ses ongles puis sa langue, à lui déchiqueter la peau laissant ses chairs à vif pour ensuite les brûler. Bergeron et Julien se regardèrent avec dégoût. Malgré ses atroces souffrances, l'Iroquois n'émit aucune plainte. Un supplicié qui ne se lamentait pas pouvait venir hanter ses tortionnaires.

Les Abénaquis s'acharnèrent de plus belle en lui arrachant la langue. Il finit par perdre conscience. Les tortionnaires le réanimèrent en le brûlant aux endroits les plus sensibles de son corps. L'Iroquois reprit à mi-voix sa mélopée de guerre, du bout des lèvres. On lui coupa les lèvres. Il regarda ses tortionnaires avec insolence. Un des Abénaquis décida de lui crever les yeux avec un fer rougi. Le supplicié vacilla sur ses jambes. Tout son corps n'était que lambeaux. Mais il ne s'était pas encore plaint. Nargués à outrance, les Abénaquis lui brûlèrent l'intérieur de la bouche à l'aide de pierres incandescentes. L'Iroquois gémit pour la première fois. Une odeur rance de fange alourdissait l'atmosphère déjà remplie du parfum acre des chairs brûlées. Les bourreaux, sentant le supplicié fléchir, persistaient à l'insulter. Puis, d'un geste vif d'une grande cruauté, ils l'éventrèrent avec son propre couteau jusqu'à ce que le manche disparaisse dans les entrailles, de manière impitoyable. L'Iroquois qui n'en finissait plus de souffrir courageusement, émit une deuxième plainte. Les Abénaquis trépignèrent de joie. Ils venaient de faire céder leur prisonnier et ainsi s'éviter des songes malveillants, tout en assouvissant leur vengeance.

Bergeron et Julien qui finissaient leur flacon ne s'amusaient déjà plus de ce spectacle barbare.

Clovis Landry revint à l'endroit du supplice. Il vit d'abord Rosaire Bergeron.

– Hé Bergeron! J'ai retrouvé le Belge avec deux flèches dans le corps. Mal en point, mais il s'en tirera. Il faudrait transporter nos amis aux Trois-Rivières, mais ils ne pourront pas faire le voyage dans leur état. Si la belle-mère de Joachim n'est pas partie, elle sera capable de les soigner avant la traversée du lac. Sinon, il y a toujours Judith qui préférera sans doute rester, mais…

Le ton de la voix de Clovis Landry baissa. Il n'osait imaginer la réaction de sa femme Bérengère si elle l'avait entendu.

La maison de Pierre Couc n'était pas très loin de celle de Judith Rigaud. Cette dernière connaissait aussi les remèdes indiens. Du moins, c'est ce qu'elle disait. Elle avait une réputation de guérisseuse. Plus d'un célibataire de la région des Trois-Rivières avaient été faire soigner ses petits bobos chez elle! Plutôt leur mal de l'âme, disaient certains. Surtout pour les coureurs des bois, les voyageurs de passage et les trappeurs. Les moins malades préféraient l'examen médical de la *rigaude,* pour les motifs que l'on imagine.

Apercevant Jacques Julien qui buvait la dernière lampée d'eau-de-vie, Clovis Landry sursauta.

– Jacques, que fais-tu ici ? Tu devais donner le signal de départ et reconduire nos femmes de l'autre côté du lac !

– Jus… tement… je… m'apprêtais à… partir, dit-il..

– Mais, ma parole, tu es saoul ! Dépêche-toi de dégriser, sinon les Sauvages vont te scalper.

Pour lui éviter les reproches de Landry, Bergeron avança :

– Qu'est-ce qu'on fait avec les Sauvages ? Ils n'ont pas fini de se distraire, semble-t-il.

– Ça… ne devrait pas tarder. Question de temps, *hic*, ajouta Jacques Julien, au grand mécontentement de Landry.

Immédiatement après cela, un des Abénaquis fendit la tête de l'Iroquois avec son tomahawk. Il récupéra la cervelle, la partagea avec son complice, et les deux Indiens se délectèrent. Une fois leur haine assouvie, l'un des deux lâcha un grand cri strident de victoire. L'autre détacha la dépouille de l'Iroquois et la déposa sur le feu. Le cadavre se consuma lentement.

– Allez ouste, Julien ! Il se fait tard. La nuit va bientôt tomber. Dépêche-toi de déguerpir en piquant à travers le bois et de te rendre chez ton voisin Pierre. Quant à nous, nous devons nous mettre en route dès maintenant. Nous trouverons bien un moyen de les soigner. Bergeron, demande aux Sauvages de nous aider, intima Landry.

Les deux Canadiens et les deux Abénaquis construisirent des civières avec des branches d'arbre afin de transporter les blessés chez Pierre Couc. Comme il manquait une troisième civière, Clovis Landry transporta l'officier Manereuil sur son dos.

Clovis était un gaillard, rompu aux portages difficiles, pouvant parfois porter des charges allant jusqu'à trois cents livres lorsqu'il voyageait pour Radisson et Des Groseillers.

Ils récupérèrent leurs embarcations qu'ils avaient laissées sur la rive après avoir entendu les coups de feu.

Jacques Julien se leva, récupéra son fusil et entreprit son trajet en titubant. Après s'être suffisamment distancé du cortège de ses compagnons, il choisit un raccourci à travers une sapinière, ce qui l'empêcha de voir clairement son chemin, sa vision étant déjà affaiblie à cause de ses paupières alourdies par l'alcool. Des branchages jonchaient le sol couvert d'hummus. Si bien qu'il perdit pied et s'affaissa lorsqu'il croisa la crosse de son fusil et trébucha. Une détonation sourde que n'auraient pu entendre ses compagnons, se produisit aussitôt qu'il eut actionné la gâchette du mousquet dont le canon piqua l'humus. Mais le coup de fusil permit aux Iroquois qui surveillaient les environs de le repérer. Quand Jacques Julien voulut se relever de sa fâcheuse position, il aperçut dans la pénombre un masque rouge qui le surplombait.

Quand Landry et Bergeron se présentèrent à la maison avec les trois militaires aidés des deux Abénaquis, Landry s'étonna de les voir encore tous là. Il s'étonna encore plus d'y retrouver Louis Couc, de retour de Michillimakinac, près de Détroit.

Il demanda à Isabelle, la sœur de Louis Couc :

– Jacques Julien n'est pas là ? Nous l'avons vu prendre un raccourci. Il serait censé être arrivé et devrait avoir eu le temps de vous amener à Saint-François-du-Lac. J'espère qu'il ne lui est rien arrivé. Allons, Bergeron, nous retournons d'où nous venons. Il faut le retrouver. Je m'inquiète pour lui. Louis, si tu pouvais nous accompagner.

– Le temps de récupérer mon fusil, Clovis, et je vous suis, répondit Louis, tout heureux de sauver un voisin et de quitter l'hôpital de fortune.

La maison de son père lui rappelait trop de souvenirs tragiques, comme la mort de sa femme et de ses enfants[21].

Isabelle les regarda sans sourciller. Elle était habituée, bien malgré elle, à se passer de la présence de son mari.

Les hommes sont tous pareils, se dit-elle.

Sitôt le convoi ambulancier arrivé, Pierre Couc installa deux paillasses pour les soldats blessés et un matelas de plume de canard pour l'officier Manereuil. L'arrivée de leur père créa de la stupeur chez les fillettes Lamontagne qui restèrent pantoises devant les bandages qui lui ceinturaient la tête. Bien que dans un état de faiblesse, Marguerite qui tenait à s'occuper des pansements de son mari remit sa petite Étiennette dans les bras de Bérengère. Son mari, François Banhiac Lamontagne n'avait pas encore eu ce bonheur, lui, et voilà qu'il venait d'être blessé par ces Sauvages!

Marie-Anne, âgée seulement de sept ans, aidait sa mère du mieux qu'elle le pouvait en régentant l'agitation de ses sœurs auprès de leur père. La petite Antoinette, âgée d'un an, réclamait autant l'attention de sa mère que le nouveau-né, Étiennette, qui vagissait maintenant dans les bras de Clothilde Landry, une adolescente de quinze ans, la fille unique de Bérengère qui s'inquiétait de voir repartir son mari Clovis affronter Diable rouge.

La Sauvagesse, aidée de sa fille Isabelle, offrit aux sauveteurs de la sagamité, c'est-à-dire des morceaux de viande d'ours cuite dans une chaudière remplie d'un brouet à la graisse fondue et d'épis de blé d'Inde braisés.

Les trois blessés étaient encore inconscients. L'Algonquine commença d'abord par retirer les pointes de flèche du Belge puis

---

21. À son retour du pays des Mohawks, en Nouvelle-Angleterre, avec Kawakee, de son nom français Ange-Aimé Flamand et Menaka, la conjointe de ce dernier, Louis Couc apprit le décès de sa femme et de ses enfants. Voir *Eugénie de Bourg-Royal*, tome 2.

cautérisa les plaies vives. L'odeur de chair brûlée rappela à Landry et à Bergeron le supplice infligé à l'Iroquois par les Abénaquis.

Aussitôt que Landry et Bergeron furent sortis de la maison des Couc, Clovis s'empressa de dire :

— C'est de ta faute, Bergeron. Tu sais bien qu'il ne supporte plus l'eau-de-vie, Julien.

Les blessures de Lamontagne paraissaient superficielles, hormis une grosse prune sur le cuir chevelu. L'oreille de l'officier Manereuil paraissait vraiment mal en point. Il lui fallait de la chirurgie et l'Indienne en était incapable. Ses remèdes n'y pouvaient rien. Elle décida de solliciter l'aide de sa voisine, Judith Rigaud. Cette dernière avait agi comme infirmière auprès du médecin des Trois-Rivières, son ex-mari. Elle tenait le sac qui recevait les membres que le docteur Laplanche amputait. Il lui avait aussi appris à recoudre les plaies. Le cas de Manereuil était de son ressort.

— Alors, mon petit vicomte, il va falloir que tu fasses confiance à Judith, n'est-ce pas ?

Judith la *rigaude* raccommoda l'oreille de l'officier Manereuil et lui confectionna un pansement badigeonné de l'onguent qu'avait concocté Marie Couc. Quand Manereuil voulut remercier son chirurgien, elle lui répondit simplement :

— Surtout pas de merci, vicomte. Venez plûtôt me visiter un de ces jours, si vous voyez ce que je veux dire, n'est-ce pas ! lui répondit-elle en lui adressant un clin d'œil complice.

Manereuil parut surpris de l'invitation de la femme qui était âgée. Timide, il balbutia :

— J'abattrai autant d'Iroquois qu'il faudra pour assouvir notre vengeance, noble dame !

Manereuil avait hâte de retourner guerroyer contre les Iroquois et de leur donner une bonne leçon.

Se faire traiter de noble avait amusé Judith qui répondit :

– C'est ce que j'ai promis à Gerlaise, vicomte, lui qui n'aura pas la chance de raconter ses exploits de guerre, sinon ses blessures et ses malheurs.

Aussitôt, Judith se mit à fredonner le chant militaire des soldats du régiment de Carignan.

Étant rendus aux Trois-Rivières
On fait nique aux cimetières
On ne pense plus au passé
Chacun se trouve délassé
Le pot bout. On remplit l'écuelle.

Quand Clovis informa Louis Couc de la présence de Diable rouge dans les parages, Louis lui répondit :

– Il vaut mieux unir nos forces, ce capitaine masqué est pire qu'une bête assoiffée de sang.

– Tu as raison, Louis. Trouvons-le au plus vite, avant qu'il ne nous trouve ! Je retourne à la maison de ton père.

Il lui tardait maintenant à s'emparer de Diable rouge qui menaçait de s'attaquer à tout moment aux Français et de tuer la nouvelle maman et sa petite fille. L'intrépide vicomte et le soldat Banhiac Lamontagne demandèrent à leurs sauveteurs de faire équipe avec eux. La réponse de Louis Couc à Banhiac Lamontagne fut directe :

– Toi, François, occupe-toi de ta femme et de ta petite fille, pendant qu'elles sont bien portantes.

Louis avait toujours bien en mémoire le drame familial qu'il se reprochait encore de ne pas avoir évité lorsqu'il s'était rendu au pays des Mohawks avec Ange-Aimée Flamand.

Clovis Landry, pour sa part, ajouta à l'intention de Manereuil :

– Quant à vous, monsieur le vicomte, vous êtes trop mal en point. Laissez-nous, coureurs des bois, faire notre guerre à notre manière et montrer à ce Diable rouge ce que valent les Canadiens.

Dépité, Manereuil resta silencieux et déçu d'avoir perdu son pouvoir de commandement.

Mais il fallait grossir les rangs des belligérants canadiens. Clovis entreprit de convaincre les plus féroces ennemis des Iroquois du lac Saint-Pierre, les Abénaquis. Un peu d'eau-de-vie et un fusil supplémentaire aidèrent à conclure une entente avec les frères Wapwi et Matawi Medzalabanleth pour qu'ils restent avec la nouvelle petite armée.

Clovis Landry remercia ses hôtes et décréta qu'il fallait pourchasser les Iroquois par la rivière, cette fois dans la pénombre du soir. Le petit bataillon de cette guérilla prit d'abord le sentier qui mena à la rivière. Par la suite, Clovis ordonna de ratisser le bois, en demandant aux autres d'avancer en formation parallèle, à raison de quatre coudées entre chaque combattant, en cherchant un indice qui permettrait de déceler la trace de Jacques Julien.

Il était essentiel de ne pas faire de bruit pour que les Iroquois ne détectent pas la présence du contingent. Le silence était l'une des armes secrètes des Abénaquis. En forêt, leurs mitasses en peau d'orignal lacées avec des lanières de cuir, qu'ils appelaient « pichou », leur permettaient de progresser sur le sol avec une souplesse de félin. Comme la nature commençait à perdre son lustre automnal multicolore, sans prudence, le moindre bruit pouvait déclencher la riposte de l'ennemi, que l'on savait coriace et à proximité.

Malheureusement, rien ne permit de repérer Julien. Rendu à la rivière, Louis Couc donna l'exemple en sautant dans son canot, tant il lui tardait d'éliminer Diable rouge. Clovis n'en fit pas de cas. La force de la troupe canadienne, composée de coureurs des bois et d'Indiens, reposait sur sa stratégie de l'effet surprise et sur sa connaissance du champ de bataille. Si Louis Couc avait décidé de mener les opérations en premier, Clovis Landry savait que le désir de Louis de sauver son ami Jacques Julien était la meilleure motivation pour vaincre l'ennemi des Atticamègues.

Le convoi était composé de trois embarcations. Les deux Abénaquis, chacun à la barre d'un canot, prirent place avec Bergeron dans le premier et avec Clovis Landry dans le second. Louis Couc était seul dans le sien. Parti seul, il conservait l'autre place pour Julien. Il faisait déjà froid et la navigation devenait de plus en plus dangereuse. Les Abénaquis souhaitaient régler, une fois pour toutes, leurs comptes à ces Iroquois. Les frères pagayaient en silence. Leurs canots glissaient aisément sur l'onde, dans la nuit d'encre.

Percevant un bruit inhabituel dans une clairière, Louis Couc demanda d'accoster, afin d'aller vérifier les effectifs de l'ennemi, s'il en fût. Une fois à terre, les Abénaquis, munis de leur tomahawk, s'avancèrent en rampant jusqu'au bivouac iroquois, en compagnie de Louis Couc qui prenait le commandement de l'avant-garde. Bergeron et Landry, les coureurs des bois, restèrent postés à l'orée du bois, prêts au combat.

Les Canadiens tenaient en main leur mousquet chargé. Ils portaient à leur ceinturon, du côté droit, un pistolet également chargé, du côté gauche, la giberne qui contenait poudre et cartouches. Dans leur dos, un couteau de chasse à l'intérieur de son étui, était prêt à l'attaque. Les Abénaquis étaient armés de fusils, de couteaux et de tomahawks.

Pas un bruit toutefois ne provenait des cabanes iroquoises. Seul un feu finissait de se consumer et les braises éclairaient à peine les branches des grands sapins. Un poteau de torture restait l'unique témoin d'activité humaine, près du feu. Une odeur rance de chair brûlée enveloppait l'atmosphère macabre. Le silence était total. Clovis Landry fit signe à Rosaire

Bergeron de se mettre en position de tir pour bloquer la fuite des Iroquois qui chercheraient à se sauver. Louis Couc, pour sa part, fit signe aux Sauvages de s'introduire dans les huttes de branchages.

Aussitôt, les deux Abénaquis lancèrent leur cri de guerre pour effrayer et faire fuir l'ennemi, suivis de Louis Couc qui en oublia ses racines françaises en se saisissant d'un casse-tête à son tour. Tomahawk en main, les deux Indiens éventrèrent les caches en sapinage. Une lugubre découverte les prit par surprise. Le corps sans tête à moitié calciné, à moitié dépecé de Jacques Julien gisait parmi les détritus, marques du passage des Mohawks. Ils reconnurent le couteau de chasse de Julien, au manche en ivoire de morse, que ses tortionnaires avaient oublié sur place.

Louis Couc poussa un cri de rage qui résonna à travers la forêt. Landry et Bergeron rejoignirent aussitôt leurs compagnons.

— Nous allons le venger, Louis, ne t'en fais pas. Mais restons d'abord regroupés et vigilants.

— Que recommandes-tu, Clovis? demanda Bergeron.

— De retourner aussi vite que possible à la maison de ton père, fit-il en regardant Couc droit dans les yeux.

Comme Louis s'apprêtait à déguerpir en premier, Clovis Landry ajouta:

— Heureusement que Marin Marais est là. Avec Lamontagne et ton père, ils sauront se défendre pour un temps. Isabelle est bien capable de tirer, elle aussi. Mais qui va annoncer la mort de Jacques Julien?

— C'est moi qui vais m'en charger, Clovis, répondit Louis.

– Comme Jacques est mort, le plus rapide serait de retourner par la rivière. Vite, aux canots, ordonna Clovis.

La raison prenait le pas bien souvent sur l'instinct dans la guérilla canadienne. Clovis Landry, en reprenant le commandement des opérations militaires, en donna un bon exemple.

CHAPITRE IX
La macabre apparition

Quand Jacques Julien aperçut Diable rouge au-dessus de lui, il chercha à récupérer son fusil à quatre pattes puis tenta de se relever. Aussitôt, il reçut un violent coup de pied dans les côtes qui le fit de nouveau rouler par terre. Il cria de douleur. Mal lui en prit, car son geignement prouvait son incapacité à tolérer la douleur et à afficher sa virilité, puisque chez un vrai guerrier indien, les deux étaient indissociables. Il s'attendait à ce que le Sauvage le scalpe avec son tomahawk, mais il n'en fit rien. Ce dernier préféra l'assommer, sans plus. Julien perdit immédiatement conscience. Quand il reprit ses esprits, il était attaché au poteau de torture, attendant de connaître son sort.

Les Mohawks palabraient à mi-voix autour du feu. Diable rouge animait le caucus. Il était certainement le chef de l'expédition. Jacques Julien remarqua qu'ils n'étaient pas tous mohawks. Deux de la bande des six portaient des ornements en piquants de porc-épic. Leurs cheveux étaient plus longs et leur nez, beaucoup plus busqué que celui des Iroquois ou des Hurons. C'étaient des Atticamègues. Soudain, Diable rouge se leva et lança son tomahawk avec force et rage sur le tronc d'un gros orme.

Julien en déduisit que ce dernier était en violent désaccord avec la décision des autres forcenés. Le Mohawk était grand et élancé, avec de larges épaules. Sa peau était plus ambrée que celle des autres Indiens, plus cuivrée. Les ailes de son nez droit et la ligne de ses traits lui conféraient un air de noblesse, qu'il camouflait sous une couche épaisse de maquillage fait de terre rouge. Le Mohawk portait une longue chevelure rousse qui traînait sur ses épaules de manière anarchique, d'où son surnom légendaire de Diable rouge. Celui-ci décida soudain de détacher le prisonnier. Mais avant qu'il ne mette son plan à exécution, un des guerriers le devança et fendit le crâne de Jacques Julien avec son tomahawk. La cervelle du Français se répandit en un grand jet sur le feu et se mit à frire sur les pierres incandescentes.

Le Sauvage lâcha un cri strident de victoire, prit son coutelas et trancha ce qui restait de la tête de Jacques Julien. Il s'amusa par la suite à déchiqueter le cadavre, tombé par terre, à en extirper les organes vitaux et à jeter au feu les chairs. Il découpa en morceaux le cœur, le foie et les reins qu'il distribua aux autres invités à ce banquet cannibale. Tous se délectèrent de cette proie de choix.

Seul Diable rouge refusa cette nourriture festive. Il alla plutôt chercher une chaudière d'écorce, la remplit de sable qu'il déversa sur les restes du cadavre de Julien afin de l'inhumer, quand un autre Indien se planta devant lui, le défiant de continuer. Les deux belligérants se toisèrent. Un autre Mohawk dessina un grand cercle sur le gravier, délimitant l'arène du duel. On récupéra le tomahawk de Diable rouge et on le lui remit. L'autre avait le sien déjà en main, ayant voulu assommer son adversaire de façon déloyale, coup mortel que Diable rouge avait esquivé à temps.

Le combat se déroula avec rage. Les qualités athlétiques des pugilistes s'équivalaient. Si Diable rouge était le plus grand, son adversaire était mieux charpenté et plus fort. Cependant, la ruse et l'intelligence du capitaine rouge le sauvèrent. Il attira son adversaire vers le boisé. Ce dernier, appuyé contre son gré au tronc d'un sapin centenaire, perdit toute liberté de mouvement. Il se prit dans les branches du gros conifère et perdit pied. À ce moment précis, Diable rouge le saisit à la gorge d'une main puissante et y appuya son coutelas. Les autres Indiens, qui encourageaient les adversaires dans ce combat qu'ils voulaient fatal, devinrent soudainement silencieux. La mort était au rendez-vous.

Subitement, au lieu d'achever son ennemi, Diable rouge préféra lui arracher son collier en piquants de porc-épic et cracher par terre de dégoût pour les piètres qualités de guerrier qu'il avait démontrées. Il lança le collier dans le feu. Cette insulte suprême au symbole d'appartenance de l'Atticamègue fut applaudie par ses congénères.

– Hau! hau! hau!

Diable rouge ramena le vaincu au centre de l'arène improvisée et le força à s'agenouiller devant lui en lui prenant la crinière. L'autre Atticamègue voulut se jeter soudain sur Diable rouge pour sauver l'honneur de son compagnon, mais les Mohawks le retinrent à temps. Diable rouge demanda aux deux comparses, dans leur langue, ce qu'ils souhaitaient pour sauver leur honneur. Ils lui répondirent de mettre la tête de Jacques Julien sur une pique et d'aller la planter devant la maison de Pierre Couc qui avait permis à ses filles, à demi Atticamègues par leur mère Marie, d'épouser un Blanc. Diable rouge parut contrarié par la demande. Néanmoins, il leur donna la permission de s'emparer de leur trophée de chasse. Aussitôt, l'escouade meurtrière se mit en route, guidée par les deux Atticamègues qui connaissaient bien le trajet.

Arrivés devant la maison des Couc, les Mohawks empalèrent la tête de Julien et la mirent en face de la maison, vis-à-vis de la porte d'entrée, sans faire de bruit. Les occupants étaient endormis, excepté Isabelle qui accomplissait son tour de garde en compagnie de Marin Marais qui somnolait. Ils devaient être relayés par Pierre Couc et par François Banhiac Lamontagne, encore mal en point à cause de sa blessure, qui dormait près de sa femme et de ses fillettes.

Isabelle regardait le clair de lune depuis quelques instants, quand elle aperçut les lueurs des torches enflammées, près de la maison. Elle crut un instant que son frère Louis et son mari revenaient. Elle resta figée sur place quand elle reconnut la tête de son voisin, Jacques Julien, au bout de la pique.

– Non.....! Pas ça, non...! dit-elle dans un decrescendo.

L'aurait-elle voulu, que pas un son ne serait sorti de sa gorge pour crier son effroi! Ses jambes flageolèrent à la vue de ce visage semblable à celui de Jésus, imprimé sur le voile de Véronique au cours du trajet du Christ en direction du Golgotha. Les cheveux imbibés de sang coagulé striaient les joues crevassées du décapité. Un rictus d'ahurissement traduisait l'horreur du drame qu'avait dû pressentir en un éclair le supplicié.

En un rien de temps, les six Indiens qui portaient les torches se présentèrent devant la maison. Isabelle sut que cette vision de l'enfer serait fatale aux occupants de la maison qui n'avaient pas leur mousquet à la main pour se défendre.

Marais sursauta, lui qui n'était que dans un demi-sommeil. La lueur diffusée par les torches le réveilla complètement.

– Qu'est-ce qui se passe, Isabelle? cria-t-il

– Vite, Marais, tuons-les avant qu'ils ne mettent le feu à la maison. Non, pars plutôt avec mon père et les autres pour Saint-François, tel que prévu. Je reste ici avec Lamontagne et Judith pour défendre le fort.

– Mais, Lamontagne est mal en point, Isabelle!

– C'est un brave, en plus d'être un ancien soldat du régiment de Carignan! Ne l'oublie pas.

Là-dessus, elle récupéra son fusil, l'arma et s'apprêtait à tirer sur le premier agresseur venu pour venger son mari, quand elle se rendit compte que l'Indien s'était retourné face à ses comparses et les menaçait de son tomahawk, au péril de sa vie, pour les empêcher d'avancer. Les flammes dans la nuit lui permirent d'apercevoir la crinière rousse du Mohawk et les nervures de son torse qui lui semblaient étrangement familières. Isabelle Couc tira sur un des Sauvages qui cherchait à attaquer Diable rouge par derrière. Elle l'atteignit à l'épaule droite. Son tomahawk tomba par terre. Le géant rouge faisait maintenant front aux quatre autres.

Marin Marais s'était dépêché d'aller réveiller Pierre Couc et Lamontagne, mais la détonation l'avait devancé. Aussitôt, le vacarme réveilla toute la maisonnée. Les bébés se mirent à pleurer, les autres enfants hurlèrent d'effroi. Marguerite s'empressa de rapatrier ses petites autour d'elle, aidée de Bérengère et de la jeune Clothilde Landry, tentant de leur cacher la vue du spectre macabre qui se profilait à l'extérieur de la maison. Rien n'y fit, cependant! Quand Agnès et Marie-Anne Lamontagne aperçurent le funeste spectacle, leur sang se glaça dans leurs veines, tant l'abomination était indicible. Elles émirent des cris d'horreur et de peur, qui résonnèrent aux quatre coins de la petite maison.

François Banhiac Lamontagne comprit que l'heure était venue de s'enfuir vers Saint-François-du-Lac, afin d'échapper au massacre. Il en avisa sa femme Marguerite qui confia la petite Étiennette aux soins de Marie Couc. Bérengère et Clothilde Landry ainsi que Marguerite vêtirent les petites de leurs habits d'automne. Judith Rigaud préféra combattre aux côtés du vicomte de Manereuil, en chargeant les mousquets des combattants de la maison, soit le vicomte, Isabelle et son père Pierre Couc, qui, lui, avait décidé de défendre son bien, malgré son âge.

Le cortège s'enfuit par la porte arrière de la maison et se rendit directement à la cache de la barque au bord du lac Saint-Pierre, puis jusqu'à Pointe-du-Lac, chez la sœur de Jeanne Trudel, éclairé uniquement par les rayons de la pleine lune. L'expédition se fit sans mauvaise rencontre. Marin Marais agissait en éclaireur tandis que François Banhiac Lamontagne, la tête enrubannée de pansements, fermait la marche tout en surveillant ses quatre aînées, confiées aux bons soins de Clothilde Landry. Étiennette et Antoinette, elles, faisaient le trajet emmitouflées dans des lainages chauds qui les protégeaient autant du froid que de la peur, dans les bras, respectivement de Marie Couc et de Bérengère Landry. Les bébés avaient compris, en dormant, comment se prémunir du danger qui les guettait.

De la pointe du lac, les fugitifs traversèrent de l'autre côté, à Saint-François-du-Lac.

CHAPITRE X
Le départ

Les coureurs des bois Clovis Landry et Louis Couc ainsi que les deux Abénaquis avaient aussi entendu la détonation. Ils surent immédiatement que le coup de feu provenait de la maison de Pierre Couc et qu'ils en étaient tout près.

En arrivant sur les lieux, ils aperçurent la tête de leur ami Jacques Julien au bout d'une pique. La fureur les envahit spontanément. Mais un combat épique se déroulait devant leurs yeux. Trois Indiens, dont deux Atticamègues, contre un seul brave. Un Mohawk, hors d'état de nuire, avait une épaule arrachée, son compagnon ayant été tué par le tireur d'élite qu'était le vicomte.

Clovis Landry donna l'ordre à Bergeron d'épauler son arme et aux Abénaquis de surprendre les belligérants par derrière, quand Louis Couc s'écria d'une voix tonitruante :

– Non ! Laissez-moi ce bâtard de Diable rouge. C'est à moi de venger Jacques. Occupez-vous des autres.

Devant l'injonction de Louis Couc, Clovis indiqua à ses compagnons de s'attaquer aux autres Indiens. Aussitôt dit, aussitôt fait. Clovis avait déjà abattu son Mohawk, tandis que les

Abénaquis s'acharnaient, à coups de tomahawk, sur l'Iroquois à l'épaule arrachée. En un rien de temps, blessés par le coup de feu d'Isabelle, les Atticamègues avaient pris la poudre d'escampette. Clovis enjoignit aux Abénaquis de les pourchasser et de les ramener vivants. Il s'était vite rendu compte que les Mohawks avaient des alliés qui habitaient les environs. Or, les Abénaquis, qui voisins les Atticamègues, ne toléraient pas d'accointances avec leurs ennemis séculaires, les Mohawks.

Déjà, Louis Couc s'était approché de Diable rouge en lui faisant face. Louis avait récupéré le tomahawk des mains rigides du Mohawk à la tête arrachée et le brandissait devant le démon, tel un chasseur qui cherche à abattre un fauve. Les deux combattants s'étudiaient l'un l'autre dans leur tactique. Tout à coup, Louis lança un coup de pied avec sa botte ferrée dans l'estomac de son adversaire, qui le fit se plier en deux. Sa longue crinière traîna jusqu'au sol. Louis Couc, sûr de son coup, s'apprêtait à lui fendre la tête, quand son ennemi, par un coup d'épaule dans les jambes projeta Louis Couc par terre, sortit son coutelas et mit la lame sur la gorge de son adversaire.

Décontenancé, Louis Couc pensa que sa dernière heure était venue, lorsqu'il sentit que la lame n'était pas du côté du tranchant et qu'elle ne lui ferait aucun mal. Intrigué, au lieu de se lever prestement et de reprendre le combat, il se mit à détailler les traits de Diable rouge. Des traits qui lui étaient familiers, d'un personnage qu'il connaissait bien et qui lui dit en mohawk :

— C'est moi, Louis, ne crains rien, je préfère être tué plutôt que de tuer moi-même celui qui m'a tout appris.

Louis Couc, stupéfait, reconnut soudain son adversaire. Au moment où il se retourna vers Clovis Landry pour lui indiquer ce qu'il venait de réaliser, ce dernier avait mis en joue le Mohawk rouge et s'apprêtait à tirer.

— Non ! cria Louis Couc, d'une voix qui résonna jusqu'aux habitants de la maison.

Au même moment, Louis se releva à demi et se coucha sur son ami. Pan! Louis Couc reçut la décharge sur la clavicule. La balle ricocha sur son cou et finit sa course en lui fracassant la mâchoire. En tombant sur Diable rouge et avant de sombrer dans l'inconscience, il eut le temps de crier à Clovis Landry:

– Non, Landry... c'est mon ami Kawakee. Ne tire plus.

Clovis Landry qui ne comprenait pas la tournure du combat était sur le point de descendre le Peau-Rouge en empruntant le mousquet chargé de Bergeron, quand une balle vint se loger en sifflant devant sa botte droite. Croyant qu'il y avait une autre escouade de Mohawks, il se retourna aussitôt pour apercevoir Isabelle qui lui intima:

– Ça suffit, Clovis, Louis vient de te dire de ne plus tirer. Occupe-toi de le soigner et ramène-le à la maison. C'est quasiment un hôpital. Moi, je m'occupe du Mohawk.

Isabelle se rendit en toute quiétude auprès de son frère, pour évaluer l'état de ses blessures. Ensuite, elle demanda à Clovis et à Bergeron de récupérer deux branches de tilleul. Elle y inséra les manches de son gilet et fit de même avec la capote de son père, qui était arrivé sur les lieux pour s'occuper de son fils. Isabelle pilota le sauvetage de son frère à l'aide du brancard improvisé. Une fois fait, elle alla vers Diable rouge, lui prit la main et, sans mot dire, l'invita à se joindre au groupe qui se dirigeait à l'intérieur de la maison. Le Mohawk la suivit docilement. Il connaissait bien l'endroit.

Devant l'incrédulité de Landry et de Bergeron, Isabelle leur dit de la façon la plus naturelle:

– Kawakee est l'ami de la famille Couc. Ne lui faites aucun mal, sinon, vous aurez affaire à moi.

Isabelle alla aussitôt chercher la tête de Jacques Julien et l'enterra près de la maison. Elle remit le couteau en ivoire à Kawakee, en signe de réconciliation. La petite communauté française assista à l'inhumation en silence. Seule Isabelle entonna une incantation en atticamègue. Quand la cérémonie funéraire prit fin, une autre, plus lugubre, débuta. Les Abénaquis venaient de ramener les Atticamègues. Ils étaient déjà installés à leurs poteaux de torture, deux gros bouleaux, et un feu de résine de sapin crépitait.

Isabelle leur fit signe que c'est elle qui donnerait le signal de l'interrogatoire. Elle voulait absolument savoir pourquoi les Atticamègues des Trois-Rivières, de la tribu de sa mère, étaient de mèche avec les Mohawks. Devant la détermination d'Isabelle, Kawakee s'interposa en disant en français :

– Nous leur avons procuré des fusils hollandais, qu'ils n'avaient pas la possibilité d'avoir avec les Français.

– Mais, Kawakee, tu étais leur capitaine ! Pourquoi veniez-vous ici, si ce n'était pas pour nous tuer ?

Ce dernier la regarda intensément de ses yeux aux paupières noircies et lui répondit :

– Asko qui est maintenant le grand chef des Mohawks m'a obligé à les accompagner pour tuer le responsable de la mort de Soleil Rouge et de Bâtard Flamand qui a voulu le venger : ton frère Louis.

Kawakee était retourné chez les Mohawks d'Albany après que Thomas Frérot eut restreint ses équipes de voyageurs à la fin de 1687. Kawakee qui faisait tandem avec Louis Couc, en surveillant le transport des fourrures entre Détroit, Ville-Marie et les Trois-Rivières, décida à regret qu'ils devaient se séparer. Louis retourna chez son père aux Trois-Rivières. Kawakee, estimé par les nations iroquoises dans le commerce de la fourrure, s'était fait dire qu'Asko, sa grand-mère, souhaitait son retour. Tiraillé entre ses racines françaises et ses racines mohawks, Kawakee crut de son devoir de retourner en Nouvelle-Angleterre afin de devenir chef des Mohawks comme il l'avait promis à Menaka, sa femme, juste avant sa mort, certain que tout danger d'y laisser sa peau était écarté. N'avait-il pas prouvé qu'il était un Iroquois de renom ? Asko, devenue chef intérimaire de la tribu mohawk depuis la mort de Bâtard Flamand en 1686, ne l'entendit pas ainsi. Elle avait consenti à le laisser vivant à condition qu'il prouve sa volonté d'être un véritable Mohawk.

– Pourquoi ?

– Parce qu'Asko attend toujours le retour d'Oscatarach, prisonnier du pays lointain des Français. Mais elle veut savoir aussi si j'ai la haine des Blancs dans le cœur. Elle veut que je lui prouve mes qualités de chef, si je dois le devenir à la place d'Oscatarach, mon cousin.

En entendant cela, Isabelle le gifla sans retenue.

– Salaud, tes intentions étaient guerrières ! Nous tuer ou nous laisser tuer favorisait tes ambitions.

Kawakee resta stoïque.

– Pourquoi ne l'as-tu pas fait, Kawakee ? reprit Isabelle, furieuse.

– Parce que Louis est mon frère de sang.

– Mais Louis aurait pu te tuer !

– Les Couc ont été bons, pour moi. Jamais je ne vous ferai du mal. C'est vrai, surtout pour toi, Isabelle !

La fureur d'Isabelle s'estompait. Elle regarda Kawakee avec méfiance, presque tendrement. Elle ajouta après quelques instants de réflexion :

– Dis-tu la vérité ?

– Oui.

– Et les Atticamègues ?

– Les Atticamègues ont été les guides.

– Mais tu connaissais le chemin, Kawakee !

– Oui, mais pas pour tuer !

– Alors, pourquoi ?

– Pour te revoir, Isabelle.

À ces mots, Isabelle resta pensive. Judith Rigaud qui venait de se joindre au petit groupe, ajouta sans vergogne :

– Kawakee est venu te revoir, Isabelle. Mais tu n'es pas veuve, à ce que je sache !

Isabelle la fusilla du regard et rétorqua sans hésiter :

– Toi, Judith, tu n'as pas de morale à donner. Surtout pas toi, avec tes trois maris et tes nombreux amants. Sans parler de ton dernier fils.

La rage dans les yeux, Isabelle continua :

– Tu peux rentrer chez toi. Tu ne fais pas partie de la famille, Judith.

– Mais je suis la soignante du vicomte, ne l'oublie pas, répliqua Judith Rigaud.

– Alors, soigne-le chez toi, répondit sèchement Isabelle.

C'est alors que Pierre Couc prit la parole :

– Le vicomte, notre ancien seigneur, qui a risqué sa vie pour nous défendre, Isabelle, est mon invité. À ce titre, il reste dans ma maison avec Judith qui est une amie.

Isabelle toisa son père. Il n'était pas dans son tempérament de baisser pavillon devant Judith Rigaud, même si celle-ci était beaucoup plus âgée. Elle ajouta, croyant ainsi mettre fin à la dispute :

– Viens, Kawakee. Tu fais partie de notre famille, désormais.

C'est alors que Judith s'exclama haut et fort, pour se venger :

– Je te l'avais bien dit, Isabelle, que ton veuvage ne durerait pas bien longtemps.

Là-dessus, la *rigaude* s'empressa aussitôt de tourner les talons et de quitter les lieux.

Ne relevant pas l'affront, Isabelle continua pour les autres :

– Nous nous rendrons tous, demain, planter une croix à l'endroit où le corps de Jacques Julien est enterré. Kawakee nous y conduira.

Les gens se turent, muets d'étonnement. Tout le monde savait qu'Isabelle s'exprimait toujours de cette façon.

Les Abénaquis avaient déjà commencé à torturer les Atticamègues. Des cris plaintifs se faisaient entendre. Louis Couc s'approcha d'eux et leur demanda les raisons pour lesquelles ils avaient tué Jacques Julien et trahi de la sorte la famille Couc, apparentée à leur tribu. Un des deux suppliciés avoua que c'était par jalousie, parce que Louis, son frère et ses beaux-frères avaient eu la chance de s'enrichir en pratiquant la trappe dans les Pays-d'en-Haut. L'autre avoua qu'ils étaient jaloux d'eux pour avoir marié d'aussi jolies Atticamègues.

Louis décréta qu'il fallait libérer les deux lascars, afin qu'ils puissent informer les autres Atticamègues des Trois-Rivières de l'amitié que sa famille avait toujours entretenue avec eux, à la grande déception des Abénaquis. Les deux Atticamègues s'empressèrent du mieux qu'ils le purent de quitter les lieux, en emportant avec eux un cuisant souvenir, sous le regard féroce et menaçant des frères Medzalabanleth.

Le lendemain, au début de l'après-midi, Isabelle et son Iroquois furent aperçus en canot sur la rivière en direction du lac Saint-Pierre, alors que la petite communauté l'attendait pour partir. Un ballot trônait au milieu de l'embarcation. À cette nouvelle, Pierre et Louis Couc eurent l'intuition d'un départ précipité. Ils connaissaient trop le caractère d'Isabelle pour ne pas envisager un coup de tête de sa part.

Lorsqu'ils arrivèrent à la maison de celle-ci, ils se rendirent compte qu'Isabelle avait vidé les lieux et s'était bel et bien enfuie avec son invité particulier.

CHAPITRE XI
Le baptême d'Étiennette

Après la traversée du lac Saint-Pierre, sous la direction de Martin Marais, le convoi fut accueilli avec soulagement par les résidants du manoir Crevier à Saint-François-du-Lac. Les eaux du lac, d'ordinaire calmes, étaient déchaînées, comme effrayées par la menace de la présence des Iroquois. Mais Banhiac Lamontagne avait perdu du sang et se portait difficilement sur ses jambes flageolantes. L'escapade lui avait été pénible. Marguerite, sa femme, à peine plus forte que lui, l'avait supplié de se reposer, mais François avait tenu à assister coûte que coûte au baptême d'Étiennette.

L'officiant, un missionnaire récollet, aumônier de la paroisse de Saint-François-du-Lac, le père Dominique, se dépêcha d'enfiler son étole afin de procéder à la cérémonie du baptême de la petite. Clothilde Landry fut enchantée et honorée d'être la marraine du poupon. Marie Couc venait de refuser cet honneur. Elle préférait porter l'enfant aux fonds baptismaux.

Les fillettes Banhiac Lamontagne entouraient leurs parents, assises sur le premier banc de la petite chapelle, impressionnées par le rituel baptismal, l'odeur des volutes de fumée d'encens et le bandage de leur père. Pour sa part, la petite Antoinette avait émis le désir de rester dans les bras de Bérengère, faisant volte-face à sa mère, Marguerite, qui avait voulu la reprendre.

Le père Dominique avait lui-même actionné une clochette pour la célébration. On ne voulait surtout pas attirer l'attention des Iroquois, qui devaient rôder dans les parages du manoir, en sonnant les cloches de la petite chapelle.

La cérémonie commença. La porteuse avait enveloppé l'enfant d'une couverture de lin blanchi. Le récollet demanda à l'assistance de renouveler ses promesses de baptême, à la suite du nouveau-né.

— Renoncez-vous à Satan, à ses pompes et à ses œuvres?

— J'y renonce, répondit la marraine.

— Nous y renonçons, reprit l'assistance.

L'officiant invita la porteuse à s'approcher des fonds baptismaux. Le récollet prit un peu d'eau bénite dans la paume de sa main droite et en aspergea le front du bébé.

— Étiennette, je te baptise au nom du Père, du Fils et du Saint-Esprit. Tu es maintenant une enfant de Dieu. Je demande à ta marraine et à tes parents de t'élever dans l'observance des commandements de Dieu et de l'Église catholique, pour avoir la vie éternelle. Amen!

Marguerite et François Banhiac Lamontagne, de plus en plus pâles et vacillants, venaient de faire baptiser leur sixième enfant. Compte tenu de la présence des Iroquois dans les environs, ils se demandaient combien de temps durerait le séjour de la petite sur cette terre toujours pleine de dangers! La porteuse déposa Étiennette dans les bras de sa maman, ravie de son bébé. Tout à l'émerveillement de la cérémonie et de la solidarité des habitants de Saint-François-du-Lac, malgré ses maux de tête qui le tenaillaient, François Banhiac Lamontagne eut une pensée pour ses compagnons qui défendaient chèrement leur vie en combattant Diable rouge et sa cohorte de tueurs.

Après la cérémonie, Marguerite et François, émus, reçurent les félicitations de tous leurs amis. Le propriétaire du manoir Crevier servit un goûter improvisé à ses invités, composé de terrine de canard et de bière artisanale. Mais François Banhiac Lamontagne n'eut pas la chance de l'apprécier, car il s'évanouit au début du repas. On l'allongea sur une paillasse devant la cheminée. Marguerite le veilla du mieux qu'elle le pût, mais sombra pour sa part dans un lourd sommeil accentué par la faiblesse de ses relevailles. Elle n'eut pas conscience des râles de son mari, causés par la fièvre. Bérengère Landry s'occupa des enfants, tandis que Marie Couc concocta une tisane qui ne put calmer le malade.

La petite Étiennette s'endormit dans les bras de sa jeune marraine Clothilde. Quand elle s'éveilla à l'aube de la cinquième journée de son existence, des cierges se consumaient encore autour de son père qui avait dérouté la grande faucheuse par sa résistance héroïque à la maladie. Les cris de la petite, exacerbés par un appétit vorace, réveillèrent Marguerite qui se rendit malheureusement compte de la condition précaire de son mari. Avant d'allaiter son bébé, elle souleva les paupières de François.

Marguerite avait déjà vu la mort rôder autour d'un malade, sournoise et cruelle. Mais de la voir cibler son mari de la sorte, sans pouvoir lui venir en aide, sauf par des prières, lui noua la gorge.

Les châtelains Crevier offrirent à Marguerite de l'héberger avec ses enfants le temps qu'il faudrait afin d'enrayer la menace iroquoise et d'espérer la guérison de son mari. Marguerite ne pouvait retourner à la Rivière-du-Loup et s'occuper de sa marmaille dans son état et avec les rigueurs de l'hiver à venir. D'autant que François Banhiac Lamontagne nécessitait les soins attendris de sa femme, car il n'aurait pu sortir vivant d'une autre traversée du lac Saint-Pierre.

François Banhiac Lamontagne avait repris du mieux au cours du printemps et se rétablit de ses blessures et de la fièvre qui s'était ensuivie. Il était revenu habiter à la Rivière-du-Loup avec sa famille qui allait s'agrandir, car Marguerite était de nouveau enceinte, dans sa petite maison sise à l'embouchure du lac Saint-Pierre. Étiennette comme les petits Charles et François-Aurèle Lamontagne qui naquirent le jour de Noël suivant, connaîtraient leur père et entendraient sa voix rassurante qui guiderait leurs premiers pas.

Jean-Jacques Gerlaise de Saint-Amand, son voisin et son grand ami de traversée, était venu les chercher à Saint-François-du-Lac et s'occupait de défricher et de cultiver le lopin de terre des Banhiac Lamontagne.

Pierre Couc, quant à lui, ne survécut pas à l'hiver difficile après son retour à la Rivière-du-Loup et décéda au début du mois d'août de 1689, l'année du massacre de Lachine, un peu à l'ouest de Ville-Marie. Dans la nuit du 4 au 5 août 1689, à la faveur d'une violente tempête de grêle, les Iroquois assassinèrent les habitants de ce village.

Il mourut, dit-on, davantage à cause de sa fille Isabelle qui avait laissé son mari pour Diable rouge que d'une blessure qu'il avait omis de soigner après la fuite vers Saint-François-du-Lac.

Le gouverneur de Denonville venait d'être rappelé en France par le Roy en mai 1689, sans qu'il ait pu réaliser son projet audacieux de s'emparer des colonies anglaises de la Nouvelle-Angleterre, au moment de la reprise de la guerre entre la France et l'Angleterre. On lui reprochait d'avoir suscité le retour des hostilités avec les Iroquois en 1687, lorsqu'il avait anéanti des villages tsonnontouans et envoyé quarante prisonniers iroquois aux galères de Marseille. En fait, il voulait surtout convaincre les alliés des Français, dont les Hurons et les Outaouais, de ne pas rallier le camp anglais qui cherchait à s'emparer du monopole de la fourrure. Cette partie de poker, faisant d'une pierre deux coups, n'avait fait que raviver la haine des Iroquois envers les Français, appuyée en cela par le gouverneur de la Nouvelle-Amsterdam, Thomas Dongan, qui fournissait les fusils aux guerriers iroquois.

CHAPITRE XII
Le concert

La foi et le courage d'Eugénie, ainsi que les bons soins d'Anne et de Mathilde eurent tôt fait de remettre sur pied la parturiente, après quelques semaines de séjour chez ses amies. Pendant que Marie-Renée Frérot apprenait à connaître sa petite filleule, Marie-Chaton, Eugénie en profita pour rendre visite à ses amies religieuses du monastère des Ursulines, rue du Parloir, particulièrement sœur Dickewanis, l'Iroquoise, et Aurore, la Huronne. Eugénie ne se gêna pas non plus pour rendre visite à ses fils au séminaire en pleine semaine et voir de quelle façon ils étaient traités, en particulier quant à leur alimentation.

Eugénie eut la possibilité de les revoir chaque dimanche chez Mathilde. À ce moment, François en profitait pour venir à Québec avec ses autres fils, Jean, Georges et Simon-Thomas. Le dimanche était jour de fête chez les Dubois de l'Escuyer, tout comme chaque 26 juillet, le jour de la Sainte-Anne, qui commémorait leur arrivée en sol de Nouvelle-France.

Eugénie en profita pour se recueillir à la basilique Notre-Dame, à l'oratoire de Mère de l'Incarnation, tout près du monastère, au petit oratoire de madame de la Peltrie et à la chapelle du Petit Séminaire. Elle eut même la permission d'entendre son fils Jean-François chanter à la chorale de la messe dominicale des Jésuites. Bien sûr, le chanoine Charles-Amador Martin, l'organiste, qui la reconnut immédiatement, l'invita à retoucher à l'orgue de la basilique Notre-Dame.

– Le temps que vous puissiez retrouver vos moyens, puisque nous avons toujours un concert de clavecin en perspective, madame Allard.

Eugénie ne dit pas non à l'éventualité.

– Cependant, lui dit-elle, il y a tellement longtemps que je n'ai pas joué du clavecin que je ne peux garantir le succès du concert.

Ce à quoi Charles-Amador Martin répondit:

– Mais vous avez continué à vous produire à l'orgue et surtout à l'harmonium. La touche du clavecin devrait vous revenir vite.

– Mais, monsieur le chanoine, sait-on où est le clavecin du gouverneur de Courcelles?

– Toujours au château Saint-Louis. Le gouverneur Denonville en prend grand soin, même s'il n'en joue pas lui-même. Peu de gens, en fait, peuvent en extraire les tonalités magiques que ce bel instrument peut offrir.

– En jouez-vous toujours, monsieur le chanoine?

– Non, pas depuis mes obligations à titre d'organiste.

Il fut décidé que le concert aurait lieu le jour de la fête de la Saint-Jean-Baptiste, le 24 juin de l'année suivante, 1689, au château Saint-Louis, en présence du gouverneur Denonville et des dignitaires, des notables et de l'élite de Québec. Jean-François Allard chanterait également en solo, accompagné par sa mère au clavecin.

Quand Eugénie parla à François de l'organisation de ce concert, ce dernier répondit :

– Comme tu veux, Eugénie, mais, loin de la maison, tu vas nous manquer à tous.

Cette remarque fit réfléchir Eugénie, à tel point qu'elle exigea que le clavecin soit transporté à son domicile de Bourg-Royal pour qu'elle puisse s'exercer tous les jours. Le chanoine Martin obtint l'autorisation du gouverneur par l'entremise de son évêque, Monseigneur de Laval.

Eugénie avait pensé d'abord faire transporter le clavecin à l'église de la paroisse Saint-Charles-Borromée de Charlesbourg. Mais le chauffage défectueux de la bâtisse n'était pas suffisant pour protéger l'instrument du froid et de l'humidité qui pouvaient l'endommager.

Elle demanda donc à François la possibilité d'installer l'instrument de musique dans leur chambre à coucher. Il fallut déplacer temporairement les coffres d'Eugénie et de François et les transporter au grenier pour faire place au clavecin et au banc que François adapta aux dimensions d'Eugénie.

Pendant l'hiver et le printemps, Eugénie consacra quotidiennement deux heures pour répéter les pièces de son concert. Elle dut empiéter sur ses activités habituelles.

Le répertoire d'Eugénie comprenait des morceaux déjà joués à son concert de 1666, lors de son arrivée en Nouvelle-France, et d'autres, nouveaux, que le chanoine Martin lui transmit, des œuvres de Luly à la mode de Paris. Le Samedi saint suivant, François alla chercher ses fils au Petit Séminaire, une permission spéciale obtenue du chanoine Martin.

Jean-François Allard put s'exercer en duo avec sa mère, notamment un *alléluia* qu'il interpréta le lendemain, le dimanche de Pâques, à l'église Saint-Charles-Borromée. D'aucuns purent apprécier la voix de soprano de cet adolescent, accompagné par sa mère. Sur le parvis de l'église, après la messe pascale, l'adolescent reçut des félicitations d'Étienne Proteau, le beau-père de Jean Daigle et d'André Coudray, le parrain d'André Allard. Ce qui fit dire à Odile Langlois :

– J'aurais cru entendre la voix d'Eugénie au jubé, tant vous vous ressemblez.

Si cette remarque eut l'heur de plaire à la mère, ce ne fut pas le cas pour son fils qui dit à Eugénie :

– Je ne veux pas vous égaler, mère, je veux vous dépasser.

Eugénie resta perplexe devant l'ambition de son fils, ce à quoi elle répondit :

– N'oublie pas que nous devons interpréter ce concert en duo harmonieux. Par ailleurs, je suis là pour mettre en valeur ta jolie voix. Tu pourrais, Jean-François, devenir claveciniste toi aussi. Je pourrais te montrer comment en jouer ?

– Non, mère. Le chanoine Martin m'a promis qu'il m'enseignerait l'orgue.

– Orgue ou clavecin, c'est passablement la même chose.

– Non, mère. Le clavecin est un instrument profane. Moi, je préfère l'orgue parce qu'on y interprète de la musique sacrée. Vous savez que le chant grégorien est mon interprétation vocale préférée.

– Mais, Jean-François, ce sont les moines qui chantent le grégorien au monastère.

– Justement, mère, j'aimerais entrer au monastère quand j'aurai l'âge et me consacrer à la contemplation et à la méditation.

Eugénie resta stupéfaite. Elle regarda son fils, perplexe.

Avant de se mettre au lit, elle aborda le sujet avec son mari.

– Qu'en penses-tu? François, n'est-il pas trop jeune, à quinze ans, pour décider d'une vie de prière et de réclusion?

François qui délaçait ses bottines prit tout son temps pour répondre :

– C'était à prévoir. Depuis qu'il s'inflige des sacrifices personnels au Petit Séminaire, je me doutais de son penchant pour la vie religieuse.

– Mais de qui tient-il ça?

– Pas de moi, Eugénie, pas de moi! répliqua-t-il à Eugénie, en s'allongeant sur le lit et en se tournant sur le côté, dos à Eugénie, trop content d'écourter le sujet avec sa femme.

Cette dernière continua après quelques secondes.

– Alors, ça viendrait de moi? répondit-elle à son mari qui avait déjà commencé à ronfler.

Elle poursuivit sur le même ton.

– Tu ne sembles pas vraiment inquiet de perdre un fils qui pourrait s'installer sur une de tes terres… Par ailleurs, un prêtre dans notre famille serait un bienfait de la Providence, une fierté? Qu'en penses-tu?

Réalisant que François dormait déjà, elle ajouta :

– Nous continuerons cette conversation demain.

La journée précédant le concert, veille de la Saint-Jean-Baptiste, François, Eugénie et Jean-François se rendirent à Québec, accompagnant le convoi qui transportait le clavecin de Bourg-Royal au château Saint-Louis, sur l'ordre de Guillaume-Bernard.

François supervisa l'installation du clavecin afin qu'il n'y ait pas d'avarie ou, le cas échéant, qu'il puisse le réparer le plus rapidement possible, puis Eugénie vérifia les tonalités de l'instrument afin qu'il soit parfaitement accordé, comme ils l'avaient fait vingt-trois années plus tôt, à leur arrivée en Nouvelle-France. C'est à ce moment-là d'ailleurs qu'ils avaient appris à mieux se connaître et que leur idylle avait commencé.

François regardait Eugénie avec la même attention qu'en 1666, et Eugénie se montrait tout aussi attentive à la sonorité du clavecin. François se disait : *Mon Eugénie n'a pas vraiment changé ! Toujours la même rectitude et la même obstination à tout faire à la perfection. De plus, la vie n'a presque pas eu de prise sur elle, à part quelques cheveux blancs qui pâlissent sa belle tignasse blonde. Toujours aussi belle, Eugénie !*

N'en pouvant plus de ressasser seul ses souvenirs, François tenta de s'introduire dans la conversation entre Eugénie et Jean-François.

– Ça ne te rappelle pas un certain 26 juillet, il y a vingt-trois ans, Eugénie, alors que nous avions eu la responsabilité de préparer le clavecin du gouverneur de Courcelles ?... D'ailleurs, c'est toujours le même instrument ! De beaux souvenirs, n'est-ce pas ?

– Voyons, François, pourquoi cette nostalgie ? Nous avons un concert à préparer. Il faut que le clavecin soit en ordre. Le temps presse et Jean-François doit être en harmonie musicale avec l'instrument.

Déçu par l'indifférence de sa femme, François regarda Eugénie d'un air dépité. Devant la mine de son père, Jean-François intervint :

– Moi, mère, je veux savoir ce qui s'est vraiment passé ce jour-là. Et comment vous avez commencé à vous intéresser à père. C'est naturel, après tout, de connaître les amours de ses parents. Tante Odile m'a déjà dit que vous aviez été amoureuse d'oncle Germain, parce qu'il était très fort... Ou, si vous préférez, père va me le raconter.

Eugénie se tourna vers son fils sans mot dire, étonnée de l'intérêt soudain de son fils pour leur passé. François commença à parler avec une certaine gêne.

– Hum, hum... Eh bien... nous nous sommes rencontrés sur le *Sainte-Foy*. Non, c'est le capitaine Magloire qui nous avait demandé de nous occuper du clavecin du gouverneur, moi, pour la réparation du bois de rose du Brésil... Imagine la délicatesse de cette essence de bois exotique...

François ne put continuer davantage son récit mal introduit. Eugénie lui coupa la parole :

– Mais je n'ai jamais été amoureuse de Germain ! Qu'est-ce qu'elle chante là, Odile ? C'est vrai que Germain était fort, mais ton père était si beau avec ses épaules carrées de laboureur et ses boucles brunes, en plus d'être un artiste, cela va s'en dire !

Jean-François regarda son père avec amusement.

– Comme ça, père, vous étiez beau !

– Mais ton père, mon garçon, est toujours aussi bel homme ! Peut-être avec moins de cheveux, mais avec plus de maturité. Oui, mon gars, j'ai été attirée par ton père dès que je l'ai aperçu sur le quai à Honfleur, avec ses amis, Germain et Thierry Labarre... C'est mon amie Violette qui s'est entichée de Germain, pas moi.

Étonné, François regardait Eugénie avec tendresse et incrédulité à la fois. Dans son souvenir, Eugénie ne lui en avait jamais dit autant en dix-huit années de mariage.

– Est-ce à ce moment-là que vous êtes devenus amoureux l'un de l'autre ?

Eugénie se tourna vers François et lui sourit.

– Et toi, François, ne m'avais-tu pas remarquée ?

Saisissant la balle au bond, François crut le temps propice aux révélations.

– Ta mère, Jean-François, se remarquait entre toutes sur le bateau par sa beauté et, aussi avec sa jolie voix lorsqu'elle chantait les cantiques destinés à la Vierge. Avec son maintien altier, elle était constamment dans l'entourage des responsables de la traversée, madame Bourdon, le capitaine Magloire et les religieux. J'ai deviné tout de suite qu'elle avait du caractère. Et c'est ce qui m'a plus en elle.

– Et tante Mathilde ? Elle aussi était une jolie femme !

Eugénie se tourna vers son mari, décidée à intervenir si les commentaires de François ne lui convenaient pas. Comme ce dernier n'était pas dupe de la capacité de sa femme à défendre chèrement sa préséance, il osa quand même ajouter :

– Bien entendu, Mathilde était bien attrayante, mais je ne pouvais pas m'y intéresser.

Eugénie esquissa un sourire de satisfaction et de fierté devant son fils.

– Ah non ? Et pourquoi ?

Eugénie, surprise de la répartie de Jean-François, avança spontanément :

– Mais, voyons, si ton père nous dit que j'étais celle qu'il préférait, il me semble que la discussion est close.

Jean-François ne fit pas de cas de la réaction de sa mère et insista auprès de son père.

– Et tante Mathilde, père ?

– Ta mère faisait plus sérieuse et responsable que Mathilde, même avec son joli minois et ses dix-sept ans. Et puis…

Eugénie et Jean-François se surprirent à répondre en même temps, l'une par méfiance et l'autre par curiosité :

– Et puis ?

François prit son temps pour ajouter :

– Et puis… mon copain Thierry Labarre n'avait d'yeux que pour Mathilde !

Eugénie parut soulagée de la réponse de son mari, alors que leur fils devint de plus en plus intéressé à en savoir davantage.

Quand Jean-François voulut se renseigner sur les fréquentations de Mathilde et de ce Thierry Labarre, Eugénie s'interposa en disant :

– Nous avons un concert demain, ne l'oublions pas. Il faut que le clavecin soit bien accordé, sinon… Nous n'avons plus de temps à consacrer à des balivernes. Concentrons-nous sur l'essentiel.

Le lendemain, 24 juin, l'élite de Québec se retrouva après le souper au château Saint-Louis pour le concert clavecin et voix donné par Eugénie et Jean-François Allard, mère et fils, alors que le peuple de la capitale de la Nouvelle-France commencerait à danser et à festoyer autour des feux de joie au moment de l'inauguration du bal par le gouverneur.

Au premier rang de l'auditoire se retrouvaient le gouverneur de la Nouvelle-France, le marquis de Denonville, l'intendant Jean Bochart de Champigny, les évêques de Laval et de Saint-Vallier du diocèse de Québec, le procureur général de la colonie, Guillaume-Bernard Dubois de l'Escuyer et sa femme Mathilde, le maire de Québec et son épouse. Dans la seconde rangée, les autres notables prenaient place selon leur titre de noblesse et l'importance de leur fonction.

Mathilde de l'Escuyer avait veillé soigneusement à la toilette d'Eugénie. Elle savait pertinemment que son amie n'appréciait pas les tenues ostentatoires ou affriolantes. Elle choisit donc une robe longue à ourlet, d'un vert printanier, avec une encolure de soie blanche et des manchettes de dentelle qui mettraient ses mains effilées bien en valeur. Eugénie avait porté des gants depuis l'annonce du concert, afin de protéger ses doigts des écorchures et des blessures qu'auraient pu causer les travaux ménagers.

Depuis les relevailles difficiles de sa femme, François Allard lui avait impérativement défendu de contribuer aux travaux robustes de la ferme. Eugénie ramassait les œufs, cuisait le pain, mais ne barattait pas le beurre ni n'écrémait le lait. Encore moins l'exigeant effort du pressoir à l'automne. Tout au plus, elle lessivait le linge sur la planche à laver.

Anne Frérot qui assistait au concert avec son mari Thomas dans la rangée réservée aux seigneurs de la colonie, avait tenu à fixer la coiffe d'Eugénie afin de mettre en évidence ses cheveux blonds irradiés de quelques fils argentés. Anne s'était entêtée à convaincre Eugénie de porter du fard à joues et un peu de rouge à lèvres pour lui donner plus d'éclat, compte tenu du manque de constance de l'éclairage vacillant des chandelles.

Comme Eugénie contestait l'importance du maquillage, Anne lui dit :

– Tu te souviens de la pièce de théâtre des *Plaideurs de Racine* et du masque de maquillage des personnages ? Alors, tu ne devrais pas t'inquiéter du peu d'exagération dans ton cas. Ne crains rien, tu n'auras pas l'air d'un mime. Et en prime…

Eugénie, qui connaissait la rhétorique de sa cousine, la regarda et subitement l'interrogea avec un brin d'inquiétude :

– Qu'y a-t-il en prime, Anne ? Dépêche-toi de me le dire, je t'en prie.

– Tu sais, le maquillage permet à l'artiste de camoufler les rides !

– Veux-tu dire que je vieillis prématurément, Anne ?

Anne Frérot prit son temps pour lui répondre :

– Loin de moi cette pensée, voyons ! Mais c'est normal qu'au début de la quarantaine les rides fassent leur apparition, comme les cheveux gris, d'ailleurs. Console-toi, Eugénie, nous sommes toutes dans cette situation. En revanche, nous y gagnons en maturité, enfin, il paraît !

Orgueilleuse de son apparence et de sa tenue devant le gratin de la Nouvelle-France, Eugénie consentit à l'effet revitalisant d'un rosissement de ses joues et de ses lèvres. Son fils Jean-François avait revêtu le costume des séminaristes, veste et pantalon plutôt bouffant. Eugénie avait insisté pour dégager le cou de son fils du col amidonné qu'elle avait remplacé par un foulard de soie blanche, afin de permettre plus de mouvement à sa gorge. Le chanoine Martin avait souhaité qu'il porte l'aube de ses choristes, mais Eugénie voulait que son fils s'identifie davantage au Petit Séminaire et à la fierté d'être séminariste.

Quand mère et fils se présentèrent devant leur public, ils allèrent immédiatement faire la révérence aux dignitaires de la première rangée. Par la suite, Eugénie s'assit et entama ses premières pièces instrumentales. Assez rapidement toutefois, comme l'indiquait le programme de la soirée remis aux invités, Jean-François Allard entonna quelques cantiques religieux, accompagné par sa mère au clavecin, au ravissement de l'assistance impressionnée par la voix de soprano de l'adolescent. À la fin du concert, le gouverneur Denonville se leva de son fauteuil et applaudit avec contentement les artistes Allard, imité par l'assistance. Il fit, de plus, l'éloge de la qualité de l'enseignement donné au Petit Séminaire de Québec, à la grande satisfaction de Monseigneur de Laval.

Après la représentation, s'avançant vers eux, guidé par Mathilde et son mari, le procureur général Guillaume-Bernard Dubois de l'Escuyer, le marquis de Denonville, fit d'abord le baisemain à Eugénie, puis prit chaleureusement le bras de François. Le marquis tenait à féliciter en personne, d'abord le jeune Jean-François qui rougit et s'empêtra dans ses remerciements ainsi qu'Eugénie et François Allard pour leur contribution à la vie artistique et culturelle de la Nouvelle-France, Eugénie, comme organiste et claveciniste et François, comme ébéniste-sculpteur.

– Le Roy apprécie particulièrement votre engagement en ce qui concerne l'affirmation du peuple de la Nouvelle-France, chers amis. Et cela, tout en accomplissant votre labeur de colons et de parents d'une famille exemplaire qui suivra vos traces dans la droiture et dans l'intégrité. Au nom de notre souverain que je représente ici, permettez-moi de vous remettre cette reconnaissance royale.

Le gouverneur Denonville se fit remettre un écrin par son intendant Champigny, qu'il offrit à François, tout en invitant ce dernier à l'ouvrir. François s'exécuta et découvrit une médaille en argent estampée des armoiries royales, fleurdelisées, sur le drapeau incrusté. À la vue de cette récompense, Eugénie, étonnée, se mit la main sur la bouche, tandis que Mathilde éponge a quelques larmes naissantes avec son mouchoir de dentelle. Comme François, pantois et ému, ne réagissait pas, Guillaume-Bernard facilita la situation en prenant la parole.

– Monsieur le marquis, nos amis Allard sont si émus de tant d'honneurs, que leur silence est un gage de leur reconnaissance envers le Roy.

Le gouverneur Denonville reprit :

– Mon appréciation personnelle, bien humble comparativement au jugement royal, me permet d'ajouter que votre implication dans notre communauté est un gage de la prospérité de ce nouveau pays, et même, si j'ose dire, un exemple pour les nouvelles générations. Au-delà de la naissance d'un peuple bien enraciné dans le nouveau continent, vous ajoutez l'espoir d'en faire une grande nation, aux destinées insoupçonnées.

Eugénie avait eu le temps de se remettre de ses émotions. Elle répondit donc au gouverneur :

– Mon mari et moi, monsieur le gouverneur, sommes les dévoués sujets de Sa Majesté à la cause de la Nouvelle-France. François, comme engagé au départ pour trente-six mois, et moi, comme fille dotée par notre souverain, jadis, avons trouvé notre voie au Canada et avons uni nos destinées sous le regard de Dieu.

Eugénie avait lancé sa répartie en s'inclinant légèrement en guise de révérence. Le gouverneur conclut à son tour :

– Nous espérons que votre mari et vous resterez au bal de la fête de la Saint-Jean-Baptiste que j'aurai l'honneur d'ouvrir. Vous savez, ces festivités récompensent les efforts de notre petit peuple canadien, peu nombreux, mais plein de détermination.

Le Conseil souverain avait décrété depuis quelques années que les festivités de la fête de la Saint-Jean-Baptiste seraient inaugurées par un bal pour l'élite, nobles, notables fonctionnaires et militaires gradés, et agrémentées par des feux de joie pour la populace sur les berges du fleuve, près du quai, pour éviter qu'un incendie meurtrier comme celui de 1682 puisse se reproduire. Les résidants du château Saint-Louis, les militaires de la Citadelle et les habitants de la Haute-Ville pouvaient voir jaillir les étincelles, transportées au-dessus du fleuve grandiose, responsable de la prospérité et de l'avenir de la Nouvelle-France.

Mathilde et Guillaume-Bernard ainsi qu'Anne et Thomas félicitèrent Jean-François pour sa prestation ainsi qu'Eugénie et

François pour leur honneur royal. Mathilde s'avança vers son amie, compagne de la traversée de 1666, et lui dit avec le sourire :

– C'est encore toi qui reçois la considération des autorités, comme s'il n'y avait que toi qui portais le sort de ce nouveau pays sur tes épaules !

Estomaquée par la remarque, Eugénie resta bouche bée devant l'affirmation incisive de Mathilde. Cette dernière, pour rassurer son amie, avec la complicité du sourire d'Anne Frérot, continua :

– C'est certainement parce que tu es la plus courageuse et la plus déterminée d'entre nous. Tu le mérites bien, avec François, un homme de talent et de cœur.

À ces mots, contrairement à son habitude, Eugénie, la première, donna spontanément l'accolade à ses amies. Mathilde s'apprêtait à essuyer les larmes qui commençaient à couler sur ses joues, quand Eugénie lui prit des mains son petit mouchoir de dentelle et épongea elle-même le ruisselet. En souriant affectueusement à son amie, Eugénie lui glissa à l'oreille :

– C'est un jour de joie et non de deuil, Mathilde. Essaie plutôt de sourire.

La répartie eut immédiatement son effet, car Mathilde se mit à rire de bon cœur. Pour sa part, Thomas Frérot avoua à son cousin sur un ton ironique :

– C'est moi, François, qui ai rencontré le Roy à Versailles et c'est toi qui reçois cette décoration du mérite. C'est à croire qu'il y a une hiérarchie dans notre famille.

François répondit, à son tour de manière humoristique, à son cousin Thomas :

– Probablement que le buste du Roy que j'ai sculpté dernièrement pour le gouverneur y a été pour quelque chose !

Comme Guillaume-Bernard qui assistait à la conversation fronçait les sourcils d'un air réprobateur, François s'empressa d'ajouter :

– On ne peut pas être marié à Eugénie depuis tant d'années sans avoir réussi à se parfaire !

Cette remarque eut le mérite de faire éclater de rire le procureur général, lui qui n'avait pas le sourire facile. Devant autant d'émotions spontanées de la part d'un homme qui avait l'habitude de les dissimuler, Mathilde regarda son mari avec étonnement. Ce dernier se justifia en répondant à l'interrogation visuelle de son épouse :

– C'est la fête d'Eugénie et de François… Et aussi, par conséquent, notre fête à nous tous qui sommes venus les entourer. Je crois que c'est le bon moment de nous réjouir entre amis.

Au même moment, un serviteur en livrée vint offrir au petit groupe des rafraîchissements sur un plateau. Guillaume-Bernard se dépêcha de prendre deux coupes de vin de Saint-Onge et de les présenter à Eugénie et à François. Guillaume-Bernard invita alors son épouse, ainsi qu'Anne et Thomas Frérot, sans oublier Jean-François Allard, à porter un toast en l'honneur des nouveaux décorés.

– J'aimerais que l'on puisse rendre un hommage particulier et cordial à des amis sincères, loyaux et fidèles…

Le regard de tous était pendu aux lèvres de Guillaume-Bernard qui poursuivit :

– Excepté Jean-François, cela va de soi, nous étions tous là au moment de leurs serments matrimoniaux. Leur implication communautaire et leur dévotion aux œuvres diocésaines ont marqué notre vie coloniale. Ils auraient pu s'en tenir à leurs talents artistiques et à leurs responsabilités familiales. Ça aurait été déjà beaucoup et suffisant pour être médaillés. Mais non ! Nos amis ont choisi le dépassement de soi dans tout ce qu'ils ont entrepris…

Quelques personnes étrangères au petit groupe d'amis s'étaient agglomérées à ces derniers. Guillaume-Bernard, dans son élan, continua :

– Leur bon exemple nous amène à tendre vers la perfection et à agir de notre mieux. Pour ma part, je ne cherche pas à les égaler, non ! Mathilde dirait sans doute la même chose. L'amitié que nous partageons avec Eugénie et François est une richesse que nous ne voudrions échanger pour tout l'or du Nouveau-Monde. Et qu'elle dure et se bonifie avec les années !

À ces mots, Guillaume-Bernard leva son verre et dit :

– Buvons en l'honneur et à l'amitié d'Eugénie et de François !

– À Eugénie et François, répondit le petit groupe.

Thomas Frérot s'apprêtait à ajouter son grain de sel, lorsqu'il réalisa qu'Eugénie pleurait et que Mathilde, à son tour, s'affairait à essuyer les larmes de son amie, malgré la défense innocente de cette dernière. François de son côté essayait de cacher sa gêne devant tant d'éloges, en chargeant sa pipe d'argile qu'il avait amenée, malgré l'interdiction de sa femme.

Thomas se pencha vers sa femme et lui glissa à l'oreille :

– Eh bien, Anne, on dirait que le poids des années a rendu notre Eugénie plus sensible, plus émotive. Sans doute un signe qu'elle a besoin de nous tous, beaucoup plus que ce qu'elle semble vouloir démontrer !

Anne réfléchit quelques secondes en trempant ses lèvres dans le liquide aux arômes de fruits sauvages et d'épices :

– Je pense qu'Eugénie a toujours caché sa sensibilité derrière une carapace d'audace, de détermination et de rigueur. Mais aux côtés de François, plus chaleureux et plus accessible, elle a découvert la richesse de la cordialité, de l'écoute et des rapports humains. Auparavant, elle se serait empêchée de pleurer.

Aujourd'hui… elle se laisse aller à plus d'épanchements. Une nouvelle Eugénie, quoi! Pour tout dire, je l'aime davantage comme ça!

Thomas regarda sa femme avec un sourire complice.

– Si j'ai bien compris, Anne, c'est son mariage avec François qui a permis à Eugénie de s'améliorer! Est-ce que le nôtre nous a rapporté les mêmes bénéfices?

Surprise et gênée par la question que Mathilde venait d'entendre à la dérobée, Anne chercha à s'y soustraire. Thomas revint toutefois à la charge, sans arrière-pensée:

– Tu n'as pas une réponse à me donner, Anne?

Devant le regard de Mathilde qui craignait la pire des remarques parmi le petit cercle d'étrangers, dont quelques-uns avaient sans doute entendu parler des accointances d'Anne Frérot avec le chevalier de Troyes, cette dernière répondit à son mari:

– Eugénie s'est sans doute améliorée en vivant avec François, comme l'épouse l'a promis au pied de l'autel le jour de son mariage. Et on ne peut reprocher à une épouse de s'améliorer lentement si son mari est souvent absent, par affaires par exemple.

– Est-ce à dire que je m'absente trop souvent, Anne? Tu connais les obligations de mes commerces.

– Je veux dire par là qu'il est plus facile de démontrer l'image d'un couple assorti quand les époux sont toujours ensemble. La tentation fait son apparition beaucoup plus facilement quand ils sont séparés, peu importe les motifs louables. Mais l'amour et la fidélité se raffermissent en triomphant de la tentation. Avec le temps, ils deviennent aussi trempés que l'acier d'une lame d'épée.

– Et si jamais l'un des deux époux manque à sa promesse?

– Le sacrement du mariage demande aux époux de résister à la tentation, et non de ne jamais la subir. Si le catéchisme en fait mention, c'est parce qu'elle existe! Pour ma part, Thomas, je n'ai jamais manqué à ma promesse. Mais ce sont plutôt tes absences qui ont fait de moi une meilleure épouse et qui m'ont permis de me dépasser. Répondit Anne, un petit sourire au coin des lèvres.

– Alors, tu aurais mieux fait de marier un homme comme François, plus sédentaire!

– N'essaie pas de me faire dire ce que je ne pense même pas, Thomas. Je n'échangerais pas mon mari contre qui que ce soit. Parce que j'ai le meilleur et que je l'aime au-delà de tout.

– Même quand je suis absent?

Cette dernière répartie mit fin à la conversation qui prenait pour Anne une tournure délicate. Thomas sourit à l'humour de sa femme Il était certain d'avoir épousé l'être le plus exemplaire de la fidélité conjugale. Il se dit en son for intérieur: *Si Anne dit qu'elle m'aime encore plus fort, je dois la croire. D'ailleurs, je n'en ai jamais douté! Mais elle a raison, je devrais être plus souvent présent à la maison.*

À leur retour à Bourg-Royal avec leur famille, Eugénie s'empressa de ranger la médaille du mérite royal dans son coffret à bijoux, celui-là même que François lui avait offert le jour de leur mariage et que l'huissier Narcisse Dicaire avait voulu lui ravir au nom de Georges Sterns. En l'ouvrant, elle entendit la douce musique du clavecin jouer la mélodie qu'elle venait d'interpréter à la soirée du gouverneur. Cette fois-ci, ce dernier fit l'éloge de sa vertu plutôt que d'essayer de la lui ravir[22].

Pendant qu'Eugénie palpait de ses doigts de musicienne la médaille, elle se surprit à s'entendre dire intérieurement:

---

22. Quand Eugénie donna son récital de clavecin, lors de son arrivée en Nouvelle-France en 1666, le gouverneur du temps, Daniel-Rémy de Courcelles qui l'avait parrainée, avait voulu abuser d'Eugénie après sa prestation musicale. Voir *Eugénie, Fille du Roy,* tome 1, chapitre «La goujaterie du gourverneur».

François, je t'aime! Je pense bien que tu m'as aidée à recevoir cet honneur. Mais, j'y pense, je la partage avec toi, cette médaille! Qu'est-ce qui te prend, Eugénie Languille, de ne penser toujours qu'à toi! Vas-tu enfin te corriger de cette mauvaise habitude? Mais, au fait, il faudra que je lui dise à François. Il ne peut pas tout deviner… d'autant plus que j'ai toujours été avare de mots pour lui exprimer mon amour.

Le soir venu, quand François, après s'être glissé sous les couvertures, entendit la douce mélodie du coffret devenu l'écrin de leur médaille d'honneur, il se tourna vers Eugénie qui était déjà couchée et lui sourit avec une pointe d'étonnement.

– Tu tiens à revivre ton concert, Eugénie? J'ai oublié de te le dire, mais il a été très réussi, tant par la prestation vocale de Jean-François que par ton jeu au clavecin qui n'a pas perdu de sa virtuosité.

– Je te remercie, François, mais c'est pour te rappeler le soir de notre mariage. Tu te souviens… Le coffret.

– Oui… Mais ce n'est pas notre date d'anniversaire. Nous ne sommes pas le premier novembre.

– Depuis quand faut-il attendre la date de l'anniversaire de mariage pour dire à son mari qu'on l'aime toujours et de plus en plus?

François resta muet d'étonnement devant l'aveu amoureux d'Eugénie. Cette dernière, sachant son mari peu loquace dans les moments d'intimité, lui prit la main et se blottit contre son corps dénudé.

– En fait, François, je tiens à te dire que sans toi nous n'aurions jamais reçu cette médaille du mérite colonial.

– Évidemment, Eugénie, cette médaille récompense notre couple.

— Pas uniquement ça, François. La médaille récompense l'excellence de nos actions, comme mari et femme. Je tiens à souligner que je ne l'aurais pas reçue si tu n'avais pas été un mari et un père idéal.

— Mais, voyons, Eugénie, c'est toi la figure marquante de notre union, tu le sais.

— Sans toi, François, je n'aurais jamais pu réaliser tout ce que j'ai fait. Et ça, depuis ma période d'enseignement à l'île d'Orléans, chez les Hurons. Quand je n'en pouvais plus, je pensais à toi, à ta force, ton courage… à tes épaules réconfortantes…

En disant cela, Eugénie palpa l'épaule de François et son biceps musclé. Ce dernier se tourna vers l'oreille de sa femme et lui confia, d'un souffle chaud de désir :

— Eugénie Languille, pour une postulante Ursuline, tu en avais toute une vocation ! Comme ça, tu rêvais à mes charmes ?

En dirigeant la main de François vers elle, elle lui avoua :

— Le malin éprouve la vocation d'une postulante. Je n'ai pas été différente des autres.

Comme François avait continué à explorer avec plus d'audace le corps de son épouse, jusque dans ses replis les plus intimes, Eugénie lui susurra à l'oreille :

— Avoir su ce que tu étais capable de faire, je me demande si je ne me serais pas mariée plus tôt.

— Ah…Vraiment !

Eugénie prit alors François à bras le corps et lui murmura d'une voix sensuelle :

– Viens mon amour ! Si tu savais comme je t'aime.

François raffermit leur amour réciproque dans des élans passionnés.

CHAPITRE XIII
L'enrôlement

Frontenac reprit son poste de gouverneur de la Nouvelle-France à la fin de 1689. Il revint au pays avec Perce-Tête, son otage de luxe, qui alla s'installer à Albany. Mais, comme il y avait reprise de la guerre entre la France et l'Angleterre, Frontenac dut faire face à deux ennemis : les Anglais et les Iroquois, qui, de surcroît, étaient alliés.

L'acharnement des Iroquois, alliés également des Hollandais, à vouloir perpétuellement guerroyer pour chasser les Français d'Amérique, malgré les mesures militaires que le monarque de Versailles avait prises, avait irrité Louis XIV. Le fameux massacre de Lachine en 1689 avait incité le souverain à confier l'éradication de la menace iroquoise à un homme déterminé à en finir avec ces assassins.

Louis XIV qui avait accueilli Jacques II, le dernier des Stuart, avait insulté l'Europe des alliés de la ligue d'Augsbourg qui se dressait contre la France. Au même moment, Guillaume d'Orange, nouveau souverain d'Angleterre, déclara la guerre à la France. Les colonies des métropoles concernées entrèrent de ce fait en guerre. Mais Louis XIV décréta qu'il ne saurait être question de dégarnir ses armées sur le sol européen. La Nouvelle-France fut alors impliquée dans un conflit politique et commercial qui alla au-delà de ses intérêts premiers. Le Canada, qui n'était habité que par dix mille individus, dut lutter seul contre un ennemi qui en comptait cent soixante mille !

En juillet 1690, Frontenac se rendit à Ville-Marie pour inciter ses alliés indiens à faire la guerre aux Iroquois et surtout pour se préparer à la venue de l'ennemi anglais. Frontenac, qui ne souhaitait pas de confrontation armée avec les Anglais, plutôt que d'envahir les colonies anglaises, avait préféré la voie diplomatique pour reprendre en main le monopole de la fourrure et empêcher les Outaouais de se rallier aux Iroquois. Le gouverneur avait aussi mandaté Thomas Frérot, un marchand qu'il avait en haute estime, pour organiser la foire du mois d'août 1690. Thomas accompagnait Frontenac au cours de ce voyage à Ville-Marie.

Les raids des Canadiens contre les établissements de la Nouvelle-Angleterre, notamment ceux de François Hertel de la Fresnière des Trois-Rivières à Salmon Falls, près de Portsmouth, à la fin mars 1690, et de René Robineau de Portneuf à Portland dans l'État du Maine, à la fin mai, avaient incité les Bostonnais à contre-attaquer, selon le mot d'ordre *Canada must be reduced*. Le commandant William Phips attaqua d'abord l'Acadie française et s'empara de Port-Royal sans difficulté. Toutefois, sa mission était de s'emparer de Québec, capitale de la Nouvelle-France.

Le major François Provost commandait la ville de Québec en l'absence de Frontenac parti à Ville-Marie rencontrer les chefs hurons et outaouais pour les inviter à faire la guerre aux Iroquois. Fidèle à la mission que lui avait confiée le roy Louis XIV d'éradiquer une fois pour toutes la menace iroquoise, en exterminant ces nations belliqueuses, s'il le fallait, le vieux gouverneur avait appris que des troupes anglaises accompagnées d'Iroquois s'apprêtaient en remontant le lac Champlain et la rivière Richelieu à se rendre à Ville-Marie d'abord, puis à rejoindre la flotte de Phips à Québec.

Les Anglais étaient déjà à La Malbaie et brûlaient les fermes des colons le long du fleuve Saint-Laurent. Il n'y avait que deux cents hommes pour défendre Québec. À la mi-octobre 1690, quand il apprit la nouvelle, Frontenac revint de Ville-Marie avec mille deux cents hommes, c'est-à-dire ses militaires plus des miliciens de Ville-Marie et des Trois-Rivières, juste à temps pour attendre l'attaque de la flotte de trente-quatre vaisseaux du général Phips, installée dans la rade de Québec. Mais la nouvelle s'était déjà répandue dans la vallée du Saint-Laurent, notamment aux alentours de la ville de Québec, y compris à Charlesbourg.

Odile Langlois se présenta tout en sueur à la maison des Allard, alors que la famille était attablée pour le repas du soir composé d'un potage aux poireaux et de charcuterie. Pour sa part, la petite Marie-Chaton réussissait tant bien que mal à avaler sa bouillie d'avoine que sa mère lui offrait.

— Eugénie, François, vous ne pouvez pas vous imaginer ce qui nous arrive comme malheur. Tout va brûler : maisons, bâtiments, animaux, biens.

Odile Langlois, dans son énervement, avait annoncé cette apocalypse sans penser saluer la maisonnée. Eugénie, affairée à servir les siens et à faire manger Marie-Chaton, maintenant âgée de près de deux ans, réagit la première.

— Voyons, Odile, que se passe-t-il de si grave pour que tu ne prennes pas la peine de souffler ?

— C'est Germain… Germain, il va mourir.

Aussitôt, François se leva de table et ordonna à ses fils :

— André, attelle le noiraud et remplis la citerne d'eau du puits avec Jean. Nous allons éteindre le feu chez Germain. Odile, as-tu signalé le feu aux autres du Trait-Carré, Boudreau, Coudray, Lépine ? Sinon, Jean attelle Tibie et fais sonner le tocsin par le bedeau. Ah oui, rends-toi aussi chez le docteur Estèbe.

Alors que ses garçons revêtaient leurs manteaux doublés pour se protéger du feu, François continua :

– Odile, te sens-tu assez forte pour secourir Germain? Dans quelle pièce ou dans quel bâtiment se trouvait-il quand tu es partie?

– Mais, François, vous ne pourrez pas trouver Germain.

François devint tout pâle. Il venait de réaliser le pire. Il rassembla toutes ses forces pour demander à Odile:

– Est-il déjà calciné, méconnaissable? Est-il mort sans avoir pu essayer de fuir les flammes, tant le feu faisait rage? Mourir de cette façon est terrible!

Odile répondit, étonnée:

– Germain m'a dit comme dernière parole: «Odile, va chez François. Quand il arrivera, il y a de fortes chances que je n'y sois plus. Dis-lui que je pense à lui et surtout à ses garçons. Les pauvres malheureux.» Alors, je me suis dépêchée à venir le plus rapidement que j'ai pu. Voilà!

François regarda Eugénie avec tristesse. Deux larmes coulaient sur ses joues ridées, creusées par le soleil des moissons. Il venait de perdre son ami de toujours, en fait depuis son départ pour la Nouvelle-France, et son premier voisin. François s'agenouilla et se signa, au grand étonnement d'Odile. Perspicace, Eugénie eut la présence d'esprit de questionner Odile sur un détail qui l'avait intriguée.

– Tu disais que Germain s'inquiétait surtout pour nos garçons.

– Surtout pour eux.

– Il n'a jamais fait mention de mon nom? Pourquoi?

François, presqu'indigné par la réaction de sa femme, s'interposa:

— Mais voyons, Eugénie. Tu ne peux pas demander à un agonisant qui grésille dans un brasier de penser à tout le monde.

Surprise par l'affirmation de François, Odile répondit à Eugénie :

— Mais, Eugénie, Germain n'a pas pensé à toi parce que tu n'as aucune chance d'être enrôlée, comme moi d'ailleurs. Les femmes ne sont pas des soldats. Tes fils à toi, François et Germain le seront. Ils se battront avec leurs fusils contre les Anglais.

François se releva et fixa sa voisine de façon étrange.

— Un instant. Tu viens de dire que Germain est mort brûlé vif et maintenant il va aller tirer du fusil. Cela ne veut rien dire sinon qu'il est en enfer.

Là-dessus, François se signa une autre fois. Odile répliqua aussitôt :

— Germain n'est ni mort, ni en enfer, il est parti chez le meunier pour en savoir plus.

— Plus de quoi ? demanda Eugénie.

— Plus d'informations concernant la rumeur que les Anglais viennent envahir Québec. Des matelots capturés par les Anglais à l'île Percée et qui se sont évadés les ont entendu dire qu'ils s'apprêtaient à prendre Port-Royal et ensuite Québec. Germain l'a su du passeur de l'île d'Orléans, qui l'avait appris d'un pêcheur d'éperlans de Rimouski.

— Mais pourquoi nous as-tu laissé entendre que le feu était pris et que Germain était mort ? demanda François, hors de lui.

Odile le regarda d'un air dépité. Elle n'avait jamais vu François dans cet état. Elle répondit, penaude :

– Mais je n'ai jamais rien dit de tel ! Germain est plus vivant que jamais et bien déterminé à combattre les Anglais. C'est moi qui crains pour sa vie. Il n'est plus très jeune, vous savez.

Eugénie et François regardaient Odile avec un air de reproche, quand ils entendirent André qui s'adressait à son père :

– Alors, qu'est-ce qu'on fait, maintenant, mes frères et moi ? Éteignons-nous un feu ou combattons-nous les Anglais ?

La remarque d'André prit tout le monde par surprise. Seule Eugénie eut la rapidité d'esprit de réagir :

– Ni l'un ni l'autre pour le moment. Aucun de mes garçons ne tombera sous les balles des Anglais. Et pas davantage leur père. Vous êtes des étudiants et François n'est pas un milicien préparé au maniement des armes.

André n'osa pas contester l'injonction de sa mère. Quant à Odile, elle se mit à pleurnicher en disant :

– Je ne veux pas perdre mon Germain sur le champ de bataille. Il vient de m'annoncer qu'il cherchait à s'enrôler à la Citadelle avec le meunier Merlin Boucher. François, empêche-le, pour l'amour de Dieu !

Eugénie et François se regardèrent. Ils se rendaient compte de la panique qui gagnait leur voisine Odile. Eugénie intervint :

– Calme-toi. François va se rendre chez le meunier et il va ramener Germain. Tu le connais, ton mari, toujours prêt à combattre l'injustice et à rendre service. Sauf que cette fois-ci ça me donne l'impression qu'il s'est empressé de croire à une rumeur. Rien de plus.

– Mais il a décroché ses pistolets du mur, les a chargés et les a mis à son ceinturon.

– Ça ne veut pas dire que la colonie est attaquée par les Anglais pour autant ! Je te le dis, ça ressemble à une simple rumeur. Peut-être même à une mauvaise blague.

Odile allait remercier Eugénie de sa bienveillance, quand André l'interrompit :

– Alors, père, nous y allons chercher Germain, ou pas ?

Sidérée, Eugénie rétorqua aussitôt à son fils :

– André, c'est impoli d'interrompre tante Odile de cette façon. Que sont ces manières de soldat de caserne !

André se renfrogna. Pour se donner une certaine contenance, il bourra sa pipe et l'alluma avec un tison. Eugénie et François se rendaient compte que leur fils voulait à tout prix prouver qu'il était un homme. François s'adressa à son fils aîné, pour lui éviter de perdre la face :

– Venez, André et Jean. Nous allons chez le meunier, pour savoir ce qui se passe vraiment.

Quand ils arrivèrent au moulin, Merlin Boucher les avisa que Germain était reparti chez lui, peut-être même chez François. Ce dernier demanda alors au meunier :

– Alors, Merlin, crois-tu réellement à cette rumeur d'invasion ?
– Moi, non, mais Germain Langlois y croit dur comme fer. Peut-être même un peu trop, je pense.

– C'est bien son genre, Germain. Un cœur d'or, mais pas de jugement, renchérit François.

Ce dernier dit alors à ses fils :

– Allons, les gars, inutile de vous préparer à la guerre. Ça n'aura été qu'une autre lubie de notre cher Germain.

Le 15 octobre suivant, François, Germain et les autres habitants valides de Charlesbourg reçurent l'injonction de leur mobilisation comme miliciens de réserve. Aussitôt, Germain rebondit chez François avec Odile, sa missive de mobilisation en main, sans l'avoir lue.

– Qu'est-ce que je t'avais dit, François Allard? Des fois, vous me prenez pour un imbécile. Qui avait raison? Et dire que toi, Eugénie, tu as parlé de fanfaronnade et de naïveté de ma part. Alors, vous me devez des excuses.

Devant l'agressivité de Germain, Marie-Chaton commença à pleurer. Eugénie qui prit la petite dans ses bras implora Odile des yeux. Cette dernière sembla saisir la supplique de sa voisine. Elle apostropha son mari:

– Assez, Germain. L'heure est trop grave pour pleurnicher comme un gamin. De plus, tu as fait pleurer cette enfant avec ta grosse voix. Calme-toi ou retourne à la maison dès maintenant. Tu ne l'as même pas encore lue, cette lettre!

Comme l'ordre d'Odile avait rendu l'assistance muette, Eugénie intervint:

– C'est comme François. Lui non plus, il n'a pas voulu la lire. Même qu'il m'en a empêché. Alors, je vous propose d'ouvrir vos lettres en même temps, devant nous, et de nous en faire la lecture.

Germain dit alors à François:

– Tiens, lis-la d'abord à haute voix. Tu as été à l'école un peu plus longtemps que moi.

François prit son couteau de table et ouvrit le parchemin en décollant la cire du sceau du militaire en chef. Il lut solennellement:

Au nom de notre gouverneur Louis de Buade, comte de Frontenac, je vous enrôle comme milicien de réserve à la défense de notre patrie, menacée par la flotte anglaise. Dès maintenant, vous serez dans l'obligation de vous présenter à l'heure et à l'endroit qui vous seront désignés, armés de vos fusils de chasse et de toute arme à feu, d'atteindre votre cible à cinquante pas. Vous serez obligés de plus de fournir l'assistance, la nourriture, le bétail et l'asile à nos troupes qui feraient campagne sur vos terres.

Peuple de Nouvelle-France, c'est le temps de démontrer votre bravoure au combat pour la survie de notre pays et pour notre souverain Louis. Délogeons ces Anglais, des usurpateurs sans scrupule et impies. Je vous demande de vous rendre à Québec dans les meilleurs délais.

Je signe,

Major François Provost
Commandant en chef de la garnison de la ville de Québec

– Voilà, c'est fait ! Nous allons nous battre pour notre patrie. C'est comme en Normandie. Mais nous aurions pu combattre les Iroquois, de véritables sauvages.

Comme la maisonnée laissait François exprimer sa déception, Eugénie intervint :

– Moi, je veux en avoir le cœur net, sur cette menace anglaise. Je vais accompagner François à Québec et me rendre chez Mathilde. Elle en saura plus que nous, sans doute.

Quand Eugénie arriva rue du Sault-au-Matelot, elle fut surprise du désordre qui régnait dans la Basse-Ville. Elle le fut davantage en apercevant Anne Bourdon qui prenait un verre de porto chez Mathilde.

– Madame Bourdon, quel bonheur de vous voir ici et si en forme ? Il y a bien longtemps que nous nous sommes vues.

Eugénie détailla son ancienne accompagnatrice et logeuse qui avait assisté à son mariage presque vingt ans plus tôt. La vieille dame n'avait pratiquement pas vieilli, hormis un tour de taille plus qu'imposant. Toujours bien mise, Anne Bourdon portait un châle en permanence sur ses fortes épaules.

— Ma chère Eugénie, comme je suis contente de vous revoir ! Depuis autant d'années… En fait, depuis votre mariage, monsieur Allard et vous. Que le temps passe !

Eugénie dévisageait celle qui avait tant fait pour les filles du Roy à leur arrivée, comme accompagnatrice, logeuse, marraine, conseillère matrimoniale et même comme créancière, car son défunt mari lui avait laissé une fortune ; certains diraient le fruit de la corruption, mais une fortune appréciable.

— Vous saviez que j'ai maintenant six enfants ?

— Oui, Mathilde me l'avait souligné. Votre dernier, une petite fille, je crois.

— Oui, elle se prénomme Marie-Chaton. Plutôt Marie-Renée, comme sa marraine, mais nous l'appelons affectueusement Marie-Chaton.

Mathilde qui assistait silencieusement à l'échange, comme le voulait la bienséance, intervint :

— Oui, et aussi blonde et jolie que sa mère.

— Voyons, Mathilde, tu vas me faire rougir.

— Mais non, mais non, Eugénie, vous le savez depuis longtemps. Je me souviens que vous en avez fait tourner des têtes. Le plus illustre d'entre eux fut le gouverneur de Courcelles. Mon défunt mari tremblait juste à l'idée qu'il aurait pu perdre ses hautes fonctions, par une saute d'humeur du gouverneur, puisque vous logiez chez nous. Et puis… vous étiez l'idole de notre dernière, Marguerite…

– Au fait, comment va-t-elle ? Toujours supérieure des Augustines de l'Hôtel-Dieu ?

– C'est maintenant chez elle que j'écoule les jours qui me restent. Mais au fait, Eugénie, je suis venue dire à Mathilde que je venais d'apprendre qu'une flotte de trente-quatre vaisseaux mouillait dans l'anse de La Malbaie. Cette nouvelle m'effraie énormément. Comme épouse de notre procureur général, Mathilde devrait être une des premières informées.

Mathilde, énervée, prit la parole :

– Guillaume-Bernard a quitté très tôt la maison, ce matin, réveillé par un messager, en fait, un soldat. Il m'a dit rapidement qu'il se rendait à la Citadelle rencontrer le commandant de la garnison. Je n'ai pas eu de nouvelles depuis. Ça m'inquiète grandement.

– Si les Anglais sont amarrés à La Malbaie, ils pourraient être en route vers Québec et nous attaquer d'ici deux jours. Et dire que notre gouverneur Frontenac n'est pas là. Qui va nous défendre ? Dites-le moi !

– Les milices de colons, probablement, puisque mon mari et les autres hommes valides de Charlesbourg ont été mobilisés pour fortifier les remparts, creuser des tranchées et placer des batteries de canons aux bons endroits.

– Et probablement se battre à la place des militaires qui ont tous accompagné notre gouverneur à Ville-Marie pour combattre les Iroquois. J'ai ouï-dire qu'il ne reste à Québec que deux cents hommes de la bourgeoisie pour défendre notre capitale. C'est une honte ! Des miliciens de réserve mal préparés et des notables incapables de tirer un coup de fusil. Si mon défunt mari était encore de ce monde, il aurait conseillé à son gouverneur de voir à ses premières responsabilités, celles de veiller sur son peuple. Ah ! ces jeunesses dans des fonctions si importantes, où allons-nous !

Mathilde avait grimacé en entendant les reproches lancés à l'endroit de son mari. La vieille accompagnatrice avait la réputation d'être acariâtre à ses heures et elle venait de le démontrer. Eugénie remit sa vieille amie à sa place.

– Madame Bourdon, Guillaume-Bernard est très apprécié dans ses fonctions. Il n'est pas militaire, mais administrateur. Regardez, vous avez réussi à faire pleurer Mathilde. Vous saviez qu'elle était sensible. Vous l'avez sermonnée plus d'une fois sur le bateau. À chaque fois que j'ai voulu prendre sa défense, vous m'en avez empêchée. Mais pas cette fois-ci. Je suis dans la demeure de Mathilde, sachez-le. Je vous demande de vous excuser. Vous avez fait beaucoup pour la colonie, c'est vrai. Mathilde, tout autant, à mon avis!

Rouge d'humiliation, la vieille femme restait figée, assise dans son fauteuil. Le bris soudain de sa petite coupe de porto signifia que sa colère était montée d'un cran. Un valet vint rapidement nettoyer les dégâts. Eugénie n'était pas peu fière d'avoir pu protéger son amie Mathilde et d'avoir pris sa revanche sur la façon détestable dont Anne Bourdon s'était mêlée de sa vie privée.

Mathilde avait réussi à sécher ses larmes avec son petit mouchoir de dentelle quand, sur ces entrefaites, son mari Guillaume-Bernard arriva.

– Madame Bourdon, Eugénie, de la visite inattendue, quel bon vent vous amène!

– Un vent de panique, monsieur le procureur général.

– Toi aussi, Eugénie?

– François a été conscrit. Il est en train de préparer la défense de la ville. Nos amis de Charlesbourg aussi.

– La situation est urgente. J'ai bien peur, Mathilde, que nous ne soyons obligés de nous installer au château Saint-Louis ou à la Citadelle, le temps que la menace anglaise disparaisse. Nous n'avons pas d'autres choix. Anne et Thomas devront faire de même. En fait, toutes les maisons de la Basse-Ville devront être évacuées. Je crains fort que la guerre ne soit inévitable.

Mathilde se mit à pleurer en entendant cette grave nouvelle. Eugénie se dirigea alors vers elle, la prit dans ses bras et lui dit :

— Pourquoi ne viendrais-tu pas à Bourg-Royal avec tes plus jeunes ? Tu serais davantage en sécurité dans les terres qu'ici. Les boulets de canon ne se rendront pas à Charlesbourg.

— Et Anne et Thomas ? Qui va s'occuper de les loger ? s'enquit Mathilde, en s'essuyant les yeux.

— Thomas est allé à Ville-Marie avec Frontenac pour organiser la foire aux fourrures, tandis que le gouverneur cherche un moyen d'éviter la guerre. Thomas pourrait se réfugier à sa seigneurie de la Rivière-du-Loup près des Trois-Rivières, mais sans Anne et ses enfants, il ne le fera jamais, reprit Guillaume-Bernard.

Mathilde intervint :

— Anne a une sainte peur d'être capturée par les Iroquois, ou pire !

— Malgré l'expédition de notre gouverneur ? s'informa madame Bourdon.

— Parce que vous ne connaissez ma cousine, madame.

— Oh si, je la connais. Je l'ai ramenée de France en 1669. Une jeune fille avec beaucoup d'allure, cette demoiselle d'Ollery. Mais l'inconfort du bateau l'avait manifestement indisposée.

— C'est bien elle ! Anne aime le confort de sa belle résidence de la rue Royale. Mais là, elle devra s'y faire. Elle aussi viendra à Bourg-Royal.

Eugénie avait parlé sur un ton péremptoire.

– Mais, Eugénie, tu vas manquer de place !

– La maison d'Odile Langlois était déjà grande pour deux, imagine sans son mari ! Elle souhaite sans doute avoir de la compagnie, elle qui est peureuse de nature. Allez, soyez sans crainte, nous nous arrangerons.

– Il y a toujours ma fille, plutôt la fille de mon défunt mari, supérieure des Augustines hospitalières de l'Hôtel-Dieu, qui pourrait vous accueillir. Je lui demanderai, si vous le voulez.

Guillaume-Bernard parla officiellement, comme sa fonction de procureur général de Québec le lui permettait :

– Laissons l'hôpital aux blessés qui seront sans doute en grand nombre. N'encombrons pas les chambres qui sont déjà si rares pour les besoins de la colonie. Sans parler de la menace d'une épidémie qui accompagne toujours des cadavres qui jonchent le sol !

– Mais, monsieur Dubois de l'Escuyer, votre description d'un champ de bataille est morbide !

– Elle l'est moins que la triste réalité, hélas !

– Mais, j'y pense tout à coup, François et ses amis ! Que va-t-il leur arriver ? demanda Eugénie, inquiète pour la vie de son mari.

– De combien de temps, Eugénie, as-tu avisé tes enfants de ton absence ? demanda Mathilde.

– Ils pourront se débrouiller seuls deux ou trois jours de plus. Odile couche à la maison et prend soin de la petite. Pourquoi ?

– Parce qu'en attendant nous pourrions nous réfugier au couvent des Ursulines, le temps que la situation s'éclaircisse.

— Tiens, très bonne idée. Nous pourrons revoir Aurore et Dickewamis, si tu ne lui en veux pas trop, bien entendu, répondit Eugénie avec un sourire complice.

Mathilde ne releva pas l'allusion en présence de son mari qui se faisait du mauvais sang pour François.

— Je vais faire en sorte d'obtenir la permission du major Provost pour que François puisse loger au Petit Séminaire de Québec. Il y a sa chambrette de toute façon. Et vos fils y seront plus tranquilles en sachant que leur père est avec eux. Pour nos fils, Mathilde, le séminaire devient un endroit sûr, pour le moment. Je vais les avertir que tu habiteras au couvent des Ursulines avec Eugénie, Anne et ses filles. Quant à son fils Charles, je ferai en sorte qu'il puisse aussi loger au séminaire.

Mathilde se dépêcha d'ajouter :

— Je ne sais pas quelle serait la réaction d'Anne s'il fallait que le fils de Dickewamis, Ange-Aimé Flamand, revoie sa fille Marie-Renée.

— Je suis certaine que Marie-Renée a plutôt les yeux sur le jeune Guyon, le parrain de Marie-Chaton, répondit Eugénie.

— Mais nous sommes tous là à supputer les volontés d'Anne sans qu'elle soit ici pour décider de son sort. Thomas doit sans doute revenir de Ville-Marie avec notre gouverneur. La situation l'exige, le temps presse. Thomas décidera lui-même de ce qui est mieux pour sa famille, conclut Guillaume-Bernard.

Pendant ce temps, les navires anglais, qui avaient voulu accoster, furent repoussés par la décharge des fusils des paroissiens, leur curé en tête. La flotte de Phips s'avançait tranquillement, mais sûrement vers Québec. Entre-temps, Frontenac était revenu de Ville-Marie avec sa petite armée composée de mille deux cents soldats et avait réintégré le château Saint-Louis.

Thomas Frérot avait été promu temporairement adjoint au procureur général, afin de seconder Guillaume-Bernard dans ces moments exceptionnels de mesures de guerre. Il l'informa que la rumeur des troupes anglaises venant de la rivière Richelieu n'était pas fondée, car l'armée commandée par Fitz-John Winthrop, attendant des vivres et des munitions, n'avait pas été mise au courant de l'avancée de cette dernière. De plus, la petite vérole qui venait de décimer les troupes iroquoises avait incité ces dernières à abandonner la lutte aux côtés des Anglais. Enfin, Thomas parla à son ami de la présence du comte Joli-Cœur en Amérique à titre d'ambassadeur de Frontenac.

– C'est curieux, ce nom ne me dit rien[23]. Le gouverneur ne m'en a jamais fait mention.

---

23. Le comte Joli-Cœur est en réalité Thierry Labarre, voisin de François Allard à Blacqueville et compagnon de traversée en 1666. L'administration coloniale fit en sorte de bloquer le projet de mariage de Thierry et de Mathilde, épris l'un de l'autre, qui contrevenait au règlement des trente-six mois d'engagement pour les jeunes gens qui envisageaient de devenir colon en Nouvelle-France, avant les épousailles. Fou de rage, Thierry commit l'étourderie de fuguer avec Dickewamis, l'Iroquoise, retenue comme prisonnière politique au couvent des Ursulines. Mathilde l'apprit et en éprouva énormément de peine. Eugénie lui présenta un prétendant qu'elle avait éconduit, Guillaume-Bernard Dubois de l'Escuyer. Les deux tourtereaux se marièrent peu de temps après. Capturé rapidement après son escapade avec l'Iroquoise, Thierry fut emprisonné et condamné à la potence. Il fut gracié *in extremis* grâce à l'intervention du grand-oncle de Guillaume-Bernard auprès du gouverneur, sur l'insistance de Mathilde. Thierry Labarre fut exilé en France et retourna en Normandie avec le capitaine du *Sainte-Foy* qui l'avait pris en affection. Devenu son second de navire, Thierry sillonna la mer du Nord comme marin. Il fit fortune dans d'étonnantes circonstances et eut une vie hors du commun. Sa richesse lui permit d'acquérir le titre de comte Joli-Cœur, à une époque où il y eut bon nombre de «faux nobles». Le hasard l'amena dans l'entourage du roy de France, Louis XIV et du tsar de Russie, Pierre Le Grand. Thierry Labarre contrôla le commerce de la fourrure de zibeline en Europe et fut invité par Frontenac, un ami de la cour de Versailles, à le rejoindre au Canada. Le comte Joli-Cœur ne révéla jamais à personne sa véritable identité.

– Curieux, en effet. Ce noble a toujours cherché à m'éviter à Paris et à Versailles. Drôle de coïncidence, en tout cas. Guillaume-Bernard… François ne doit pas tomber devant les balles anglaises. Être milicien est nécessaire pour la défense de notre pays, mais ce n'est pas obligatoire pour un artiste de mourir en héros. Après cette guerre, nous aurons encore besoin de son talent, même les Anglais, s'ils nous conquièrent! Alors, il vaudrait mieux affecter François à une occupation moins risquée. Comme celle de la distribution du matériel, par exemple. Voudrais-tu t'en occuper?

– Bien sûr. À condition que François l'accepte et qu'il ne sache pas que cette suggestion vient de nous. Tu connais sa fierté, n'est-ce pas?

– Et comment! Aussi entêté qu'une mule lorsqu'il s'agit d'accepter une faveur. Je crois qu'il en est incapable. Comme Eugénie, d'ailleurs.

– À la différence qu'Eugénie s'améliore sur ce plan avec les années, mais pas François.

Là-dessus, les deux amis rirent de bon cœur, sans méchanceté. La situation de François s'améliora sensiblement, aux côtés de ses amis, au département des approvisionnements. François choisit toutefois de loger au Petit Séminaire de Québec, tandis que Guillaume-Bernard et Thomas logèrent au château Saint-Louis, dans l'entourage de Frontenac.

Mathilde et Anne prirent la route de Charlesbourg, en attendant une accalmie. Elles prévoyaient écouler ces mauvais jours loin des nouvelles effrayantes du conflit inévitable, en priant pour que la Providence laisse la vie sauve à leur mari et à leurs fils. Elles se disaient qu'elles pourraient trouver le moyen de contribuer à la victoire par la diplomatie toute féminine plutôt que par la force brutale des armes. Cette occasion se présenta spontanément, une opportunité qu'elles ne pouvaient pas laisser filer.

Le 16 octobre 1690, à six heures du matin, les navires anglais arrivèrent en face de Québec. Les plus petits se rangèrent le long de la côte de Beauport, les plus imposants restèrent au large en face de l'île d'Orléans, à hauteur du village huron de Wendake.

Aussitôt, le chef huron Houatianonk, frère de sang de François Allard et oncle d'Onaka devenue Ursuline, réveilla ses chefs de clan afin de convoquer un caucus extraordinaire. Il fut établi qu'ils quitteraient immédiatement l'île d'Orléans et se rendraient en canot à la réserve de Lorette près de Charlesbourg. Plutôt que de passer par la rivière Saint-Charles, les Hurons décidèrent de se rendre à Beauport et, de là, de bifurquer par voie de terre en traversant Bourg-Royal. Houatianonk avait bien l'intention de saluer Cœur d'Ours, son frère de sang. Les Hurons profitèrent des embruns et des vapeurs d'eau de ce moment de la saison, pour se camoufler des navires anglais. La journée s'annonçait particulièrement chaude. Quand la cohorte de Hurons se présenta en face de la maison des Allard, au moment du déjeuner, Georges qui regardait par la fenêtre avertit sa mère :

– Maman, tu as la visite des Sauvages.

Sur ce, Anne regarda Eugénie en souriant.

– Encore, Eugénie ? À ton âge !

Eugénie regarda sa cousine, contrariée.

– Georges veut simplement dire que c'est l'été des Indiens et qu'il va faire exceptionnellement beau.

– Mais ils sont là, maman.

Intriguée, Eugénie qui servait le lait chaud au miel, reconnut Houatianonk et sa tribu. Elle resta figée. Un évènement hors du commun secouait la Nouvelle-France. Elle sortit aussitôt de la pièce au grand étonnement d'Anne et de Mathilde qui faisait manger Marie-Chaton. Houatianonk fut des plus heureux de pouvoir faire le salut huron à Eugénie, une main sur le bras de cette dernière et l'autre main sur son cœur. Eugénie se demandait bien comment offrir l'hospitalité à ses amis indiens quand, spontanément, ils s'assirent sur leurs nattes dans la cour et se mirent à grignoter des morceaux d'anguilles séchées. Le chef Houatianonk accepta l'invitation d'Eugénie d'entrer dans sa maison.

— Que le frère de sang de mon mari et l'oncle d'Onaka soit le bienvenu dans notre modeste demeure ! se surprit-elle à dire à la façon indienne.

Aussitôt entrée dans la maison, Eugénie fit les présentations d'usage.

— Tu reconnais sans doute la femme du cousin de François, Anne ? Elle et son mari nous avaient accompagnés à Wendake, il y a plusieurs années. Anne, tu te souviens de notre ami, l'oncle d'Aurore ?

— Je suis heureuse de te revoir, Houatianonk. Le souvenir de notre visite à votre village est toujours présent dans notre mémoire. Nous venons de rencontrer Onaka au couvent des Blancs.

— Comment va-t-elle ? Dis-lui, si tu la revois, que son peuple se souvient de ses yeux de biche.

— Je te présente aussi Mathilde, une autre grande amie qui est la femme d'un grand sachem blanc.

Mathilde regardait la tenue vestimentaire du chef avec sa veste, ses guêtres en peau d'orignal et ses mocassins en cuir solide. La plume d'aigle blanc d'Amérique accrochée à la chevelure du Huron impressionna particulièrement les garçons Allard, Jean, Georges et Simon-Thomas.

Quand Houatianonk vit la petite Marie-Chaton, il mit la main sur sa chevelure dorée et dit de manière inspirée, au grand désarroi de la petite fille qui se mit à pleurer :

– Hum, hum, hum, Aataentsic, notre mère à tous. Tu veux que notre peuple soit reconnu comme un peuple courageux et qu'il déloge les navires des Blancs qui font peur aux âmes de nos morts et les empêchent de vivre parmi notre peuple.

Eugénie réagit aussitôt.

– Quels navires?

Houatianonk raconta à la maisonnée l'exode de son village le matin même, aux aurores, devant la menace d'un grand nombre de navires de guerre.

– Les Anglais sont vraiment à notre porte. Il faut faire en sorte qu'ils sachent qu'un petit peuple déterminé peut donner la frousse à une armée organisée.

Eugénie élabora, en discutant avec ses amies et Houatianonk, une stratégie qui pourrait aider l'état-major français. Elle suggéra au chef d'aller reconduire les siens à Lorette pour ne pas apeurer les habitants des alentours, en pensant surtout à Odile qui mourrait de peur si elle apercevait un village entier de Hurons dans sa cour. Ensuite, elle recommanda à l'Indien de se rendre à Québec avec son fils Georges, chez François et Guillaume-Bernard, proposer les services du peuple huron pour déloger les Anglais de la côte de Beauport. Eugénie incita de plus Houatianonk à aller visiter Onaka[24], sa nièce, au couvent des Ursulines.

Fier de pouvoir démontrer le courage de son peuple chassé de ses territoires ancestraux, le chef huron accepta la proposition, et après s'être rassasié de nourriture de Blancs il ordonna à ses congénères de se rendre à Lorette. Puis, le long de la rivière Saint-Charles, il se mit en route avec Georges qui conduisait prudemment Tibie, de crainte d'être attaqué par les Anglais. Ils arrivèrent au château Saint-Louis en début d'après-midi. François

---

24. Onaka, qu'Eugénie avait prénommée affectueusement Aurore.

fut ému de revoir son frère de sang, autant qu'il fut ravi de retrouver son fils.

– Et ta mère, tes frères et ta petite sœur, comment vont-ils ?

– Tout le monde souhaite que vous reveniez vite, père.

François versa des larmes de joie, au grand étonnement du Huron. Puis il présenta rapidement ce dernier à Thomas, heureux de revoir Houatianonk, et à Guillaume-Bernard qui présenta à son tour le chef huron au commandant Provost et au gouverneur Frontenac. L'état-major venait d'apprendre, par le témoignage de l'Indien, la présence des Anglais ainsi qu'une partie de leur stratégie. Il fut décidé que les Hurons de Lorette et de Wendake, sous le commandement de Houatianonk, chasseraient le plus tôt possible les Anglais de la côte de Beauport selon la méthode de la guérilla indienne, par l'abordage, l'intimidation et le combat corps à corps.

– Que ces Anglais sachent que nos alliés sauvages sont plus coriaces que ces barbares d'Iroquois, la plaie du Nouveau-Monde. Délogez-les de Beauport, je m'occupe de recevoir Phips à Québec.

Par mesure de précaution dans sa stratégie, Frontenac ordonna qu'une batterie de canons ainsi que la milice des habitants de Charlesbourg, de Château-Richer et de Beauport, accompagnée de militaires de carrière, prennent la route de Beauport pour faire diversion et ainsi permettre l'effet de surprise de l'attaque indienne.

Les retrouvailles d'Onaka et de Houatianonk furent brèves et respectueuses, malgré l'état de choc que la présence du chef avait créé chez la sœur portière. Heureusement que le Huron était accompagné de François et de Georges, ce qui rassura la bonne religieuse en reconnaissant le mari et le fils d'Eugénie Languille. Elle alla chercher Onaka.

François, quant à lui, demanda à la portière la permission d'aller prier à la chapelle destinée à la population de Québec. La religieuse esquissa un léger sourire, trahissant par là sa fierté de savoir que mademoiselle Languille avait épousé un habitant vertueux.

Quand la jeune religieuse reconnut le symbole de son clan sur la veste de son oncle, elle resta figée d'émotion. Au même instant, ce dernier eut un mouvement de recul, en voyant sa nièce camouflée derrière les lourds vêtements noirs qui composaient l'habit monastique des Ursulines de Nouvelle-France. Sans ses longs cheveux couleur de jais, il ne pouvait se représenter la jeune Huronne derrière son voile, reconnue pour sa piété et sa sagesse, même depuis l'enfance.

En se présentant devant son oncle, Onaka baissa immédiatement les yeux en signe de soumission au chef du village et s'inclina. Houatianonk lui mit délicatement la main sur le voile, par prudence l'écarta légèrement pour mieux reconnaître sa nièce et lui dit :

— Tu ressembles beaucoup à ta mère…, Onaka. Le Grand Esprit me fait une immense faveur de la revoir parmi nous.

Alors, spontanément, Onaka se débarrassa de son voile pour que son oncle puisse la voir plus facilement. Elle eut l'intention d'enlever son bonnet, mais se retint, non pas par pudeur comme les Blancs, mais plutôt pour éviter que son oncle voie dans quelle saleté sa nouvelle famille vivait, tellement les poux régnaient en maître au monastère.

Longuement, Houatianonk promena ses doigts sur les traits du visage de la jeune femme. Puis, avec la modération qu'elle lui connaissait, il continua :

— J'ai longtemps cru qu'Aataentsic m'avait signifié que la venue de la femme aux cheveux d'or et aux yeux couleur du ciel, devenue la squaw de mon frère de sang, « Cœur d'Ours », avait pour mission de t'apprendre à devenir la mère du nouveau peuple huron, plus fort que jamais….

Onaka écoutait les mots exprimés par son oncle, comme si ce dernier était l'interprète de la voix de ses ancêtres. Houatianonk poursuivit :

— Maintenant, je sais que le peuple huron devra faire sienne la religion des Français s'il veut redevenir fier de ses racines. Mes ancêtres me disent, en te voyant vêtue de la robe noire, de suivre ton exemple. Les Hurons se battront avec courage aux côtés des Français pour vaincre les Anglais qui veulent nous exterminer, avec les Iroquois. J'ai dit !

À ces mots, Houatianonk remit le voile sur la tête d'Onaka et lui dit en guise d'adieu :

— Onaka pourrait-elle demander au dieu des Blancs et des robes noires de protéger son peuple ? Les prochaines lunes seront déterminantes pour sa survie.

— Le dieu des robes noires écoutera Onaka. Le peuple huron donnera une grande victoire aux Blancs et vivra en paix pendant très longtemps, dit Onaka.

— Hau !

Là-dessus, Houatianonk retrouva François, revenu de sa méditation avec son fils Georges, et ils prirent tous les trois la route de Bourg-Royal. Le chef huron se rendit immédiatement à Lorette pour organiser l'attaque de manière coordonnée avec les Français afin de déloger les Anglais de Beauport. Quand François et son fils revinrent à la maison, ils furent accueillis avec enthousiasme. Anne et Mathilde s'empressèrent de prendre des nouvelles de leur mari, de leurs enfants et de la présence des Anglais. Odile se trouvait à ce moment-là chez les Allard.

— Et puis, mon Germain, dis-moi, François, qu'il est toujours en vie.

– Plus que jamais. Même qu'il est en route pour Beauport avec les autres de Charlesbourg.

– Alors, il faut que j'aille l'embrasser.

Eugénie intervint.

– Je crois que ce n'est pas le bon moment, Odile. Tu auras l'occasion de le faire quand les Anglais seront vaincus.

– Mais quand, Eugénie?

– Germain et les autres miliciens ont besoin de toute leur concentration pour y arriver. Allons, mettons-nous au rouet et au tricot, et continuons à confectionner des vêtements chauds pour ces valeureux miliciens.

Eugénie avait demandé aux femmes des miliciens de Charlesbourg de participer à cet effort de guerre en étant disponibles pour tisser et tricoter.

Les milices française et huronne surprirent les navires anglais de petit tonnage avec une attaque bien organisée. Il fut décidé de faire croire aux Anglais qu'il leur serait facile de débarquer en chaloupes sur la terre ferme.

On demanda à quelques habitants de Beauport d'allumer de grands feux à la barre du jour et d'inviter les soldats anglais sur la côte en faisant des signaux d'accueil. Ces derniers envoyèrent aussitôt quelques chaloupes de reconnaissance.

Il avait été établi que les Hurons attaqueraient ces éclaireurs en canot, tomahawk en main, à leur façon habituelle. Le carnage se fit silencieusement, sans bavure. Houatianonk et ses acolytes ramenèrent les cadavres des soldats anglais qui furent aussitôt dépouillés de leurs vêtements pour que quelques miliciens français puissent les enfiler dans le but de mieux tromper l'ennemi.

Le 18 octobre, quand le jour se leva et que le soleil permit aux gradés anglais d'apercevoir dans leur lunette d'approche l'invitation des leurs à mettre pied à terre sur la côte de Beauport, dans leur uniforme rouge et bleu qui se différenciait du costume fleurdelisé des soldats français, le major John Bradley, commandant, donna le signal à ses mille quatre cents soldats de débarquer sur la côte de Beauport afin de traverser la rivière Saint-Charles pour attaquer la capitale par voie de terre. Pendant ce temps, les navires de Phips devaient canonner Québec.

Le major Provost, commandant des Français, avait, pour sa part, recommandé à son lieutenant-major, arrivé avec les miliciens des Trois-Rivières et de Ville-Marie qui avaient été dépêchés à Beauport pour coordonner la défense, de canonner le maximum de chaloupes anglaises...

Tombant dans le piège de l'invitation, les Anglais désertèrent leurs bateaux et prirent place dans leurs chaloupes de débarquement. Ils furent si bien canonnés par l'artillerie française que les rares soldats qui mirent le pied sur la berge furent immédiatement tués par la mitraille des miliciens enragés. Devant la canonnade, effrayés, les soldats anglais retournèrent vers leurs bateaux.

Quant aux survivants des chaloupes qui s'étaient jetés dans les eaux froides du fleuve, il eut mieux valu pour eux qu'ils meurent d'hypothermie. Les Hurons reçurent la consigne d'achever ces malheureux. Les guerriers commandés par Houatianonk, les rejoignant en canot, s'offrirent le délice de faire éclater les crânes des soldats anglais. Quand le major Bradley se rendit compte de la cuisante défaite, il ne lui restait plus qu'à aviser le commandant Phips de la ténacité des Français et de leurs alliés indiens.

Les militaires français firent la ronde autour des feux qui brûlaient encore. Un militaire haut gradé donna l'autorisation aux Hurons d'Houatianonk de célébrer cette victoire spectaculaire en dansant autour des feux et en chantant à leur façon. Mais il leur défendit de torturer les deux prisonniers anglais qu'ils avaient laissés en vie.

– Laissons-les retourner vers les leurs et raconter comment nos alliés hurons se battent. Ça sera beaucoup plus convaincant de cette façon.

Quand Phips apprit la nouvelle, vers quatre heures de l'après-midi le même jour, il donna l'ordre aux quatre gros navires de sa flotte de tirer environ cinq cents boulets de canon. Cette canonnade ne fit qu'un mort, le fils d'un bourgeois, tué sur le coup. Les deux jours suivants, les Anglais canonnèrent de plus belle.

Le 21 octobre, les Anglais subirent une autre défaite à Beauport et décidèrent de battre en retraite. Le lieutenant-major français décida de crier *victoire* en voyant se replier les soldats anglais. Il ordonna toutefois à ses hommes de rester vigilants, en position de combat, au cas où…

Comme les nuits devinrent de plus en plus froides, Phips craignit la glace et ne tint pas à hiverner, prisonnier du fleuve Saint-Laurent. Les 23 et 24 octobre suivants, le général anglais négocia l'échange de prisonniers. Puis la flotte reprit le chemin de Boston, n'ayant pas réussi à s'emparer de Québec.

À cause de l'excellence de leurs faits d'armes, les miliciens canadiens eurent la permission de rentrer chez eux et d'attendre les nouvelles directives de l'état-major quant à leur possible retrait vers Québec. Mais cette éventualité ne se produisit pas, pour la plus grande joie de tous. François et Germain revinrent définitivement à Charlesbourg. Quand Germain retrouva Odile, cette dernière le regarda, admirative.

– Je le savais bien que mon Germain était un héros. Charpenté comme il est, il a dû faire déguerpir les Anglais avant de se servir de ses pistolets. Hein, Germain?

Ce dernier ne savait pas quoi répondre à sa femme, gêné d'autant d'éloges. François le sortit de cette gêne en ajoutant à Odile:

– Tu as raison, Odile. Germain se tenait le premier sur la ligne de feu, prêt au combat, un pistolet dans chaque main. Nous étions derrière, assurés que les Anglais n'oseraient tirer, de crainte d'être visés par Germain. Mais quand ils le virent, tel Goliath brandissant ses armes, ils ont préféré déguerpir sans tirer un seul coup de feu. Les Hurons les ont massacrés par la suite.

Odile suivait la description de ce combat inégal en nombre, mais particulier en bravoure. Son mari en était le héros. Ravie, elle lança à ses amies :

– Les Normands ont toujours troqué la charrue pour l'épée lorsque c'était nécessaire pour se défendre contre les attaques des Anglais. La bravoure fait partie de notre peuple. La Nouvelle-France saura toujours combattre cet ennemi.

Eugénie, Anne, Mathilde et François restèrent surpris de la profondeur de la réponse d'Odile, contrairement à son habitude. Ce qui fit dire à Eugénie à l'endroit de son mari :

– Je viens d'identifier ma relève comme organisatrice des œuvres de la Confrérie de la Sainte-Famille à Charlesbourg. Les grands évènements rendent les gens plus réfléchis. Voilà une consolation aux jours terribles que nous venons de passer. Et ce n'est pas encore fini !

Eugénie, dans sa sagesse, avait raison. Quand Phips apprit par un messager, vers neuf heures du matin, le carnage infligé à ses troupes devant la côte de Beauport, il prit une décision stratégique qui allait sauver la Nouvelle-France. C'est du moins la version qu'en a faite Guillaume-Bernard, témoin privilégié des évènements auprès de Frontenac, lorsqu'il était allé chercher Mathilde à Bourg-Royal, après le départ de la flotte anglaise.

– Alors, dit le procureur, aux alentours de dix heures du matin, une chaloupe quitta le navire amiral de Phips positionné au large et se dirigea vers le quai. On pouvait très bien identifier à l'avant un pavillon blanc. Venant des bateaux mouillant à l'embouchure de la rivière Saint-Charles, quatre autres chaloupes allèrent la rejoindre, arborant le même pavillon. Elles se rejoignirent presque à la moitié du chemin. Il y avait une trompette à bord de la chaloupe larguée par le navire de Phips pour signaler l'arrivée du messager du général. Cet envoyé resta seul dans son canot et se rendit sur la berge entre la rivière Saint-Charles et le quai, dans les buissons.

– Un Anglais? demanda Georges Allard.

– Certainement pas un Iroquois! répondit ironiquement son frère Jean.

– Les garçons, laissez oncle Guillaume-Bernard continuer son récit. Ne le dérangez plus! admonesta Eugénie

– Ça aurait pu être possible qu'il soit un prisonnier français. Un échange de prisonniers, ça se voit fréquemment en temps de guerre. Mais dans ce cas précis, il s'agissait de l'émissaire anglais, le major Thomas Savage, reprit Guillaume-Bernard.

Il poursuivit, une fois l'auditoire redevenu silencieux.

– Je disais donc… Ah oui! Dès que l'émissaire anglais mit pied à terre, notre commandant, le major Provost, qui l'attendait sur la terre ferme se dépêcha de lui faire bander les yeux afin qu'il ne vît pas la faiblesse de nos retranchements… C'est une tactique de la guérilla, quand l'armée la moins nombreuse ou la moins équipée s'apprête à négocier une trêve ou la paix…

– Et puis, oncle Guillaume-Bernard? cria Simon-Thomas, l'avant-dernier des Allard.

– Ça suffit, les garçons. Arrêtez d'interrompre votre oncle! s'interposa François avec sa grosse voix, pour montrer plus d'autorité.

Guillaume-Bernard comprit, en croisant le regard de Mathilde, qu'il valait mieux qu'il poursuive sa narration sans explication. Il bomba le torse et décida de mettre plus de vie dans son récit.

– Notre commandant-major Provost le fit conduire par deux sergents qui le soutenaient et qui le firent zigzaguer exprès par des sentiers impraticables pour se rendre au château. Mais le petit cortège était déjà dans l'enceinte de la ville. Le major Savage devint subitement une sorte de distraction de foire et se faisait regarder par tous les curieux qui se pressaient sur son passage, comme un criminel qu'on emmène à la potence. Mais ils n'étaient pas si nombreux que ça.

– J'ai eu la chance d'observer le stratagème de Provost, un militaire d'expérience, rompu aux campagnes iroquoises.

– Il a demandé discrètement à ses soldats, puisqu'il soupçonnait l'ambassadeur anglais de parler notre langue, de faire une haie de douze personnes de chaque côté du cortège. Bien entendu, les curieux se rangeaient, en désordre, criant de chaque côté sur leur passage pour mieux les voir. Le commandant Provost voulait persuader l'émissaire anglais, toujours les yeux bandés, que la population de la ville de Québec était nombreuse. Les douze troupiers qui escortèrent l'émissaire pendant tout le trajet firent en sorte que Savage ne s'aperçut pas que c'était toujours les mêmes soldats qui l'accompagnaient, tant il y avait du chahut. Ces derniers s'amusaient à passer et à repasser devant lui avec succès.

– Le cortège ressemblait tellement à une mascarade des jours de fête que nos bonnes dames de Québec, qui l'aperçurent, l'appelaient en riant colin-maillard. Sauf que, cette fois-ci, ce n'était pas un jeu! Le sort de la Nouvelle-France en dépendait.»

Guillaume-Bernard prit une gorgée de bière que venait de lui servir Eugénie, pour étancher sa soif et se donner du tonus pour continuer. Le rappel des évènements marquants lui avait échauffé les esprits et asséché la gorge, contrairement à son habitude. Tout le petit auditoire épiait ses gestes et attendait fébrilement la suite.

– Ne nous fais pas languir davantage, Guillaume-Bernard, je t'en prie ! le supplia Mathilde.

Ce dernier poursuivit :

– Tout ce qu'entendait Savage lui paraissait tellement convaincant qu'il en tremblait de peur. Enfin… c'est ce que m'a raconté Provost lui-même. Je ne peux mettre sa parole en doute ! Arrivé au château Saint-Louis, il supplia le major Provost de le laisser faire un brin de toilette pour qu'il puisse paraître à son avantage devant le représentant de notre souverain… Là-dessus, je suis intervenu, puisque c'est moi qui avais la responsabilité de préparer la rencontre diplomatique. Et je me suis rendu compte que le major Savage parlait la langue française aussi bien qu'un courtisan de Versailles. Avec un petit accent de la côte anglaise, cependant. Je le fis reconduire dans une chambre avec un lavabo et un pot de chambre. Je lui fis remettre également un rasoir, de l'eau de Cologne et un nécessaire de toilette. Deux soldats firent le guet à la porte.

– Avez-vous eu le temps de lui faire la causette, à cet Anglais ? demanda impoliment Odile.

Le regard courroucé d'Eugénie la fit se renfoncer dans sa chaise. À ce moment, François en profita pour faire circuler sa blague de tabac, afin que tous les hommes et les garçons en âge de fumer puissent bourrer leur pipe et fumer en attendant la suite du récit. Eugénie en profita pour servir à tous des breuvages désaltérants, bière pour les hommes et jus de pomme pour les autres, sans oublier le verre de lait cru de Marie-Chaton.

Dans un nuage de fumée odorante, Guillaume-Bernard répondit à Odile :

– La conversation a été courte et civilisée. Je lui ai seulement demandé où il avait appris à parler si bien notre langue. Il m'a répondu que sa nourrice était Normande et qu'il avait fait ses études dans un collège militaire anglais où l'apprentissage de la langue française était obligatoire. C'est là qu'il l'avait améliorée. Ah oui, il m'a demandé si j'étais né en France ou au Canada…

— Probablement ton accent colonial, Guillaume-Bernard ! lui lança Mathilde naïvement.

Ce dernier la regarda, contrarié.

— Qu'est-ce que vous avez tous contre le parler des Canadiens de souche, vous, les débarqués de France ! coupa Odile, irritée.

Comme tous les regards se pointèrent sur Odile Langlois, son mari Germain crut bon d'intervenir.

— Ce n'est pas le temps de discuter de nos différences d'accent, alors que nous devons combattre côte à côte les Anglais. C'est le temps d'unir nos efforts, Odile, et de démontrer que nous sommes un petit peuple courageux, mais aussi une grande nation.

Personne ne releva la remarque autoritaire de Germain. Tous étaient impatients de connaître la suite. Guillaume-Bernard continua :

— Après quelques minutes qui parurent très longues à la garde qui croyait à une évasion, Savage sortit rasé de près, habillé de la manière la plus élégante qu'il le put dans les circonstances, avec ses gallons d'or et d'argent, ses rubans, sa poudre de frisure pour sa perruque, ses plumets. Rien ne manquait.

— Le gouverneur avait permis aux curieux d'être admis au château. Comme c'était sans doute la première fois pour plusieurs d'entre eux, c'est au milieu des rires et des airs enjoués que l'émissaire de Phips fut présenté au gouverneur Frontenac. J'ai bien essayé d'arrêter ce brouhaha, une insulte au rang et à la dignité de l'émissaire, mais rien n'y fit. Les curieux se moquaient de lui. Savage savait pertinemment qu'il représentait l'ennemi et que la gentilhommerie avait ses limites… Enfin.

– Je l'ai conduit dans l'antichambre du gouverneur. Provost récupéra son prisonnier. Savage salua Frontenac froidement, avec un salut militaire qui en disait long sur les intentions de la couronne britannique. Frontenac n'eut pas le temps de l'inviter à transmettre son message, comme il se devait, que le major Savage sortit une lettre de sa redingote militaire et la présenta à Frontenac tout en disant:

– Cette lettre de notre commandant Phips, de l'amirauté de la couronne britannique, vous somme de rendre la ville d'ici une heure.

« En même temps, il tira une montre de sa poche, et la posa sur la table. Provost et moi, nous nous sommes regardés, pantois, grandement surpris par l'allure glaciale qu'avait choisie l'émissaire. J'étais convaincu qu'il avait été vexé, même outré par l'accueil plutôt cavalier des habitants de la ville. Mais la guerre, c'est la guerre ! »

– Et qu'a répondu notre gouverneur ? s'empressa de demander Anne Frérot.

– « Je ne vous ferai pas attendre plus longtemps, lui répliqua monsieur le comte. Dites à votre général que je ne connais point le roi Guillaume et que le prince d'Orange est un usurpateur qui a violé les droits les plus sacrés du sang en voulant détrôner son beau-père. Non, je n'ai point de réponse à faire à votre général que par la bouche de mes canons et à coups de fusil. Qu'il apprenne que ce n'est pas de la sorte qu'on somme un homme comme moi. Qu'il fasse du mieux qu'il le pourra de son côté et moi je le ferai du mien ».

– Après la brève, mais spectaculaire rencontre, l'émissaire Savage, les yeux toujours bandés, retourna à sa chaloupe. Puis il fit rapport de sa mission au commandant Phips.

– Les officiers anglais, réunis en conseil de guerre, adoptèrent une stratégie pour s'emparer de Québec, qui s'avéra désastreuse pour eux. Ils avaient sous-estimé le courage et l'esprit d'initiative des Canadiens.

– Monseigneur de Laval est venu me rencontrer au château Saint-Louis pour me proposer de perpétuer à sa façon notre victoire.

– Ah, oui? Et que vous a-t-il proposé, Guillaume-Bernard? s'enquit Eugénie, intriguée.

– Ça, je ne peux pas encore vous le dire. Le gouverneur Frontenac doit auparavant donner son aval.

Eugénie resta sur son appétit. Pas pour très longtemps, toutefois.

Monseigneur de Laval fit chanter un *Te Deum* et dédia la chapelle de la Basse-Ville de Québec à Notre-Dame-de-la-Victoire. Le vieux prélat chercha des symboles pour raffermir la foi de ses ouailles. Le souvenir du martyre des missionnaires des premiers temps de la colonisation s'était envolé avec la fumée des feux des tortionnaires et ne suffisait plus pour impressionner les habitants.

Déjà, le peuple canadien était réputé pour son gaspillage. Les citadins de Québec se dépêchaient de troquer le peu d'argent qu'ils possédaient en vêtements, en meubles coûteux et même en distractions extravagantes dès qu'ils le pouvaient. Quant à eux, les habitants avaient la permission de chasser et de pêcher, de couper leur bois de chauffage sur leur terre et de faire paître, pour presque rien, leur bétail sur le pré communal de la seigneurie, appelé « Commune ».

Le nouveau catéchisme de Monseigneur de Saint-Vallier et l'ascétisme de Monseigneur de Laval n'ont rien pu y faire. Ce dernier expliquait l'insouciance des Canadiens par le confort de leur situation économique.

La dîme à payer à l'Église canadienne n'est pas assez élevée, avait-il écrit au Roy. *Elle ne correspond qu'au vingt-sixième de la production de blé, soit la moitié du taux en cours dans le Nord de la France.*

Louis XIV se méfiait de la vision du prélat qui centralisant la dîme des paroisses dans son diocèse. Il permit toutefois à son ami du Canada, afin de perpétuer le souvenir de la victoire aux dépens de Phips, d'organiser une procession en l'honneur de la Sainte Vierge à chaque quatrième dimanche d'octobre. De plus, l'administration frappa une médaille commémorative qui représentait Louis XIV d'un côté et la *Victoire* de l'autre. Mais on avait épuisé les munitions et les provisions. Les habitants brisaient la glace pour pêcher le poisson et l'intendant Champigny faisait fondre les gouttières pour fabriquer des balles.

Le gouverneur Frontenac savait fort bien que les Anglais n'accepteraient pas cette défaite sans représailles. Effectivement, les colons de la Nouvelle-Angleterre incitèrent leurs alliés iroquois à continuer les incursions armées dans la vallée du Saint-Laurent. Frontenac décida donc de guerroyer avec les Iroquois en espérant les amener à faire la paix, conformément aux ordres du roy de France. Il lança une attaque surprise chez les Mohawks d'Albany, le 25 janvier 1693, dans la tribu de son ancien prisonnier, Oscatarach, et en ramena trois cents prisonniers.

Cette offensive d'Onontio[25], si elle a permis de soulever l'enthousiasme de la colonie, a surtout diminué le prestige d'Oscatarach, ce petit-fils de Bâtard Flamand, sans toutefois faire fléchir l'intransigeance du peuple mohawk. Néanmoins, Oscatarach sentait bien qu'il lui faudrait agir avec ruse pour la survie de son peuple.

Depuis cette victoire des colonies françaises en Amérique, le souverain français exigea que tous les hommes âgés de seize à soixante ans puissent servir dans la milice. La fierté du peuple canadien lors de la victoire mémorable contre Phips encouragea

---

25. Surnom donné au gouverneur des Français par les Amérindiens

ses jeunes sujets à envisager une carrière militaire. Le commerce de la fourrure n'était plus le seul idéal du fils d'habitant en mal d'aventure.

Pour leur part, les autorités coloniales avaient exempté les Canadiens d'impôts directs. Ils estimaient qu'accomplir leur service militaire était déjà un lourd tribut à payer, puisque les miliciens s'exposaient à de graves dangers à la guerre.

Quand Jean Allard, âgé de seize ans, avisa ses parents qu'il souhaitait abandonner ses études au Petit Séminaire pour se consacrer à une carrière militaire, Eugénie, irritée, lui demanda :

— Qui t'a mis ces idées en tête, mon garçon ! Consacre-toi davantage à tes études.

— Mais, maman, je veux, moi aussi, accomplir des actes héroïques pour la défense de notre pays. Je ne suis pas le seul. Charles Frérot veut faire de même.

Depuis la victoire aux dépens de la flotte de Phips, les cours de géographie militaire donnés par Louis Joliett, le fameux découvreur du fleuve Mississipi avec le père Marquette, avaient la cote, au grand désespoir des Jésuites qui observaient une baisse de ferveur pour la prêtrise.

— Mais ton père va avoir besoin de toi à la ferme. Depuis son enrôlement, ses affaires à l'atelier ont diminué. Il faut que tu apprennes à lire et à compter.

— C'est déjà fait, maman.

— Écoute Jean. Tu es à l'âge de faire ton service militaire, puisque tu as seize ans. Après ton affectation à la Citadelle, tu prendras une décision. D'ici à ce que tu reçoives cette convocation, essaie de terminer ton année en beauté. D'accord ?

Eugénie s'inquiétait pour l'avenir de ce fils qu'elle voyait prendre la relève de François à la ferme. Il avait déjà tous les atouts pour devenir un excellent exploitant agricole. Il était celui de ses fils qui avait hérité le plus de l'atavisme normand pour le travail de la terre. Bien bâti, plutôt râblé, quoique encore élancé, Jean possédait un sens intuitif des affaires que n'avait pas son père François, plutôt idéaliste. Son frère André, au talent de sculpteur déjà reconnu, avait décidé de s'associer à son père à l'atelier. Quant à Jean-François, il se réservait aux ordres. Son talent de musicien le destinait aux grandes orgues de la basilique.

Eugénie se faisait du souci depuis cette conversation avec Jean. Un soir, après le coucher de Marie-Chaton, alors que François revenait de l'écurie après que Tibie eut mis bas, Eugénie dit à son mari:

– Et puis?

– Ne crains rien, tout s'est bien passé. Heureusement que le docteur Estèbe était là.

François avait mis de côté sa méfiance à l'égard du docteur Estèbe.

Les habitants profitaient des compétences médicales du docteur quand la santé d'un animal était critique, comme la mise bas d'une jument, d'une vache ou d'une truie. Habituellement, le vétérinaire de circonstance dosait la posologie du médicament qu'il administrait généralement aux humains en fonction de la taille de l'animal.

– Un mâle ou une femelle?

– Un poulain, mais ce sera son dernier, compte tenu de son âge. Je ne la ferai plus saillir.

– Est-il en santé, fringant? Qu'est-ce que tu as l'intention d'en faire?

– Laissons-lui le temps de prendre sa première tétée. Probablement le vendre. J'en aurai un bon prix. Il me donne l'impression qu'il pourrait être un bon coursier. Mais pourquoi ces questions ! Je te connais assez pour savoir que tu me caches quelque chose.

Silence.

Eugénie triturait le rebord de son tablier avec nervosité. Dans ces moments-là, François savait que sa femme lui annoncerait une nouvelle inusitée.

– Eugénie… qu'est-ce que tu as à me dire ?

– C'est Jean. Tu sais qu'il sera bientôt convoqué pour son service militaire ?

– Oui, mais ça, ce n'est pas une surprise. A-t-il déjà reçu sa convocation ?

– Non, pas encore !

– Alors ? Ne me dis pas qu'il veut déserter ?

– Non, c'est tout le contraire ! Il veut devenir militaire. Enfin, c'est ce qu'il vient de me dire.

– Quoi ! Et moi qui croyais en faire ma relève sur la ferme ! Il a tout ce qu'il faut pour faire un bon habitant.

– Je sais. C'est ce que je lui ai dit.

– Intelligent, travaillant, sans être rêveur… comme moi !

Eugénie regarda François, peinée.

– Ce n'est pas ce que j'ai dit, François.

– Non, mais je sais que tu le penses !

Eugénie prit sur elle pour ne pas faire dévier la conversation ajouta :

– Tu sais très bien, François, que j'aurais souhaité te voir exploiter davantage ton talent d'artiste sur bois. Les Canadiens sont bien capables de se payer ce luxe. Cette facette plus artistique de ta personnalité m'a toujours fascinée, tu le sais. Comme tu sais aussi que ton entêtement à vouloir t'agrandir comme propriétaire terrien m'a toujours agacée ! Mais je t'aime comme tu es et, disons-le... j'ai bien essayé de te changer, mais cette mission m'est apparue impossible.

François regardait Eugénie avec un regard amusé. Pour la première fois, cette dernière avouait sa tendance à l'ingérence.

– Comme ça, tu voulais me changer ? ajouta-t-il, l'œil ironique.

– Pas vraiment te changer... disons... t'améliorer. Mais c'est plutôt de Jean qu'il faut discuter.

– Voudrais-tu l'améliorer, lui aussi ?

– François... Sois sérieux, je t'en prie.

François comprit qu'Eugénie se faisait du souci pour leur fils.

– Tu disais donc que Jean t'avait parlé d'une carrière militaire. Je n'aime pas tellement ça !

– Moi non plus et ça m'inquiète. Il va se faire tuer. Il s'imagine sans doute que les batailles se terminent toutes de la plus belle façon.

– Tu sais, à seize ans, c'est de son âge de rêvasser aux exploits héroïques ! Qu'est-ce qu'on peut y faire ? Pour notre part, nous rêvions à la Nouvelle-France. Et il y avait des risques aussi. Cela ne nous a pas empêchés de nous embarquer sur le *Sainte-Foy*, rappelle-toi !

– C'est vrai. Mais, j'étais orpheline !

– Quant à moi, j'imagine la peine que j'ai dû faire à mon père ! Mais il était veuf… Alors, il n'a pas pu… ou su me retenir. Il a bien essayé… Je me souviens de ses larmes… et aussi de sa colère. Peine perdue, toutefois. Mon entêtement a été le plus fort.

François était replongé dans les souvenirs de son départ pour la Nouvelle-France. Eugénie le sortit de sa nostalgie en disant :

– Nous, ses parents, sommes tous deux vivants. Alors, il nous faut trouver un moyen de l'en dissuader. Ou au moins de retarder cette décision.

– S'il l'a en tête ! Son service militaire pourrait le décourager… Ça nous aiderait, bien sûr !

– Ou le renforcer dans son intention. Nous n'avons pas de risque à prendre.

– Comment faire ? Ça le retiendrait par ici s'il avait une petite amie.

Sidérée, Eugénie réagit promptement :

– Comment ça, une petite amie ? À seize ans, il est à l'âge d'étudier. Pas de se marier.

Avec un sourire moqueur, François toisa sa femme.

– Mais à l'âge de s'intéresser aux filles. Prends moi, par exemple, à son âge…

Sans s'en être rendu compte, François se souvenait de sa belle Catherine Duquesne, celle de qui il avait été grandement amoureux. Eugénie s'en rendit probablement compte, car elle répliqua froidement :

– Il n'est pas obligé de suivre l'exemple de son père, jeune homme laissé sans surveillance, avec des filles plus ou moins vertueuses… Enfin, passons !

François fixa sa femme, avec un regard plein de surprise. Jamais il n'aurait cru qu'Eugénie pouvait s'être aperçue qu'il avait déjà eu une expérience sexuelle avant son mariage. Tout ce qu'il avait dit à Eugénie, c'est qu'il était censé se marier avec Catherine, mais que celle-ci avait été assassinée alors qu'ils étaient déjà fiancés !

Eugénie, jalouse ! Jamais je n'aurais cru ça d'elle.

François ne pouvait pas trahir la mémoire de Catherine, qu'il avait tant aimée, sans réagir, malgré tout l'amour qu'il portait à Eugénie, sa compagne de vie et la mère de ses enfants.

– J'étais fiancé, Eugénie, ne l'oublie pas. Et c'était une fille vertueuse, de bonne famille, crois-moi.

– C'est facile à dire, maintenant. Pour ma part…

– Tu as été élevée par des religieuses… Des moniales, Eugénie. Il n'y avait pas grand risque pour ta vertu. Les seuls garçons que tu as rencontrés sans soutane ont été Thierry, Germain et moi, à Honfleur.

– François… Comment oses-tu parler de ma vertu, alors que la tienne était reléguée aux oubliettes depuis longtemps avant de me connaître ! J'en suis presque persuadée… Au moment de notre nuit de noces…

– Ah ouais ? Et les ragots concernant tes fréquentations avec le gouverneur de Courcelles, ce dépravé à la petite vertu… Ou ce militaire, grand buveur et coureur de jupons, ce Berthier…

Eugénie regarda François, ahurie. Ce fut à son tour de ressasser ses souvenirs. Elle devint nerveuse d'être sur la sellette à son tour.

– Sache qu'aucun de ces prétendants n'a pu m'enlever ce qui m'était le plus précieux à t'offrir comme cadeau de mariage. Ma virginité, François !

À ces mots, Eugénie craqua et se mit à pleurer à chaudes larmes. Tourmenté, François s'approcha, la serra très fort contre lui et lui dit à l'oreille :

– Je n'en ai jamais douté, tu le sais bien. Je t'aime et ne ressassons plus le passé. Pensons plutôt à l'avenir de notre garçon.

François essuya les larmes d'Eugénie avec son mouchoir et replaça délicatement les mèches de cheveux encore blonds de sa femme.

– De si beaux yeux avoir autant de peine. Voyons !

Eugénie cessa de renifler, regarda son mari avec tendresse et avança :

– Nous disions donc qu'une petite amie permettrait à Jean d'oublier la carrière militaire.

– Mais ce n'était qu'une suggestion, maladroite même, de ma part.

– Il faudrait peut-être l'envisager... Mais j'avais pensé à une autre idée !

– Ah oui ? Je suis curieux de l'entendre.

Remise de ses émotions, Eugénie élabora son plan avec enthousiasme.

– Tu sais, le poulain ? Que dirais-tu si tu le lui donnais comme monture ?

– Mais il vient de naître.

– Justement, il va pouvoir en prendre soin, le dresser et, plus tard, sait-on jamais, participer à des compétitions équestres.

– L'idée est bonne. Ça l'occupera. Il pensera davantage à son cheval qu'à sa carrière militaire.

– Tu vois !

– Au mieux, il deviendra maréchal-ferrant ou marchand de chevaux, comme les Blondeau. Au pire, il évoluera dans la cavalerie. Y as-tu pensé ?

– François !

– Je te taquine, Eugénie !

– Ne me fais pas cette peur-là !

– Il y a une réalité que tu ne pourras pas empêcher, toutefois. Avec le cheval et la carrure du cavalier, notre fils ne tardera pas à se faire une petite amie !

Eugénie regarda son mari et s'esclaffa. François, devant la réaction de sa femme, rit à son tour de bon cœur. François s'approcha alors d'elle, prit un châle et le lui installa sur les épaules. Il lui dit :

– Si tu venais le voir, ce poulain et le baptiser. Tibie aura la fierté d'avoir mis au monde un rejeton qui aura attiré ton attention.

Le poulain bai avec une tâche blanche sur le front, à la configuration étoilée, dormait sous le regard attendri de sa mère. Lorsque la jument se rendit compte de la visite tardive, elle hennit discrètement. Le poulain se réveilla et essaya de se lever. Vacillant sur ses frêles pattes, il tomba sur la paille fraîche. Mais il essaya de se relever et, cette fois, réussit avec succès. Eugénie s'exclama :

– Qu'il est beau, ce futur étalon et courageux! Un véritable petit Canadien. C'est d'ailleurs le prénom que j'aimerais lui donner. Mais…

– Mais quoi?

– Je n'en suis pas la propriétaire. C'est notre Jean qui l'est!

– Tout juste. C'est lui qui va le baptiser. Mais tu pourrais lui suggérer le nom de: Canadien! Penses-tu que les jeunes filles du voisinage vont apprécier ce prénom?

Eugénie affronta le regard de François et répondit sans sourciller:

– On verra bien.

Quand Jean aperçut son poulain pour la première fois, il s'empressa de remercier ses parents avec un sourire qui reflétait son bonheur. Et lorsque Eugénie aborda le sujet de lui trouver un nom, Jean rétorqua instantanément:

– Mustang. Il s'appelle Mustang.

Il avait dit Mustang avec une prononciation très britannique. Eugénie resta figée de surprise.

– Où as-tu appris à parler l'anglais, toi? s'enquit François qui détestait cette langue, parce qu'en Normandie elle représentait la langue de l'envahisseur.

– Voyons donc, au Petit Séminaire. Les prêtres eux-mêmes le parlent.

– C'est en effet surprenant. Tu n'as pas peur qu'avec ce nom tu sois ridiculisé?

– Voyons, maman, je suis certain que j'aurai un grand succès auprès des filles de Charlesbourg et encore plus de Québec!

François baissa la tête, de peur de rencontrer le regard d'Eugénie. Laissant passer quelques instants, il lui proposa :

— Si nous rentrions ? Laissons Jean avec Mustang. Ils doivent apprendre à se connaître.

Hors de l'écurie, Eugénie, à qui il tardait de faire ses commentaires, avança :

— Non, mais ce n'est pas possible ! Nous venons à peine de déloger les Anglais qu'ils commencent déjà à nous influencer avec leur langue et bientôt leurs habitudes. Que va devenir notre nation ? Dis-le-moi !

— Nous, nous résisterons, bien sûr. Mais nos enfants ? Je ne le sais pas. Les Anglais de la Nouvelle-Angleterre, qui sont cent fois plus nombreux que nous, sont bien plus à craindre, crois-moi !

— Que pouvons-nous faire ?

— À Charlesbourg, certainement beaucoup. Mais à Québec, une place d'immigrants, je ne le sais pas plus que toi. Il y en a des bons, comme Jean Daigle, un Allemand, et des moins bons comme Georges Sterns, un Anglais. Ça dépend des individus. Mais nous, les Français, nous avons aussi les nôtres. Prends Arnold Aubin, le brocanteur, ce n'est pas plus honnête qu'il faut ! Et pourtant, c'est un Français né au Canada, je te ferais remarquer ! Ce n'est pas une question de race, mais d'individu !

— Oui, mais les Anglais nous menacent.

— Ma chère femme, il va falloir maintenant vivre avec cette idée ! À mon avis, s'ils sont plus nombreux que les Iroquois, ils sont sans doute moins cruels. Ils représentent peut-être une menace par leur présence et leur langue, mais nous avons notre religion !

Eugénie regarda son mari avec admiration.

— Là, François, tu as la réponse. C'est sans doute l'influence de notre dévouement à la Confrérie de la Sainte-Famille! C'est notre foi qui va permettre à notre peuple de rester uni. Et j'ajouterais que la foi comme la langue, ça commence au berceau.

— Et que l'influence étrangère arrive assez tard dans la vie d'une personne. Prends l'exemple de Jean Daigle. Il a épousé Marie-Anne Proteau. Elle ne parle pas allemand et lui, de luthérien, il est devenu catholique. C'est lui qui parle notre langue. Ses enfants non plus ne parlent pas la langue allemande, parce que Marie-Anne ne l'a pas voulu, et ils sont baptisés. Qui a le contrôle de l'identité? Marie-Anne! La mère!

— Si je comprends bien, nous, les femmes de la Nouvelle-France, les filles du Roy, nous avions à peupler ce pays, nous l'avons fait, et maintenant, nous devons le protéger de l'influence anglaise.

— Tout juste. Et si cette protection est bien assurée par les familles, ça pourrait prendre beaucoup de temps, malgré les guerres, avant que notre langue et notre religion soient sérieusement menacées. Tu sais, l'identité d'un peuple, c'est résistant. Tiens, prends un autre exemple: Radisson, notre héros national! Thomas, qui l'a rencontré, me disait que malgré le fait qu'il ait été éperdument amoureux de sa femme anglaise il sentait qu'il était toujours un étranger non seulement en Angleterre, mais aussi avec elle.

— Donc, l'appartenance à une nation est plus forte que l'amour que l'on voue à son mari.

— Dans le cas de Radisson, je le pense. En fait, c'est ce qu'il a dit à Thomas.

— Je ne suis pas certaine de ton raisonnement, François. Je penche plutôt vers le contraire. C'est un plaidoyer très masculin que tu viens de m'élaborer. Il va falloir que j'en parle à Anne et à Mathilde. J'ai l'impression que madame Radisson devrait donner son point de vue. Être un héros national et être un mari idéal ne vont pas nécessairement de pair.

François resta silencieux. Il ne voulait surtout pas discutailler avec Eugénie sur le propos rapporté par Thomas. Elle continua :

— Mais, sur un point, je te donne raison : la religion. À part le fait que c'est moi qui aurais dû y penser. J'ai tout de même été dans l'entourage de saintes femmes comme mère Marie de l'Incarnation. Aussi des doctes de l'Église, comme son fils Dom Claude Martin. Monseigneur de Laval est aussi de ce calibre.

— Tu as raison, Eugénie. Je t'ai précédée, voilà tout. Ma compétence reste le travail artistique, la sculpture.

— Mais François, tu vaux beaucoup plus que cela. Tu es un père de famille et un époux accompli, ne l'oublie pas !

— C'est vrai que j'essaie de faire mon possible pour vous chérir, vous protéger.

— Et tu réussis à merveille, je t'assure. Je n'aurais pas pu faire un meilleur choix.

— Même comparé au gouverneur de Courcelles et au militaire Berthier ?

— Il serait temps que je te dise que j'ai longtemps pensé à me faire religieuse. Si je ne l'ai pas été, c'est parce que j'ai épousé l'homme idéal.

— Le penses-tu encore ?

— J'en suis toujours certaine.

— Malgré mes défauts ?

— À quoi veux-tu en venir, François, s'inquiéta Eugénie.

– Si je te disais « *I love you* »…

Eugénie regarda François, songeuse. Puis elle répliqua :

– Je ne suis pas madame Radisson. Je pourrais mettre un bémol à ma récente évaluation du mari idéal.
Sur ce, François décida de mettre un terme à la conversation en embrassant Eugénie et en lui disant :

– Je t'aime. Et je t'aimerai toujours.

– Mais j'espère bien, grand fou !

Là-dessus, le couple s'embrassa, en prenant bien soin de ne pas être aperçu par l'un des enfants.

CHAPITRE XIV
Le mariage d'André

Depuis quelques mois, André Allard s'absentait de plus en plus souvent de l'atelier d'ébénisterie. Il prétextait des visites à rendre à des clients afin de mieux évaluer les dimensions du mobilier qu'il avait reçu en commande. Âgé de vingt-deux ans, allant sur ses vingt-trois, André servait la clientèle locale, celle qui longeait la rivière Saint-Charles, l'ancien et le nouveau Charlesbourg[26] et jusqu'à Beauport. Il livrait lui-même les meubles en charrette durant les mois de la belle saison, c'est-à-dire de la fin du printemps jusqu'à l'été des Indiens.

Ses absences commencèrent à inquiéter Eugénie qui en fit part à François.

– Ne trouves-tu pas qu'André s'absente plus que d'ordinaire ? Et tu ne m'as jamais parlé de sa présence à l'atelier !

---

26. Quand François Allard se maria en novembre 1671, Charlesbourg n'était composé que de cinq petits villages : la Petite Auvergne où habitait Hormidas Chalifoux, le père d'Odile Langlois ; Saint-Claude ; Saint-Bernard ; le Petit Saint-Antoine ; et bien sûr, le Trait-Carré de Bourg-Royal, lieu de résidence des Allard et des Langlois. Les autres villages, comme Saint-Pierre, Saint-Bonaventure, Gros Pin et Petit Village naquirent et s'agglomérèrent par la suite pour former la municipalité de Charlesbourg.

– Pour tout dire, Eugénie, il n'est plus souvent là.

– Et ce n'est certainement pas par affaire! Son carnet de commande n'est pas si rempli. C'est moi qui tiens les comptes, ne l'oublie pas. Tu n'as rien remarqué?

– Tu sais que je suis souvent à Québec! Mais le travail qu'il fait est bien fait! Tu sais bien que notre fils a beaucoup de talent et qu'il est vaillant. C'est la bonne recette de la réussite, crois-moi. Tu connais le père Joseph, le supérieur de toute la mission des Récollets de Charlesbourg et le gardien du couvent des Récollets de Québec, tu sais, le fils du sieur Denis de la Ronde qui est devenu aveugle et de sa dame Catherine. Eh bien! le père Joseph me disait qu'il était entièrement satisfait de ses services. André lui a fabriqué un secrétaire torsadé.

– S'il pouvait être attentif à son travail ici, ce qui ne semble pas être le cas. Mais comment se fait-il que ça soit lui qui ait eu ce contrat avec le père Joseph et non pas toi?

François préféra ne pas répondre à Eugénie, pour ne pas s'éloigner des propos de la conversation.

– André se consacre probablement à annoncer ses produits à des clients potentiels. Le bouche-à-oreille, tu sais, de nos jours, ça ne suffit plus. Alors, il faut qu'il aille se présenter aux habitants.

– Comme un commerçant volant?

– Tout juste.

– Mais toi, tu ne l'as pas fait!

– Et combien de fois me l'as-tu reproché, Eugénie! Alors, André a probablement compris, à nous entendre, qu'il valait mieux pour lui d'agir différemment.

La remarque fit mouche et Eugénie cherche à changer de sujet.

– Et tu trouves normal que notre fils, qui a tant de vaillance à développer ses affaires, puisse en parler aux habitants au moment des semailles ?

– Que veux-tu dire par là ? Ce sont des affaires d'hommes !

– Ah oui ? Il était à peine là aux Rogations[27] !

Contrariée, Eugénie toisa François avec un regard lourd de reproches et ajouta :

– Tu sais très bien à quoi je veux en venir, François !

– Non, ma femme, je te laisse le soin de me l'expliquer.

François savait que sa dernière répartie aurait le don de mettre sa femme dans tous ses états. Plutôt que d'ajouter de l'huile sur le feu qui couvait, il préféra ajouter :

– Notre garçon est devenu un homme ! Il doit faire le tour du canton pour se chercher une compagne.

– Mais il ne m'en a jamais parlé ! Je pourrais lui en présenter plus d'une. Je les vois rejoindre leurs mères au jubé après la messe. Tiens, les petites Bergevin et Roy, ce sont de beaux brins de filles. Ne me dis pas qu'il ne les a pas remarquées lorsqu'elles reviennent de la communion. Et la fille à Thomas Pageau, elle n'est pas piquée des vers, celle-là non plus !

– Élisabeth ? Je pense que celle-là, notre Jean veut la garder pour lui.

– Jean ? À son tour ! Mais, il n'a que vingt ans !

---

27. Au printemps, une fois la neige fondue, les colons de la Nouvelle-France devaient préparer la terre pour les semailles. Ce travail débutait au moment de la Fête des Rogations, que l'Église célébrait pendant les trois jours qui précédaient l'Ascension. Les habitants apportaient à l'église une partie des graines de semences pour les faire bénir et demandaient la bénédiction divine de leurs champs.

– Vingt ans, c'est l'âge pour s'établir. Tu sais, moi, à cet âge…

– Je préfère ne pas connaître les bêtises que tu as pu commettre à cet âge-là !

François regarda sa femme, le souffle coupé. Consciente qu'elle l'avait involontairement blessé, Eugénie continua avec un trémolo dans la voix pour mieux jouer le rôle de la victime :

– Comment se fait-il que je sois toujours la dernière à apprendre ce qui se passe !

François ne fut pas étonné de la réaction d'Eugénie, mais préféra ne rien en laisser voir, car il savait bien que sa femme n'aimait pas perdre la face, et cela, en toutes circonstances.

– Laissons-lui une partie de l'été et la période des foins. Il devra bien participer aux moissons. Nous verrons bien. Tu sais, André, il est comme moi. Il s'exprime davantage par son art que par la parole. Nous nous comprenons en peu de mots, bien souvent.

– Bien, moi, je n'ai pas votre prescience d'artiste. J'aimerais bien que l'on me dise si je dois mettre un couvert de plus ou de moins aux repas… Ah oui, je suis toujours sa mère, après tout ! Il faudra que tu dises à ton fils, soit par le regard… ou la parole, que sa mère est morte d'inquiétude pour lui.

Pendant la récolte des foins, la présence d'André se fit rare. François manqua de main-d'œuvre pour couper le foin à la faux et parfois à la faucille À tel point que, aidé de Jean, les deux ne purent suffire à la tâche. Ils sauvèrent la récolte grâce à la participation de Germain Langlois qui se fit un plaisir de rassembler le foin en meule pour le faire sécher dans les champs et de mettre sa force herculéenne à contribution pour l'engranger.

– Voyons, François, ne te sens pas gêné pour André. J'ai déjà jeunessé, moi aussi. Je le comprends, elle ne doit pas manquer d'expérience, la Marie-Anne !

– Que veux-tu dire, Germain ?

– Ben, c'est clair, arrangée comme elle l'est, je comprends que ton André roule des yeux sur elle. C'est comme Odile dans le temps…

– Ça suffit, Germain, m'entends-tu ? Il y a du travail qui nous attend et nous ne sommes pas seuls. Jean est là. Il pourrait nous entendre.

– Il doit certainement le savoir, tout le monde le sait.

– Germain…

Après la journée de travail qui s'était prolongée jusque tard dans la soirée à cause de la pluie menaçante, François, exténué, aborda la situation avec Eugénie en se préparant à se mettre au lit :

– André n'a pas été d'un grand secours cette année. Heureusement qu'il y avait Germain !

– Tu ne lui as pas encore parlé ! Veux-tu que je le fasse à ta place ? Mais c'est toi, son père.

– Je lui ai laissé tout le temps voulu pour en parler, mais il n'en a rien fait, ni à l'atelier, ni aux champs. Je vais tirer cela au clair !

– Parfait, mais ne sois pas trop dur, c'est un bon garçon.

– Est-ce que c'est mon habitude ? Non. Alors, laisse-moi faire.

– Quand ? Crois-tu que ça serait préférable qu'il te le dise lui-même ?

– Il n'est pas parti pour cela. Depuis le temps ! Les commandes sont en retard et le foin pourrit au sol. Non, le plus vite sera le mieux.

– Pas ce soir, au moins ? Laisse-le dormir.

– Il vaudrait peut-être mieux demander à Jean s'il sait quelque chose.

– Ah, non ! Pas de délateur dans cette maison. Que chacun prenne ses responsabilités ! Comme tu es le père, c'est à toi de prendre les devants !

– Dès demain, Eugénie.

– Parfait, François. Bonne nuit.

Rassurée, Eugénie se retourna sur le côté, dos à son mari, satisfaite de la tournure des évènements. Elle se leva plus tôt qu'à l'accoutumée afin de préparer des œufs au jambon fumé à l'érable et des beignets au sirop d'érable et de servir à table des tartes aux bleuets et aux framboises qu'elle récupéra de l'armoire. Elle voulait que les mets préférés de ses hommes puissent disposer père et fils à un meilleur échange, après le train[28] du matin.

François, qui ne fut pas dupe de l'intention d'Eugénie, après avoir savouré le copieux déjeuner et fumé sa première pipe de la journée, convia André à se rendre à l'atelier. Dès leur arrivée, François commença à affûter ses ciseaux de sculpteur et André, à lubrifier le tour à bois avec l'huile de lin.

– André, je veux te parler. Dès maintenant, commença François.

André, surpris, regarda son père et arrêta immédiatement l'entretien du matin de leurs outils de travail.

– Qu'y a-t-il de si grave ? Quelqu'un de malade ?

– Oui, mon gars. Ta mère. D'inquiétude.

---

28. Traite des vaches, distribution du fourrage aux animaux de ferme et entretien de leurs litières.

— Mais qu'est-ce qui l'inquiète tant ?

— Toi. Tes absences. André, ne joue pas à la cachette avec la santé de ta mère et dis-nous ce qui se passe !

— Rien d'anormal.

— Ah non ? S'absenter pour tout et pour rien, ne pas dire où l'on va et se permettre de laisser sa mère sur le qui-vive depuis des mois, tu trouves ça normal, toi ? N'oublie pas, André, que tu n'as et n'auras qu'une mère, et si elle meurt, tu n'auras qu'à t'en prendre à toi !

— Père, vous y allez un peu fort ! Ce n'est quand même pas de ma faute si mère a les poumons fragiles. Elle les avait malades quand vous vous êtes mariés !

— Ici, maintenant, nous ne faisons pas l'examen médical de ta mère mais ton examen de conscience. Et probablement ta contrition.

— Mais je ne me sens pas coupable de quoi que ce soit !

— Et de nous laisser tomber pour les foins ne te laisse pas un peu de culpabilité ? avait ajouté François, sur un ton ironique.

— Je les ai faits, mes foins, deux fois plutôt qu'une !

Abasourdi, François se vit répondre prestement :

— Mais où, mon gars ?

André se pinça les lèvres, mâchonna la chique de tabac qu'il venait de prendre, sans en offrir pour une fois à son père et répondit :

— Je ne peux pas le dire, ce n'est pas officiel.

François, essoufflé d'avoir parlé autant et avec une telle nervosité, baissa le ton et continua :

– Écoute, mon gars. Je peux te comprendre. Moi aussi, j'ai voulu en faire beaucoup pour en gagner plus afin de vous rendre plus à l'aise. Et depuis peu, je me suis rendu compte que c'était égoïste de ma part. Après en avoir parlé à ta mère, je peux t'assurer que ce n'est pas plus d'argent qui va la rendre heureuse. C'est mal la connaître. C'est une femme de cœur et de dignité.

– Facile à dire ! Vous êtes là pour lui procurer le nécessaire. Pas Marie-Anne !

– Marie Anne… Qui est-elle ?

– Celle que je vais bientôt marier, père.

François s'assit aussitôt sur son tabouret, hébété par la nouvelle.

– Te marier ? Mais y penses-tu bien ?

– J'aurai vingt-trois ans le mois prochain. C'est un âge raisonnable.

– Là n'est pas la question. C'est tout le mystère de tes absences. Pourquoi ne nous en avoir rien dit ? Est-ce qu'on la connaît ?

Il ne répondit pas.

– André, réponds à ton père. La connaît-on ?

– Euh… oui.

– Est-elle de Charlesbourg ?

– Oui, de Bourg-Royal… du Trait-Carré.

– Mais, ce sont des voisins ! Qui est cette Marie-Anne ? Quand même pas Marie-Anne Proteau, la femme de Jean Daigle !

– Mais non, père. Inquiétez-vous pas !

– Je te fais remarquer, mon gars, que c'est ta mère qui s'inquiète, pas moi ! répondit François, en saccadant sa répartie pour qu'elle soit bien comprise de son fils.

– Alors, si ce n'est pas une femme mariée, ce n'est pas si grave.

– Elle l'a déjà été.

– Une veuve, donc ! A-t-elle des enfants ? Ne t'en fais pas, ta mère, dont tu connais l'esprit charitable, et moi serons heureux de les considérer comme nos propres petits-enfants.

– Ni veuve, ni mère.

François regarda André, sidéré.

– Divorcée ? Comment apprendre cela à ta mère ! Condamnée par l'Église catholique ! Mon petit garçon, as-tu pensé à la situation délicate dans laquelle tu mets ton frère Jean-François au Séminaire ! Beau-frère d'une divorcée ! Y as-tu pensé ? Même si tu l'épouses, disons en Nouvelle-Angleterre, tu seras excommunié par ici.

– Ne craignez rien. Elle n'est pas divorcée.

– Alors, je ne comprends plus rien. Anciennement mariée, elle n'est ni veuve, ni divorcée et à l'évidence bien vivante puisque tu veux la marier. De plus, c'est notre voisine du Trait-Carré que nous ne connaissons pas. Alors là, André, je nage en plein mystère.

– Et j'ajouterai que c'est la fille d'un de tes amis de Confrérie !

– Ça alors! La fille d'un ami qui fait le même travail que moi à Bourg-Royal. Avec toi, André, nous sommes les seuls à exercer notre art à Bourg-Royal et même à Charlesbourg. Ça ne colle pas.

– Oh, si…. Disons que vous n'avez pas toujours été le seul!

François regardait André avec scepticisme. Tout à coup, son visage s'éclaira.

– Jean Lemarché! Mais il est retourné en France.

– Oui, mais il n'a pas vendu sa terre et c'est sa fille Marie-Anne qui s'en occupe tant bien que mal. Je me suis proposé de l'aider il y a quelques mois et elle a accepté.

– Marie-Anne, la rougette bien tournée? Mais elle est pas mal plus vieille que toi.

François avait le goût de dire lui aussi, comme Germain, «bien arrangée».

– De dix ans, pas plus. Elle peut avoir encore des enfants. Elle en souhaite, d'ailleurs.

– Tu me disais qu'elle avait été mariée?

– Il y a dix ans, elle a passé un contrat de mariage avec un nommé Guichard, mais le contrat et le mariage ont été annulés. Le notaire s'est rendu compte que Guichard était déjà marié. Marie-Anne est devenue méfiante des demandes en mariage depuis.

– Et toi, tu as réussi à gagner sa confiance?

– Ça en a tout l'air! répondit André, en souriant à pleines dents.

– Tu as dû travailler fort pour y arriver, puisque tu n'étais pas souvent à la maison, mais plutôt à l'aider sur sa ferme. Enfin, tout s'éclaircit ! À quand le mariage ?

– Aussitôt que je reçois la réponse de son père par le prochain bateau. En principe, à la fin novembre.

– Es-tu certain de ton choix ? Tu sais, il y en a des beaucoup plus jeunes à Charlesbourg qui n'attendent qu'un bon parti comme toi !

– C'est Marie-Anne que je veux marier et le plus rapidement possible.

– Félicitations, mon gars. Mais laisse-moi l'annoncer d'abord à ta mère.

– Pourquoi ?

– Pour la préparer à l'annonce d'un mariage. Tu sais, tu seras le premier dans cette famille.

– Comme cela, je pourrai dire à Marie-Anne que vous êtes d'accord et contents pour nous deux ?

– Oui, tu peux le lui dire, mais laisse-moi parler à ta mère en premier. Pour éviter de la contrarier.

Au moment du dîner, quand François et André arrivèrent pour manger, ils furent accueillis par le fumet d'un chapon rôti à la broche, servi avec de la gelée de menthe. Du cidre dans la carafe attendait d'être bu. Du coup, André, dans son enthousiasme, crut que c'était le bon moment d'annoncer ses fiançailles.

– Maman, j'ai une bonne nouvelle à vous apprendre.

Aussitôt entendu, François s'étouffa avec la gorgée de cidre.

— Ce cidre a certainement dû fermenter un peu trop, lança-t-il après avoir repris son souffle.

Il regarda, le visage congestionné, en direction d'André, en essayant de lui faire comprendre que le moment de l'annonce n'était pas encore venu.

— Et quelle est cette nouvelle? questionna Eugénie.

— Je vous annonce mes fiançailles et pour bientôt mon mariage.

Eugénie le regarda, stupéfiée.

— Eh bien, je n'ai pas préparé ce repas de fête pour rien. Es-tu au courant, François?

Ce dernier opina de la tête et se mit immédiatement le nez dans son assiette.

— Pour une surprise, c'en est toute une, en effet. Fiançailles et mariage. Tu me sembles un peu pressé, mon gars.

— C'est la femme de mes rêves, maman.

— Serais-tu obligé de te marier? Tu sais ce que je veux dire, n'est-ce pas? continua Eugénie, en faisant le tour de la table tout en regardant ses autres enfants afin de leur éviter le scandale possible.

— J'attends la réponse de son père qui est en France.

Eugénie fronça les sourcils. Elle se méfiait.

— Tu sais, André, il y a assez de jeunes filles à Charlesbourg, tu n'es pas obligé de te trouver une épouse par correspondance.

— Je le sais, mère. Soyez sans crainte. Elle demeure à Charlesbourg, plutôt à Bourg-Royal et même au Trait-Carré!

– Une voisine ! Mes félicitations ! Nous devons la connaître, bien sûr, ainsi que ses parents. Alors, pourquoi toutes ces cachotteries ? Ton père et moi sommes capables de comprendre que leurs petits oiseaux quitteront, un jour, le nid familial et voleront de leurs propres ailes, tu sais !

– Tu ne peux pas la connaître parce que sa mère est décédée lorsqu'elle avait huit ans.

– Oh ! Que c'est triste ! La pauvre petite ! Une orpheline comme moi. Nous avons déjà des points communs. Et son père s'est remarié et est parti en France ?

– Je ne sais pas s'il s'est remarié, je ne le crois pas. Mais père le connaît bien.

Eugénie, inquiète du silence de son mari, lui demanda :

– Tu le connais, cet homme ?

François répondit :

– Hum, hum.

– Tu n'es pas très bavard, toi.

François releva la tête et avança :

– Jean Lemarché. Il veut épouser sa fille, Marie-Anne !

– Marie-Anne ! Il est encore temps d'arrêter tes fréquentations avant le mariage ! intima Eugénie.

André réagit brusquement :

– Pourquoi, maman ? Et de quoi vous mêlez-vous ?

François sortit de son silence et répondit à André :

– Excuse-toi immédiatement. Ne manque pas de respect à ta mère.

– Mais elle n'a pas le droit de m'empêcher de marier la femme que j'aime.

Un silence pesant plana momentanément dans la pièce.

– Mais que lui trouves-tu tant, André? questionna Eugénie, égratignée dans son orgueil.

– Mais maman! répondit André.

C'est alors que Georges ajouta:

– Elle a de beaux nichons, je trouve!

Aussitôt, François se leva et gifla ce dernier.

Le repas qui se devait de réjouissance devint cacophonique. Georges hurla de surprise, André s'égosillait à demander à Georges de se rétracter, Eugénie essayait de faire taire son monde et Marie-Chaton pleurait sans trop savoir pourquoi.

François, toujours debout, cogna sur la table. Le bruit sourd imposa le silence.

– Je demande à tous de revenir à la raison.

Personne, encore moins Eugénie, n'avait jamais vu François s'imposer de la sorte.

– D'abord, André vient d'avouer qu'il aime Marie-Anne Lemarché et qu'il veut l'épouser. C'est son droit puisqu'il est majeur, et elle est son choix. Nous allons le respecter!

– Mais…

– Oui, Eugénie? Tu voulais ajouter une information?

— Je connais bien Marie-Anne. C'est une bonne fille, c'est sûr. C'est la sœur de Marguerite, la femme de Mathurin Villeneuve. Seulement, elle a dix ans de plus qu'André.

— Et alors, Eugénie ? Dans la trentaine, il est encore possible d'avoir des enfants. Tu en es l'exemple vivant.

— Oui, mais moi, ce n'était pas mon premier !

— Cet argument ne tient pas la route, Eugénie. As-tu un autre commentaire à faire ?

— Non, bien sûr. Seulement, j'aurais pensé qu'André choisirait une femme plus jeune.

— C'est son choix, Eugénie. Ses parents, c'est-à-dire toi et moi en premier, doivent l'accepter. Alors, accepte-la. Je suis certain qu'elle nous fera une excellente bru et que nous aurons de beaux petits-enfants en santé.

Eugénie se tourna vers André, contrariée. Quand François s'en rendit compte, il avisa :

— Voyons, Eugénie ! Tu t'entendras très bien avec Marie-Anne, crois-moi. André est un bon fils. Il a besoin de ton accord pour être heureux de son choix. Fais-lui cette joie, je t'en prie.

Eugénie resta de glace pendant un moment. François et André la regardaient, anxieux, dans l'attente de son approbation. Finalement, Eugénie fit un sourire complice à son fils.

— Si tu l'aimes, Marie-Anne, comme tu nous le dis, elle devrait te faire une bonne épouse.

Surpris, André lui sourit à pleines dents, réconcilié avec sa mère qu'il alla embrasser.

— Merci, mère.

François continua :

– J'ai agrandi mes terres pour mieux vous établir éventuelle-
ment. La terre de Marie-Anne ne me semble pas assez fertile pour
faire vivre une famille. Jean Lemarché, son père, la néglige depuis
longtemps et ce n'était pas à Marie-Anne de suppléer son père.
Donc, je vais donner à André, quand il se mariera avec Marie-
Anne, la terre que j'ai achetée de son parrain, André Coudray.
Comme cette terre se situe à mi-chemin entre celle de Marie-
Anne et la nôtre, André pourra se bâtir une maison et demeurer
tout près de nous. Qu'en penses-tu, André ?

– Oh, père, c'est sensationnel ! J'ai bien hâte d'en parler à
Marie-Anne.

– Et pour nous, que tu l'amènes veiller, plutôt que de jouer à
la cachette. J'ai bien hâte d'embrasser ma future bru. À propos,
personne n'a encore osé goûter à mes tartes ! Avez-vous peur
d'être empoisonnés ? ajouta spontanément Eugénie.

Le rire général donna sa réponse à Eugénie qui servit
allègrement sa famille. Le dimanche suivant, Marie-Anne
Lemarché rencontra officiellement Eugénie et François à la
maison paternelle en qualité de future bru, dans l'allégresse.

André reçut la réponse de Jean Lemarché qui acceptait de
donner sa fille en mariage à André Allard. Il lui offrait sa terre
comme dot de sa fille. Le contrat de mariage se tint chez le
parrain de Marie-Anne, un notaire de Québec. Ils se marièrent
le vingt-deux novembre 1695, en pleine tempête de neige, à
Charlesbourg.

Marie-Anne vint vivre chez Eugénie et François, le temps
qu'André puisse se construire une maison sur sa terre.

Le lendemain des noces, Eugénie, au moment de se mettre au
lit, demanda à François, narquoisement :

— Je me demande bien quelle a été ta réaction quand il t'a annoncé que Marie-Anne était sa dulcinée, lors de votre conversation à l'atelier.

— Tu veux véritablement le savoir ?

— J'en meurs d'envie.

— Alors, tu n'as qu'à le demander à André. Après tout, il est ton fils, à toi aussi !

— François Allard, tu me fais languir. Dis-le-moi !

— Les conversations d'hommes restent entre hommes, tu le sais bien.

— D'accord, d'accord. Alors, ce qui se dira entre Marie-Anne et moi, vous ne le saurez pas.

— Je n'en suis pas si sûr. Marie-Anne est follement amoureuse d'André et lui dit tout.

— Tant mieux, car il n'en voit pas clair.

— Deux fils d'installés, Eugénie. André et Jean-François au diocèse. Il nous reste maintenant Jean.

Avec inquiétude, Eugénie répondit à François :

— As-tu remarqué que depuis quelque temps, il a le teint pâle ?

— Non, pas vraiment.

— Je n'aime pas ça !

— Crois-tu qu'il faudrait demander le docteur ?

— Si ça continue, oui. Surveillons-le.

– Eugénie… ce n'est pas si simple d'être parent!

– Ça nous apporte des consolations, mais aussi des inquiétudes.

– Espérons que dans le cas de Jean, ça ne soit pas si grave.

Le mardi, vingt-deux janvier 1696, François dut conduire Jean à l'Hôtel-Dieu de Québec. Les chemins, mal déneigés, étaient risqués. François attela sa jument, son cheval le plus expérimenté, pour le trajet d'hiver vers Québec. Jean eut une quinte de toux qui ne s'arrêtait pas depuis le jour des Rois[29], ce qui fit dire à Eugénie, folle d'inquiétude:

– C'est André qui l'a fait boire plus qu'il aurait dû. Il est sorti sans s'être vêtu de son capot. Il a pris froid, bien entendu, et il a toujours eu les poumons plus fragiles que les autres.

La quinte de toux de Jean s'accompagna d'une forte fièvre, de transpiration abondante, de frissons et de crachats rosés.

– Pourvu qu'il ne soit pas atteint de tuberculose, comme je l'ai été! s'inquiéta Eugénie.

Le docteur Michel Sarrazin de l'hôpital diagnostiqua une maladie des poumons, la pneumonie.

– Il faut que la maladie fasse son temps, monsieur Allard.

Nerveux, François questionna de nouveau le docteur:

29. Le six janvier, jour des Rois, aussi appelé l'Épiphanie, était fête d'obligation, c'est-à-dire qu'il fallait aller à la messe. Deux évènements caractérisaient ce jour des Rois, l'un religieux, la bénédiction des enfants alors que le curé leur faisait embrasser l'Enfant-Jésus de la crèche, et l'autre, profane, le souper des Rois où la maman avait préparé un gâteau dans lequel elle avait placé un pois et une fève. Celui qui trouvait le pois devenait le roi de la fête et celle qui trouvait la fève était élue reine de la soirée. Le roi et la reine avaient droit à tous les hommages.

– Est-ce la tuberculose, docteur ?

– Je ne le crois pas, non. Donc, il lui faut du repos, beaucoup de repos pendant un certain temps.

– Comment a-t-il attrapé ça, docteur ?

– Difficile à dire ! Épuisement à la chaleur, c'est certain. Ou sensibilité chronique au pollen, que nous appelons le rhume des foins. A-t-il déjà eu des manifestations ?

– Oui, depuis qu'il est tout petit, il mouche et éternue chaque saison des foins.

– Ce sont tout à fait les symptômes. Mais, il y a plus que ça, une très grande fatigue a certainement nui à la résistance de votre fils à cette maladie qui est habituellement désagréable, certes, mais bénigne. Cela se peut-il, monsieur Allard ?

– Oui, cet été pour les foins, nous avons dû demander une dispense au curé pour travailler les dimanches tant la pluie nous menaçait. Et à court d'hommes, en plus.

– Ne cherchez pas plus loin, monsieur Allard. Vous venez d'identifier le coupable. Seulement…

– Quoi, docteur ?

– Même si votre fils est jeune, il peut récidiver, et cela, de façon de plus en plus grave. Qu'il fasse attention à lui s'il veut être un bon travaillant.

François regardait le docteur Sarrazin, inquiet. Mâchonnant le tuyau de sa pipe, il se risqua :

– Ma femme est faible des poumons. Pensez-vous qu'elle ait pu transmettre sa condition à notre fils ?

– La tuberculose ?

– Mais… mais elle est guérie. Ça remonte à vingt-cinq ans.

– C'est possible. En ce cas, qu'il se ménage.

– Combien de temps allez-vous le garder à l'hôpital ?

– Deux semaines, tout au plus, à moins que son état ne se détériore. Revenez le chercher, disons… le deuxième dimanche de février.

– Comptez sur moi, docteur, et soignez-le bien !

– Ce sont les soins attentionnés de nos bonnes religieuses… et de sa mère qui vont le sauver.

Quand François revint à Charlesbourg et raconta à Eugénie sa conversation avec le docteur Sarrazin, il lui avoua :

– Il y a des chances que ta faiblesse des poumons soit héréditaire, Eugénie !

Le regardant d'un mauvais œil, Eugénie fulmina :

– C'est à cause de Marie-Anne Lemarché si notre Jean est à l'article de la mort. Si elle n'avait pas attiré notre André dans ses jupes et ne l'avait pas ensorcelé, le pauvre petit serait en bonne santé.

François demanda à sa femme de baisser le ton.

– Chut ! Ne parle pas si fort, Marie-Anne et André pourraient nous entendre. Leur chambre est à côté et les murs sont minces.

– Ça, je le sais. Mais nous entendre, je ne le pense pas. Ils me semblent être occupés bien souvent à autre chose !

– Eugénie ! Prends sur toi ! Ils sont mariés. Nous n'avons pas le droit de nous ingérer dans leur intimité. Rappelle-toi quand

Odile et Germain étaient venus nous visiter le lendemain de nos noces.

Eugénie regarda son mari avec un regard assassin. François qui connaissait bien la détermination de sa femme préféra baisser la garde. Il louvoya :

– C'est vrai, je te le concède. Jean a travaillé pour deux en pleine chaleur accablante et ses poumons ne lui permettaient pas un tel excès. Comme c'est un gros travailleur et qu'il ne se plaint jamais, je n'aurais pas pu le deviner. Parce que le rhume des foins, ce n'est pas ça qui fait mourir. Prends le père, en Normandie…

Eugénie sauta sur l'argument :

– Ton père ? Avait-il le rhume des foins ?

– Oui, mais il n'en souffrait pas plus qu'il n'en fallait.

– Comme cela, la faiblesse des poumons de Jean pourrait aussi provenir de ton côté.

– Le docteur Sarrazin ne me l'a pas demandé !

– Il aurait dû, parce que vous semblez tous vouloir me rendre coupable de sa maladie, alors que je sais qui est la vraie coupable !

Pour apaiser Eugénie, François atermoya :

– Écoute ! Personne ne t'accuse, Jean va s'en remettre et tout va aller pour le mieux, tu verras. Être pris de panique ne mène à rien. Si jamais la santé de Jean empire, nous en reparlerons. Mais il va s'en remettre. Je vais demander à Jean-François de faire prier les séminaristes pour lui. Et nous aussi, nous devrions aussi prier. Il est entre de bonnes mains et il aura besoin de repos. Et il a un bon quatre mois devant lui pour s'en remettre.

– Tout le temps qu'il lui faudra !

– Bien entendu, sa santé avant tout. Six, douze mois s'il le faut.

Après le retour de Jean Allard de l'hôpital, au début de mai, Marie-Anne annonça fièrement à Eugénie ainsi qu'à sa belle-famille et à sa sœur Marguerite Villeneuve qu'elle était enceinte, ce qui fit dire à François :

– Tu vois bien, Eugénie, qu'il n'y avait pas de crainte à y avoir quant à l'âge de Marie-Anne !

– Tant mieux, François. Enfin, tout rentre dans l'ordre. Jean est guéri et nous serons grands-parents. La vie est belle, François. C'est Marie-Chaton qui va avoir hâte de le bercer, ce petit ou cette petite.

– Un petit, sans aucun doute. Pour continuer de répandre la race des Allard ! « Noble et Fort. Noble et Fort[30] ». C'est en plein nous, se prit à répéter avec fierté François, en pointant de son index le haut de la cheminée.

– Ne pavoise pas trop vite, François le noble et fort. Et si c'était une fille ? Est-ce que Marie-Anne en aura un autre… à son âge ?

François devint soudain songeur. Il se rasséréna.

– Bah, attendons la naissance. Et André n'est pas notre seul fils. Jean me semble ragaillardi.

– C'est vrai qu'il est remis sur pied. Mais qu'il ne reprenne pas le travail trop vite. Sait-on jamais ! Il tient sa faiblesse de grand-père Allard pour la fragilité de ses poumons.

Eugénie regarda François du coin de l'œil, afin de jauger sa réaction. Ce dernier ne releva pas la remarque.

---

30. Devise qui apparaît sur l'écusson des armoiries de la famille Allard, que François avait ramené de France des mains de son père Jacques, et qu'il avait accroché en haut de l'âtre de sa maison.

À la fin du même été, Jean fut de nouveau hospitalisé pour une période de trois semaines, soit du samedi dix-huit août au vendredi sept septembre. Une forte fièvre, un mal de dos, une prostration et une éruption de pustules vinrent laisser de multiples cicatrices sur la peau de son visage. La petite vérole l'avait atteint à la vitesse de l'éclair. De retour à la maison, Eugénie le mit en quarantaine dans la chambre laissée maintenant par Marie-Anne et André.

— Est-ce assez bête, François, de nous défigurer un aussi beau garçon ! Pourquoi la maladie le poursuit-elle constamment ? Je devine d'où ça provient ! avança Eugénie d'un air renfrogné qui ne laissait pas de doute à François que sa femme voulait régler ses comptes.

— Puis-je savoir qui sera ta victime, cette fois-ci ? Pas ma famille, car personne n'a été atteint de la petite vérole.

Eugénie, décontenancée, prit un air piteux et ajouta :

— La fatigue, François ! Jean ne s'est jamais remis de l'éprouvante saison des foins de l'autre été. J'en suis convaincue.

— Mais le docteur Sarrazin m'a dit que la petite vérole n'avait rien à voir avec ses poumons.

— Oui, mais il est le seul à l'avoir attrapée à Bourg-Royal. Il doit bien y avoir une raison !

François, qui pressentait un drame familial à l'horizon, préféra avertir Eugénie :

— Tu sais, ma femme, qu'il est très vilain de nourrir des amertumes, avec fondement ou pas. Marie-Anne fait maintenant partie de notre famille tout comme Jean, à un autre niveau je te le concède, mais de notre famille tout de même. Alors, pour éviter la discorde, il vaut mieux passer l'éponge. Nous aurons un petit-fils bientôt ! Tu ne voudrais quand même pas qu'il naisse dans les reproches? Et André, à choisir, il prendra le parti de sa femme…. Et il aura raison… Alors?

Eugénie pinça ses lèvres, puis baissa et releva les yeux plus d'une fois, et répondit:

— Tu as raison, François. Tu parles avec sagesse, « Cœur d'Ours ». Le bébé mérite une entrée triomphale en ce bas monde.

Le douze novembre 1696, presque une année jour pour jour après son mariage, Marie-Anne Allard donna naissance à une petite Catherine, toute blonde, potelée et aux yeux bleus.

— Avez-vous remarqué, maman, à quel point elle vous ressemble?

— C'est vrai, madame Allard, qu'elle vous ressemble. C'est ma plus grande fierté. J'espère qu'elle deviendra une femme aussi formidable que vous l'êtes! J'ai tellement d'admiration pour vous, si vous saviez! ajouta Marie-Anne, avec sincérité.

Étonnée, Eugénie répondit, feignant l'humilité:

— Je vous remercie pour cette superbe petite blondinette, Marie-Anne. Elle deviendra aussi attrayante que vous l'êtes, avec votre superbe chevelure rousse… Oh, vous savez, je ne fais que mon devoir de mère… et de belle-mère… Mais avec vous comme bru, c'est un charme. Tenez, embrassons-nous… À propos, comme je suis la grand-mère de cette petite, je revendique le privilège de la garder le plus souvent possible. Hein, François?

François regarda Eugénie, d'un œil amusé. *Décidément, il n'y a rien à son épreuve. Elle me surprend encore à toujours dominer les situations et les évènements. Quelle personnalité!*

— Le plus souvent possible, Eugénie. Une femme de plus pour égayer notre intérieur.

À ce moment précis, la petite Catherine se mit à fendre l'air de la maison de ses vocalises.

– Tut, tut, tut. Il faut dormir. Je crois que Catherine a faim. Ça, c'est le travail de Marie-Anne. Non plus le mien. À propos, François, n'est-ce pas que Catherine est un joli prénom? C'est le prénom de la mère de Marie-Anne. On aurait pu la prénommer Eugénie, comme moi… Bon! Marie-Chaton le fera plus tard!

François était perdu dans ses pensées. Le prénom de Catherine lui rappelait tant de souvenirs tendres. Ceux de Catherine Duquesne, sa fiancée française. D'autres aussi, déchirants, comme son assassinat. Si Catherine Duquesne était en vie, elle serait sans doute la grand-mère de sa première petite-fille. *Catherine, j'ai fait le vœu secret à Eugénie que je ne repenserais plus à toi. Et voilà que…*

– François, m'entends-tu?

– Oui, oui.

– C'est un joli prénom, Catherine?

– Pas autant qu'Eugénie. En tout cas, pour moi.

– Catherine est bien aussi joli, lorsqu'on est si belle. N'est-ce pas, mon trésor?

– Ne la gâtez pas trop, madame Allard. Vous aurez tout le temps voulu pour la bercer, avança Marie-Anne.

– C'est à mon tour de la bercer, maman. Je veux qu'elle soit ma poupée, lâcha Marie-Chaton, en voulant soutirer la petite des bras d'Eugénie.

Eugénie fronça les sourcils de contrariété, mais allait remettre le bébé à Marie-Chaton en demandant au préalable la permission à Marie-Anne.

– Est-il sage que Marie-Chaton prenne Catherine après sa tétée?

– Elle peut l'aider à faire son rot, mais tout doucement.

– As-tu compris? Tout doucement. Catherine n'est pas une poupée. Et fais attention de ne pas l'échapper. Un bébé n'est pas fait de chiffon, s'interposa Eugénie.

– Laissez-la faire, madame Allard. Marie-Chaton est bien capable de délicatesse avec Catherine. Déjà, ce sont de grandes amies.

– Oui, maman, je suis capable. Catherine est ma poupée.

– Si Marie-Anne la laisse faire, Eugénie, pourquoi pas? s'interposa François.

CHAPITRE XV
La fugue

Quand Kawakee quitta la seigneurie de la Rivière-du-Loup avec Isabelle en 1688, ils décidèrent d'un commun accord de se rendre chez les Mohawks à Albany. Le petit-fils de Bâtard Flamand pourrait y reprendre la place qui lui revenait de droit. Il entretenait le dessein inavoué d'amener son peuple à cohabiter harmonieusement avec les Français. À cet égard, sa mère, Dickewamis, était un excellent modèle. Comme Kawakee avait réussi à s'imposer dans le négoce de la fourrure avec les Iroquois du temps où il faisait tandem avec Louis Couc autour des Grands Lacs pour Thomas Frérot, en plus de son statut de petit-fils du grand chef, il reçut un accueil favorable de la part d'Asko, bien qu'elle se méfiât d'Isabelle qui n'était pas d'origine mohawk, encore moins du clan du Loup, et à qui elle reconnaissait davantage des manières de Blancs que d'Indiens.

Quand Oscatarach, son cousin, revint des galères à Albany en 1689, la course à la chefferie fut déclarée.

– *Kerontaketskwas*[31].

---

31. « Le temps est venu de replanter l'arbre qui est tombé. »

Asko n'avait pas été capable d'empêcher les raids contre le village de Lachine. Les jeunes guerriers du clan du Loup, notamment, avaient été inspirés par les expéditions menées par Tekanoet, un chef tsonnontouan ayant amené ses braves à guerroyer contre les Français et leurs alliés indiens de l'Ouest.

Asko hésitait à confier la direction militaire des Mohawks à Oscatarach, lequel n'était pas du clan du Loup, puisqu'il était le fils de son fils. Chez les Iroquois, la parenté est matrilinéaire. Kawakee, pour sa part, bien qu'associé au clan du Loup par sa mère Dickewamis, avait déjà prouvé que son sang français l'empêchait de réagir comme un véritable Iroquois. Asko, hautement considérée par la tribu du fait de son grand âge et des liens matrimoniaux qui l'avaient liée à Bâtard Flamand, décida d'en référer au Conseil des femmes.

Après de longs pourparlers, il fut décidé qu'Oscatarach serait le chef guerrier de la tribu. Quant à Kawakee, il serait nommé chef du Pin vue son ascendance avec le clan du Loup. À ce titre était attachée la fonction d'ambassadeur de la tribu. La sagesse féminine suggéra d'attendre encore quelques années avant de décider de la nomination du véritable chef des Mohawks de la Nouvelle-Angleterre.

Afin de donner toute son importance à la mission diplomatique de Kawakee, on décida de ressusciter symboliquement Bâtard Flamand par le biais d'un rituel au cours duquel on remit à Kawakee un collier de *wampums* ayant appartenu à son grand-père, ce qui l'autorisait à porter son nom.

– *Kerontaketskwas*. Désormais, tu t'appelleras Bâtard Flamand. Sois digne de sa bravoure et de ses qualités de négociateur. Sèche tes larmes, Kawakee, éloigne ton chagrin et ramène le soleil dans ton cœur. Grâce à toi, ton grand-père Flamand vivra éternellement.

Oscatarach avait refusé d'assister à la cérémonie. De son caractère intransigeant, il décida aussitôt d'éloigner Kawakee. Le nouveau chef guerrier craignait l'influence de son cousin et de la squaw qui avait remplacé Menaka sur la natte de ce dernier. Il insista fortement pour que Kawakee partît espionner les Français sur leur territoire, près de Montréal. Il désirait agrandir ses territoires de trappe dans la vallée du Saint-Laurent, et la guerre était l'un des moyens d'y parvenir.

Oscatarach avait un autre motif pour éloigner son cousin. Il avait entendu dire, sur le bateau de Frontenac qui le ramenait en Amérique, que la maladie faisait des ravages à Montréal. De plus, les Hurons, ennemis jurés des Iroquois, y habitaient en grand nombre. Si Kawakee y trouvait la mort, jamais Oscatarach ne serait soupçonné. Ce fut dans ces conditions qu'Isabelle Couc et Ange-Aimé Flamand, deux Métis de la vallée du Saint-Laurent, l'une atticamègue et l'autre mohawk, séjournèrent dans les bois aux abords des terres habités par les colons des environs de Montréal, vivant du commerce de la trappe, de chasse et de pêche, tout en recueillant les informations utiles à l'espionnage. De 1691 à 1694, le couple se rendit souvent à la mission du Sault-Saint-Louis, dirigée par le chef du calumet du village, Arioteka, un Iroquois converti au catholicisme.

En 1694, Kawakee fut reçu avec une attention particulière par Arioteka. Ce dernier l'invita à fumer le calumet, une pipe longue d'environ deux pieds. Le vieux chef considérait le calumet comme un présent envoyé aux hommes par le soleil pour établir et confirmer la paix entre eux.

En dépit des efforts et des pourparlers entrepris par Frontenac pour ratifier une paix durable avec les cinq nations iroquoises, lesquels s'étaient soldés par un échec à cause de l'obstination des Mohawks de la Nouvelle-Angleterre, Arioteka confia à Kawakee qu'il anticipait une paix globale avec les Français et possiblement avec leurs alliés indiens pourvu que les Mohawks pussent adhérer à ce traité. Le vieil homme détenait cette information du chef influent tsonnontouan, Tekanoet.

Kawakee portait un bandeau de *wampums*, un manteau muni d'une frange pour favoriser l'égouttement de l'eau, ainsi que des mitasses[32] de cuir peintes au *pachigan*, un outil permettant le tracé de lignes parallèles. Isabelle portait un manteau frangé, la *khakare*, et, comme Kawakee, des mitasses de cuir.

Après que les hommes eurent fumé le calumet, les femmes organisèrent un banquet en l'honneur du petit-fils de Bâtard Flamand et de sa squaw Isabelle, un festin composé de morceaux de viande de chien et d'ours ainsi que de blé d'Inde bouilli, que l'on puisait à mains nues dans la chaudière. Le signe de la croix débuta ces agapes. Kawakee renoua rapidement avec son instruction religieuse acquise grâce à sa mère et aux autres religieuses du couvent des Ursulines de Québec. Isabelle fut surprise de constater qu'au lieu des cris qui partaient de l'estomac pour marquer leur contentement, les Iroquois de la mission récitaient le bénédicité, mains jointes et yeux fermés.

Le chef Arioteka demanda à Isabelle et à Kawakee de commencer la danse autour du feu de la longue maison, comme l'aurait fait un couple de Français en dansant la sarabande ou le menuet. L'un et l'autre s'avancèrent et exécutèrent les pas. Les Iroquois rythmaient la musique sur une petite calebasse qui leur servait d'instrument. Après cette démonstration, Arioteka détacha une feuille de tabac qui pendait à une poutre et l'offrit à Kawakee pour qu'il la chiquât.

– Prends ce pétun pour qu'il te donne la force de convaincre ton peuple de négocier la paix avec l'homme blanc.

L'assistance répondit :

– *Hau, hau* !

Kawakee remit à Arioteka un collier de *wampums* qui avait appartenu à Bâtard Flamand en gage d'appréciation d'appréciation pour le vieux chef et de considération pour son accueil. Kawakee et Isabelle Couc décidèrent de rester à

---

32. Jambières indiennes taillées dans le cuir d'orignal et destinées à protéger les jambes

Sault-Saint-Louis le temps d'élaborer une stratégie qui permettrait d'amener les Mohawks et les autres membres des cinq
nations iroquoises à négocier la paix. Kawakee proposa la tenue
d'une conférence franco-iroquoise. Il avait aussi demandé à Teganissorens, un des plus brillants sachems onontagués, de contacter
les autres nations iroquoises des Grands Lacs.

Isabelle et Kawakee étaient curieux de connaître et de visiter
Montréal. Le couple d'ambassadeurs voulait également établir
des contacts avec les Abénaquis de Saint-François-du-Lac et ceux
de Bécancour. Il voulait surtout visiter leur famille, à la Rivière-
du-Loup pour Isabelle, et à Québec, au couvent des Ursulines,
pour Ange-Aimé Flamand.

La présence française en Amérique du Nord reposait sur
une série d'alliances avec les nations autochtones. Essentielles
au développement du commerce de la fourrure, ces alliances
possédaient aussi une indéniable portée stratégique : sans
elles, les Français se retrouvaient dans une situation militaire
préjudiciable devant les Iroquois et les Anglais. À cause de leur
colonisation intensive et de leur expansion territoriale, ces
derniers se retrouvaient constamment en guerre avec les nations
autochtones de l'est de l'Amérique.

Ce réseau d'alliances englobait une multitude de nations.
Comme elles avaient des intérêts variés, elles ne partageaient
pas nécessairement la même vision à l'égard du projet de paix
avec les Iroquois. Mais toutes avaient beaucoup à perdre en le
refusant, car la formation d'une large alliance franco-indienne
permettrait de s'imposer face aux cinq nations iroquoises et
d'assurer sa défense. Les Français fournissaient les armes à une
guerre efficace et pouvaient aussi déployer des troupes contre les
villages des cinq nations qui ne comprenaient plus que mille cinq
cents guerriers.

Isabelle et Kawakee quittèrent Montréal en 1694, au
moment où Monseigneur de Saint-Vallier, qui devait officier la
prise d'habit de deux novices à l'église des Récollets, fustigeait

le gouverneur de la ville, Hector de Callière, tranquillement agenouillé sur son prie-Dieu. Le prélat fulmina :

– Monsieur, vous prenez une place qui n'appartient qu'au gouverneur Frontenac.

Callière lui répondit, étonné :

– Monseigneur, ce prie-Dieu est le mien et le gouverneur Frontenac est à Québec.

Courroucé, Monseigneur de Saint-Vallier mit un terme à la cérémonie religieuse et ordonna aux Récollets d'enlever le prie-Dieu. Callière le fit remettre. Aussitôt, le prélat de Québec accusa le supérieur des Récollets d'être de connivence avec le gouverneur de Callière, publia un bref[33] à cet effet et jeta l'interdit[34] sur l'église.

Quand Isabelle Couc arriva à Saint-François-du-Lac, elle apprit le décès du seigneur Jean Crevier, mais surtout, avec douleur, celui de son père. Sa mère Marie s'était réfugiée aux Trois-Rivières. Kawakee, qui voulait se rendre le plus rapidement possible à la conférence franco-iroquoise organisée par Frontenac, partit vers Québec. Isabelle ne put ainsi revoir sa mère et son fils Michel aux Trois-Rivières.

À son arrivée à Québec, Kawakee se rendit compte que la conférence franco-iroquoise n'avait pas attiré que des Iroquois. Il y avait aussi des alliés des Pays-d'en-Haut[35]. À la grande déception de Kawakee et de Teganissorens, les Onontagués, les Oneiouts et les Mohawks d'Albany, dont Kawakee, par l'intermédiaire de son cousin, avait demandé la présence à Québec, ne s'étaient pas présentés. La seule consolation pour le métis fut de revoir sur les lieux, à titre d'interprètes, les deux beaux-frères d'Isabelle, Fafard et Ménard, ainsi que Louis Couc qui lui annonça qu'il avait refait

---

33. Lettre pastorale ayant un caractère privé.
34. Sentence défendant l'exercice du culte.
35. La région des Grands Lacs et au-delà.

sa vie avec une Atticamègue et qu'il était maintenant père de quatre enfants.

Pour assurer la fidélité des nations alliées des Pays-d'en-Haut et renforcer les postes de traite, notamment celui de Michillimakinac, Frontenac dépêcha en 1694 l'un de ses amis, le comte Lamothe-Cadillac, qu'il nomma ambassadeur de la Nouvelle-France dans les Pays-d'en-Haut, afin de rallier les nations amies contre les Iroquois. Ces derniers avaient recommencé leurs attaques contre les alliés des Français. À Montréal, afin de donner une leçon aux Iroquois et leur montrer comment les Français pouvaient employer les mêmes tactiques de cruauté qu'eux, quatre frères iroquois furent brûlés au fer rouge et grillés vifs sur la place publique après avoir été baptisés par des Jésuites. Frontenac et Callière partirent ensemble au pays des Iroquois porter un coup final à ces derniers.

Kawakee décida qu'il devait se rendre chez les Iroquois des Grands Lacs, les aviser de l'arrivée de l'armée française. Il s'arrêta aux Trois-Rivières retrouver Isabelle qui avait demandé à la famille Fafard d'adopter définitivement son fils, Michel Germano. Âgée de vingt-huit ans, Isabelle avait décidé de suivre la destinée de son bel Iroquois.

En 1694, quand Isabelle revit son fils, qui avait habité chez ses grands-parents Couc depuis son départ, ce dernier ne reconnut pas cette femme qui le regardait étrangement. Quand il insistait particulièrement pour en savoir plus sur sa mère, Marie et Pierre Couc lui racontaient qu'elle était belle comme une princesse atticamègue. Une voisine, tante Judith, comme l'appelait Michel, lui avait dit de plus que son père, Joachim Germano, avait voulu délivrer sa mère captive d'un chef iroquois qui l'avait amenée dans son village, très loin, que son père était mort en héros[36] et que sa mère chercherait sans doute à fuir sa captivité, dès qu'elle le pourrait.

---

36. Joachim Germano est décédé en 1695.

L'enfant se tourna vers sa grand-mère qui lui fit comprendre en penchant la tête que cette jeune femme était celle dont il avait tellement entendu parler. Alors, le petit Michel se lança avec toute la force de ses jambes en direction de sa mère.

– Maman, maman!

Il tenta de l'embrasser. Isabelle se sentait embarrassée de tenir dans ses bras le fils qu'elle avait abandonné depuis autant d'années. Elle le fixa avec intensité, lui caressa la tête et au bout d'un moment lui dit :

– Mon fils, tu ressembles à ton père. Ce que tu es grand!

Michel rayonnait de bonheur. Il continua, avec l'imagination magique de l'enfance :

– C'est vrai qu'il était un bon trappeur?

– Le meilleur. Vraiment le meilleur.

– Meilleur qu'oncle Louis et oncle Jean-Baptiste?

– Encore meilleur.

– Mais, il n'était pas Atticamègue, mon père.

– Non, il n'avait pas de sang indien. Mais toi, tu en as.

– Et je serai meilleur que lui?

Isabelle le dévisagea longuement. Michel avait hérité de sa curiosité, elle en était certaine. Cependant, il lui apparaissait aussi émotif que son père, Joachim Germano. Isabelle ne pouvait pas vivre avec un être qui lui hypothéquait sa propre liberté, elle, la fille du vent, des grands idéaux et des grands espaces. Elle se faisait la réflexion suivante :

Si je reste ici plus longtemps, le petit va s'accrocher à moi, alors que je l'ai abandonné depuis longtemps. Je vais repartir, là où mon destin m'appelle.

Isabelle confia son fils Michel à la famille Fafard, voyant que les forces de la grand-mère du petit périclitaient. Elle n'aurait jamais voulu le confier à Judith Rigaud, de peur qu'il ne devienne aussi excentrique que cette dernière. Isabelle ne versa aucune larme, contrairement à son fils qui sombra dans une crise de désespoir.

Quand Michel réalisa que sa mère Isabelle, la princesse atti-camègue, l'abandonnait une fois de plus, il perçut ce rejet comme définitif. Il entra dans un mutisme que seules les années finirent par altérer. Au fil des mois, l'enfant s'intégrait de plus en plus à la famille Fafard. Quand sa tante Marguerite Couc, l'épouse de Jean Fafard, rendit visite à sa belle-famille à Batiscan, elle eut la surprise d'entendre le petit garçon se nommer du patronyme familial :

– Je m'appelle Michel Fafard.

La guerre nécessitait une forte garnison à Michillimakinac[37] et la traite était indispensable pour renforcer la loyauté des tribus alliées des Français. Michillimakinac était considéré comme la capitale du castor, la plaque tournante de tout le commerce de l'Ouest. Les voyageurs, marchands, truchements et pagayeurs y venaient des quatre points cardinaux.

Michillimakinac était aussi un petit paradis terrestre bâti au pied de falaises couvertes de forêts de conifères odorants et entouré d'un chapelet d'îles et d'étangs. La brise légère tempérait en permanence le climat idyllique de ce coin de terre.

Pour se rendre à Michillimakinac, il fallait emprunter à partir de la pointe occidentale de l'île de Montréal le lac des Deux-Montagnes et naviguer sur la rivière des Outaouais pendant cinq

---

37. État du Michigan.

jours jusqu'au portage de la Chaudière[38]. Deux jours de plus pour arriver au portage du lac des Chats[39], autant de jours pour accéder au portage des Calumets[40]. Trente kilomètres plus loin, se trouvait l'île des Allumettes et son Grand Portage, capitale de la tribu des Outaouais. Le voyageur empruntait par la suite la rivière Mattawa, conduisant au lac Nissiping, et menait son embarcation sur la rivière des Français qui le conduisait au lac Huron. En empruntant le chenal vers l'ouest, le poste de Michillimakinac se situait au détroit qui sépare le lac Huron du lac Michigan.

Quand Isabelle et Kawakee arrivèrent à Michillimakinac, ils eurent la surprise d'y retrouver un poste organisé habité par des militaires, des civils français composés de familles d'interprètes, comme les Fafard et les Ménard, et des petits commerçants et artisans des villages hurons et outaouais, quelque sept mille, dont les habitations étaient séparées par une palissade. La population blanche augmentait pendant la saison de la traite par la venue de cinq ou six cents coureurs des bois.

Isabelle et Kawakee furent accueillis par les amis Fafard et Ménard. Isabelle vit ses sœurs Madeleine et Marguerite, qu'elle n'avait pas revues depuis longtemps, et Kawakee eut le plaisir de retrouver les compagnons de Louis Couc, qui l'avaient sauvé de la noyade à Québec.

À la vue de Kawakee, ses sœurs, qui avaient une vie familiale beaucoup plus ordonnée qu'elle, la boudèrent. Marguerite avait appris l'abandon du petit Michel Germano à sa belle-famille. Ce geste peu maternel allait à l'encontre des valeurs familiales transmises par Marie et Pierre Couc. Quant à Kawakee, compte tenu de ses liens d'amitié avec la famille Couc et avec les Fafard et les Ménard, aucun de ses hôtes ne lui en tint rigueur.

Secrètement cependant, Marguerite et Madeleine Couc en voulaient à leur sœur de refaire sa vie avec un Iroquois, tout

---

38. Aujourd'hui, à Ottawa, à 190 kilomètres de Montréal.
39. Aujourd'hui, bordant Arnprior, en Ontario.
40. Aujourd'hui, entre Portage-du-Fort et Fort-Coulonge, dans la province de Québec.

chef et Métis qu'il était. S'acoquiner avec un ennemi séculaire et abandonner son fils pour le suivre traduisait l'entêtement et l'indépendance farouches de leur sœur Isabelle. Mais, d'un autre côté, si elles n'acceptaient pas le comportement d'Isabelle, elles pouvaient comprendre l'entichement de leur sœur pour ce bel Iroquois et imaginer les nuits torrides sur la natte de ce dernier.

Kawakee expliqua à Fafard et à Ménard le but diplomatique de sa mission, qui consistait à convaincre les tribus iroquoises des Grands Lacs de déposer leurs armes le plus rapidement possible afin de négocier le traité de paix franco-iroquois avant la venue de l'armée française, déjà en route pour les écraser. Kawakee espérait rencontrer le nouvel ambassadeur français des territoires des Grands Lacs et de l'Ouest pour le prier de demander à Frontenac d'attendre avant de lancer son offensive.

Les interprètes Fafard et Ménard se montrèrent enthousiastes à l'idée de lui présenter le comte Joli-Cœur, un gentilhomme, contrairement à son prédécesseur, le comte Lamothe-Cadillac, qui avait réussi à se mettre à dos les nations indiennes alliées, les Jésuites, les habitants de Michillimakinac et certainement les nations iroquoises récalcitrantes, celles qui avaient refusé de signer le traité de paix franco-iroquois. Frontenac avait dû limoger son ami, Gascon comme lui, et le remplacer par un autre de ses amis qu'il avait fait venir de France dès la fin du printemps 1698 et qui avait réussi dans le commerce de la zibeline dans les steppes de Russie.

CHAPITRE XVI
La rencontre avec Joli-Cœur

Quand François Le Fort réorganisa l'armée et la marine du tsar de Russie sur le modèle européen, en 1697, et que Pierre le Grand lui demanda de diriger une première ambassade officielle d'un tsar en Europe, le comte Joli-Cœur fut mis à contribution pour sa connaissance des réseaux commerciaux des grandes puissances européennes.

À Moscou, une révolte força le tsar à interrompre son voyage. Entre-temps, l'amiral François Le Fort fut nommé par le tsar Pierre 1er, vice-roi du grand-duché de Novgorod. Il mourut quelques jours plus tard. Joli-Cœur, pour sa part, venait de perdre son protecteur auprès de Pierre le Grand qui le boudait parce que le comte s'était amouraché d'une actrice du théâtre du Bolchoï de Moscou, Katia Ostrovska. Elle jouait le rôle d'une bergère qui préféra se suicider en se jetant dans la Volga plutôt que de devenir la maîtresse d'Ivan le Terrible, ce tsar qui unifia la Russie au XVIe siècle en terrifiant son peuple.

Bien qu'amoureux de théâtre, le tsar Pierre le Grand émit un interdit de représentation en Russie. Il en souhaitait tout autant ailleurs. Bravant l'interdiction, Katia et sa nouvelle troupe se produisirent en Ukraine et en Pologne.

Pierre le Grand avait demandé à François Le Fort de veiller à ce que cette pièce ne soit pas jouée à Versailles. Si ce dernier était ambassadeur de Russie, il était avant tout Français. Admirateur de théâtre comme il l'était, l'art primait, comme il se devait à la Cour de Louis XIV. Il permit la représentation de la pièce sans exposer au Roy le grief du tsar de Russie.

Si Le Fort ne reçut aucun blâme du tsar, en revanche, la talentueuse Katia Ostrovska, qui n'avait pas la même morale que son héroïne, fut empêchée de retourner en Russie. Son amant, Joli-Cœur, subit le même sort malgré l'intercession de Le Fort. Finalement, la belle actrice russe reçut l'asile au château de Versailles.

On retrouva par la suite Joli-Cœur au bras d'une diva, rencontrée à Venise lors d'une représentation de l'opéra *La Calisto* au Théâtre San Cassiano. La voix percutante de Maria Cavalli, sœur du chef d'orchestre, s'harmonisait avec l'art musical baroque, interprété au clavecin, au luth et à la viole.

Joli-Cœur prit un soin jaloux de sa nouvelle maîtresse italienne en la suivant en Europe et il en oublia complètement Estelle et Katia. La marquise de Pauillac dut prendre de nouveau la route du monastère sous l'instigation de Mme de Maintenon qui tentait de convertir son royal mari, déjà au crépuscule de sa vie, et de se débarrasser une fois pour toutes de celle qui troublait son intimité avec le Roy. La reine morganatique persuada Louis XIV de nommer le comte Joli-Cœur gentilhomme de la Chambre des menus plaisirs, à Versailles, une délicatesse qui reconnaissait son hédonisme. C'est à ce moment-là que Frontenac fit signe à son ami de Versailles, du temps de sa disgrâce, de venir lui prêter main-forte en remplacement de l'indigne comte Lamothe-Cadillac qui avait saboté les chances de la Nouvelle-France de préparer le terrain pour une paix élargie avec les nations autochtones. Frontenac avait pensé nommer Hector de Callière à ce poste, mais il lui réservait plutôt sa succession à titre de négociateur en chef.

Le comte Joli-Cœur, nouvellement nommé gentilhomme des menus plaisirs du Roy, s'ennuyait déjà dans cette fonction officielle. Ainsi, lorsqu'il reçut l'invitation de Frontenac, il ne se fit pas prier pour se rendre en Nouvelle-France au printemps 1698. Toutefois, il refusa d'être présenté officiellement à l'élite de Québec, préférant se rendre immédiatement à Michillimakinac, là où son devoir l'appelait.

Quand le comte Joli-Cœur apprit d'un des beaux-frères d'Isabelle Couc qu'un chef iroquois, un Mohawk, était à Michillimakinac et désirait le rencontrer, il y vit une occasion inespérée d'entamer des pourparlers de paix avec la tribu la plus éloignée de la Confédération iroquoise, de son territoire diplomatique. La négociation avec les Mohawks devait être dirigée par le gouverneur de la Nouvelle-France lui-même, en l'occurrence Frontenac.

Comme ce dernier était très malade et qu'aucun prétendant à son titre n'avait été officiellement pressenti, puisque la nomination à ce titre dépendait de la décision du Roy lui-même, Joli-Cœur jugea qu'il était de son devoir, en tant qu'ambassadeur de la Nouvelle-France auprès des Indiens et que successeur potentiel à Frontenac, de rencontrer ce chef civil mohawk, ambassadeur de paix pour cette nation.

Kawakee et Isabelle furent reçus par le comte Joli-Cœur dans l'édifice administratif au milieu de l'enceinte du fort qui lui servait d'office. À la vue des deux Métis, Joli-Cœur fut fort sympathique et il les accueillit comme il se devait dans les circonstances, et bien différemment de Lamothe-Cadillac qui l'avait fait de façon pompeuse et hautaine. Kawakee avait amené avec lui le *wampum* de Bâtard Flamand, pictogramme qui représentait le clan du Loup. Joli-Cœur lui remit en guise d'hommage le drapeau fleurdelisé français et une pipe en argile rouge.

– Comment te nommes-tu, grand chef mohawk?

– Kawakee… et voici ma squaw, Isabelle.

– Mais Isabelle est le nom de l'infante d'Espagne. Ce n'est pas un prénom iroquois, avança le gentilhomme.

Isabelle dévisageait Joli-Cœur avec des yeux qui commençaient à intriguer le courtisan, lui qui avait l'habitude du regard féminin le plus secret. Le comte savait que cette squaw était une femme excessivement déterminée, ambitieuse et intolérante, capable d'arriver à ses fins par sa seule intelligence.

Isabelle lui répondit :

– Mon père Pierre Couc dit Lafleur était Français, monsieur, et ma mère, une Atticamègue, ou « Poisson-Blanc », vit aux Trois-Rivières avec une partie de ma famille.

Le comte Joli-Cœur ressentit un malaise seulement à entendre nommer Trois-Rivières. Il arrêta de s'intéresser à Isabelle, contrairement à son habitude de vouloir plaire à l'escorte féminine de ses vis-à-vis diplomatiques, et il continua à questionner Kawakee :

– Kawakee, du clan du Loup, m'as-tu dit ?

– Je suis le délégué diplomatique des Mohawks afin de trouver une issue qui permettrait aux Mohawks et aux Français de faire la paix.

Joli-Cœur toisait ce grand Iroquois de trente ans, élancé et racé, avec sa longue chevelure rousse et son sourire plutôt européen. La silhouette de ce garçon, sa façon de mettre son interlocuteur à l'aise et son maintien désinvolte plaisaient à Joli-Cœur. Ce dernier aurait parié que cet Iroquois était le Métis d'un coureur des bois, tant son personnage contrastait avec la description qu'on lui avait faite des Mohawks, un peuple cruel, sanguinaire et intransigeant.

Joli-Cœur continua :

– Pourquoi n'êtes-vous pas allés à Québec négocier directement avec Onontio plutôt que d'être ici aux Grands Lacs ?

– Parce que j'ai su qu'Onontio était en route pour livrer bataille aux nations iroquoises des Grands Lacs, accompagné d'une grande armée, et le but de ma visite est d'aller à l'encontre des autres nations iroquoises et de leur demander de renverser la Chaudière en proposant la paix, sinon elles seront exterminées.

– Et en quoi pourrais-je t'aider à y parvenir ?

– En demandant à Onontio de retarder son attaque, le temps que je puisse me rendre au pays des Iroquois.

Le comte Joli-Cœur détaillait Kawakee avec curiosité. Décidément, ce jeune homme lui faisait penser à une personne qu'il avait déjà côtoyée, avec ses yeux de braise et sa chevelure enflammée. Quant à l'énigmatique Isabelle, elle dévisageait le comte qu'elle trouvait séduisant malgré ses cinquante-trois ans, avec ses manières raffinées, ses mains blanches et les boucles argentées qui dépassaient de sa perruque et qu'elle savait naturelles. Si Isabelle n'avait pas été la squaw de Kawakee, elle aurait cédé aux charmes de ce gentilhomme à la maturité virile et à la personnalité sensuelle.

– Ta demande est sensée, mon garçon. Toutefois, pourrais-tu nous garantir que les Mohawks d'Albany, ton peuple, seront solidaires de cette entente avec les autres nations, en présumant que tu l'obtiennes ?

– Mais, monsieur l'ambassadeur…

– Entre nous, appelle-moi monsieur le comte, comme notre gouverneur !

Isabelle fixa son regard de façon encore plus attentive sur cet homme qui lui plaisait de plus en plus. Décidément, il avait de l'ambition en plus d'avoir du panache. Se faire appeler monsieur le comte était la façon, pour Joli-Cœur, de prétendre au titre de gouverneur de la Nouvelle-France, puisque Louis de Buade, le gouverneur actuel, était aussi comte de Frontenac et Palluau.

– Monsieur le comte, mon cousin Perce-Tête... plutôt Oscatarach a été nommé le chef militaire des Mohawks et c'est lui qui refuse de négocier avec Onontio.

Le comte Joli-Cœur regarda Kawakee, sidéré. Il se remémora le souvenir de sa maîtresse, la marquise de Pauillac, une des favorites de Louis XIV, qui vivait recluse dans un monastère pour avoir compromis la santé royale en s'acoquinant avec le Mohawk Perce-Tête. Joli-Cœur avait de plus été informé des frasques de l'Iroquois et de la façon dont il avait ridiculisé le monarque à la Cour de Versailles.

Joli-Cœur continua :

– Je ne suis pas vraiment étonné qu'il ne veuille pas négocier avec Frontenac, puisque celui-ci l'a mis aux fers en le ramenant en Amérique, contrairement aux directives du Roy. Le savais-tu ?

– Oscatarach l'a dit à Asko à son retour. Il a ajouté que jamais il ne ferait la paix avec Onontio. Il préférerait attendre qu'Onontio meure.

– Asko ?

– Oui, c'était le nom de ma grand-mère, la squaw de Bâtard Flamand. Elle est morte il y a trois ans. C'est à ce moment-là que Perce-Tête est devenu le chef guerrier et moi, le chef du Pin.

Joli-Cœur détailla le Métis, cherchant à y retrouver des traits connus du grand capitaine mohawk qui, avec sa fille, l'avait tant intrigué lors de son arrivée en Nouvelle-France.

– Comme cela, tu es le cousin de Perce-Tête et tu es du clan du Loup ? Serais-tu aussi le petit-fils de Bâtard Flamand ?

La réponse de Kawakee ne faisait nul doute à Joli-Cœur. Mais de se le faire dire de façon directe lui donna froid dans le dos. C'est Isabelle qui répondit, en voulant tester la solidité émotive du comte :

– Kawakee est son nom mohawk. Son nom français est Ange-Aimé Flamand.

– Ange-Aimé Flamand ! Ainsi, tu serais le fils du fils de Bâtard Flamand. Alors, comment se fait-il que ton nom français soit celui de la bourgeoisie française ?

Kawakee s'apprêtait à répondre, quand la nouvelle se répandit que le gouverneur Frontenac, en route vers l'Iroquoisie pour une expédition de représailles menée contre les cinq nations qui n'avaient pas endossé un traité de paix avec les Français, venait de recevoir l'ordre de Louis XIV de mettre fin, à tout prix, à la guerre avec les Iroquois. Le Roy ordonnait également l'abandon de tous les forts de l'Ouest, le retour immédiat de tous les coureurs des bois et le transport des peaux à Montréal par les Indiens eux-mêmes.

Si cette nouvelle était exacte, elle signifiait l'arrêt définitif du commerce de la fourrure pour les Français, puisque leurs nations alliées seraient tentées, soit par la force, les Iroquois les y obligeant, soit pour le profit, de trafiquer avec les Anglais de la Nouvelle-Angleterre. Comme le commerce de la fourrure était pratiquement la seule économie viable pour la Nouvelle-France, il était du devoir du comte Joli-Cœur d'aviser les plus hautes instances à Québec de la banqueroute à venir du pays.

Déjà, la population du fort de Michillimakinac commençait à mal réagir à la nouvelle de la dissolution du fort. Malgré l'annonce de la paix avec les Iroquois, les Hurons et les Outaouais commencèrent à supputer les chances que les Iroquois reprennent la hache de guerre et étendent leur hégémonie de traite sur les territoires des Pays-d'en-Haut. Pire, que les Hurons et les Outaouais francisés du fort de Michillimakinac soient amenés en esclavage en Iroquoisie.

Les Indiens décidèrent d'envoyer leurs chefs en délégation, afin de faire comprendre à Onontio et à son Roy tous les dangers de génocide qu'ils anticipaient. De plus, les tribus francisées et les tribus de l'Ouest prendraient un certain temps à organiser leurs réseaux de traite pour venir vendre leurs fourrures à Montréal. Les Iroquois en profiteraient certainement pour leur damer le pion. Enfin, les nations alliées des Français, sans coureurs des bois pour en faire le troc, seraient privées des commodités françaises, nécessaires maintenant à leur mode de vie plus occidentalisé.

De leur côté, les interprètes, les marchands, les artisans et les coureurs des bois qui vivaient à ce moment-là à Michillima-kinac déferlèrent dans le bureau de Joli-Cœur, lui demandant de se rendre à Québec auprès du gouverneur Frontenac, afin de lui demander d'intercéder auprès du Roy pour qu'il renverse sa décision. Joli-Cœur, qui connaissait le Roy Louis XIV, savait pertinemment que le monarque français ne modifiait jamais ses décrets royaux.

À l'annonce de la nouvelle du retrait des Français du fort de Michillimakinac, par ordre du Roy, Maurice Ménard fit une attaque foudroyante et en mourut. Cette mort subite eut l'heur de semer la panique chez les coureurs des bois et les interprètes, dont l'un des leurs venait de décéder. Kawakee fut grandement peiné de la mort de Ménard, un ami, comme Isabelle le fut de la mort de son beau-frère. Isabelle et Marguerite Couc entourèrent leur sœur Madeleine au moment de ce deuil naissant. Quant à Jean Fafard, il perdait un ami de toujours et presque un frère. C'est ce dernier qui représenta la délégation des coureurs des bois auprès du comte Joli-Cœur.

– Monsieur, vous allez priver des centaines de coureurs des bois de leur gagne-pain !

Joli-Cœur, qui connaissait bien le marché européen de la fourrure pour l'avoir subi en commerçant la fourrure de zibeline, lui répondit :

– Sans doute que la situation commerciale justifie cette décision qui peut vous paraître déraisonnable, mais l'offre du castor est devenue bien supérieure à la demande. Le marché pourrait s'effondrer d'un instant à l'autre et les quantités de fourrure accumulées dans les entrepôts de La Rochelle seront considérées comme une pure perte. Il serait peut-être mieux d'arrêter les convois en provenance de la Nouvelle-France et de donner le temps aux chapeliers d'Europe d'écouler les stocks avant de leur en fournir d'autres.

Fafard répondit :

– Faites dire au Roy, monsieur, qu'il s'agit davantage de fluctuations des cours du marché ! Il s'agit d'emplois carrément disparus et, même plus, il s'agit de vies humaines ! Sans cette annonce farfelue, mon beau-frère Ménard serait encore en vie.

Aussitôt, le comte Joli-Cœur promit aux habitants du fort de Michillimakinac qu'il se rendrait à Québec énoncer leurs appréhensions. Quant à Kawakee, il lui dit :

– Je dois repartir vers Québec, discuter de ma mission avec Onontio. J'espère que cette mauvaise nouvelle n'est qu'une rumeur ! Elle a déjà fait assez de malheurs jusqu'à maintenant. J'aimerais vous y amener puisque les armées françaises ne se rendront pas en Iroquoisie. Qu'en pensez-vous ? Les Mohawks n'ont plus à s'inquiéter. Perce-Tête n'aura pas à brandir la hache de guerre…

Isabelle regarda Kawakee avec détermination. Il semblait à cette dernière que l'occasion était belle de faire davantage connaissance avec ce comte qui avait si belle allure et qui pouvait devenir le prochain gouverneur de la Nouvelle-France. Quant à Kawakee, sa mission diplomatique n'avait plus sa raison d'être, puisque dorénavant les Français et leurs alliés indiens étaient en paix avec les cinq nations iroquoises.

Isabelle fit signe de la tête à Kawakee, qui répondit à Joli-Cœur :

– Je serai heureux de retourner à Québec. Les Mohawks sont déjà sur la route de l'amitié avec les Français.

En disant cela, Kawakee regardait, accrochée au mur, une flûte de berger qui le suivait partout. Le comte s'en aperçut.

– Cette flûte t'intéresse ? En fait, c'est un piccolo. J'en jouais quand j'étais berger en France, il y a de cela bien longtemps. Ce piccolo ne m'a pas toujours porté chance. Je dirais plutôt le contraire. Te le donner ne saurait assurément pas te rendre service. Peut-être auras-tu la déveine que j'ai eue et qui m'a fait voir la mort de proche !

Kawakee regardait de façon de plus en plus intense l'instrument, comme s'il était magnétisé par le piccolo.

– Tiens, prends-le, mais n'en joue pas trop. Il pourrait te faire mettre la corde au cou, mais de la bonne manière, mon garçon. C'est un vieux capitaine de bateau qui me l'a dit un jour.

En disant cela, Joli-Cœur toisa le regard d'Isabelle, qui lui sourit pour la première fois. Joli-Cœur se rendit compte qu'avec un tel sourire, un homme ne se déprenait pas facilement de l'emprise d'Isabelle, une femme envoûtante, une chamane aux pouvoirs de séduction insoupçonnés. La simple pensée d'être couché sur la natte avec Isabelle Couc lui donnait des frissons dans le dos.

Le comte Joli-Cœur remit le piccolo à Kawakee. Ce dernier accrocha l'instrument à son ceinturon sous sa capote[41].

Le comte Joli-Cœur avait appris que le gouverneur Frontenac était gravement malade et qu'il n'aurait probablement pas

---

41. Grand manteau à capuchon ressemblant à un parka, populaire chez les habitants, les marchands de fourrure et les trappeurs de la Nouvelle-France.

survécu à son expédition guerrière en Iroquoisie. Joli-Cœur convoitait la succession du vieux gouverneur. Comme la décision de devenir le gouverneur de la Nouvelle-France provenait d'un décret royal, le comte Joli-Cœur tenait à rencontrer Frontenac afin de lui faire appuyer sa candidature. Joli-Cœur savait qu'il était sur les rangs avec de Callière, le gouverneur de Montréal, et Champigny, l'intendant de la Nouvelle-France.

Pour sa part, Kawakee reprit son nom français d'Ange-Aimé Flamand et souhaitait plus que tout rendre visite à sa mère, religieuse au couvent des Ursulines de Québec. Durant son séjour à Michillimakinac, il eut la tristesse d'apprendre la mort de Maurice Ménard, interprète officiel du Roy. Sa femme Madeleine Couc ne s'en remit pas et demanda de retourner vivre aux Trois-Rivières.

Quant à Isabelle, elle ne savait plus si elle avait le goût de se rendre à Québec pour accompagner Kawakee, ou aux Trois-Rivières revoir sa mère et son fils, ou de se donner l'espoir de connaître encore mieux le comte Joli-Cœur. Le convoi de canots refit le sens inverse vers Montréal où il s'accorda une halte de quelques jours. L'humeur d'Isabelle s'était aigrie quand elle s'aperçut que le comte Joli-Cœur ne lui accordait guère d'attention. De plus, les nuits torrides qu'elle avait l'habitude de vivre avec Kawakee s'étaient étiolées avec les années.

La nature indienne d'Isabelle l'avait dotée d'une sensualité hors du commun. Elle nécessitait l'attention masculine, au point d'épuiser ses partenaires sexuels. Kawakee ne répondait plus à ses attentes, comme son mari Joachim Germano avant son décès. Isabelle Couc rencontra, à Montréal, Jean Le Blanc, un sachem outaouais francisé, d'une grande beauté, venu en délégation avec sa tribu. Son vrai nom était Outoutagan, mais à cause de sa peau claire, on l'avait surnommé Le Blanc. Le père de Jean était chef des Outaouais du Sable et avait pris le nom de Le Talon, en l'honneur de Jean Talon.

Isabelle tomba immédiatement amoureuse du sachem et quitta Kawakee. Comme ce dernier ne réalisait pas le drame qui se déroulait devant ses yeux, Isabelle lui dit :

– C'est fini, Kawakee. Cherche-toi une autre squaw.

– Mais c'est toi que je veux, Isabelle, pour être la mère de mes enfants !

– Tu ne peux plus être l'homme de mes songes. C'est fini.

Ange-Aimé subit sa peine en silence. Seule Madeleine Couc, nouvellement veuve, comprenait la peine que vivait son ancien beau-frère. Quand elle débarqua aux Trois-Rivières, elle apprit la mort de sa mère Marie. Pour sa part, la famille Fafard fut horrifiée d'apprendre le comportement d'Isabelle Couc qui n'eut même pas la décence de visiter son fils Michel à Batiscan. Ce dernier, en âge de réaliser la traîtrise de sa mère, ne parla jamais plus d'elle. Les Fafard furent très fiers qu'il ait pris leur patronyme.

Ange-Aimé Flamand continua vers Québec avec le comte Joli-Cœur avec qui il développa une belle amitié. Le comte chercha à consoler son ami métis en lui relatant quelques-uns de ses chagrins d'amour.

CHAPITRE XVII
Père et fils

Le comte Joli-Cœur cherchait désespérément le moyen d'extirper la peine qui avait envahi le cœur de son protégé. Il raconta à Ange-Aimé comment, jadis, il s'était moqué de l'amour qu'il avait pour une jeune fille remarquable, en prenant le risque de l'abandonner pour conter fleurette à une belle Indienne, une Iroquoise d'une très grande beauté.

Soudain, Joli-Cœur se souvint que l'Iroquoise en question était la fille de Bâtard Flamand, donc la tante d'Ange-Aimé. Il décida de ne pas relater les détails de cette aventure au Métis, sinon qu'il avait conquis la belle des bois en jouant de ce piccolo qu'Ange-Aimé portait à son ceinturon. Joli-Cœur ajouta que son étourderie lui avait porté malheur, car l'une s'était mariée avec un autre et l'Iroquoise avait été forcée par son père de se marier à un brave de son village, un capitaine fameux de l'Iroquoisie, sans son consentement.

Ange-Aimé écoutait furtivement l'aveu sentimental de Joli-Cœur, en pensant à la seule femme de sa vie qu'il avait vraiment aimée, sa femme mohawk Menaka. Il conjurait l'esprit de Menaka qui l'avait abandonné alors qu'ils avaient traversé de grandes épreuves pour pouvoir vivre unis pour longtemps.

Puis, le visage d'Isabelle, la Métis atticamègue, lui revint en mémoire. Bien qu'il souffrît énormément de la perte de cette dernière union, Ange-Aimé se dit que la seule femme qu'il avait véritablement aimée s'appelait Menaka. Alors, il posa une question au comte Joli-Cœur :

— Pourquoi ne pas avoir cherché à retrouver ces femmes que vous aviez aimées presque en même temps ?

Joli-Cœur comprit que son protégé cachait une grande peine au fond de son cœur. La recherche de tendresse était à ce point évidente chez le Métis que le comte répondit d'une façon détournée :

— Toi, mon gaillard, tu cherches trop de femmes en même temps. Soit que tu aies manqué de tendresse maternelle, soit que l'absence de ton père ait laissé une profonde cicatrice dans ton âme.

Ange-Aimé ne répondait pas au gentilhomme, perdu dans ses pensées. Joli-Cœur tenta le tout pour le tout en questionnant Ange-Aimé :

— Tiens, j'opte pour la deuxième option. Ton père était un coureur des bois et tu as été élevé par ta mère mohawk.

Il était fréquent que la mixité des rencontres franco-indiennes permette une idylle entre les coureurs des bois et les jeunes sauvagesses. Radisson racontait que, dans les Pays-d'en-Haut, les chefs de certaines tribus de l'Ouest offraient leurs filles pendant un certain temps à l'interprète ou au trappeur afin de favoriser le commerce. De ces rencontres, des petits Métis avaient vu le jour et avaient été élevés par leur mère.

— Non, mon père, je ne le connais pas. Ma mère m'a uniquement dit qu'il était Français et qu'il jouait de la flûte.

— La flûte ! Quel bel instrument de musique ! Tu vois, elle ne fait pas que distraire les bergers, mais elle permet aussi de conquérir des cœurs, même en pleine forêt boréale. Mais qu'est-ce qu'il avait à jouer de la flûte si loin? Remarque que c'est plus facile à transporter que la vielle.

Ange-Aimé, comme tous les Indiens, vivait sa tristesse sans la verbaliser, contrairement aux Français qui se plaisaient à rationaliser leur chagrin. Ange-Aimé ne répondit pas au raisonnement de Joli-Cœur cette fois-ci et bien d'autres fois par la suite. De temps en temps, le comte revenait à la charge pour susciter des commentaires chez ce sauvage qu'il trouvait très bel homme. Beaucoup plus d'ailleurs que ce vautour de Bâtard Flamand.

Qu'elle était belle, la tante de Kawakee, avec ses longues jambes et sa chevelure aubergine!

– Dis-moi, Kawakee, l'as-tu connue, ta tante, en Iroquoisie?

– Oui, elle était là avec Menaka. Mais elle avait deux tantes. Laquelle?

– Oh, certainement la plus belle des deux. Je ne m'y trompe pas habituellement lorsqu'il s'agit de jolies femmes. Elle avait accompagné ton grand-père à Québec.

– Avait-elle un prénom, cette tante?

– Je pense qu'elle m'avait dit... Je ne m'en souviens pas.

Joli-Cœur ne voulait pas dévoiler son passé sentimental à un jeune homme qu'il connaissait depuis peu, même s'il était sympathique.

– Peut-être Asko, c'était ma grand-mère.

– Non, pas Asko.

Kawakee se mit à rire pour le plus grand bonheur de Joli-Cœur.

Enfin, se dit-il, la peine commence à fuir son moral. Il rit, c'est de bon augure, même si c'est de moi.

– J'espère bien pour toi, car Asko était laide. Mais, paraît-il, Garagonthié voulait l'épouser.

– Garagonthié? Pas l'autre chef iroquois, célèbre pour ses sympathies à l'égard des Français? Elle devait être belle dans son jeune temps.

Kawakee ricana de nouveau.

– Et puis, quels étaient les prénoms de tes tantes?

– Kohnia et Katia.

Joli-Cœur regarda Kawakee, amusé.

– Eh, mon gaillard, Katia, c'est un prénom russe et non mohawk! Katia Ostrovska, qu'elle était talentueuse et belle dans sa tenue de bergère au Bolchoï!… Et dire que je l'ai abandonnée pour cette cantatrice soprano, Maria Cavalli…

Joli-Cœur devint soudainement amoureux de ses souvenirs les plus chers. Les belles soirées de théâtre où Katia recevait les plus vibrants hommages de la part des aristocrates ukrainiens et polonais. Lui, dans sa loge, se cachait derrière les costumes de sa belle et regardait avec moquerie la parade amoureuse d'autant de petits nobles qui voulaient faire de Katia leur maîtresse.

Quelle était belle, Katia, avec ses yeux verts et ses pommettes rougies de fard!

Et Maria Cavalli? Quand Joli-Cœur lui avait offert un collier de perles et qu'il lui avait demandé la permission de le lui mettre autour du cou, cette dernière lui avait répondu :

– Maria Cavalli ne s'achète pas, monsieur, elle se conquiert.

Le comte s'était alors employé à conquérir le cœur et les pensées de cette belle cantatrice italienne, dont les sautes d'humeur étaient aussi percutantes que ses vocalises. Quand Joli-Cœur accepta l'invitation de venir en Amérique, il saisit ce prétexte pour rompre cette coûteuse liaison et sauver sa fortune qui fondait comme neige au soleil.

Il était temps que j'abandonne Maria !

– Tu disais donc, Kohnia et Katia ? Non, je n'ai connu aucune de tes tantes mohawks ! Peut-être que tu ne les as pas toutes connues, car c'est ici-même que j'ai fait la connaissance de la fille de Bâtard Flamand et que nous sommes devenus amis. Une très bonne amie.

Joli-Cœur avait indiqué de son bras la direction de la berge du cap Lauzon. Ange-Aimé ne remarqua rien de spécial à cet endroit, sinon que le fleuve Saint-Laurent commençait à s'élargir. La curiosité de Joli-Cœur en resta là et ils arrivèrent bientôt dans le petit détroit de Québec.

Joli-Cœur voulait rencontrer Frontenac le plus rapidement possible. Mais on lui apprit que le gouverneur était gravement malade à l'Hôtel-Dieu. Entre-temps, Kawakee demanda à Joli-Cœur de le retrouver rue du Parloir, au couvent des Ursulines, dès son retour de l'hôpital. Joli-Cœur ne posa pas de question à Kawakee de peur que celui-ci ne cherche.à savoir pourquoi il ne voulait pas rencontrer l'intendant Champigny ou le procureur général, Guillaume-Bernard Dubois de L'Escuyer, ou son assistant en titre, Thomas Frérot.

Joli-Cœur fut reçu par Frontenac qui souffrait visiblement. Il était entouré de l'aumônier Récollet, qui tentait de le préparer de vie à trépas, et de son secrétaire particulier. Jamais Frontenac n'aurait accepté qu'un Jésuite l'écoute en confession finale de peur d'être floué devant le Très-Haut. Le médecin en chef de l'hôpital venait de lui administrer une saignée. Le sang bouillonnant du vieux gouverneur, qui avait tant fait sa réputation, s'écoulait dans une petite bassine argentée. Joli-Cœur eut l'impression que la Nouvelle-France se vidait de cet influx et de cette vitalité qui l'avaient maintenue forte, contre Iroquois et Anglais.

– Ainsi, Joli-Cœur, vous êtes venu assister à mon dernier souffle. Pas vous, un ami !

– Parce que, monsieur le comte, je m'inquiète grandement du sort de nos Français et de nos alliés indiens du fort de Michilli-makinac.

Quand Frontenac voulut se tourner légèrement sur son lit, la douleur le darda si bien qu'il lâcha un juron. Aussitôt, le Récollet se signa.

– Vous avez raison, Joli-Cœur. Le malheur, c'est que faire la paix avec les Sauvages et leur laisser le soin d'organiser la traite du castor nous enlève nos bénéfices. De plus, les coureurs des bois, les trappeurs, les interprètes, les marchands et même les missionnaires perdent leur emploi.

Joli-Cœur avait appris que Frontenac était considéré comme le plus grand contrebandier de son siècle, mais aussi son plus grand gouverneur, même avant Champlain, le fondateur de la nation.

– Alors, monsieur le comte, que pouvez-vous faire pour eux ?

Frontenac réussit à pointer du doigt son secrétaire et répondit laconiquement :

– Ce que ma santé m'autorise encore dans l'exercice de ma fonction : écrire au Roy et lui dire que les Anglais sont de plus en plus menaçants, même s'ils viennent de banqueter au château Saint-Louis en portant des toasts à nos Roys, depuis l'annonce de la fin de la guerre avec les Iroquois. Le traité de Ryswick[42] n'aura rien changé.

Aussitôt, le médecin s'avança et lui enleva la bassine après avoir pansé le bras du gouverneur. Frontenac reprit son souffle après avoir essuyé une quinte de toux. Le médecin s'approcha de nouveau, mais le vieux gouverneur l'en empêcha de son seul bras valide. Il continua :

— La paix avec les Iroquois est sans doute salutaire, mais leur petit nombre va les obliger à faire des concessions aux tribus de l'Ouest qui se rapprocheront des Anglais, nécessairement. Ce qui manque à cette colonie, ce sont des hommes pour défricher et cultiver la terre.

— Pensez-vous, gouverneur, que les coureurs des bois vont revenir s'installer dans la vallée du Saint-Laurent ?

— Moi, non, mais le Roy, oui ! Une fois que l'on a goûté à la liberté des bois, la traite reste le seul moyen intéressant de gagner sa vie. Nos coureurs des bois n'auront plus l'intérêt à travailler la glèbe. Et puis, je parie qu'ils vont préférer rester dans l'Ouest, épouser des sauvagesses et engendrer des Métis.

Là-dessus, Joli-Cœur pensa à Ange-Aimé Flamand qui n'avait jamais connu son père.

Comme Kawakee ! Pauvre petit !

— Du papier et de l'encre, Beaufort. Dépêchez-vous avant que je ne meure !

Frontenac commença à dicter à son secrétaire :

---

42. Signé en septembre 1697, le traité de Ryswick mettait fin à neuf ans de guerre entre la France et la ligue d'Augsbourg, c'est-à-dire l'Autriche, l'Allemagne, la Hollande, l'Angleterre et l'Espagne. Louis XIV, qui n'avait rien gagné en ces années de guerre, voulut justifier son échec en évoquant la tranquillité de son peuple. Il ordonna un *Te Deum* et un immense feu d'artifice de réconciliation. Toutefois, il permit le maintien de quatre forts, dont celui de Michillimakinac.

À Sa Majesté notre Roy de France, de Navarre et des colonies septentrionales d'Amérique,

Majesté,

En tant que gouverneur de la Nouvelle-France et votre représentant en terre d'Amérique, permettez-moi d'intercéder en faveur des habitants des forts de l'Ouest, que vous avez ordonné d'abandonner, pour laisser toute liberté aux peuples indiens, incluant nos alliés ainsi que les tribus nouvellement neutres, c'est-à-dire les cinq nations iroquoises, dans l'organisation du commerce de la fourrure.

Nous estimons cette initiative préjudiciable à nos bons Français qui habitent ces forts avec leurs familles, et qui ont déjà tout vendu afin de servir la France dans ces contrées lointaines et dangereuses. Comment pourront-ils réintégrer la vallée du Saint-Laurent, alors que nous avons déjà un problème de rareté de terres disponibles, alors que ce pays recèle des richesses fabuleuses dans ses forêts, que ces braves Français veulent continuer à exploiter!

Nous demandons à Votre Majesté de réviser sa position et de donner un peu d'espoir à ces bonnes gens qui suent sang et eau pour la gloire de la France en terre d'Amérique.

Frontenac regarda Joli-Cœur et lui demanda:

– Est-ce convenable pour vous?

– Cela ne pourrait être plus parfait, monsieur le comte.

– Fort bien. Maintenant, je vous autorise à retourner à Michillimakinac et à dire aux habitants du fort que le Roy leur permet de rester sur place et de continuer à faire la traite.

Comme Joli-Cœur le regardait, étonné, Frontenac se fâcha:

– Pardi, monsieur le comte, vous étiez plus fringant aux côtés de la belle marquise de Pauillac, vous souvenez-vous?

C'est un ordre !... Allez !... Vous vous dites sans doute en votre for intérieur que cette ingérence dans les ordres du Roy va m'être préjudiciable, au point d'être encore en disgrâce. Mais, dites-moi, comment s'y prend-on pour démettre un mort de ses fonctions et lui faire des reproches ? Car, n'en doutez pas, je vais mourir bientôt ! Ah, oui… Continuez, Beaufort !

Avec toute la considération et l'estime que je lui reconnais, puisque je vais mourir bientôt, j'aimerais recommander à votre royale attention monsieur le comte Joli-Cœur, que vous avez eu l'occasion de rencontrer à Versailles, comme mon successeur au poste de gouverneur de la Nouvelle-France.

Sire, puisque je n'aurai pas la possibilité, Dieu dans sa puissance et sa sagesse infinies le veut autrement, de faire un dernier voyage en cette terre de France que j'ai tant aimée et de revoir le château de Saint-Germain-en-Laye qui m'a vu naître, je tiens à vous remercier éternellement pour toute votre confiance et toutes vos bontés envers votre humble serviteur.

J'ai signé, en cet an de grâce 1698,

Louis de Buade, comte de Frontenac et de Palluau.

— Et puis, comte Joli-Cœur, qu'en pensez-vous ? Cela vous a surpris, n'est-ce pas ?

— Je ne pensais pas que vous prendriez la peine de vous soucier de ma promotion sociale, monsieur le comte.

— Je le savais que vous seriez surpris. Vous ne vous demandez pas pourquoi ?

— Je n'ose pas, monsieur le comte.

— Allez, allez, osez, osez.

— Parce que nous avons la même passion pour la Nouvelle-France.

– C'est vrai, mais ce n'est pas suffisant. Allez, approchez-vous de mon oreille.

Joli-Cœur s'approcha. Alors, dans un souffle court, Frontenac lui susurra :

– Parce que Mme de Maintenon a parlé en bien de vous, monsieur le gentilhomme de la Chambre des menus plaisirs à Versailles, et qu'elle veut vous ravoir à son service. Comme gouverneur de la Nouvelle-France, vous serez plus utile à la gloire de notre nation qu'à trouver des poules de luxe au Roy, comme Estelle, par exemple.

Frontenac avait regardé Joli-Cœur d'un œil malicieux. Cabotin, il ajouta :

– J'ai bien le droit de m'amuser encore un peu, même si je meurs sous peu. Dieu me le pardonnera. Vous êtes condamné à me succéder, Joli-Cœur, sinon vous redeviendrez le dandy des courtisanes à Versailles…

– Vous savez, je vous aime bien, parce que vous m'avez toujours considéré comme votre allié. Mais, dépêchez-vous, il y a d'autres candidats de prestige sur la liste, comme Vaudreuil, Champigny et Callière. Le temps presse. »

Sur ces mots, Frontenac fit un signe de sa main valide au comte Joli-Cœur de se dépêcher de partir.

Frontenac mourut le vingt-huit novembre suivant. Sa dépêche toutefois avait eu le temps de se rendre au Roy. Les autres candidats au poste de Frontenac, voyant que la saison de navigation sur le fleuve Saint-Laurent était à ses limites, usèrent d'audace. Le messager de Callière, Augustin Le Gardeur de Courtemanche, fit la traversée de la Nouvelle-Amsterdam[43] plutôt que de prendre le dernier bateau en partance de Québec pour la France, afin de gagner quelques jours.

---

43. De nos jours, New-York.

Charles-Joseph Amiot de Vincelotte, porteur de la lettre de Vaudreuil et de Champigny, se rendit à Versailles en partant du port de Pentagouet en Acadie. Courtemanche arriva quelques heures avant Vincelotte à Paris. Aussitôt informé de la mort de Frontenac, le Roy nomma, le vingt-six avril 1699, Louis-Hector de Callière au poste de gouverneur de la Nouvelle-France. Philippe de Rigaud de Vaudreuil fut nommé, pour sa part, gouverneur de Montréal. Vaudreuil aurait été le choix premier du souverain, mais sa dépêche arriva légèrement en retard.

Louis XIV ne revenait jamais sur ses décisions. Champigny resta intendant et Joli-Cœur fut destitué de son poste d'ambassadeur des territoires de l'Ouest. Il avait eu le malheur d'aviser les habitants du fort de Michillimakinac de la volonté de Frontenac, qui était à l'encontre de l'autorisation du Roy, malgré la clairvoyance du vieux gouverneur.

Ce dernier eut droit au *Te Deum* comme dernier hommage du peuple de la Nouvelle-France et fut honoré du titre de *Patriae Redemptor*[44].

Confiant en sa destinée, Joli-Cœur se rendit au couvent des Ursulines de Québec retrouver Ange-Aimé Flamand. Ce dernier lui avait dit qu'il n'avait qu'à le demander et la sœur portière irait le chercher ou s'arrangerait pour qu'il puisse se présenter à l'entrée. La proposition du Métis avait paru étrange à Joli-Cœur. Mais venant d'un Métis, il s'était dit que les bonnes sœurs continuaient leurs œuvres d'évangélisation en accueillant et en convertissant les sauvages, même à moitié Français.

En allant répondre à la porte du monastère, la sœur portière tira le judas grillagé et fut surprise d'apercevoir l'élégant quinquagénaire au port de tête si séduisant. Pour la circonstance, Joli-Cœur avait revêtu ses habits d'ambassadeur de la Nouvelle-France qui impressionnaient tant les Sauvages, avec galons, pompons, dentelles et jabots.

---

44. Sauveur de la patrie.

Joli-Cœur s'introduisit :

– Révérende mère, pardonnez mon effronterie, mais j'ai rendez-vous avec...

– Mère Saint-Ignace se repose actuellement. Elle ne va pas très bien depuis quelques jours. Son état nécessite le plus grand repos et le silence complet pour refaire sa santé, si la Sainte Providence le veut.

– Je vais implorer le ciel pour qu'elle guérisse le plus rapidement possible.

– Puisse Dieu entendre vos prières, monseigneur.

– Oui, ma mère, puisse Dieu nous exaucer ! Mais je suis ici pour rencontrer un de vos Indiens.

– Tous mes petits pensionnaires font la sieste. Vous savez quelle est nécessaire à leur croissance.

– Parce que, ma mère, l'Indien dont je vous parle est déjà bien grand. Il se nomme Ange-Aimé Flamand.

– Ange-Aimé ? Bien sûr, je vais aussitôt l'en aviser. Il est avec sa mère. Tenez, voici sa flûte.

À ce moment, Joli-Cœur prit le piccolo et le garda en main.

– Alors, dites-lui que le comte Joli-Cœur le fait demander.

Ange-Aimé était arrivé au couvent des Ursulines, quelques heures plus tôt, dans ses habits mohawks, le piccolo de Joli-Cœur bien accroché à sa ceinture-écharpe. Aussitôt que la sœur portière l'eut reconnu, elle s'empressa de déverrouiller les gonds de la lourde porte en chêne qui grinça. Quand Ange-Aimé fut dans le vestibule, la sœur lui dit :

— Ange-Aimé, attends quelques instants, j'ai à te parler.

La religieuse referma la porte, indiqua le petit parloir qui servait d'antichambre au cloître et lui dit :

— Tu ne devrais pas rester habillé avec tes vêtements de Sauvage. Si les petits pensionnaires te voyaient… alors que nous insistons pour leur faire porter leurs vêtements français.

— Mais, sœur Célestine, la paix est revenue avec les Iroquois. Ils sont maintenant nos alliés. Et vous savez que vous pouvez me croire.

— Écoute-moi, mon cher petit. Te croire est une chose, mais croire tes semblables en est une autre ! Dire qu'ils se sont acoquinés avec les Anglais et qu'ils refusent de croire en Dieu.

— Mais ma mère y croit-elle ?

— Bien entendu, ta mère est une sainte ! Je voulais te dire que le Démon l'avait visitée dernièrement, en songe, et qu'elle est méfiante depuis.

— Le Démon ? Comment le savez-vous ?

— Dans son sommeil, ta mère raconte que Satan va venir la visiter et qu'il sera très reconnaissable au fait qu'il tiendra dans sa main une flûte. Nous surveillons depuis les saltimbanques qui viendront sonner à notre cloître.

— Une flûte ? Comme celle-ci ? lui montra Ange-Aimé, en prenant le piccolo qu'il avait à sa ceinture.

— Oh ! Mon Dieu, Ange-Aimé ! Serait-ce toi, Satan ?

— Mais, sœur Célestine, vous me connaissez, je suis Ange-Aimé, votre petit pensionnaire, l'enfant de chœur de l'abbé Charles-Amador Martin. Je ne peux pas être Satan.

– Tout juste, mon petit, tout juste…

– J'aimerais retrouver ma mère, Dickewamis.

– Elle est à l'oratoire de Mère-de-l'Incarnation, en ce moment. Elle médite et prie pour éloigner le Malin.

– Puisque je ne suis pas Satan… Alors, elle sera heureuse de me revoir.

– Oui, pourvu que tu n'apportes pas cette flûte avec toi. Alors, remets-la-moi.

Ange-Aimé remit la flûte à sœur Célestine.

– Alors, va la voir. Elle sera heureuse.

Ne se faisant pas prier plus longtemps, Ange-Aimé arpenta les corridors du monastère qu'il connaissait bien et se retrouva rapidement à la chapelle. Dickewamis s'était agenouillée sur un prie-Dieu. Juste en face de la relique de mère de l'Incarnation, en dessous du portrait de sainte Ursule. Une lampe du sanctuaire éclairait de sa flamme vacillante le petit oratoire.

Avec ses mocassins en cuir de daim, Ange-Aimé était certain de surprendre sa mère dans sa méditation. C'était sans soupçonner le sens sylvestre de Dickewamis qui avait perçu la présence humaine, car la flamme du lampion avait vacillé du mauvais côté. Comme la religieuse n'entendit aucun bruit, elle déduisit que seul un Indien pouvait pénétrer dans le monastère si farouchement, comme s'il était surveillé par sœur Célestine, la portière.

– Ange-Aimé, c'est bien toi, mon petit. Viens te placer aux côtés de ta mère sur l'autre prie-Dieu.

Ange-Aimé resta figé par l'intuition de sa mère, dont l'ouïe était aussi aiguisée que celle de la biche dans le bois, surveillant son faon. Ange-Aimé s'approcha d'elle et se mit à genoux.

– Maintenant, récite un *De Profundis* pour le repos de l'âme de nos ancêtres. Ils ont fait bien du mal avec leurs guerres cruelles.

– Justement, mère, je viens vous annoncer que la guerre avec les Iroquois est finie. Le Roy de France vient de déclarer la paix.

– Les Mohawks aussi?

– Les Mohawks aussi. Mais je ne sais pas comment Oscatarach, mon cousin, va réagir. Vous savez que j'ai été nommé ambassadeur mohawk par le Conseil de bande.

– Par Asko?

– Non. Asko est morte. Le Conseil a choisi Oscatarach comme capitaine militaire et chef de la tribu. Quant à moi, je suis devenu chef de Pin, ambassadeur auprès des Français et de leurs alliés indiens. Maintenant que la paix est conclue, je suis de retour à Québec auprès de toi.

– A-t-elle parlé de moi avant de mourir?

– Non, mère.

Dickewamis resta silencieuse, puis elle reprit:

– Mais ta place est auprès de notre peuple pour l'amener à rester en paix, car Oscatarach cherchera à rompre la paix et à continuer la guerre.

– Mais, mère, si je retourne à Albany, Oscatarach me tuera maintenant que Asko est morte, ou je devrai le tuer pour être le chef des Mohawks.

– … Silence…

– Notre Dieu, mère, m'empêche de tuer mon cousin. Je ne le peux pas.

À ce moment, Dickewamis se retourna vers son fils, ce qu'elle n'avait pas encore fait, elle lui mit la main sur l'avant-bras et lui dit :

– Prie le Seigneur Notre Dieu pour qu'il puisse t'éclairer dans ta mission. Si tu le veux, je prierai avec toi et pour toi.

– Oui, mère. Dieu m'éclairera.

Au même moment, sœur Célestine, la portière, arriva et informa Ange-Aimé à l'oreille de la venue d'un visiteur.

– Mère, j'ai fait le voyage à Québec avec un ami, l'ambassadeur des Français auprès des Indiens, comme moi, je le suis pour les Mohawks auprès des Blancs. Il attend au parloir. J'aimerais vous le faire connaître. Il est mon ami. C'est un gentilhomme.

– La règle de la communauté ne me le permet pas, tu le sais bien.

– Tu n'auras qu'à le regarder par le judas. Fais-le pour moi.

Dickewamis ne répondit pas immédiatement à la demande d'Ange-Aimé. Elle ne savait dans combien de temps elle reverrait son fils, ou si elle ne le reverrait jamais. Elle le trouvait si beau avec sa chevelure de feu, son teint mat et sa séduisante silhouette. Soudain, elle baisa le crucifix de son chapelet, fit son signe de croix et répondit :

– Seulement par le grillage du judas.

Mère et fils quittèrent l'oratoire et prirent le chemin du parloir. Une fois à la porte, Ange-Aimé vérifia par le judas si son ami était bien là. Il y était, dos à la porte, piccolo en main. Alors, Ange-Aimé invita sa mère à le regarder. Aussitôt que la religieuse aperçut le piccolo dans la main de l'étranger, elle s'écria en se signant, commotionnée :

— C'est le Diable, c'est Satan ?

Ange-Aimé éclata soudainement de rire :

— Mais voyons, mère. C'est le comte Joli-Cœur, mon ami, l'ami des Mohawks.

L'éclat sonore du rire d'Ange-Aimé avait retenti jusque de l'autre côté de la lourde porte. Le comte Joli-Cœur, toujours le piccolo en main, se retourna et approcha son visage du grillage.

— Ange-Aimé, est-ce toi ?

Dickewamis crut reconnaître le timbre velouté de la voix de l'inconnu qui portait le piccolo en main. Elle se rapprocha du grillage et cria en croyant apercevoir un revenant :

— Ti-rik !

Aussitôt, elle s'évanouit. Avant que sœur Célestine, attirée par les bruits, ne soit de retour, Ange-Aimé, qui avait retenu sa mère avant qu'elle ne se blesse sur la tuile en tombant, invita Joli-Cœur à entrer afin qu'il puisse l'aider.

— Comte Joli-Cœur, entrez, je vous prie. Ma mère vient de s'évanouir…

Joli-Cœur, encore intrigué d'avoir entendu « Ti-rik », un nom qu'il tentait de retrouver parmi ses souvenirs, fut surpris d'entendre Ange-Aimé parler une autre fois de sa mère. Il fit tourner les gonds de la porte et se retrouva un pied dans le cloître. Il vit une religieuse élancée, à l'orée de la cinquantaine, une Indienne qui gisait dans les bras d'Ange-Aimé. Il lui semblait qu'il reconnaissait les traits de ce visage.

— Mère, mère, réveillez-vous, je vous en prie. Ce n'est pas le Diable, c'est mon ami, le comte Joli-Cœur.

Joli-Cœur, qui avait toujours le piccolo en main, essaya de prêter secours à Ange-Aimé afin de soulever la religieuse.

– Est-ce vraiment ta mère, Ange-Aimé? Une religieuse?

– Oui, c'est ma mère.

Empêtré dans ses gestes, tenant toujours le piccolo, Joli-Cœur fit une fausse manœuvre et accrocha la coiffe de la religieuse qui glissa par terre. La chevelure aubergine, parsemée de cheveux gris et blancs, se dénoua sur le parquet. Marie de l'Incarnation, qui voulait protéger autant que possible l'identité de ses deux religieuses autochtones, l'Iroquoise Dickewamis et la Huronne Onaka, leur avait permis de conserver leur longue chevelure sous leur habit religieux.

C'était la première fois qu'Ange-Aimé voyait les cheveux de sa mère. Il en resta muet. Joli-Cœur, pour sa part, eut la surprise de sa vie. Il venait de reconnaître, au visage et surtout à la chevelure de la religieuse, la belle jeune Mohawk avec laquelle il avait fugué jusqu'au cap Lauzon.

– Dickewamis, Dickewamis, est-ce bien toi? lui disait-il en lui caressant le front et en lui passant les mains dans les cheveux.

– Comment se fait-il que vous connaissiez le prénom mohawk de ma mère, comte Joli-Cœur? demanda Ange-Aimé intrigué.

Le comte Joli-Cœur ne répondit pas tant il était plongé dans ses souvenirs.

Après quelques instants, Dickewamis revint à elle. Elle fut saisie de panique en voyant Joli-Cœur près d'elle qui lui épongeait le front avec son mouchoir. Subitement, elle regarda tendrement ce dernier et lui dit:

– Ti-rik!

– Non, mère, c'est le comte Joli-Cœur, mon ami.

Alors ce dernier intervint :

– Je connais la signification de Ti-rik. Ta mère m'a reconnu par mon véritable prénom, Thierry. Oh ! il y a de cela bien longtemps.

– Thierry Joli-Cœur ?

– À l'époque, mon nom était Thierry Labarre. J'ai été anobli par la suite et je suis devenu le comte Joli-Cœur.

– Et vous avez connu ma mère ?

– Oh ! À ce moment, elle n'était pas religieuse. Mais elle demeurait au couvent des Ursulines, ici-même. Certainement avant ta naissance, car elle n'avait pas d'enfant. Je l'ai vue, la première fois, en compagnie de ton grand-père, Bâtard Flamand, en 1666. Je me souviens, c'était le jour de la Fête de Sainte-Anne.

– Et je suis né ici depuis 1667, ici-même, dans la cour près de la grotte.

Thierry ne répondait pas. Il avait les yeux plongés dans ceux de Dickewamis, revivant tous les deux les moments de tendresse qu'ils avaient connus. Décidément, leur route avait pris des directions différentes. Dickewamis comme religieuse et Thierry comme mondain.

Soudain, Dickewamis se leva, prit la main de son fils Ange-Aimé, la déposa sur la main de Thierry et les amena au petit parloir :

– Ti-rik, j'aimerais que tu saches qu'Ange-Aimé est ton fils, notre fils, dit-elle dans un français impeccable.

Un lourd silence s'abattit soudain dans la petite pièce. Sœur Célestine qui s'apprêtait à reprendre son poste de portière perçut l'intense émotion du moment, même si les règles des Ursulines cloîtrées ne permettaient pas une telle irrégularité.

– Ange-Aimé est mon fils! Merci, Dickewamis, pour ce cadeau du ciel, reprit Thierry, les larmes aux yeux.

Contrevenant à la vocation de la religieuse, Thierry s'apprêtait à embrasser Dickewamis tendrement quand Ange-Aimé coupa net les épanchements de ce dernier.

– Comte Joli-Cœur, est-ce bien vous, mon père?

Thierry laissa Dickewamis du regard et concentra son attention sur Ange-Aimé.

– Oui, mon fils. Embrasse-moi.

Aussitôt, père et fils se donnèrent l'accolade. Ils restèrent quelques secondes à se regarder. Ils ne s'étaient pas rendu compte que Dickewamis en avait profité pour retourner dans l'enceinte du cloître et se rendre à la chapelle. Quand Ange-Aimé, du coin de l'œil, aperçut l'ombre de sa mère disparaître, il questionna aussitôt à tue-tête Dickewamis, contrevenant à la règle du silence absolu du cloître:

– Pourquoi avoir gardé pour vous le nom de mon père et m'avoir tenu si longtemps au secret?

Ange-Aimé, dans son émoi, oubliait toutes les prévenances du lieu saint. Il sentait monter en lui la frustration accumulée et refoulée depuis tant d'années. Ainsi, sa mère qu'il aimait tant, celle qui le comprenait mieux que quiconque dans un monde dominé par les Blancs et qui devait lui donner les moyens de se faire respecter, alors qu'il était sujet à tant de discrimination et d'injustice, lui avait caché la vérité. Plus que cela, son droit à l'existence.

– Mère, je vous hais!

Soudain, Ange-Aimé s'abattit au sol, frappant de ses deux poings le carrelage, et se mit à sangloter. Il réussit à extirper de ses entrailles la rage qui l'empêchait de s'affirmer.

– Vous n'aviez pas le droit de me cacher le nom de mon père. Vous n'aviez pas le droit !

Le sacrilège résonna en cascade le long des corridors glacials du cloître. L'écho de la voix d'outre-tombe d'Ange-Aimé parvint aux oreilles de sa mère Dickewamis qui déjà égrenait son chapelet. Les supplications et les reproches de son fils Ange-Aimé lui dardaient douloureusement le cœur, comme les épines de la couronne du Christ.

Chaque reproche d'Ange-Aimé acculait la religieuse ursuline-mohawk au mur de la honte et de la désolation.

Aurais-je dû le lui dire ? Moi qui espérais tant le moment de ces retrouvailles pour lui annoncer de la plus belle des façons. J'aurais dû rester auprès d'eux au lieu de fuir vers la chapelle... Mais Ti-rik, je ne l'ai jamais oublié et ne l'oublierai jamais ! Qu'il est beau avec son justaucorps français ! Vierge Marie, protégez-moi !

Dickewamis restait emmurée dans son silence, attendant que la Vierge lui dicte la conduite qui serait la plus juste en la circonstance.

Soudain, les éclats de voix cessèrent. Ange-Aimé eut la surprise d'entendre sœur Célestine, qui avait été témoin de son esclandre, lui répondre :

– Pourquoi te l'aurait-elle dit ? Tu aurais cherché partout un nommé Thierry, alors que tu retrouves un ambassadeur, un gentilhomme, le comte Joli-Cœur. Tu as apprécié ton père comme un ami, avant de le connaître. Au fond, tu en as eu, de la chance, la Providence t'a aidé.

Ange-Aimé écouta sœur Célestine qui venait d'énoncer les mots qu'il fallait pour adoucir son amertume. Alors, au petit pensionnaire qu'elle aimait tant sécuriser lorsqu'il était victime des sarcasmes des Blancs, sœur Célestine caressa les cheveux tendrement.

– Ta mère Dickewamis t'aime tellement, Ange-Aimé, qu'elle a toujours cherché à te protéger. Au moins, si elle t'a tenu au secret, elle ne l'a jamais divulgué à qui que ce soit. Même pas à mère de l'Incarnation !

Comme Thierry s'inquiétait du départ de Dickewamis, sœur Célestine ajouta :

– Laissez maintenant sœur Thérèse Ursule avec le Seigneur. Elle a enfin confié son secret, grâce à Dieu. Vous avez trouvé un fils, et Dickewamis, la paix du cœur. Elle sait maintenant qu'elle a rendu son fils plus heureux ! Dickewamis ne peut plus rien pour Ange-Aimé dans le monde. Mais vous, vous avez maintenant la mission de le rendre heureux et de le conseiller comme un père doit le faire avec son fils. Aimez-le, ce petit, il a grandement besoin d'un père comme modèle.

Thierry écoutait attentivement l'humble religieuse comme s'il entendait la voix de sa conscience.

Mais n'y tenant plus, comme s'il cherchait à connaître la vérité de la part de Dickewamis, Ange-Aimé demanda à son père de l'attendre au parloir pendant qu'il tentait de rejoindre sa mère à la chapelle.

Dickewamis avait replacé sa coiffe et son voile, et elle récitait maintenant des *Ave* du bout des lèvres. Des larmes coulaient sur ses joues. Ange-Aimé n'avait jamais vu sa mère pleurer. Stoïque comme une Mohawk, elle regarda son fils avec tendresse et lui dit simplement :

– Mon fils, suis les traces de ton père. Je sais que tu es capable de grandes choses.

— Mais pourquoi, mère, avoir choisi un Blanc ?

À la question d'Ange-Aimé, Dickewamis resta soudain plongée dans ses souvenirs. Puis, en le regardant de ses yeux ténébreux comme si son fils reflétait ce qu'avait été Thierry, elle continua lentement :

— Parce que j'étais jeune, qu'il était beau et qu'il m'avait donné une flûte.

— Était-il vraiment Satan, comme dans tes songes ?

— Thierry était aussi volage que le vent et aussi beau qu'un ange. Quant à moi, mon cœur n'était pas encore à Dieu.

— Pourquoi ne viendrais-tu pas avec nous, comme une vraie famille ?

— Ma famille est maintenant ici, chez les Ursulines, et mon époux est Jésus. Thierry n'a été que celui qui m'a donné le plus beau chérubin.

Sur ces mots, Dickewamis mit la main sur la chevelure d'Ange-Aimé et l'ébouriffa :

— J'ai pensé à ta destinée, mon fils. Tu pourrais devenir le chef des Mohawks convertis.

Ange-Aimé répondit :

— Je les connais, mère, puisque je les ai déjà rencontrés à la mission du Sault-Saint-Louis et du Sault-au-Récollet.

— J'ai vu dans mon dernier songe qu'un gentilhomme avec une flûte t'aiderait à devenir le chef de la mission.

— Et cet homme, était-ce mon père ?

– Oui, cet homme était ton père. Ta place est désormais par ici et non plus avec Oscatarach et les Mohawks d'Albany.

Quand Ange-Aimé relata à Thierry la prémonition de sa mère, celui-ci y perçut la façon de se faire pardonner de Dickewamis et de profiter de sa position avantageuse d'ambassadeur auprès des autochtones pour faire une place de choix à son fils.

Au décès d'Ariotekan, le vieux chef du clan du Calumet et de la mission du Sault-Saint-Louis, le Conseil de bande décida de diviser la mission et d'en installer une partie à la pointe du lac des Deux-Montagnes, à Oka. Tetacouiceré remplaça Ariotekan au Sault-Saint-Louis et Ange-Aimé Flamand, fils d'une religieuse ursuline iroquoise et d'un père ambassadeur du Roy de France auprès des nations autochtones, devint le chef attitré de la mission d'Oka et épousa la fille d'un Mohawk converti de la mission du Sault-Saint-Louis. Son fils, Thierry Flamand Joli-Cœur, devint son successeur.

Ange-Aimé Flamand participa aux festivités de la Grande Paix en 1701, mais n'eut pas la chance, à regret, d'amener le peuple mohawk, contrairement aux autres nations iroquoises et aux nations alliées des Français, à parapher le traité avec le gouverneur de la Nouvelle-France, Louis-Hector de Callière.

Thierry Labarre, comte Joli-Cœur, continua le commerce de la fourrure pendant un certain temps dans les Pays-d'en-Haut. Ses fourrures transitaient par Oka, où il avait installé un relais qu'il visitait régulièrement. Cela lui donnait l'occasion de visiter son fils unique, Ange-Aimé Flamand, qui signait désormais Joli-Cœur.

CHAPITRE XVIII
Une soirée au théâtre

En 1694, pour célébrer les fêtes de fin d'année, la trêve avec les Iroquois, la chasse abondante du castor et pour distraire la population de Québec qui craignait toujours la venue des bateaux anglais dans la rade, le gouverneur Frontenac décida que les représentations théâtrales permettraient aux Canadiens de se cultiver à la mode de Paris et de Versailles. Il permit à une troupe de comédiens de venir jouer des tragédies, *Nicodème* de Corneille et *Mithridate* de Racine. La troupe resta plusieurs années à Québec. Frontenac voulait défier l'autorité de Monseigneur de Saint-Vallier qui avait refusé l'usage des sacrements à l'acteur principal, Mareuil, en l'accusant du crime d'impiété envers Dieu, la Vierge et les saints, et l'avait traîné devant le Conseil souverain.

Au printemps de 1699, Mathilde, Anne et Eugénie se dirent que ce serait là une belle occasion de se distraire, tout en se cultivant entre femmes. Ainsi, elles décidèrent d'aller au théâtre avec Marie-Renée Frérot, Charlotte Frérot, Marie-Anne, la femme d'André Allard, et Marie-Renée Allard, âgée de dix ans, surnommée affectueusement Marie-Chaton.

Marie-Chaton rendait souvent visite à sa chère marraine de quinze années son aînée, maintenant mariée, qui résidait à Québec non loin de ses parents, rue Royale, et qui n'avait pas encore d'enfant. C'est lors de ces visites que Marie-Chaton voyait à l'occasion le sieur de Lachenaye Thomas Frérot, le père de sa marraine. Elle en vint à l'appeler familièrement « parrain ». Ce dernier était tombé rapidement sous le charme de l'enfant quand elle prononçait son surnom en zézayant. Lorsqu'il lui demandait :

– Quel est ton nom, petiote ?

Elle répondait :

– Marie-Zaton Allard.

Déjà, Marie-Chaton se faisait remarquer par son tempérament singulier, à la fois charmant et expressif. Eugénie répétait à tous ceux qui voulaient bien l'entendre : « C'est normal, cette enfant étant la plus jeune, donc la plus choyée, ses caprices sont justifiés par le relâchement de la discipline à la maison. »

Frontenac avait souhaité que la tragédie soit présentée à la salle de bal du château Saint-Louis, là où Eugénie et son fils Jean-François avaient présenté leur duo, voix et clavecin. Frontenac y voyait l'occasion, en plus de faire découvrir le théâtre au peuple de la ville de Québec, de lui faire visiter le château Saint-Louis, la salle du Conseil souverain, le bureau du gouverneur, là où il avait déjà siégé aux différents traités de paix avec les Iroquois.

Eugénie avait émis des réserves quant au fait d'amener Marie-Chaton au théâtre. Anne Frérot s'était portée à la défense du principe.

– Tu sais bien, Anne, que la petite ne comprendra rien au dialogue des figurants. Déjà qu'il est difficile pour nous de comprendre, puisqu'ils parlent en vers alexandrins.

Anne lui avait répondu :

– Mais, Eugénie, le théâtre, c'est la culture. Il faudra bien que nos filles s'y sensibilisent si nous voulons qu'elles soient de leur siècle. Aussi bien que Marie-Chaton commence dès maintenant. Et puis, tu seras là pour répondre à ses questions.

– Mais elle vient à peine d'avoir dix ans. Cela me surprend de ta part. L'aurais-tu permis à tes filles au même âge, Anne?

– Eugénie, je te défends de critiquer mon jugement! Je ne mettrais jamais ma cousine dans de mauvais draps, voyons! Cette enfant-là est curieuse. Tout l'intéresse. Cet art ne peut que l'impressionner et meubler son imagination si fertile.

– Je ne te critique pas. Je mets simplement en doute le fait que le théâtre soit la place d'une enfant de dix ans. Jean-François te le dirait, lui qui sera bientôt prêtre. Monseigneur de Saint-Vallier, dans ses sermons, trouve que le Diable se déguise sous les traits de ces acteurs de théâtre. Voudrais-tu défier les directives de l'archevêché, par hasard?

– Eugénie, je te répète que cette pièce de théâtre n'est qu'une distraction entre femmes qui se cultivent... c'est tout! Et Marie-Chaton le deviendra sous peu. Crois-moi, le temps file. On ne voit pas vieillir ses enfants.

– Écoute-moi, Anne, si Monseigneur de Saint-Vallier venait à apprendre que ses zélatrices de la Confrérie de la Sainte-Famille se distraient dans des lieux mal famés, je ne donne plus cher de notre bénévolat à nous trois!

– Nous ne serons tout de même pas excommuniées!

– En tout cas, je souhaite que mon fils Jean-François ne l'apprenne pas. Son ordination prochaine pourrait être compromise. Tu te souviens, Monseigneur de Saint-Vallier a laissé en plan la cérémonie de deux aspirants à la prêtrise et même frappé d'interdit l'église des Récollets parce que le gouverneur de Montréal avait été favorable au théâtre.

– Ton Jean-François est la relève du chanoine Martin et l'un des plus beaux espoirs du diocèse de Québec. Je doute qu'on lui en tienne rigueur parce qu'on a vu sa mère au théâtre.

– Peut-être pas la communauté de Québec, mais notre fils, oui. Tu sais comment il peut être radical et à cheval sur les principes !

Pour plus de certitude, Eugénie avait abordé la question avec François qui s'était montré plutôt favorable au projet.

Surmontant ses réserves, pour que la petite Marie-Chaton puisse apprécier sa première visite au théâtre, Eugénie avait décidé pour le groupe d'aller voir la représentation de l'après-midi. En même temps, la visite du château Saint-Louis serait une distraction formatrice pour la jeune élève. Mathilde, qui connaissait bien les aires du château, s'improvisa guide. La représentation débuta vers trois heures, un dimanche après-midi d'été.

La salle de bal qu'Eugénie connaissait bien pour y avoir par le passé donné deux concerts, en 1666, à son arrivée en Nouvelle-France, et en 1689, après la naissance de Marie-Chaton, avait été agrandie pour les besoins de l'augmentation de la population de Québec. Cette salle pouvait accueillir trois cents spectateurs. Les représentations théâtrales, cependant, n'attiraient pas autant d'amateurs à la fois, hormis les soirs de première. Mathilde avait réussi à obtenir de bonnes places dans la première rangée, juste en face de la corbeille dissimulant les souffleurs et les mécanismes de changement de décor. Marie-Chaton prit place entre sa marraine Marie-Renée et sa mère qui tenait à recueillir les réactions de sa fille, qui paraissait très impressionnée.

– Toc, toc, toc… résonnèrent à travers la salle les coups de bâton donnés sur l'estrade.

– Qui va là ?

Aussitôt, le rideau de scène se leva et les premiers personnages de la pièce s'exécutèrent.

Marie-Chaton fut ébahie par les costumes des acteurs et les décors fabriqués exprès pour la pièce, hauts en couleur. Si elle ne comprenait que peu de choses au dialogue, elle était par contre intriguée par les mimiques des souffleurs qu'elle pouvait apercevoir de sa place. À l'entracte, elle demanda à Eugénie :

— Maman, pourquoi y a-t-il des gens qui donnent la réponse avec le manuel du maître ? C'est mal de tricher.

— Mais, ma chérie, ils ne trichent pas. Ils veulent simplement éviter qu'une perte de mémoire ne nuise à la qualité du spectacle.

— En tout cas, moi, si je deviens actrice, je vais apprendre mon texte toute seule et le réciter sans erreur.

La réponse de la fillette étonna son entourage. Aussitôt, Marie-Renée demanda à la fillette :

— Tu aimerais devenir comédienne, Marie-Chaton ?

— Je serai la meilleure comédienne.

C'est alors qu'Anne Frérot répliqua :

— Tu en as de l'imagination, ma jolie. Pour cela, il faudra que tu voyages beaucoup.

— Comme parrain Thomas.

La réplique de l'enfant surprit Anne à un tel point qu'elle se rembrunit. Eugénie couvrit la remarque de sa fillette.

— Voyons, Marie-Chaton, ton parrain, c'est François Guyon. Thomas est le parrain de ton frère Simon-Thomas.

— Comme mon parrain Thomas, insista la petite.

Anne et Mathilde toisèrent le regard d'Eugénie. Cette dernière, qui semblait comprendre leur réaction, répondit :

– Je vous dis qu'elle en a tout un caractère, celle-là. Je me demande de qui elle le tient !

Anne et Mathilde se regardèrent toutes les deux. Leur silence se faisait complice de leur pensée commune. L'une et l'autre avaient le goût de répondre à Eugénie :

D'après toi, Eugénie, où est-elle allée le chercher, ce tempé rament-là ? Du côté de François ou du tien ?

Quand Marie-Chaton revint à Charlesbourg, elle décida de monter une pièce de théâtre avec son frère Simon-Thomas qui n'avait pas les mêmes dispositions, ni les mêmes intérêts que sa petite sœur pour cet art. Marie-Chaton obligea Eugénie et François ainsi que tante Odile à assister à la représentation qui ne dura que quelques minutes. Marie-Chaton jouait l'héroïne, une bergère aimée d'un prince. Elle avait demandé à sa mère d'être la souffleuse, au cas où…

La petite déclama son rôle sans faille. La mauvaise performance de Simon-Thomas fit comprendre à Marie-Chaton qu'il valait mieux ne se fier qu'à elle-même. Elle décida donc de déclamer ce qu'elle avait composé sur une feuille de papier trouvée dans le secrétaire d'Eugénie.

Au sermon du dimanche, le curé Alexandre Doucet de la paroisse de Saint-Charles-Borromée de Charlesbourg fustigea les paroissiens qui avaient corrompu leur âme en assistant aux représentations théâtrales présentées par des suppôts de Satan. Eugénie, au jubé, en eut des frissons dans le dos. Elle se rendit compte, ou du moins le croyait-elle, qu'elle avait été la seule de la paroisse à avoir assisté à une pièce de théâtre. Dans son banc de marguillier, François réalisa que les conséquences pouvaient être désastreuses. Eugénie, après la messe, qui s'attendait au pire, eut le désagrément de se voir dire par monsieur le curé :

– Madame Allard, Monseigneur de Saint-Vallier m'a demandé de vous transmettre de bien mauvaises nouvelles…

Eugénie le regardait avec appréhension.

– J'espère qu'il ne s'agit pas de Jean-François.

– Madame Allard, le diocèse a pris la décision de vous remplacer dans votre office de bienfaitrice de la Confrérie de la Sainte-Famille à Charlesbourg, ainsi que, bien sûr, votre mari. Toutefois, compte tenu de votre zèle inlassable, notre prélat entend vous remercier en vous remettant ce certificat qui vous garantit des indulgences pour votre vie durant! Tenez…

Eugénie prit le billet, la main tremblotante. Elle remercia à son tour, du bout des lèvres, et rapidement s'en alla retrouver François qui l'attendait sur le perron de l'église avec Marie-Chaton.

Voyant la blancheur cadavérique d'Eugénie et le temps qu'il lui fallut pour parler, François lui dit :

– De mauvaises nouvelles, ma femme ?

Eugénie ne réagit pas. Pour toute réponse, deux larmes coulèrent sur ses joues. Aussitôt, François lui prit la lettre des mains et lut.

– Je m'y attendais. Allons, rentrons à la maison.

En cours de route, Marie-Chaton posa la question :

– Pourquoi monsieur le curé a-t-il dit qu'il était péché d'aller au théâtre ? Irons-nous en enfer ?

– Mais non, ma chérie, pas toi, tu es trop petite.

– Toi, alors ?

– Pas davantage. J'ai déjà ma punition.

Quand Eugénie provoqua l'occasion d'aller à Québec afin de rencontrer Mathilde, la responsable diocésaine de la Confrérie de la Sainte-Famille, cette dernière lui apprit que Monseigneur de Saint-Vallier lui avait préféré une autre dame patronnesse, ainsi qu'à Anne. Mathilde n'en revenait pas, à son tour, de la réaction radicale du prélat.

– Dis-moi, Eugénie, a-t-on fait quelque action si grave?

– Oui, si l'on considère que nous devions donner l'exemple en qualité de zélatrices de la Confrérie et que nous avons fait tout le contraire. La responsabilité de cet acte répréhensible me revient. En plus, j'ai amené la petite au théâtre. Ma conduite n'a pas été responsable!

– La mienne non plus, en tant que responsable diocésaine. J'aurais dû m'opposer à la proposition d'Anne.

– Je vais tenter de faire intervenir mon fils Jean-François.

Eugénie se rendit au Séminaire de Québec pour s'entendre dire:

– Maman, c'est moi qui vous ai dénoncées auprès de Monseigneur de Saint-Vallier. C'était pour le bien de notre communauté chrétienne. Vous n'étiez plus digne de conseiller le peuple chrétien de Charlesbourg.

– Mais comment cela, Jean-François?

– Vous avez fauté, en pleine connaissance de votre péché. Il faut expier maintenant. Vos indulgences vous aideront à réprimer vite le tort commis.

De retour à Charlesbourg, Eugénie raconta à François la délation de leur fils Jean-François. Philosophe, ce dernier répondit:

– Nous avons beaucoup donné à la paroisse, toi et moi. C'est le temps de passer le flambeau à d'autres. À ce que je sache, tu restes à l'harmonium et au chœur de chant, et moi, comme marguillier. Il y a sans doute beaucoup de rancune vis-à-vis du théâtre et de l'administration coloniale, dans cette décision. Ce rapport de force, nous en avons été les victimes. Ça nous permettra de penser davantage à nos enfants. Il y en a une qui semble avoir été marquée, mais positivement, par son après-midi de théâtre.

Tu devrais prendre exemple sur notre fille, Eugénie !

CHAPITRE XIX
Monime

Je l'aime, et ne veux plus m'en taire
Puisqu'enfin pour rival je n'ai plus que mon frère.

Marie-Chaton répétait sans arrêt cette réponse de Xipharès à Arbate, dans la pièce *Mithridate*, concernant l'amour qu'il vouait à la belle Monime. Elle faisait la ronde autour de la table en sautillant, une cuiller de bois en guise d'épée, pourchassant son frère, Simon-Thomas.

Puisqu'enfin pour rival je n'ai plus que mon frère.

– Maman, maman, dites-lui d'arrêter de me menacer. Je vais être obligé de me défendre, menaça Simon-Thomas.

Eugénie répétait inlassablement à sa fille depuis la représentation théâtrale :

– Marie-Chaton, tu devrais aller voir le petit veau à l'étable ou donner à manger aux poules. Et, surtout, arrête de tourner en rond et de répéter constamment la même phrase. Il doit y en avoir d'autres dans cette pièce.

– Mais c'est la seule dont je me souvienne. Est-ce que tu pourrais m'enseigner une autre phrase, maman?

– Pour que tu nous la répètes sans cesse?

– *Je l'aime, et ne veux plus m'en taire, puisqu'enfin pour rival je n'ai plus que mon frère.*

– Vas-tu à la fin nous réciter autre chose, une comptine que tu as apprise, par exemple?

– Non, non, c'est celle-là.

– Hum! Si tu continues à m'agacer de la sorte, je vais te réciter un autre beau passage. Mais il faut que j'en parle à ton père, avant.

Quand l'occasion se présenta, Eugénie aborda la question avec François:

– Qu'est-ce que tu penses de l'attitude de Marie-Chaton? Elle n'en démord pas de réciter un des passages de la pièce de théâtre, celui qui fait référence à son frère.

– Lequel, Eugénie?

– C'est comme si tu ne l'avais jamais entendu! Lorsqu'il s'agit de ta fille, rien n'est répréhensible, répondit-elle, avec un sourire complice, tout en sachant que la fillette profitait du relâchement de la discipline familiale de ses parents, à l'orée de la cinquantaine.

– Si elle aime tellement le théâtre, tu n'as qu'à lui faire apprendre des strophes si compliquées qu'elle se fatiguera vite de s'entêter à les réciter.

– C'est mal connaître notre fille! Mais l'idée a du sens. Maintenant, il faut que je récupère un extrait de cette fameuse pièce de Jean Racine. Mais c'est risqué. Qui, crois-tu, pourrait avoir ce qu'il nous faut?

– Pas mal de gens ont assisté à la pièce depuis le temps qu'elle est jouée, malgré la réaction de Monseigneur de Saint-Vallier.

– C'est à se demander qui mène notre colonie, l'archevêché ou le gouverneur!

– Pour le salut éternel, l'archevêché, mais pour le bien-être des colons, c'est le gouverneur. Du moins, c'est ce que je pense.

– Crois-tu que Mathilde aurait cet extrait?

– Là, Eugénie, j'en serais très étonné. Depuis sa destitution, Mathilde se sent coupable de tout et de rien. C'est ce que m'a dit Guillaume-Bernard. Elle s'en est probablement débarrassée.

– Alors qui?

– Il ne faut pas aller plus loin que la famille pour le trouver!

– Certainement pas Jean-François!

– Surtout pas! Mais notre cousine Anne, sans doute. Je me suis laissé dire par Thomas qu'Anne ne décolérait pas devant la réaction despotique de l'archevêché. Elle dit à tout vent que Monseigneur de Laval, même avec son attitude inflexible, valait beaucoup mieux que Monseigneur de Saint-Vallier. Anne lui avait même demandé de lui procurer l'édition complète des œuvres des grands dramaturges, Corneille et Racine, et même celles du scandaleux monsieur de Molière.

– Quoi! Anne! Mais elle sera excommuniée si l'archevêché l'apprend!

– Ils le savent sans doute. Mais j'ai pour mon dire que c'est le Conseil souverain et, au plus haut échelon, le Roy qui dirigent la colonie. Et à Versailles, le théâtre est une distraction royale, recommandée au peuple de Paris. Ce Molière l'avait bien compris. Ses comédies ont la cote auprès du peuple. C'est ce que mon ami Charles-André Boulle m'a écrit récemment.

– Je me méfie tout de même du progrès, surtout quand il s'agit du salut des âmes.

– Toi, Eugénie, tu vois le Malin partout! Et maintenant, il s'est incarné en Anne!

– Je dis simplement qu'Anne prend un gros risque de défier l'autorité ecclésiastique.

– C'est dans le tempérament d'Anne d'oser l'interdit. Elle nous l'a déjà prouvé.

– Que veux-tu dire, François? La vie sentimentale des autres ne nous regarde pas!

– Je ne te parle pas de ça, Eugénie! Je voulais simplement dire que c'est Anne qui vous avait proposé d'assister à cette représentation théâtrale.

– … Si tu savais comme je le regrette!

François voyait bien qu'Eugénie était encore bouleversée par le billet. Cette dernière vivait toujours avec la honte de sa destitution devant les paroissiens de Charlesbourg. Tout cela parce qu'Anne leur avait proposé une distraction quasi interdite, mais surtout parce qu'Eugénie avait été profondément humiliée dans son orgueil.

Eugénie continua:

– Je me demande si j'ai la bonne façon d'élever notre petite fille. Elle est si particulière. Avec les garçons, tout allait parce qu'il y avait le travail de ferme, ton atelier et le Petit Séminaire. Mais avec une fille, comment faire? Ce n'est pas Mathilde qui pourra me le dire, car elle n'a élevé que des garçons.

– Anne, à ce que je sache, a eu deux filles, de vraies demoiselles ! Et Marie-Renée est la marraine de Marie-Chaton. Une excellente marraine.

– Oui, mais Anne a bien changé depuis !

– Depuis le retour du chevalier de Troyes ?

– François !

– Tu vois, Anne a toujours été la même et ses filles sont parfaites. Sais-tu pourquoi, Eugénie ?

– …

– Parce qu'il vient un temps où une mère, tout aussi bien intentionnée et talentueuse que toi, ne peut plus encadrer sa fille, si cette dernière démontre des dispositions particulières. Et je pense que c'est le cas de notre fille.

– Que veux-tu dire par là ?

– Qu'il serait temps de confier notre fillette à une institution religieuse pour préparer son avenir. Tu sais laquelle, bien entendu.

– Les Ursulines ? A-t-elle la vocation religieuse ?

– Pas pour une future vocation, mais pour son instruction. Mais sait-on jamais !

– Marie-Chaton est si fragile ! Comment pourra-t-elle se débrouiller ?

– En septembre, elle aura onze ans. C'est l'âge de l'entrée des couventines. Pensons-y !

– Elle sera pensionnaire ?

– Et puis ? Les garçons s'y sont faits, eux.

– À être privés de nourriture, oui.

– Mais tu connais bien les Ursulines. Tu y as encore plein d'amies. Tu pourras surveiller l'éducation de ta fille. Elle pourrait même se rendre les dimanches chez Mathilde ou chez Anne, si tu le préfères.

– Non, pas Anne. Plutôt Marie-Renée Frérot, sa marraine.

– Si tu le préfères. Mais Mathilde aurait la fille qu'elle n'a jamais eue.

Eugénie réfléchissait en silence. Les idées se bousculaient dans sa tête, mais se terminaient par le même constat.

Marie-Chaton chez les Ursulines. J'aurai confié mon bébé. Mathilde est la plus susceptible de me seconder. Elle est sur place à Québec. Et puis, Mathilde, je l'ai toujours considérée comme ma petite sœur. Elle veillerait sur Marie-Chaton comme je le ferais et comme si elle était sa propre mère.

François sortit Eugénie de ses pensées en reprenant la conversation du début.

– Il ne faut pas blâmer Anne pour le tort que l'archevêché nous a fait subir. Nous étions tous complices de son idée. Toi aussi, Eugénie. Et, je te le rappelle, tu souhaites encourager notre fille dans son intérêt pour le théâtre. Et je suis d'accord avec toi. Pour le moment, personne ne sait qu'Anne a entre les mains de la littérature qui inquiète l'archevêché. Ce n'est tout de même pas la farce de maître Pathelin. Gardons ce secret pour nous. Anne va se faire un plaisir de te remettre l'édition.

– Je ne sais pas si je dois !

– Ce n'est pas toi qui souhaites surveiller la bonne instruction de Marie-Chaton ?

– Oui, bien sûr.

– Alors, il vaudrait mieux que tu puisses y voir dès maintenant avant que les Ursulines censurent ses lectures.

La réponse de François sécurisa Eugénie. Elle se voyait en train de louvoyer entre sa propre éducation religieuse, austère, et les nouvelles idées plus libérales qui parvenaient de Paris. Comme la tergiversation n'était pas dans son caractère, Eugénie souhaitait pour sa fille un encadrement respectant les principes religieux et diffusant les connaissances académiques nécessaires à la formation de sa jeune fille.

Eugénie tint sa promesse. Elle se rendit chez Anne et choisit un autre passage de la pièce *Mithridate*, moins compromettant cette fois que celui que répétait sans cesse Marie-Chaton. Revenue à Bourg-Royal, Eugénie remit à la fillette une feuille de papier et lui dit :

– Tiens, Marie-Chaton. Voici le texte que je t'ai promis et que j'ai choisi. Toujours de Xipharès à Arbate.

L'Euxin, depuis ce temps, fut libre, et l'est encore ;
Et des rives de Pont aux rives du Bosphore,
Tout reconnut mon père, et ses heureux vaisseaux
N'eurent plus d'ennemis que les vents et les eaux.

– Mais c'est trop difficile. Et de quel pont s'agit-il ?

– L'histoire se passe dans les vieux pays d'Europe et d'Orient, au moment de l'Empire romain. Les ponts représentent des détroits que les bateaux doivent emprunter et qui sont très dangereux.

– Moi, je préfère quelque chose de plus facile.

Je l'aime et ne veux plus m'en taire
Puisqu'enfin pour rival je n'ai plus que mon frère

– Si tu continues, Marie-Chaton, nous t'appellerons Monime, comme l'héroïne de la pièce.

– Oh oui, Monime. J'aime beaucoup ce prénom-là.

Pendant un certain temps, à tout un chacun qui fréquentait la maison des Allard, la fillette se présentait comme Monime Allard. À tel point qu'Eugénie s'en fit faire la remarque par le curé Doucet, après la messe du dimanche, alors qu'elle était en train de classer ses partitions musicales. Eugénie craignait encore la colère du prélat de Québec.

– J'ai entendu dire, madame Allard, que votre petite dernière aimait afficher un prénom païen, qui n'est sans doute pas celui qu'elle a reçu à son baptême.

– Ce n'est pas un surnom païen, monsieur le curé. C'est nous qui l'avons surnommée Marie-Chaton. Mais ce n'est pas très méchant, tout de même !

– Bien sûr que non. Si ce n'était que cela. Mais ce n'est pas de celui-là que je parle. L'autre nom est vraiment païen.

– Ah oui, lequel ?

– Monime, paraît-il !

En entendant le prénom de la princesse païenne, Eugénie blanchit. Le diocèse avait même des espions partout dans la paroisse. Prenant sur elle, elle décida d'éviter de confronter Monseigneur de Saint-Vallier.

– Et que me conseillez-vous, monsieur le curé ?

– Et pourquoi ne pas l'appeler Monique ? Sainte Monique est la mère de saint Augustin, n'est-ce pas ? Et c'est joli en plus.

– Vous avez raison, nous ferons en sorte qu'elle puisse s'amuser à choisir un prénom chrétien.

– Votre fillette semble prendre plaisir à jouer plusieurs personnages. C'est malsain, le théâtre, vous savez. Il peut faire un tort irréparable. Vous êtes bien placés pour le savoir, avec votre mari! Allez-vous voir encore des représentations théâtrales, madame Allard?

Eugénie toisa le regard du curé de la paroisse et lui répondit avec aplomb:

– Monsieur le curé, mon mari et moi éduquons nos enfants dans la foi chrétienne et dans le droit chemin. André est un sculpteur déjà reconnu, Jean-François sera bientôt reçu prêtre, Jean prendra la relève de son père sur la ferme, Dieu soit loué, et les autres sont encore trop jeunes. Nous savons très bien ce qui convient aux talents de nos enfants, qui sont différents pour chacun d'eux. Si notre fille a un talent particulier pour l'expression théâtrale, nous l'encouragerons à cultiver ce talent, rare, dans les sentiers de la vertu et conformément aux commandements de Dieu et de l'Église.

– Mais, madame Allard…

– Sauf votre respect, monsieur le curé, ces commandements, nous devrions les connaître puisque nous avons œuvré si longtemps à la Confrérie de la Sainte-Famille, ici-même, à Charlesbourg.

Le curé avait le teint livide.

– Bien entendu, madame. Je vous fais confiance ainsi qu'à votre mari pour l'éducation de vos enfants.

Rendue à la maison, Eugénie fit à son mari le compte rendu de l'apostrophe du curé et lui dit, excédée:

– Il est grandement temps que Marie-Chaton étudie chez les Ursulines. Cette disposition pour le théâtre a pris des proportions inattendues et qui me dépassent. Je suis en train de me mettre à dos tout l'archevêché ! Et je ne suis pas la seule. Anne et Mathilde aussi.

François eut une réponse qui fit réagir Eugénie.

– Si le Roy permet et encourage le théâtre, cela prouve que vous êtes encore et toujours les filles du Roy. Vous voulez donner ce qu'il y a de meilleur à vos enfants… à nos enfants. Le Roy l'a compris. L'archevêché suivra.

Eugénie gardait le silence. La remarque de François la frappa, surtout venant d'un homme occupé à développer le pays et qui avait peu de temps à consacrer aux activités éducatives et culturelles, tout comme les autres habitants. Elle fut davantage surprise quand François ajouta :

– La *commedia dell'arte* est bien d'Italie, tout comme le Vatican, d'ailleurs.

Eugénie regarda son mari avec admiration.

Où François a-t-il pu apprendre tout cela ? Probablement à l'école des Gobelins, à Paris.

Eugénie continua, confuse dans ses valeurs :

– Et si le théâtre était l'œuvre du Malin ? J'ai déjà appris, en écoutant une conversation de notre supérieure au monastère à Tours, qu'elle-même était la tante d'une des maîtresses du Roy ! Notre Roy n'est pas le souverain pontife en matière de morale, si c'est vrai. Il peut encourager le théâtre, tout en oubliant que c'est la création de Lucifer.

– Est-ce que notre Roy irait à l'encontre des directives du pape ? Je ne le pense pas, sinon il serait excommunié. Notre Roy respecte l'autorité papale. Le théâtre n'est pas défendu.

– Alors, pourquoi l'archevêché est-il si sévère lorsqu'il s'agit de théâtre ?

– Parce que le théâtre véhicule de nouvelles idées. Et l'arche-vêché qui se porte garant de la foi de ses ouailles entend bien la contrôler. C'est plus simple.

– Comme nous avec Marie-Chaton. Nous préférons la confier aux Ursulines pour qu'elle ait une instruction encadrée, n'est-ce pas?

– Tout juste. Hormis le fait que le diocèse représente la plus haute instance en Nouvelle-France. C'est son rôle de prendre position. Plus elle est autoritaire, plus elle est facile à administrer. Toutefois, plus elle est sujette à critique. Or, si nous la contestons soit ouvertement, soit par des actions répréhensibles, alors nous avons droit à des punitions, comme celle que nous avons eue.

– Pire qu'une punition, ç'a été une sentence de condamnation.

– Parce que notre archevêque a voulu faire de nous un exemple retentissant.

– Il a bien réussi.

– Maintenant, il faut que nous vivions avec cette réalité. C'est le prix de la liberté de pensée. Mais tu es bien placée pour le comprendre, toi qui as réussi à convaincre Monseigneur de Laval d'aller enseigner aux petits Hurons de l'île d'Orléans.

– Mais je ne défiais pas son autorité. J'ai été audacieuse, sans doute un peu téméraire, mais jamais irrespectueuse.

– C'est ce que tu crois. Mais, lui, le voyait-il de cette façon? Peut-être pas. Et tu as réussi à créer de nouveaux sentiers. Tu as été une pionnière en agissant selon ton instinct et ton talent. Cette fois-ci, en allant au théâtre et en cherchant à guider Marie-Chaton, tu sors encore des sentiers battus. C'est sans doute ton talent de mère de famille qui guide ton instinct, ou vice-versa, peu importe. Tu prépares sans doute l'avenir de cette petite en étant éveillée à de nouvelles idées comme le théâtre. C'est du moins la façon de justifier ton attitude. Et cela, personne ne peut nous le contester, hormis notre conscience de parents.

– Même pas l'archevêché?

– Je ne suis ni Jésuite ni instruit comme Jean-François, Eugénie. Et je ne cherche pas à contester l'autorité de l'Église. Au contraire, tu le sais bien. Je suis marguillier, grand voyer et fus pendant longtemps zélateur pour la Confrérie de la Sainte-Famille à Charlesbourg. Mon épouse, toi tu en a fait encore plus que moi pour le diocèse. Mais je sais aussi que nous sommes les parents de Marie-Chaton et que nous sommes les mieux placés pour veiller à son avenir.

– Il ne faudrait pas que notre fils Jean-François t'entende, lui qui honnit le théâtre.

– Tout futur Jésuite qu'il soit, nous devons préparer l'avenir de Marie-Chaton, comme nous avons préparé le sien. Qu'il ne l'oublie pas!

Eugénie écoutait les propos de François avec une sincère attention. Le jeune homme plutôt taciturne qu'elle avait épousé s'était transformé en un homme philosophe.

Mon Dieu, si je lui avais laissé la chance de s'exprimer plus souvent! Jamais je n'aurais cru qu'il pouvait disserter de cette façon. Que la vie est étrange! Vivre avec un être depuis tant d'années et découvrir qu'il y a une facette de sa personnalité qui nous est inconnue.

– À propos, François, j'ai l'impression que nous serons à l'honneur à la basilique bientôt. L'archevêché a récemment annoncé qu'on procéderait à l'ordination de quelques scolastiques.

– Alors, dépêchons-nous de faire l'admission de Marie-Chaton au couvent des Ursulines. Mais, comme c'est un endroit familier pour toi, pourrais-tu t'en occuper?

– Cette fois-ci, j'aimerais que tu m'accompagnes. Comme cela, la petite saura que ses deux parents s'occupent de son avenir, proposa Eugénie d'un ton narquois.

– Excellente idée. J'aurais dû te le proposer.

Quand la mère supérieure des Ursulines reçut, au début du mois d'août 1699, Eugénie, François et Marie-Chaton, afin de faire l'admission de cette dernière, la révérende mère toute compatissante et ravie d'avoir comme pensionnaire la fille de mademoiselle Languille, devenue madame François Allard, qui avait laissé un excellent souvenir lors de son passage au monastère, trente ans passés, demanda à la fillette quel était son prénom. Cette dernière répondit :

– Monime, ma mère.

Surprise par l'étrange prénom, la religieuse rétorqua, croyant avoir mal entendu :

– Monique ? Que c'est joli comme prénom. Comme sainte Monique.

Aussitôt, après avoir adressé un regard à sa fille, Eugénie prit la parole :

– Monique est son deuxième prénom. Marie-Renée est son vrai prénom. C'est comme cela que nous la prénommons. N'est-ce pas, ma fille ?

Au regard de sa mère, la fillette crut bon de baisser la garde et d'obtempérer.

– Je m'appelle Marie-Renée.

Mais pas tout à fait.

– Mais mon deuxième nom est Monime.

Perplexe, la supérieure réagit :

– Je crois que votre Marie-Renée a quelques difficultés de langage. Nous avons ici des enseignantes parisiennes qui se feront un plaisir de lui enseigner la diction. N'est-ce pas, madame Allard ?

Eugénie fit une moue qui en disait long sur la réprimande qu'elle voulait faire à sa fille. Mais pour ne pas perdre la face devant son ancienne compagne de couvent, elle répondit :

– Vous savez, ma mère, à Charlesbourg, la diction de nos bons habitants est plus relâchée. Il ne serait pas mauvais, en effet, que notre petite puisse parler le meilleur français, celui de Paris. N'est-ce pas, François ?

Ce dernier opina de la tête en marmonnant :

– Hum, hum.

La religieuse, qui s'était assise devant son secrétaire, reprit :

– Donc, nous inscrirons cette Marie-Renée au cours de diction. Vous savez que nos religieuses ont toutes un excellent parler. Toutefois, les Canadiennes n'ont pas la rigueur de la diction parisienne. Vous savez que nous voulons faire de nos pensionnaires les élites de cette ville.

Eugénie et François se regardèrent, alors que Marie-Renée détaillait la pièce avec ses crucifix et ses gravures, se dandinait sur une jambe et sur l'autre. Eugénie, qui la tenait par la main, la lui serra plus fort afin de calmer la fillette.

– Mère, vous me faites mal ! s'écria Marie-Renée.

La religieuse leva la tête, inquiète. Eugénie lui fit le plus beau des sourires et dit :

– Mon mari vient de lui fabriquer de nouveaux sabots. Son mal vient sans doute d'un mauvais ajustement. N'est-ce pas, François?

François, qui n'avait jamais raté un seul sabot de sa vie et qui avait une réputation sans tache à cet égard, se vit obligé de répondre :

– J'y donnerai un coup de ciseau aussitôt que nous retournerons à la maison. Ça ne fera plus mal.

La religieuse sembla satisfaite de la réponse. Elle ajouta, en levant la tête de manière interrogative à l'endroit d'Eugénie :

– Nous avions une élève du nom de Marie-Renée Frérot. La fille du seigneur de la Rivière-du-Loup. La connaissez-vous ?

– C'est ma marraine, c'est ma marraine ! s'écria Marie-Chaton.

– Eh bien, mademoiselle Monique Allard, vous avez de la chance d'avoir une marraine de la sorte. Une jeune fille exemplaire… Elle tient cela sans doute de son père, parce que sa mère… Enfin !

Surprise, Eugénie questionna :

– Sa mère ? Qu'a-t-elle fait, sa mère ?

La religieuse, sous le couvert de la confidence, répondit :

– Sa mère, m'a-t-on dit, collectionne de la littérature interdite.

– Interdite par qui, ma mère ?

– Par le gros bon sens !

Eugénie, rouge de colère, réussit à se contenir. Pas assez pour pincer le bras de Marie-Chaton qui poussa un cri de douleur.

— Assez crié, Marie-Renée. Tu enlèveras tes sabots une fois à la maison.

Et, à l'endroit de la religieuse, elle releva la tête, fière, et lui dit:

— Sachez, ma mère, que j'ai côtoyé ce personnage, le gros bon sens, toute ma vie et que jamais, au grand jamais, il ne m'a parlé en mal d'Anne Frérot, qui est notre cousine et pour laquelle j'ai la plus grande amitié.

Consciente de l'erreur qu'elle venait de commettre, la religieuse continua:

— Nous attendrons Marie-Renée dans l'après-midi du dimanche de septembre qui fera suite à l'ordination d'un postulant à la prêtrise.

Alors, Eugénie prit sa revanche sur la supérieure en disant:

— Ne craignez rien, ma mère, nous y serons pour sûr, puisque notre fils Jean-François sera ordonné prêtre ce jour-là.

La religieuse regarda Eugénie, pleine d'admiration.

— Je ne suis pas étonnée que des parents tels que vous aient la joie de voir leur fils reçu au ministère du Christ. Toutes mes félicitations! Seuls des parents très chrétiens, qui pratiquent les sacrements et qui se conforment aux directives de la sainte Église et du diocèse, peuvent recevoir cette récompense du ciel.

Empruntant le langage de la fausse modestie, Eugénie répondit:

— Dieu a été bon pour nous. Cet enfant a toujours été pieux et docile. C'est le ciel qui nous l'a envoyé.

– Alors, il en sera de même pour cette petite Marie-Renée Monique. Nous en prendrons bien soin. Une future vocation se dessine-t-elle en elle? Nous ferons en sorte qu'elle soit à l'écoute du message de Dieu. Mais ne mettons pas la charrue devant les bœufs, comme disent nos bons habitants.

– Vous avez raison, ma mère. Marie-Renée est encore bien jeune, en effet.

Comme Marie-Renée se dandinait en tortillant ses mèches blondes, la mère supérieure se fit la réflexion : « *Si jeune et déjà si crâneuse!* »

CHAPITRE XX
L'ordination

Un dimanche avant-midi du mois de septembre 1699, à la basilique Notre-Dame de Québec, eut lieu l'ordination de Jean-François Allard, devant ses parents, leurs amis, le clergé du diocèse et la population de Québec. Monseigneur de Saint-Vallier dirigea cette cérémonie comme le pasteur menant son troupeau à la vie éternelle.

Au premier banc se tenaient Eugénie et François avec Marie-Chaton. Derrière eux, André et Marie-Anne, son épouse, Jean, Georges et Simon-Thomas, leurs fils. Enfin suivaient Mathilde, Guillaume-Bernard et leurs cinq garçons, puis Anne, Thomas et leurs enfants. Marie-Renée Frérot était accompagnée de son mari. De l'autre côté de la nef, la population de Québec. Dans le chœur, le clergé de la Nouvelle-France. Depuis que Monseigneur de Saint-Vallier avait refusé une prise d'habit à l'église du Sault-au-Récollet, l'archevêché était sur le qui-vive. Il était vrai que depuis le décès du gouverneur Frontenac, tout au plus une année passée, l'humeur du prélat s'était radoucie.

Pour la cérémonie, Eugénie avait revêtu une robe sobre de couleur foncée. Un châle recouvrait ses épaules. Un chapeau neuf la coiffait. François avait sorti son habit de noces. Eugénie y avait apporté les ajustements nécessaires. Le calice et la patène que ses parents offraient à Jean-François pour son ordination avaient coûté les yeux de la tête. Les garçons, Georges et Simon-Thomas, portaient l'uniforme des petits séminaristes et Marie-Chaton, la robe de costume des élèves du couvent des Ursulines.

Jean-François Allard était étendu sur le sol, au pied de l'autel, immobile dans son aube blanche, face contre terre. Ses parents n'osaient pas le regarder, de peur de le distraire dans sa méditation. Marie-Chaton, qui dévisageait son grand frère, malgré les interdits d'Eugénie qui, de sa main gauche cachée sous son châle, pressait l'avant-bras de sa fille, avait le goût d'aller l'embrasser et de lui réciter en catimini :

> *Je l'aime et ne veux plus m'en taire*
> *Puisqu'enfin pour rival je n'ai plus que mon frère*

Et puis, Marie-Chaton se dit que cela ne serait pas une bonne idée. Par ailleurs, elle se voyait comme Jean-François, devant une foule de spectateurs, adulée et applaudie, en train de leur réciter des vers qu'ils aimaient, encore et encore.

> *Moi aussi, je veux un jour avoir mon heure de gloire et devenir une vedette. Je veux être belle tous les jours, la plus belle !*

L'ordination eut lieu après la lecture de l'Évangile, à la place du sermon, avant l'offertoire. Coiffé de sa mitre et appuyé sur sa crosse, le prélat de la Nouvelle-France s'adressa d'abord à l'assistance :

– Par le sacrement de l'Ordre, le sacerdoce du prêtre est au service de tous les chrétiens. C'est le Christ lui-même qui est présent à son Église en tant que Tête de son corps, Pasteur de son troupeau, grand prêtre du sacrifice rédempteur, Maître de la Vérité.

« *In Persona Christi Capitis.*

« Le sacrement de l'Ordre communique un pouvoir sacré qui n'est autre que celui du Christ. Le Seigneur a dit que le soin apporté à son troupeau était une preuve d'amour pour Lui, par Lui, avec Lui et en Lui dans l'unité du Saint-Esprit.

« *Caput et membra.*

« Et moi, votre évêque, votre pasteur, comme le disait saint Ignace d'Antioche, je suis l'image vivante de Dieu le Père.

« *Typos tou Patros.*
« Jean-François, ici présent, ne pourra exercer son ministère que dans la dépendance de son évêque et en communion avec lui.

« Et maintenant, je vais procéder à l'ordination du postulant, Jean-François Allard. »

Aussitôt, Jean-François se leva et marcha pieds nus jusqu'à l'autel. Une fois devant l'évêque, il s'agenouilla. Alors, le prélat de Québec imposa les mains sur la tête de l'ordinand et récita la prière de consécration, demandant à Dieu l'effusion de l'Esprit-Saint et de ses dons appropriés pour le ministère de l'ordinand.

– Comme saint Paul l'a dit à son disciple Timothée, Jean-François, je t'invite à raviver le don que Dieu a déposé en toi par l'imposition de mes mains et l'intercession du Saint-Esprit.

Recueilli, le prélat pria :

– Accorde, Père qui connaît les cœurs, à ton serviteur Jean-François, en vertu de l'esprit du souverain sacerdoce, le pouvoir de remettre les péchés suivant ton commandement, d'annoncer l'Évangile de ton royaume et d'accomplir le ministère de ta parole de vérité.

Eugénie et François, émus, se regardaient parfois du coin de l'œil avec fierté. Mais François cessa ce manège lorsqu'il se rendit compte qu'Eugénie, remplie d'émotion, refoulait ses larmes.

« *Certainement des larmes de joie* », se dit-il.« *Elle mérite tellement cette récompense de la Providence. Jean-François, qui a hérité de ses talents, lui fait la grâce de projeter l'idéal chrétien de sa mère en se faisant prêtre. S'il y a une mère qui le mérite, c'est bien elle! Vertueuse, dévouée à sa paroisse et à sa communauté et zélatrice de la Confrérie de la Sainte-Famille. C'est l'ordination de Jean-François, certes, mais c'est aussi la consécration du rôle de mère pour Eugénie. Sans l'exemple de piété qu'elle a démontré, Jean-François n'aurait jamais pensé au sacerdoce.* »

Eugénie, pour sa part, se faisait la réflexion suivante, en regardant furtivement son mari :

François doit être fier de son fils. Il l'a toujours trouvé un peu étrange avec sa jolie voix et ses épaules frêles, mais bon! D'ailleurs, elles se sont élargies, ces épaules. Tiens donc! Je ne sais pas si François l'a remarqué, mais ce fils a toujours voulu imiter son père. Comme un modèle. Mais si Jean-François est ordonné prêtre aujourd'hui, c'est grâce aux qualités de droiture et de confiance en la Providence de François. Des qualités de Normands! La franchise le mène. D'ailleurs, je n'aurais jamais pu vivre heureuse avec un tricheur. Cher François! Je ne te l'ai jamais dit, mais tu es un mari et un père modèles. Aujourd'hui, tu as ta récompense.

Ensuite, Monseigneur de Saint-Vallier fit l'onction du saint chrême sur la tête de l'ordinand, signe de l'onction spéciale du Saint-Esprit qui rendra fécond le ministère de ce dernier. Par la suite, il remit à Jean-François le calice et la patène qu'il venait de bénir, offrande du peuple saint qu'il est appelé à présenter à Dieu.

Jean-François, par la suite, récita sa promesse d'obéissance à son évêque. Aussitôt après, Monseigneur de Saint-Vallier lui fit le baiser de la paix, signifiant qu'il considérait l'abbé Jean-François Allard comme un fils et un collaborateur dans son diocèse et qu'en retour, ce dernier lui devait amour et obéissance.

Ce baiser de la paix signifiait aussi que la cérémonie tirait à sa fin. Pas tout à fait cependant, car l'usage de l'ordre presbytéral voulait que le nouvel ordonné impose les mains à son tour et donne le baiser de la paix. C'est ce que Jean-François s'empressa de faire. Il s'avança vers Eugénie et François et leur imposa les mains:

– Père, mère, je vous remercie pour m'avoir donné la vie et pour tous les bienfaits que vous m'avez fournis depuis ma naissance. De plus, si je vous ai fait du mal, je vous demande de me pardonner. De plus, je serais le plus heureux, comme nouveau prêtre, que vous acceptiez d'être bénis par votre fils.

Aussitôt, Eugénie et François s'agenouillèrent, imités par Marie-Chaton. Jean-François lui sourit. Alors, l'abbé Allard étendit le bras et leur donna sa première bénédiction.

– *In nomine Patris, et Filii, et Spiritus Sancti.*

– *Amen*, répondirent Eugénie et François.

Aussitôt, l'abbé Jean-François Allard se jeta au cou de sa mère et la pressa contre son cœur. Eugénie, raidie dans ses vêtements de cérémonie, n'en pouvant plus, se mit à pleurer discrètement.

– Mère, je suis fier d'être votre fils. Sans votre exemple, votre foi, votre dévouement et aussi, faut-il le dire, votre surveillance, je ne serais pas devenu prêtre.

Pour une rare fois, l'émotion avait eu raison du stoïcisme d'Eugénie. Plutôt que de lui répondre, ce qui aurait été dans ses habitudes, elle serra spontanément son Jean-François contre sa poitrine.

– Mon petit garçon, je suis si fière de toi et si heureuse pour toi.

Alors, de façon inattendue, Jean-François se jeta aux pieds de son père et lui demanda de le bénir.

– Père, vous me feriez un immense bonheur de me bénir, vous qui êtes le chef de notre famille, celui qui nous a appris à être « Nobles et Forts ».

Alors, François s'exécuta.

– Je te bénis au nom du Père, du Fils et du Saint-Esprit, *Amen.*

Jean-François fit un grand signe de croix, les yeux fermés, empli de spiritualité.

François, de son côté, revivait les moments de son départ de Blacqueville, alors qu'il avait demandé à son père, Jacques Allard, de le bénir. Il avait vu son père fondre en larmes. Maintenant que c'était son tour, François ressentait ce qu'avait dû ressentir son père au moment de son départ. Même si son fils restait rattaché au diocèse de Québec, il pouvait être affecté à une cure aussi loin qu'en Acadie ou en Louisiane. Comme l'oiseau s'envolait du nid un jour, Jean-François Allard ne lui appartenait plus. Il était maintenant le fils de l'évêque et le serviteur de Dieu.

Jean-François bénit à tour de rôle ses frères ainsi que Marie-Anne et puis l'assistance. Le chanoine Charles-Amador Martin, à l'orgue, entonna un *Te Deum* digne des grandes victoires de la Nouvelle-France. Lui aussi se sentait fier d'avoir veillé à la vocation religieuse de cet enfant doué. Il avait bien en tête cependant, malgré l'idéal missionnaire du nouveau prêtre, d'en faire son remplaçant comme maître chantre et organiste à la basilique de Québec.

Mathilde et Guillaume-Bernard avaient insisté pour recevoir les parents et amis, ainsi que les autorités diocésaines, rue du Sault-au-Matelot, après cette cérémonie empreinte d'émotion et de fierté. Eugénie et François se sentirent gênés de tant de gentillesse. Mais leurs amis Dubois de L'Escuyer l'auraient mal pris, sinon. Anne et Thomas Frérot ainsi que leurs enfants étaient évidemment présents.

Monseigneur de Saint-Vallier, arrivé en grande pompe, félicita les parents du nouvel ordonné. Après avoir fait baiser son anneau épiscopal, il ne tarda pas à prendre la parole, presque officiellement, devant l'assemblée, avant qu'elle ne soit dispersée et trop en liesse.

— Le diocèse fonde de grands espoirs sur votre fils, monsieur et madame Allard.

Jean-François, rougissant, était là, entre sa mère et son père.

Le prélat continua :

— Il ne fait nul doute dans mon esprit que c'est grâce à votre inlassable dévouement que votre fils est devenu prêtre aujourd'hui. À cet effet, j'aimerais vous remettre la considération diocésaine que vous méritez, la médaille frappée par le Saint-Siège à l'effigie de la Sainte-Famille. C'est la plus haute marque d'estime que Monseigneur de Laval, notre pasteur à tous et mon prédécesseur, considérait pour les grands méritants. Il l'a accordée par le passé, à titre posthume, à dame Barbe d'Ailleboust, et c'est sa nièce, madame Dubois de L'Escuyer, qui l'a reçue au nom de sa tante. Vous êtes les premiers, de mon règne, à la recevoir, et je préfère que les récipiendaires soient encore vivants.

La petite assemblée rit de bon cœur. Nul n'aurait pensé que le prélat qui avait eu maille à partir avec Frontenac pouvait avoir le sens de l'humour.

Le prélat demanda à l'un de ses clercs de remettre à François un petit coffret joliment orné. François put se rendre compte que la marqueterie portait la griffe de son bon ami Charles-André Boulle. L'évêque y sortit deux médailles identiques, représentant la Sainte-Famille, l'enfant Jésus dans les bras de saint Joseph. Y était gravé en lettres d'or : « Confrérie de la Sainte-Famille ». Monseigneur de Saint-Vallier respecta l'étiquette en passant la première médaille au cou de François et l'autre au cou d'Eugénie, avec les applaudissements des invités.

– Si vous le voulez bien, j'aimerais, en mon nom, remercier monsieur et madame Allard pour tout ce qu'ils ont fait pour le diocèse depuis mon arrivée en Nouvelle-France. J'estime que la médaille vient de la reconnaissance de Monseigneur de Laval qui vous avait tous les deux en haute estime. Pour ma part, je tiens à dire que sans vous la paroisse de Saint-Charles-Borromée de Charlesbourg ne serait pas la même. Bien sûr, vous avez grandement contribué à la construction de l'église et du presbytère et vous avez été impliqués dans l'organisation paroissiale, chacun à votre façon. Mais, surtout, vous avez été les gardiens de la foi et des valeurs chrétiennes dans votre communauté avec votre jugement de laïcs, qui complète si bien notre ministère religieux, nous de l'archevêché. Et c'est là la raison première de l'œuvre de la Confrérie de la Sainte-Famille, une œuvre diocésaine appuyée par de bons chrétiens qui connaissent les réalités de la vie laïque. Monsieur et madame Allard, merci du fond du cœur...

« Pour terminer, j'aimerais vous demander d'être les premiers membres honoraires de la Confrérie. Oh, cela ne vous demande que de nous appuyer par votre sagesse et votre foi et, par ces temps tourmentés, nous vous saurons bien gré de vous avoir... Mais je n'ai pas fini. Monsieur et madame Allard, est-ce que vous acceptez? »

Eugénie regarda François et répondit la première :

– Si François le permet, ce serait avec la plus grande joie.

– Vous m'en voyez fort aise. Mais vous allez recevoir un certificat de reconnaissance. De plus, vous serez suivis de près par deux autres familles remarquables dans cet honneur diocésain.

L'assistance se demandait bien où le prélat, qui faisait voguer la petite assemblée de surprise en surprise, voulait bien en venir. Déjà, les chuchotements signifiaient que l'on supputait le nom de ces récipiendaires comme au moment du conclave papal.

– Les deux autres familles que je veux récompenser sont présentes ici, au moment où je vous parle. Elles ont été des zélatrices à la cause de la Confrérie de la Sainte-Famille à Québec et même partout dans la vallée du Saint-Laurent. Je fais référence à la famille Dubois de L'Escuyer et à la famille Frérot de Lachenaye. Leur dévouement plaide en faveur d'une telle reconnaissance.

Mathilde, Anne et leurs maris n'en revenaient pas d'un tel honneur. Elles se félicitèrent mutuellement, ainsi qu'Eugénie. Mathilde s'essuyait déjà les yeux avec son petit mouchoir de dentelle quand le prélat leur demanda :

– Acceptez-vous cette reconnaissance du diocèse ?

Anne fixa Mathilde du regard, l'obligeant à répondre. Comme cette dernière ne réagissait pas, Anne prit la parole :

– Mathilde pleure de joie, Monseigneur. C'est un très grand honneur que vous nous faites. Nous vous en serons éternellement reconnaissants, nos maris et nous.

Au moment des festivités, Eugénie demanda à son fils Jean-François s'il avait été pour quelque chose dans la rétractation du prélat. Le nouveau prêtre lui répondit :

– J'ai péché par orgueil en voulant me substituer à l'autorité épiscopale. Et cela vous a causé du tort. Je l'ai réparé à ma façon. Monseigneur de Bernières et Monseigneur Martin ont grandement assoupli la vision de notre prélat.

Mathilde et Anne, surprises encore de l'honneur reçu, alors qu'elles croyaient être honnies à tout jamais de la considération de l'archevêché, en firent part à Eugénie.

– Que s'est-il passé pour qu'il ait fait volte-face, à ton avis ? demanda Anne.

Eugénie répondit, après avoir simulé un air réfléchi :

– Des filles du Roy aussi exemplaires, il ne faudrait pas les ignorer.

– Mais, sans blague, entre nous, est-ce que nos maris y sont pour quelque chose ?

– Pourquoi, les filles, donner toujours autant d'importance à nos maris avec leur position sociale ? N'étions-nous pas zélatrices à plein temps ? Alors, c'est normal que nous recevions cette reconnaissance.

Et sur un ton plus sérieux, Eugénie ajouta :

– Nous devons une fière chandelle à mon cher Jean-François. Si nous sommes réhabilitées, c'est grâce à lui. Il vient de me le dire, en toute humilité, bien sûr.

– Bien sûr, répondirent Anne et Mathilde en souriant.

Puis, sur un ton plus sérieux, Anne ajouta :

– Nous méritons sa première bénédiction, puisque nous sommes ses tantes. Hein, Mathilde ?

– Après tout, nous l'avons vu grandir, répondit Mathilde.

Alors, s'avançant vers le nouveau prêtre, les deux femmes s'agenouillèrent pieusement. Jean-François, ému, se recueillit, les mains jointes et les yeux fermés, puis il étendit le bras et fit un immense signe de la croix.

– *In nomine Patris, et Filii, et Spiritus sancti. O lux, beata Trinitas, et principalis Unitas.*

Étonnées de cette connaissance du latin, les deux femmes répondirent :

– *Amen.*

Mais le nouvel ecclésiastique continua :

– *Credo in deum, patrem omnipotentem, creatorem caeli et terrae.*

Toujours agenouillées, Anne et Mathilde se demandaient si elles devaient attendre que Jean-François finisse le *Credo* avant de se relever, quand Eugénie, voyant la scène, s'approcha de son fils et lui dit à l'oreille :

– Viens que je te présente à ma bienfaitrice, madame Anne Bourdon, celle qui nous a ramenées de France, tante Mathilde et moi. Elle est la mère de la supérieure des Hospitalières de l'Hôtel-Dieu.

Soulagées, Anne et Mathilde se relevèrent et adressèrent à Eugénie un sourire d'admiration.

« *Décidément, Jean-François a vraiment la vocation sacerdotale !* » se dirent-elles, intérieurement.

CHAPITRE XXI
Le décès de François

Pierre Laviolette, mordu de navigation, fils de charpentier de navire, originaire d'Aunis, anciennement de Bourg-Royal et vivant maintenant à la paroisse Saint-Pierre de l'île d'Orléans, avait convaincu son ami François de l'assister, pendant un mois, pour la surveillance des travaux de transport des matériaux de construction navale à l'Îsle-aux-Grues.

Pierre Laviolette quitta donc Québec avec François, afin de ramener de l'Îsle-aux-Grues une barque de vingt tonneaux et une chaloupe de plus petit tonnage. En 1700, l'Îsle-aux-Grues était l'un des principaux chantiers maritimes, avec l'île d'Orléans, Beauport et Beaupré.

François avait dû avouer à Eugénie qu'il lui arrivait depuis des années de travailler à son insu au chantier naval de la rivière Saint-Charles. Cette révélation avait choqué cette dernière qui s'était sentie trahie dans la confiance aveugle qu'elle avait en son mari.

– Pourquoi m'as-tu menti depuis si longtemps, François ? Nous ne nous sommes jamais rien caché entre nous !

– Tu le sais bien, Eugénie, que j'ai toujours eu peur de manquer d'argent et qu'il me fallait agrandir mes terres pour installer nos enfants.

– Mais nous n'avons jamais manqué de rien, il me semble. Au contraire, cette manie de vouloir en avoir plus, par insécurité, a bien failli nous acculer à la faillite. Souviens-toi du huissier Narcisse Dicaire.

– Justement, je ne veux plus emprunter.

– Et à l'atelier, la clientèle n'est plus satisfaite ?

François prit bien son temps pour annoncer à sa femme :

– La clientèle… euh… je l'ai laissée à André. Tu comprends, depuis qu'il est installé et avec ses nouvelles responsabilités familiales…

Sidérée, Eugénie réagit de manière émotive.

– Mais, François, tous les jeunes doivent commencer par le bas de l'échelle. C'est comme si tu t'étais donné à André ! Ça n'a pas de bon sens ! Je te rappelle qu'il nous en reste quatre autres qui ne sont pas encore fixés dans la vie. Et nous ne nageons toujours pas dans l'abondance.

François n'osait pas aborder son prochain propos, de peur que sa femme ne réagisse encore plus mal. Et pourtant, il le fallait.

– Il faut absolument que je te le dise, avant que tu ne l'apprennes par d'autres : j'ai accepté de surveiller, pour Pierre Laviolette, son cabotage de bois de chêne et de pin, l'un pour la construction des vaisseaux du Roy et l'autre pour les mâts.

Eugénie regarda son mari, ahurie. Elle prit une profonde respiration.

— Mais, François, tu ne sais même pas nager! René-Robert Cavelier de LaSalle ne sera pas là pour te sauver de la noyade cette fois-ci.

Penaud, François répondit timidement :

— Je sais. Mais Pierre Laviolette, lui, un marin, sait nager.

— En autant qu'il soit en état de nager!

— Que veux-tu dire, Eugénie?

— Mais voyons! Tout le monde sait bien que ton copain est plus souvent ivre que sobre. Tu es bien le seul à ne pas s'en être rendu compte. De plus, il fait toujours des Pâques de renard![45]

— Des calomnies, Eugénie!

— Ah oui! Eh bien, crois-tu sincèrement que c'est la foudre qui a incendié sa maison, hein?

— Bien… Oui!

— Eh bien! non, mon mari!

— Alors?

— Monsieur Pierre Laviolette, qui avait pris un coup de trop, a mis lui-même accidentellement le feu.

— Qui te l'a dit?

— Marie-Anne Pageau, sa femme. Tu comprends, ils ont quinze ans de différence. Elle n'a pas pu le corriger de cette

---

45. Les catholiques pratiquants sont censés communier le dimanche de Pâques. Mais l'Église permettait de retarder cette échéance jusqu'au dimanche suivant, le dimanche de la Quasimodo, pour ceux qui ne s'étaient pas confessés. On disait de ces retardataires qu'ils faisaient des Pâques de renard parce qu'ils essayaient de passer inaperçus.

mauvaise habitude. Tu te souviens, à leurs noces, Georges Sterns et lui avaient trinqué solide. Georges Sterns! Un autre de tes amis de cachotterie.

– C'est normal de trinquer à ses noces!

– Oui, peut-être, mais pas trop. Marguerite Pageau, la mère de Marie-Anne, n'en revenait pas et… elle se faisait déjà du souci pour sa fille.

– Eugénie, tu deviens aussi commère qu'Odile, notre voisine. Tu exagères.

– Tu trouves! As-tu déjà demandé à Thomas ce qu'il pensait de Pierre Laviolette?

– Thomas, Thomas Frérot?

– Qui veux-tu que ce soit? Certainement pas notre Simon-Thomas, tout de même.

– Je sais qu'ils se sont connus dans les Pays-d'en-Haut. Mais nous le connaissions, Eugénie, bien avant que Thomas le connaisse.

– Tu te souviens qu'il avait de la difficulté à joindre les deux bouts quand il était célibataire? As-tu une idée de la raison? Moi, j'ai mon explication.

– Du commérage!

– Non, de l'intuition. Thomas m'a déjà raconté que Pierre Laviolette cherchait à payer ses dettes contractées au port de Québec. Voilà! Il a été obligé de s'engager pour Desgroseillers et d'aller déloger les Anglais de la baie d'Hudson avec Radisson. Ses dettes furent immédiatement réglées. Quand il nous est revenu deux années plus tard, Thomas m'a dit qu'il avait empiré son péché.

— Peut-être, quoique Jean m'ait déjà dit qu'il avait laissé potentiellement ses biens aux pères Récollet et à ses trois filleuls, au cas où. L'aurais-tu déjà oublié? Pour cela, j'estime que c'est un honnête homme.

— En tout cas, je t'aurai averti. Ce qui me chagrine le plus, c'est que tu ne sembles pas te rendre compte de la peine que tu me fais, avec tes manigances.

— Tu sais bien, Eugénie, que ce n'est pas pour me jouer de toi. Laisse-moi juste un petit mois et je te jure que ce sera ma dernière tentative d'augmenter mes gages de cette façon.

— Au moins, fais attention à toi. Tu devrais me consulter plus souvent, à l'avenir.

La barque était bien capable de naviguer sur le fleuve, et même le golfe, avec ses deux mâts et sa voilure carrée. Pierre Laviolette la pilotait, aidé de deux marins de circonstance, Guillaume Larose et Jacques Lebœuf. François avait la responsabilité de gouverner la chaloupe à rames qui pouvait, à la rigueur, naviguer sur le fleuve avec une voile entre les mains d'un expert. Ou de façon plus sécuritaire, sur les rivières.

Pierre Laviolette, qui avait hâte d'encaisser les bénéfices de sa cargaison, la chargea au-delà de sa capacité de huit cordes de bois et préféra s'orienter au plus vite vers l'Isle-aux-Grues. Il entraîna sur le fleuve, dans son sillage, la chaloupe de François qui ne put maîtriser la propulsion du fort vent. Ses rameurs, deux adolescents embauchés sur le quai de Québec, ne purent conserver le ballant de la chaloupe qui chavira sous l'effet d'un courant contraire. On avait à peine dépassé la pointe de l'île d'Orléans vers le golfe, à l'endroit sans doute où le gouverneur Pierre Boucher avait décrit les merveilles de l'île et de la côte Beaupré.

François se noya dans les eaux froides du fleuve. Eut-il su nager qu'il aurait péri quand même, puisque la barque de Pierre

Laviolette filait vite, le vent dans sa grande voile, et n'aurait pu récupérer François et ses deux acolytes. Son corps ne fut retrouvé que trois mois plus tard aux battures de Beauport, méconnaissable tant il était déformé.

Quand Thomas Frérot vint à Charlesbourg, une semaine après le départ de François pour l'Isle-aux-Grues, en compagnie du curé de Charlesbourg, Alexandre Doucet, annoncer à Eugénie la mort de son mari, cette dernière s'était immédiatement doutée de la singularité de cette visite de Thomas. Instinctivement, comme toutes les femmes de marins ou de militaires qui recevaient la visite officielle d'un membre de l'état-major une lettre à la main, elle sut que la fatalité avait frappé la famille pour la première fois.

– Eugénie, j'ai une bien mauvaise nouvelle à t'annoncer, lui dit Thomas.

C'était au moment de l'Angélus du soir, à l'heure où le soleil aux teintes rosées et orangées se cramponne déjà à la lisière des montagnes, juste au faîte des arbres. Eugénie, revenant de la croix du chemin, était attablée avec ses quatre enfants et s'affairait à trancher le pain et le lard pour les distribuer aux jeunes. Les garçons les plus vieux, Jean et Georges, discutaient apparemment des bons côtés du métier de marin et de navigateur. Quant à Simon-Thomas et Marie-Chaton, ils se disputaient le quignon de pain. Eugénie tentait d'apaiser le bourdonnement de l'assemblée.

– Ne me dites pas qu'il est arrivé malheur à François!

Le curé de Charlesbourg chiffonnait une feuille parcheminée. Thomas Frérot prit respectueusement la main d'Eugénie.

– Eugénie, soyez forte! J'ai la triste, bien triste obligation de vous annoncer le décès de François. Il s'est noyé.

Stupéfiée par la nouvelle, Eugénie, livide de chagrin, chercha un siège afin d'éviter de s'écrouler par terre. Les enfants étaient figés dans un silence monacal, comme changés en statues de sel. Eugénie eut quand même la présence d'esprit de dire aux garçons :

– Que l'un d'entre vous aille chercher André.

Aussitôt, Jean indiqua à Georges de sortir. Ce dernier arriva chez son frère aîné, en larmes.

– Dépêche-toi, André, il est arrivé malheur à papa.

Ce dernier, en train de souper, laissa son écuelle en place et suivit son jeune frère. Comme il habitait à quelques enjambées, il entra en trombe dans la maison.

– Que se passe-t-il avec papa ? Est-il blessé ?

Apercevant alors Thomas et le curé de Charlesbourg, il n'osa plus parler. Il s'avança vers sa mère, la questionna du regard et, voyant la tragédie qui se lisait sur les traits de cette dernière, il préféra lui prendre la main.

Digne dans son malheur et relevant la tête avec solennité, Eugénie demanda :

– A-t-on retrouvé son corps ?

Se rendant compte de la triste nouvelle, André s'écria :

– Mère, papa est mort ?

La phrase apocalyptique eut l'effet de libérer les pleurs refoulés des enfants. Une cacophonie de sanglots se répandit dans la maison. Marie-Chaton vint cacher sa peine sur l'épaule de sa mère. Eugénie lui caressa les cheveux.

Cette dernière, pour toute réponse, fixa son fils d'un regard endeuillé de tristesse. Des larmes brillaient au coin de ses yeux.

– Non, pas encore, Eugénie, mais cela ne saurait tarder, rétorqua Thomas.

– À quel endroit est-ce arrivé ? s'enquit Eugénie.

– À l'extrémité est de la Seigneurie de Lirec à l'île d'Orléans, répondit Thomas.

Eugénie, bouleversée, fixa le sol quelques secondes qui parurent une éternité.

– Alors, nous ne le retrouverons pas de sitôt à cette période de l'année. Les courants sont forts, ajouta-t-elle.

– Dieu va nous venir en aide ; il faut avoir confiance en la Providence, avança le curé.

– Plaise à Dieu que vous disiez vrai, monsieur le curé, reprit Eugénie, les sanglots dans la voix. Et puis, se ressaisissant, elle dit à André :

– Monte vite au Séminaire de Québec, mon grand, annoncer le malheur à ton frère Jean-François.

– C'est déjà fait, Eugénie, ajouta Thomas. J'ai pris sur moi de l'aviser… Comptez sur moi, Eugénie, pour tout mettre en œuvre afin de le retrouver au plus vite. Il était comme un frère pour moi, mon seul parent en Amérique. Comptez également sur moi pour les nécessités de la famille. Je dois bien cela à François.

Se sentant impuissant à aider la famille éplorée, le curé Doucet avança :

– Je vous demande à tous de réciter une prière pour le repos de l'âme de votre malheureux père. Plaise à Dieu que nous puissions retrouver son corps le plus rapidement possible ! Amen.

Effondrée de peine, mais pragmatique, Eugénie, dorénavant seule pour répondre aux soins quotidiens des enfants, Jean,

Georges, Simon-Thomas et Marie-Chaton, et pour gérer la ferme, essayait de composer avec la réalité. La triste réalité. Heureusement que les deux plus vieux, bien bâtis, pouvaient voir aux récoltes, même si le cœur n'y était pas. Quant à André, il offrit de délaisser sa clientèle à l'atelier, mais Eugénie le lui défendit :

— Je t'en remercie, mais non ! Si ton père m'avait écoutée et m'avait prise plus au sérieux, il serait encore vivant !

Quand Thomas Frérot revint voir Eugénie, le 1ᵉʳ septembre, ramenant le corps de François dans un cercueil en bois de cèdre, transporté sur une charrette à deux bœufs transformée en corbillard de circonstance, couvert d'un drap noir et d'une croix de bois pour tout insigne en son centre, Eugénie n'avait plus de larmes à verser, tant elle avait pleuré en secret la perte de son cher époux. Pour leur part, les garçons ne savaient pas comment réagir devant le cercueil de leur père. Marie-Chaton, elle, n'arrêtait pas de pleurer. À douze ans, elle était assez vieille pour réaliser la tragédie familiale.

Aussitôt, Eugénie décida d'installer le cercueil en chapelle ardente. Le corps ne fut pas exposé puisque le cadavre n'était pas en condition de l'être. Eugénie préférait d'ailleurs conserver un souvenir intact de son mari. Tout le voisinage de Bourg-Royal et les paroissiens de Charlesbourg furent informés par le tocsin de l'arrivée de la dépouille. Odile Langlois avait installé un crêpe[46] de couleur violette au milieu de la porte d'entrée de la maison de François.

L'abbé Jean-François Allard pria près du cercueil pour le repos de l'âme de son père, avec d'autres prêtres du diocèse venus rendre hommage à la famille du défunt.

— Père, je sais que vous auriez voulu être le dernier à quitter cette terre, afin d'éviter que nous subissions la peine de votre départ, à maman que vous chérissiez tant, à ma petite sœur ainsi qu'à mes frères et moi.

---

46. Large ruban de couleur foncée.

Un silence mortuaire planait dans la pièce surchauffée par la présence des visiteurs et par la chaleur des cierges qui se consumaient. Eugénie, stoïque, vivait sa souffrance avec dignité. Quelques ridelles nouvelles apparues depuis ses récentes nuits d'insomnie reflétaient sa peine et son inquiétude. Elle tenait toujours la main de Marie-Chaton qui avait le visage baigné de larmes.

– Mais Dieu en a décidé autrement. Je viendrai comme un voleur, nous dit-il ! Et c'est vrai, il nous a volé notre père terrestre, celui que nous aimions tant et qui était un modèle d'amour, de labeur et de vertu...

« L'Évangile nous dit que nous vous retrouverons tous à la porte du Ciel pour notre jugement particulier, à l'heure de notre mort, comme le bon papa que vous avez toujours été pour nous, vous serez présent, ce jour-là, et vous nous aiderez encore en intercédant pour nous auprès de Dieu le Père et du Christ, son fils, pour que nous soyons à leurs côtés pour l'éternité, comme vous l'êtes déjà.

« D'ici là, père, aidez-nous à vivre en bons chrétiens, en harmonie avec Dieu et notre prochain et, surtout, à continuer à nous chérir entre frères et sœur, comme vous et maman, vous nous avez appris en le faisant si bien. »

Jean-François se tourna vers sa mère et lui demanda de se rapprocher du cercueil de François. Eugénie invita alors ses enfants à poser la main sur le cercueil de leur père en guise d'adieu.

– Maman, André, Jean, Georges, Simon-Thomas et Marie-Chaton, j'aimerais que nous récitions tous un *Pater Noster* pour le repos de l'âme de papa.

Pater noster, qui es in caelis, sanctificetur nomen tuum, adveniat regnum tuum, fiat voluntas tua, sicut in caelo et in terra[47].

L'assemblée poursuivit, recueillie :

Panem nostrum quotidianum, da nobis hodie et dimitte nobis debita nostra, sicut et nos dimittimus debitoribus nostris, et ne nos inducas in tentationem, sed libera nos a malo. Amen[48].

Eugénie et ses enfants eurent peine à se joindre aux priants, tant les sanglots leur étranglaient leurs voix.

La procession devant le cercueil fermé de François se poursuivit jusqu'à minuit. Anne, Mathilde et Odile tenaient absolument à réconforter leur amie et préparèrent un goûter.

Eugénie portait déjà le voile noir des veuves. Les garçons, pour leur part, portaient le brassard, large ruban noir noué autour du bras. Marie-Chaton avait imité sa mère avec sa pleureuse[49]. Eugénie l'avait convaincue de porter en plus le brassard. Des cantiques furent chantés et des prières furent récitées en litanies durant toute la veillée funèbre pendant que le parfum de cierge embaumait l'air raréfié.

Eugénie recevait, la première, les condoléances des visiteurs. Suivaient par ordre d'âge les garçons, puis Marie-Chaton, la seule fille. Les chanoines Henri de Bernières et Charles-Amador Martin vinrent à la veillée de prières. Ils avaient proposé à l'abbé Jean-François de chanter le service le lendemain. Ils iraient coucher au presbytère. D'autres prêtres du Petit Séminaire qui avaient connu François dans l'exercice de son art seraient présents aussi.

---

47. « Notre Père, qui êtes aux cieux, que votre nom soit sanctifié, que votre règne arrive et que votre volonté soit faite sur la terre comme au ciel ».
48. « Donnez-nous aujourd'hui notre pain de ce jour, pardonnez-nous nos offenses comme nous pardonnons à ceux qui nous ont offensés, ne nous soumettez pas à la tentation mais libérez-nous du mal. Ainsi soit-il ».
49. Voile noir du veuvage.

Les amis de François, Germain Langlois, Jean Boudreau, les compagnons de traversée du défunt, racontaient à qui voulait les entendre les innombrables qualités de François. Pierre Parent de Beauport vint offrir ses condoléances. Le docteur Manuel Estèbe expliqua, sous le couvert de la science médicale, la chance d'avoir pu retrouver le cadavre de François emporté par des courants si forts. Jean Daigle, effondré par la culpabilité, opinait avec son expérience de marin. Marie-Anne Proteau n'osait trop s'approcher d'Eugénie, de crainte d'éveiller chez cette dernière des sentiments agressifs.

Le service funéraire eut lieu le lendemain, le 2 septembre, dans la petite église de Charlesbourg, dont les fenêtres, les statues, les autels étaient drapés de noir. Des banderoles furent installées du dôme aux colonnes. Des couronnes de fleurs étaient déposées près du catafalque, dont celle, remarquée, de la Confrérie de la Sainte-Famille et de la Confrérie des maîtres-ébénistes de Québec.

Assistaient à la cérémonie les parrains et marraines des enfants, ainsi que nombre d'amis et voisins de Charlesbourg. Eugénie occupait le banc de la famille, le neuvième du côté de l'Évangile, avec ses enfants. André, Marie-Anne et la petite Catherine prirent place dans le banc suivant. Anne, Thomas et leurs enfants, Mathilde, Guillaume-Bernard, le procureur général de la colonie, et leurs enfants se retrouvèrent dans les bancs subséquents.

Guillaume-Bernard avait demandé au gouverneur de Callière une permission spéciale : celle d'être accompagné comme représentant de la Nouvelle-France par l'évêque auxiliaire du diocèse de Québec, monseigneur Henri de Bernières, qui avait marié Eugénie et François, afin qu'il officie les funérailles du représentant de la Confrérie de la Sainte-Famille à Charlesbourg. Le diocèse de Québec devait cela à un paroissien fidèle comme François Allard et au père d'un prêtre du diocèse.

Toute vêtue de noir, laissant plus d'éclat à sa peau blanche et exsangue ainsi qu'à ses cheveux blonds aux filaments d'argent et à ses yeux bleus azur rougis par la peine, Eugénie suivit la cérémonie, sans énergie, les yeux rivés sur le catafalque et tenant bien fort la main de sa fille Marie-Chaton.

Le service funéraire fut chanté par les diacre et sous-diacre. L'évêque auxiliaire, monseigneur Henri de Bernières, fut le célébrant principal, assisté du chanoine Charles-Amador Martin comme diacre et de l'abbé Jean-François Allard comme sous-diacre.

Aussitôt après la lecture de l'Évangile, voici l'oraison funèbre que prononça l'évêque auxiliaire du diocèse de Québec, monseigneur Henri de Bernières :

« Bien chers frères, voici à quoi se résume la vie terrestre de François. Amour et obéissance aux commandements de Dieu et aux enseignements de l'Évangile. Un chrétien qui a toujours respecté les saintes volontés de Dieu. Voilà l'essentiel pour entrer dans la demeure de Dieu le Père, pour l'éternité.

« Mais, avant tout, nous allons nous rappeler que notre frère François a été un homme juste, un mari et un père aimant pour les siens. C'est de cet homme que je voudrais vous entretenir. Je laisse le soin à Dieu de le récompenser par la vie éternelle. »

Eugénie laissait couler ses larmes, camouflée derrière son voile noir. Intarissables, ses pleurs lui permettaient d'exprimer tout son amour à son mari disparu.

– François Allard avait un idéal, celui de façonner un monde meilleur. Il a choisi de le faire en Nouvelle-France, comme nous tous. Il s'est donné à fond dans cette tâche gigantesque. François a compris que l'idéal chrétien pourrait lui permettre d'accéder à plus de plénitude dans sa quête de la perfection. Bon chrétien, il a pratiqué tous les sacrements, comme on le lui avait enseigné. Toutefois, il a désiré y ajouter celui du mariage avec une jeune fille, Eugénie, fille du Roy, qui de son côté partageait déjà ses valeurs chrétiennes. Ensemble, ils ont construit une union solide sur des assises de foi, d'amour et de charité.

« J'ai eu le bonheur d'officier à leur mariage. Aujourd'hui, j'ai la tristesse de porter à son dernier repos un être que ses proches auraient espéré voir à leurs côtés, éternellement. Dieu les comprend. Quand il est votre époux, votre père, votre ami, la séparation est immensément plus difficile. Le destin d'ici-bas vient de les toucher. Sa famille pleure et pleurera longtemps encore. Mais leur douleur sera d'autant plus supportable qu'ils pourront, grâce à son exemple, trouver la voie du bonheur céleste et le retrouver dans la vie éternelle !

« Notre communauté, votre paroisse, viennent de perdre un pionnier, un ardent défenseur de la foi et des valeurs chrétiennes. Mais c'est dans sa lignée que François va continuer à vivre et à transmettre ce qu'il y avait de meilleur en lui. Ses enfants sont porteurs de ferments salutaires pour l'avenir de notre peuple. Soyons fiers de la race que François a créée avec Eugénie. »

Requiescat in pace ad vitam aeternam. Amen[50] !

François fut inhumé dans le cimetière de Charlesbourg. Thomas Frérot, Guillaume-Bernard Dubois de L'Escuyer et André Allard signèrent l'acte de décès.

Quelques jours après les funérailles de François, Eugénie décida de rencontrer le notaire à la maison afin qu'il fasse la lecture du testament de François et l'inventaire des biens du défunt après décès confirmé. Selon la coutume coloniale, la moitié des avoirs de François revenait à Eugénie et l'autre moitié, à ses enfants.

François avait déjà donné une terre à André, il laissait en plus l'atelier de sculpture, les outils et l'inventaire. Rien de plus à partager pour son fils aîné. À Jean-François, son fils ecclésiastique, comme François avait déjà offert un calice et une patène lors de son ordination, et qu'il avait juré le vœu de pauvreté, François ne lui laissa rien. Il laissait par contre tous ses avoirs en héritage à Eugénie et à ses enfants, Jean, Georges, Simon-Thomas et Marie-Renée. Eugénie demeurait la tutrice des

---

50. « Qu'il repose en paix pour la vie éternelle. Ainsi soit-il ! »

avoirs de ses enfants jusqu'au jour de leur mariage. Or, même si Jean, le troisième enfant, avait dépassé sa majorité et n'était pas encore marié, il demeurait sous sa tutelle.

L'inventaire des bâtiments des fermes de François démontra qu'une grange nécessitait d'importantes réparations. Du fourrage et des minots de froment y avaient pourri. Eugénie se fit la réflexion : *Mon cher époux en faisait trop. Je lui ai toujours dit qu'il n'était pas facile et presque impossible d'être un bon habitant et un sculpteur de renom. Au moins, André ne sera pas habitant à moins que Marie-Anne, sa femme, ne l'exige puisqu'elle lui a donné sa terre en dot, et comme André a reçu la sienne de François… Il faut que je les aie à l'œil.*

Quant à Jean, ce n'est pas un artiste. Il a la terre dans l'âme. Au moins, avec lui, c'est clair. Il faut que je le forme à l'économie. Et j'ai besoin de lui pour cultiver nos terres, j'espère qu'il se mariera le plus tard possible. Ses frères et sa sœur ont besoin de lui. Pas trop tard, toutefois, pour qu'il ne prenne pas des manies de vieux garçon ! Je devrai lui en parler… il va comprendre. C'est un vrai Normand, celui-là. C'est le gros bon sens qui le mène déjà, à son âge.

CHAPITRE XXII
La visite paroissiale

Depuis le décès de François, la vie au Trait-Carré de Bourg-Royal avait repris, au rythme de la saison d'automne. La petite Catherine avait beau vouloir égayer de ses gazouillements l'atmosphère alourdie de la peine familiale, le visiteur pouvait se rendre compte rapidement de l'absence du chef de famille à la maison, à l'atelier et même chez André et Marie-Anne. Bref, ce sont ces mots de condoléances qu'avait voulu transmettre le curé Alexandre Doucet de la paroisse de Charlesbourg, au courant de l'été suivant les funérailles de François Allard.

Le premier dimanche du mois de juillet, au prône, le curé avisa la dizaine de familles du Trait-Carré qu'elles seraient visitées. D'habitude, c'était François, comme marguillier en charge, qui allait chercher le curé avec sa voiture et l'amenait visiter ses paroissiens. Cette année-là, le curé Doucet demanda à André de remplacer son défunt père à cette charge. André accepta, bien entendu. Fière de son fils aîné, Eugénie craignait toutefois de voir encore une fois Jean suppléer au travail d'André, au risque de s'en rendre malade.

Ce fut un mardi, dans la matinée, juste avant la récolte des foins, qu'Eugénie reçut la visite du curé de la paroisse. Elle connaissait depuis 1690 ce curé[51], pour qui elle agissait en tant que maîtresse chantre et organiste. Néanmoins, le protocole imposait un décorum qu'Eugénie tenait absolument à suivre. Elle avait demandé à ses garçons, André, Georges et Simon-Thomas, de faire le nettoyage autour des bâtiments. Eugénie s'était fait aider par Marie-Chaton pour décorer la maison d'images saintes. Elle avait placé son plus beau tapis, celui qu'elle conservait pour les cérémonies des baptêmes et des mariages, et allumé un cierge qui restait du lot acheté pour la veillée funèbre de François. Elle avait mis un bénitier rempli d'eau bénite et un rameau pascal à la disposition du prêtre.

Eugénie avait demandé à ses garçons de rester disponibles pour l'arrivée du curé plutôt que de travailler aux champs et aux bâtiments. Quant à Marie-Chaton, elle crayonnait sur l'endos du papier-parchemin, celui qui avait servi aux remerciements lors du décès de son père, qu'Eugénie avait envoyés aux personnalités officielles de l'archevêché de Québec qui avaient accompagné son fils, l'abbé Jean-François Allard. Eugénie s'était entendue avec André pour demander au curé de commencer sa visite paroissiale chez elle.

À l'arrivée du curé Doucet, Eugénie alla l'accueillir sur le seuil de la porte, l'invita à entrer et lui demanda de bénir ses enfants, sa maison, ses bâtiments de ferme et ses animaux. Le curé Doucet entra chez Eugénie Allard accompagné d'André, qui se retrouvait à la maison paternelle pour l'occasion.

– Bienvenue dans notre modeste demeure que je vous demande de bénir, monsieur le curé!

---

51. Monseigneur de Saint-Vallier nomma officiellement en 1690 Alexandre Doucet premier curé de la paroisse de Saint-Charles-Borromée de Charlesbourg. Auparavant, des prêtres missionnaires du diocèse de Québec comme Charles de Glandelet, de 1688 à 1690, et Nicolas Dubos, de 1684 à 1690, puisque les desservants pouvaient se relayer dans les fonctions curiales, avaient été appointés par l'archevêché. Les colons appelaient ces desservants des curés volants.

Le curé, malgré la chaleur de cette journée de juillet, portait un surplis couvrant sa soutane et une barrette sur sa tête. Aussitôt, le prêtre saisit le rameau déposé sur la table, le trempa dans le bénitier et aspergea les quatre coins de la pièce principale d'eau bénite par d'amples gestes.

– Je bénis cette maison au nom du Père, du Fils et du Saint-Esprit afin d'y chasser le Malin qui aurait l'intention d'y pénétrer, de la purifier des méfaits de la discorde, afin que ses occupants y vivent dans la foi du Christ, l'Espérance et la Charité. *Amen.*

Eugénie et ses enfants, agenouillés, répondirent en chœur :

– *Amen.*

Eugénie avait revêtu la robe de deuil qu'elle avait portée aux funérailles de François. Une robe toute noire à encolure en dentelle violette qu'Odile lui avait trouvée dans son coffre familial et qui avait appartenu à sa défunte mère. Eugénie portait encore le deuil. Par contre, elle avait tenu à ce que ses garçons portent leurs plus beaux vêtements. Marie-Chaton, habillée en couleurs pastel, avait demandé à sa mère si elle devait porter son brassard.

– Non, ma chérie. À ton âge, la vie se doit d'être toujours illuminée des couleurs voyantes de l'arc-en-ciel.

Quand monsieur le curé toisa la gaieté de la couleur de la robe de Marie-Chaton, Eugénie avança :

– Marie-Renée a été le rayon de soleil de son père dans cette maison. Je tiens à ce qu'elle porte les couleurs que son père aurait souhaité lui voir porter.

Le curé Doucet remarqua le parchemin crayonné que la jeune fille avait laissé à l'autre bout de la table. Du coup, il demanda d'y jeter un coup d'œil, à la surprise d'Eugénie.

– Pourrais-je consulter le dessin que votre jeune fille est en train de réaliser, madame Allard ?

En disant cela, le curé avait présenté sa main afin qu'on lui remette le document. Étonnée de l'audace du prêtre, Eugénie insista pour que Marie-Chaton, plutôt, le lui remette. La jeune fille s'exclama alors :

– Non, je ne veux pas. C'est à moi.

Sidérée, Eugénie, les yeux exorbités de honte, ordonna :

– Marie-Chaton ! Fais ce que monsieur le curé te dit de faire !

– Non.

Humiliée, Eugénie regarda Marie-Chaton d'un œil de plus en plus malicieux et répéta :

– Marie-Renée, je ne te le répéterai pas une autre fois, remets ton document à monsieur le curé.

La jeune fille chercha à se faufiler de l'autre côté de la table, mais sa mère l'attrapa par le bras.

– Aïe ! Vous me faites mal. Et puis je m'appelle Cassandre.

Écarlate, Eugénie s'adressa au curé Doucet :

– Ne vous en faites pas trop, monsieur le curé, ma fille a un caractère fort. Mais ça lui passera avec l'âge.

– Elle est étudiante chez les Ursulines, n'est-ce pas ? Comment se fait-il qu'elle se donne encore ce prénom d'un personnage de théâtre ? Vous m'aviez promis qu'elle abandonnerait cette mauvaise habitude. Si mon prédécesseur à Charlesbourg, votre ancien desservant Glandelet[52], l'apprenait, il se mettrait sans doute en croisade, ici même à Charlesbourg!

Avant qu'Eugénie n'ait eu le temps de répondre à l'ecclésiastique, Simon-Thomas s'exclama:

– Vous n'avez encore rien vu, monsieur le curé. Elle fait toujours à sa tête. Des fois, elle s'appelle Monime, d'autres fois, Cassandre. Mais, pour nous, c'est Marie-Chaton.

Simon-Thomas s'était permis de s'adresser au curé, car les deux se connaissaient bien puisque le jeune garçon avait été son enfant de chœur.

Eugénie resta estomaquée. Elle venait de perdre, pour la première fois de sa vie, le contrôle de la situation. Elle regarda Simon-Thomas qui paraissait fier de sa réplique et esquissait un sourire vainqueur, malgré l'œillade malveillante de sa mère.

Alors, saisissant sa chance de pouvoir remettre à l'ordre sa paroissienne qui avait toujours réponse à tout, le curé lui demanda:

– Dites-moi, madame Allard, combien de prénoms chrétiens a votre fille?

– Eh bien, un seul: Marie-Renée.

---

52. L'abbé Charles de Glandelet, résidant au Séminaire de Québec et desservant à l'occasion avant la nomination du curé Alexandre Doucet en 1690 à la paroisse de Saint-Charles-Borromée de Charlesbourg, fut nommé archidiacre du chapitre de Québec par l'archevêché et desservant de l'église Notre-Dame-des-Victoires de 1696 à 1714. Il avait précédé Monseigneur de Saint-Vallier dans un sermon retentissant qui accusait de péché mortel tous ceux qui assistaient aux comédies impies du scandaleux Molière. Le prélat de Québec, vexé de s'être laissé devancer dans sa lutte contre le Malin, avait interdit peu de temps après l'usage des sacrements à l'acteur principal, Mareuil. Monseigneur de Saint-Vallier offrit même cent pistoles à Frontenac pour qu'il s'oppose à faire jouer *Tartuffe*. Le gouverneur le prit au mot et remit l'argent à l'Hôtel-Dieu de Québec.

– Parce que j'en entends trois autres qui ne sont pas vraiment chrétiens. J'aimerais que vous corrigiez cette situation avant ma prochaine visite paroissiale.

– Bien entendu, monsieur le curé. J'y veillerai.

Eugénie réussit cependant à reprendre du terrain en disant au curé :

– Vous reconnaissez mes fils ? Voici Jean, qui a pris la relève de François à la ferme et qui est mon homme de confiance.

Aussitôt, Jean, qui de sa main se cachait toujours le visage rempli des cicatrices de la petite vérole, la tendit au curé qui ne prit pas la chance d'être contaminé.

– Que Dieu te bénisse, mon garçon, de remplacer ton père, un paroissien si exemplaire !

Eugénie continua :

– Et Georges… qui ne sait pas encore ce qu'il pourrait faire…

– Mais oui, maman, je sais très bien ce que je veux faire. Coureur des bois ou, comme Ange-Aimé Flamand, truchement chez les Indiens. Vous savez, le fils de votre amie Ursuline.

Eugénie, décontenancée, ne savait pas comment réagir devant la répartie scandaleuse de Georges. Elle prit pourtant sur elle et affirma, pour sauver la face :

– Vous savez bien, monsieur le curé, que depuis la négociation de la Grande Paix avec les Iroquois, par notre gouverneur de Callière, que ces occupations sont dorénavant honorables ! C'est grâce aux interprètes, que m'a dit mon amie Mathilde, vous savez, l'épouse de notre procureur général de la Nouvelle-France, que notre bien-aimé gouverneur a pu signer le traité de paix avec les trente-neuf nations sauvages.

Le curé Doucet regardait Eugénie, perplexe.

– Vous êtes acoquinée avec cette Iroquoise? Il y a bien des racontars sur l'identité de son bâtard de fils. En savez-vous davantage? Ou bien votre fils Jean-François le sait-il? En ce cas, l'archevêché lui en saurait gré de nous éclairer.

– Oui, maman. Dites-le à monsieur le curé. Vous nous l'avez déjà dit, un soir, ajouta Marie-Chaton.

Eugénie n'en pouvait plus de se faire bousculer dans sa propre maison. Elle réagit:

– Écoutez-moi, monsieur le curé. Nous ne sommes pas ici pour faire le procès d'une religieuse qui a déjà été acceptée par monseigneur de Laval, votre ancien prélat, et par Mère de l'Incarnation, une sainte femme qui a tellement fait pour l'évangélisation de notre colonie.

Le curé, penaud, regarda Eugénie fourbir ses armes, sans pouvoir relever sa garde. Sur sa lancée, Eugénie continua:

– André, peux-tu accompagner monsieur le curé Doucet aux bâtiments et lui faire bénir nos animaux?

– Oui, mère.

– J'aimerais, monsieur le curé, en profiter pour vous acquitter de ma dîme. André, pourrais-tu donner quelques minots de blé ou d'avoine?… À moins que vous ne préfériez de l'orge… ou nos savoureuses pommes rouge et blanches, mais ce ne sera pas avant l'automne, bien entendu. Je vous donnerais bien des légumes frais de mon caveau… mais… nous n'en aurons pas assez pour l'hiver. Ah oui, nous avons aussi de bonnes cerises juteuses. Cela vous conviendrait-il?

– Je vais choisir vos cerises, cette année. Avec l'excédent, j'aimerais en faire du vin de messe. Vous comprenez?

Georges et Simon-Thomas se regardèrent et pouffèrent de rire. Ces deux anciens enfants de chœur connaissaient la faiblesse du curé Alexandre Doucet pour le liquide ambré des burettes. Ils s'étaient souvent demandé si le bon curé appréciait davantage l'eau changée en vin ou celle changée en cidre.

L'éclat de rire des garçons n'était pas passé inaperçu auprès du prêtre. Marie-Chaton se mit à ricaner, elle aussi, sans trop savoir pourquoi.

Pour se sauver de l'humiliante situation, Eugénie feignit un débordement d'activités.

– J'espère, monsieur le curé, que vous apprécierez mes cerises. Elles sont particulièrement savoureuses. Pour des tartes… Votre ménagère saura y pourvoir. Vous m'en donnerez des nouvelles. Maintenant, veuillez m'excuser de ne pas vous accompagner aux bâtiments, j'ai un gros ordinaire à préparer pour mes habitants. Il y aura de la tarte aux cerises pour le dîner. Si le désir de cette vénielle tentation vous ramène par ici, tout à l'heure, il y en aura une grosse pointe pour vous.

Le curé dévisagea Eugénie, qui avait repris du poil de la bête. Alexandre Doucet ne l'entendit pas ainsi.

– Merci pour votre accueil si généreux, madame Allard, et pour le paiement de votre dîme. Vous êtes une excellente paroissienne et, avec votre défunt mari, vous l'avez toujours été. Si Charlesbourg est reconnu comme une paroisse méritoire, c'est bien grâce à des familles dévouées comme la vôtre. Vous particulièrement, comme maîtresse de chant et comme organiste.

– Vous êtes bien indulgent, monsieur le curé, répondit Eugénie.

– Seulement…

Eugénie pâlit.

— Seulement quoi? ajouta-t-elle, inquiète.

— Seulement que nous n'avons pas eu tellement le temps de parler de propos, disons, plus personnels.

— Ah oui? Que voulez-vous dire, monsieur le curé?

— J'aimerais vous revoir en tête-à-tête, madame Allard. Vous me comprenez à mots couverts, n'est-ce pas?

Affolée, Eugénie se dépêcha de dire à ses enfants:

— Dépêchez-vous d'aller à l'étable, les enfants. Cela vaut pour toi aussi, Marie-Cha… Renée. André, je t'en prie, amène-les avec toi. Je vous suis avec monsieur le curé.

Eugénie n'en revenait pas de l'impertinence du prêtre. «Comment peut-il me faire des propositions, lui, un prêtre, et moi, une mère de famille vertueuse! Est-ce encore le Malin qui essaie de m'aborder, cette fois, déguisé en prêtre, qui en plus est le curé Doucet? Oh! François, du haut du Ciel, je t'en conjure, évite-moi cette épreuve. *Pater noster, qui es in caelis, sanctificetur nomen tuum…*»

Quand les enfants furent partis, Eugénie, après son invocation, décida d'affronter cette initiative de Satan.

— Je ne me laisserai pas faire, monsieur le curé, j'aime autant vous le dire! Je ne suis pas ce genre de veuve, disons, légère. Dites-vous que je suis toujours en deuil de mon défunt mari, François.

Le curé Doucet se rapprocha un peu plus d'Eugénie, mit son étole qu'il baisa et lui dit mièvrement:

— Nous pourrions le faire immédiatement ici, si vous le vouliez. Les enfants sont partis… et ce n'est pas essentiel de nous éterniser. Juste le temps qu'il me faut… disons pour vous donner l'absolution.

Le curé Doucet regardait Eugénie avec ses petits yeux pointus. Ses lèvres tremblaient légèrement. Avant qu'Eugénie réagisse, il ajouta :

— Cette action fera le plus grand bien pour votre être et vous libérera de toutes les tensions que vous accumulez depuis la mort de notre cher François.

Le voilà qu'il appelle mon défunt mari « notre cher François. Il en profite parce que je suis veuve et qu'il me considère vulnérable, assez pour assouvir ses bas instincts, lui, un prêtre de Dieu. Quel sacrilège ! Je vais lui montrer, moi, comment une honnête femme est capable de résister au Diable ! »

Aussitôt, Eugénie saisit le rameau encore imbibé d'eau bénite et en aspergea l'ecclésiastique.

— Arrière, Satan. Tu ne me tromperas pas de la sorte, comme tu as conquis notre mère Ève avec tes belles paroles.

Sidéré, le curé Doucet regardait Eugénie devenue hystérique. Il recula d'un pas et s'essuya le front avec la manche de son surplis.

— Mais quelle mouche vous pique, madame Allard !

— Éloigne de moi, François, ce ver insidieux d'impureté.

Eugénie se protégeait le visage de son bras. Sa coiffe tombée de ses cheveux laissait apparaître des mèches blanchies par la souffrance et la tristesse de la dernière année passée sans François.

Soudain, Eugénie craqua. Elle se mit à pleurer devant l'ecclésiastique comme elle ne s'était pas permis de le faire devant ses amies Anne et Mathilde. Et surtout pas devant ses enfants.

Le curé Doucet la regarda pleurer et la consola du regard, comme un bon pasteur qui veut réconforter une brebis malheureuse. Il recula de quelques pas, enleva son étole qu'il remit dans la poche de sa soutane et dit lentement à Eugénie, encore convulsée :

– Vous devriez vous asseoir et prendre un peu d'eau du puits, madame Allard. Je voulais seulement vous proposer de vous confesser, comme le fait un curé lors de sa visite paroissiale. Rien de plus.

Eugénie regarda le curé Doucet, les yeux hagards. Ainsi, le Diable ne s'était pas déguisé sous les traits du bon curé qu'elle connaissait bien. Ce dernier continua :

– Laissons passer les récoltes et nous nous reverrons pour votre confession à l'automne, si vous le voulez bien. Au confessionnal de l'église, pour votre plus grande sécurité, en présence de notre Seigneur et de l'esprit de votre cher défunt mari.

Eugénie s'était assise. Elle reprit lentement ses esprits. Elle répondit au curé :

– C'est ça, à l'automne, monsieur le curé. Et n'oubliez pas vos cerises.

– Je ne les oublierai pas, comptez sur moi. Ne vous dérangez pas. Je vais retrouver moi-même vos enfants.

Sur ces entrefaites, Marie-Anne, la femme d'André, arriva avec sa petite Catherine qui s'en allait sur ses cinq ans[53]. Le curé prit le sentier qui menait à l'étable, guidé par la voix de Marie-Chaton. Lorsque Marie-Anne aperçut sa belle-mère affalée sur une chaise, les cheveux défaits, elle se risqua à lui demander, avec humour :

– Mon Dieu, madame Allard, qu'est-ce qui vous arrive ? Avez-vous été obligée de résister aux avances de notre curé ?

---

53. Catherine Allard est née le 12 novembre 1696.

Les paroissiennes de Charlesbourg doivent se surveiller, à ce compte-là. Évidemment, une veuve aussi attrayante que vous!

Eugénie foudroya sa bru du regard, mais ne releva pas la remarque. Elle remit sa coiffe en place, ajusta son tablier en vue de préparer le dîner, puis elle dit à l'attention de Marie-Anne:

– Si tu pouvais m'aider à préparer le repas, nous aurons peut-être la présence du curé Doucet, ce midi. Évidemment, vous resterez avec nous. André est aux bâtiments avec le curé, ses frères et sa sœur. J'ai promis de servir une tarte aux cerises, mais je n'ai encore rien fait.

– Ne vous inquiétez pas, madame Allard, je vous prépare la pâte et je vais la rouler aussi. Vous n'aurez qu'à y ajouter les cerises. Mais, pendant que j'y pense, ce n'est pas à moi de vous dire comment faire une tarte, vous êtes si bonne cuisinière! André passe son temps à me dire qu'il s'ennuie de votre cuisine!

Feignant une fausse humilité, Eugénie, fière de son plus vieux, répondit:

– André exagère, Marie-Anne. Pour vous le prouver, je vais vous laisser faire la tarte et je vais m'occuper de ce cher trésor.

Aussitôt, Eugénie prit la main de la petite Catherine, s'assit et se mit à lui chanter de sa jolie voix un air de sa Touraine natale.

– En tout cas, madame Allard, votre voix n'a pas changé. Vous chantez toujours aussi bien.

Eugénie s'assoupit, relaxée par les effluves de la tarte cuisant au four. Sa main laissa celle de Catherine, étonnée.

Le curé Doucet, se souvenant de l'invitation, revint goûter à la tarte aux cerises. Avant le repas, il récita le bénédicité.

– Bénissez-nous, Seigneur, bénissez ce repas ainsi que celles qui l'ont préparé. Faites en sorte que votre serviteur François, qui est à vos côtés, puisse continuer à veiller sur sa famille, comme il le faisait si bien de son vivant. *Amen.*

– *Amen*, reprit la tablée.

Émue, Eugénie retint ses larmes. Elle fut la seule à tarder à dire *Amen.* Quant à la petite Catherine, ses mouvements signifiaient qu'elle avait hâte que l'on passe aux agapes.

Le curé parut satisfait de sa dégustation de la tarte aux cerises rien qu'aux risettes qu'il fit à la petite Catherine que Marie-Renée tentait de faire manger. À la fin du repas, André, en guise de remerciements à sa mère, s'exclama :

– Vos tartes, maman, seront toujours les meilleures. Quel délice ! Quand je te disais, Marie-Anne, que ma mère n'avait pas son pareil pour les tartes.

Eugénie regarda Marie-Anne du coin de l'œil et comprit que le compliment d'André avait gêné sa bru. Aussitôt, elle voulut réparer la maladresse.

– Mais c'est Marie-Anne qui a fait la tarte. Et tout le reste, d'ailleurs. Moi, je me suis occupée à endormir la petite. Ta femme est dépareillée, André. Heureusement que nous l'avons !

Marie-Anne rougit de la considération de sa belle-mère. Pour ne pas perdre la face, André ajouta :

– C'est pour cela que je l'ai mariée. Je le savais depuis longtemps que ses tartes étaient délicieuses !

– Avant votre mariage, André ? questionna le curé.

– Bien… Oui !

– Mais Marie-Anne habitait seule, à ce que je sache ! rétorqua le curé.

À cette réponse, Marie-Anne et Eugénie rougirent d'embarras.

C'est à la fin septembre qu'Eugénie demanda au curé Doucet de la confesser, un dimanche avant la messe.

– Au nom du Père et du Fils et du Saint-Esprit. Pardonnez-moi, mon père, parce que j'ai péché. Rien de mortel, je vous le jure. Que des fautes vénielles ! Et surtout pas de mauvaises pensées, comme en sont habituellement affublées les veuves. Non. Je reste toujours fidèle à mon cher François, même s'il n'est plus de ce monde.

Profitant du caractère sacré du sacrement de la confession pour transmettre son message, le curé Doucet avança :

– Et le péché d'orgueil, ma fille, y avez-vous succombé ?

– Mais, mon père, comment le pourrais-je ! Je m'échine à mener ma maisonnée toute seule et à élever mes enfants du mieux que je peux, avec humilité.

– Justement, à vouloir trop en faire, vous risquez de déplaire à Dieu !

C'est à ce moment que le curé Doucet choisit de transmettre son message :

– Lors de ma récente visite de paroisse, je me suis rendu compte que vous étiez débordée. Il y a un manque évident de discipline chez vos enfants… Il leur faudrait une figure paternelle… pour mieux se conduire. Vous voyez ce que je veux dire, n'est-ce pas ?

Surprise, Eugénie répondit :

– Mais non, mon père. François est toujours là dans nos pensées et nous prions tous les soirs pour le repos de son âme ! N'est-ce pas suffisant ?

— Vous ne m'avez pas tout à fait saisi, ma fille... Je parlais d'une présence masculine... Vous devriez vous remarier, Eugénie, et le plus tôt serait le mieux. Après une année, votre veuvage est terminé. L'archevêché, je veux dire votre fils prêtre, comprendra... J'ai recueilli les confidences d'un de vos voisins, un veuf, qui vous trouve bien à son goût et qui saurait vous seconder dans cette tâche d'élever une famille...

Comme Eugénie ne répondait pas, le confesseur continua :

— Trefflé Bédard, un ami de François, votre regretté mari, s'attend à ce que je vous en parle avant d'aller vous présenter sa demande. Un bon habitant, capable d'assurer votre subsistance et d'engendrer d'autres héritiers... C'est important aux yeux de Dieu... Il est surtout reconnu pour sa droiture et... sa poigne énergique. Des qualités essentielles à un époux et à un bon père de famille.

Un bruit sourd se produisit dans l'isoloir d'Eugénie. Comme si son occupante essayait de déplacer le prie-Dieu.

— Êtes-vous toujours là, ma fille ?

Eugénie se racla la gorge. Elle prit une profonde inspiration et demanda :

— Si je comprends bien, mon père, vous me demandez de me remarier ?

— Ce n'est pas moi qui vous le demande, mais Dieu lui-même.

— Mais vous n'y pensez pas ! J'ai déjà franchi la cinquantaine !

— Mais rien n'est impossible à Dieu. Prenez l'exemple d'Élisabeth, la cousine de la Vierge Marie, qui a enfanté à un grand âge.

– Oui, mais c'était son premier, mon père. Moi, j'en ai déjà six. De plus, je suis à l'âge d'avoir des petits-enfants, pas mes propres bébés.

– Si Trefflé l'exige, lui, un bon chrétien qui respecte les commandements de Dieu et de l'Église, comme toute épouse, vous devrez vous y soumettre.

Eugénie se mit à réagir de plus en plus vivement.

– Écoutez-moi, mon père. Je connais à peine ce Trefflé Bédard, même si vous me dites qu'il était une bonne connaissance de François, je vous avoue que je n'ai pas le goût de le connaître plus que cela. D'ailleurs, je n'ai pas l'intention de me remarier et encore moins de recommencer une autre famille!

– Attention au blasphème, ma fille! Ne déblatérez pas contre le sacrement du mariage. Vous serez punie du châtiment divin!

– Je ne blasphème pas à l'égard du sacrement du mariage, mon père. Je vous dis tout bonnement que je ne veux pas me remarier. J'ai été heureuse, la plus heureuse des épouses pendant près de trente ans, comme sans doute aucune autre épouse n'a pu l'être, avec un homme merveilleux, mon François.

– Mais Trefflé, qu'est-ce que je vais lui dire sur le perron de l'église, tout à l'heure après la messe?

Eugénie en brisa son chapelet. Elle fulminait.

– Est-ce Dieu qui me confesse ou le curé Doucet?

– Ma fille, je suis son représentant sur terre, en ce moment. Je traduis son esprit pour la santé de votre âme.

– Eh bien, dites à Dieu qu'il transmette ma réponse à Trefflé Bédard : c'est non, non et non! Est-ce que mon message est assez clair à transmettre, mon père? De plus, vous direz à l'Esprit saint qu'il persuade notre curé Doucet de ne plus intervenir dans ma vie conjugale et familiale s'il veut goûter à nouveau à ma tarte aux cerises. Ah oui, qu'on lui dise que je suis assez vieille pour m'occuper de mes affaires toute seule, mon père.

Dépité, le confesseur continua :

– Pour votre péché d'orgueil, ma fille, vous réciterez un rosaire… Faites le signe de la croix en rémission de cet affreux péché pour que je vous donne l'absolution.

Eugénie ne savait comment se tirer de ce piège. Elle s'était rapidement aperçue que le curé Doucet jouait la carte du représentant de Dieu pour la jeter dans les mailles d'un de ses compagnons de cartes, Trefflé Bédard. Tout en restant des plus respectueuses pour le sacrement de la confession, elle ne pouvait quand même pas être la monnaie d'échange d'une discussion entre joueurs, tout bien intentionnés qu'ils fussent.

Jalousie, haine et rancune ne faisaient partie ni du vocabulaire ni du vécu d'Eugénie.

– Pour ma part, monsieur le curé, je ne considère pas cet entretien comme une confession. Tout au plus l'a-t-il été dans un confessionnal. Sans plus ! Alors, ce n'est pas vous qui allez me donner l'absolution, mais un prêtre de Québec qui ne connaît que mon âme, pas ma tarte aux cerises. Restons-en là ! D'ailleurs, il y a d'autres brebis qui attendent d'être pardonnées.

Là-dessus, Eugénie claqua la porte du confessionnal et s'empressa de monter au jubé pour entonner le cantique *Salve Mater Misericordiae*, à la grande surprise de l'assistance. À la communion, quand le curé Doucet déposa la sainte hostie sur la langue d'Eugénie :

– *Corpus Christi.*

Celle-ci répondit de manière très déterminée :

– *Amen* !

À l'*Ite Missa Est*, Eugénie vit du jubé Trefflé Bédard qui sortit le premier de la nef. « Celui-là veut me coincer. Vaut mieux pas pour lui ! »

Eugénie ferma immédiatement l'harmonium et sortit par un des transepts, à la grande surprise du curé, de l'assistance et des enfants Allard. Pour la première fois depuis le début de sa cure à Charlesbourg, Alexandre Doucet s'était permis une intrusion dans la vie privée de ses paroissiens. Ce fut la dernière.

Mais le bon curé omit d'aviser son ami Trefflé Bédard de la réponse de la veuve Allard. Quelques semaines plus tard, par un bel après-midi ensoleillé de l'automne laurentien, Trefflé se présenta chez Eugénie, habillé de ses plus beaux atours. Même son cheval était harnaché de son attelage le plus attrayant.

Le survenant cogna à la porte d'entrée de la résidence Allard. Eugénie gardait la petite Cartherine.

– Madame Allard, vous avez certainement entendu parler de moi par le curé Doucet. Je m'appelle Trefflé Bédard, un ami de votre défunt mari François.

– Oh oui ! Il m'a parlé de vous, monsieur Bédard ! De façon sérieuse, d'ailleurs !

– Ah, ouais ! J'ai bien hâte d'en savoir plus.

Comme Eugénie n'invitait pas le visiteur saugrenu à entrer, celui-ci, nerveusement, lui demanda :

– Si nous allions faire un tour de boghei au petit lac à l'Achigan, vous verrez, le paysage est magnifique à ce temps-citte. Seulement le bébé… on ne peut l'amener.

Eugénie se souvint des paroles du curé Doucet : *Un homme à la poigne énergique… Un contrôlant, oui ! S'il pense que je vais abandonner ma petite Catherine pour lui…*

Eugénie prit la parole :

– Si vous avez à me dire quoi que ce soit, c'est maintenant et ici qu'il faut le faire, monsieur Bédard.

Trefflé Bédard toisa la veuve Allard. « Toute une revêche, celle-là. Trefflé, tu ne t'en laisseras pas imposer par une femme. Es-tu un homme ou une guenille ? Montre-lui dès maintenant qui est le maître ! »

– Eugénie…

– Madame Allard.

– Madame Allard… Eugénie…

– Madame Allard ! Et je vais le rester un bout de temps !

– Madame Allard, je tenais seulement à vous proposer de mieux me connaître. Si nous allions à ce petit lac… Peut-être que…

– Peut-être que quoi ? Que je vous accorderais ma main et que je consenterais à vous épouser ? Détrompez-vous. Jamais !

– Mais vous ne me connaissez même pas.

– Je vous connais assez pour savoir que vous n'allez pas à la semelle de mon défunt François.

Un joueur de cartes ! Et dire que le curé Doucet m'a parlé de présence masculine modèle pour mes garçons. Il doit boire en plus. Allez-y voir !

– Et quant au petit lac à l'Achigan, nous y avons fait notre lune de miel. Et je n'ai pas l'intention d'en recommencer une autre. Passez votre chemin, monsieur Bédard, et courtisez une autre veuve. Pas moi !

Trefflé Bédard quitta prestement la maison. Il n'y revint plus.

Eugénie demanda à André de l'accompagner à Québec, lors d'une livraison, pour se confesser à l'église Notre-Dame-des-Victoires. Elle en profita pour se rendre rue du Sault-au-Matelot chez Mathilde et rue Royale chez Anne et Thomas. Elles se retrouvèrent toutes trois chez Mathilde.

– Imaginez-vous que je viens de recevoir une demande en mariage !

– Ah oui ! Mais après une année de deuil, ton veuvage est fini, Eugénie. Il serait dans l'ordre que tu te remaries, après tout.

– Moi, me remarier ? Que vont en penser Jean-François… et les autres ?

– Mais, Eugénie, tu ne seras pas la première veuve à se remarier après son deuil !

– Parce que les autres n'étaient pas mariées avec un homme aussi merveilleux que l'a été mon François.

Anne s'aventura sur un sentier compromettant.

– Les souvenirs ne tiennent pas au chaud pendant l'hiver, Eugénie !

– J'ai déjà fait ma part pour la patrie, comme fille du Roy. À mon âge ! Je ne suis pas ce genre de femme à oublier mon mari, même défunt.

Anne et Mathilde se mirent à ricaner.

– Qu'est-ce qui vous prend, toutes les deux ?

Mathilde prit la parole :

– Comment s'appelle-t-il ?

– Où veux-tu en venir, Mathilde?

– Mathilde posait seulement une simple question. Il n'y a rien de compromettant, intervint Anne.

– Trefflé Bédard, un habitant de Bourg-Royal. Un veuf.

– C'est ce que je me disais!

– Que veux-tu dire, Anne?

Anne étudia sa cousine et risqua:

– Que ce n'est pas le parti qu'il te faut!

– Tu déshonores la mémoire de François, ton cousin!

Confuse, Anne ne savait que répondre.

– Si un capitaine de vaisseau ou un gentilhomme…

Mathilde s'apprêtait à dire un beau militaire, mais elle se retint pour ne pas embarrasser Anne.

– Tiens, si un noble te demandait de te faire la cour, d'abord, rien d'autre… continua Mathilde.

– Mon François était Noble et Fort, comme les Allard.

Mathilde, qui connaissait bien Eugénie, persista:

– Si un homme de qualité te demandait à mieux te connaître, quelle serait ta réaction?

– Encore faudrait-il qu'il ait au moins les qualités de François!

Mathilde et Anne se regardèrent et se sourirent. Une première brèche venait d'être entaillée dans la cuirasse de la veuve récalcitrante.

– J'ai ma réponse, Eugénie. Je suis satisfaite.

– Moi aussi, ajouta Anne.

Eugénie les regarda, surprise :

– Mais je n'ai rien répondu, du tout. Vous vous faites des chimères si vous pensez…

– Bien entendu, Eugénie. Nous n'avons pas à nous immiscer dans ta vie, conclut Anne.

CHAPITRE XXIII
Une passagère clandestine

— Capitaine, capitaine, venez voir !... Par ici, vite ! Ça, vous ne pourrez pas le croire !

Au début de l'été 1702, Antoine Ménard était en train d'évaluer la solidité des courroies qui entouraient les tonneaux de rhum et les barriques de bière à destination de l'Îsle-aux-Grues en partance de Québec.

— Qu'est-ce qu'il y a Antoine, y a-t-il un homme à la mer ? Pourtant, la vague n'est pas si forte à cette période de l'année.

— Pour sûr que non, capitaine. Je viens tout simplement de débusquer une garce derrière une barrique. Un vrai rayon de soleil dans la grisaille.

— Tu dois avoir trop picolé encore une fois ! Nous ne sommes que six à bord et rien qui ressemble à une taille fine et à de beaux nichons.

Le capitaine avait encore la gorge grandement déployée quand il vit poindre devant lui une jeune fille de treize ans, les cheveux de couleur paille et le regard d'un bleu azur. Elle était habillée d'un pantalon et d'une veste, avec un béret breton qui lui donnait l'apparence d'un mousse. Par son maintien, le capitaine s'aperçut rapidement de ses manières distinguées et s'en sentit plutôt amusé. Par son métier, il était davantage habitué au langage grivois et rustre de ses hommes quand ce n'était pas celui plus gaillard des marins des tavernes du port de Québec.

– À ce que je vois, capitaine, je ne suis pas trop saoul pour ne pas me rendre compte que c'est une garce qui sera bien fagotée. À l'avenir, minette, reste donc au quai. Mais, mais... c'est une gamine, parbleu !

– Je ne suis pas une minette ! Et je ne suis pas une gamine non plus !

Les autres marins s'étaient déjà rassemblés près du centre d'attraction du bateau.

– Tiens ! Tiens ! Elle parle comme une dame de la noblesse. À moins qu'elle ne soit une courtisane ou une catin ! avança un autre badaud.

– Si vous continuez à me traiter d'inconvenante, je le ferai savoir à monsieur le gouverneur de Callière qui saura vous réprimander.

La jeune fille était maintenant debout, les mains sur les hanches, prête à défendre chèrement son rang par le biais de ses relations. Le capitaine, surpris, releva le défi :

– Je suppose, mademoiselle, que vous le connaissez personnellement, le vieux gouverneur ! À qui ai-je l'honneur ?

En disant cela, il se pencha vers l'avant et, enlevant sa casquette de marin, fit une courbette de courtisan. Relevant fièrement la tête et pointant son menton à l'avant, elle prit une pose altière et répondit de façon solennelle :

– Je suis la fille du procureur général de la Nouvelle-France. Marie-Renée Dubois de L'Escuyer. Mon grand-oncle, le gouverneur d'Ailleboust, était déjà ici avant que vous n'y soyez, répondit la jeune fille.

– Et que fait la fille du procureur général sur mon bateau, cachée derrière un tonneau ? Inspecte-t-elle notre marchandise afin d'y découvrir de l'alcool de contrebande ? questionna ironiquement le capitaine.

Le chaland transportait quelques fûts à l'Îsle-aux-Grues et à Grosse-Île au bénéfice des travailleurs forestiers, en plus d'autres victuailles. Au retour, il ramenait des billes de bois de chêne, de frêne et d'orme, destinées au chantier naval de Lévis.

– …

– Vous voyez, capitaine, elle ment comme elle respire. C'est une garce et traitons-la comme elle le mérite !

À ces mots, l'homme s'approcha d'elle, voulut dégrafer sa veste et plonger sa main dans sa chemise. La jeune fille esquissa un geste vif de défense et recula sur la rampe du chaland. Le capitaine saisit l'homme au collet et l'éloigna de la fille sans ménagement.

– Assez ! Personne ne la touchera. Et si elle disait vrai ! Regardez ses mains ! Ce ne sont pas celles d'une paysanne.

Tous les regards convergèrent vers les mains de la jeune fille dont les doigts effilés semblaient servir davantage aux travaux d'aiguille qu'aux corvées de la ferme.

– Retournez travailler, vous l'intimidez. Elle me dira qui elle est vraiment dans la cabine. Vous, mademoiselle, suivez-moi, ordonna le chef de bord d'un ton qui n'admettait pas la réplique.

Le capitaine amena la fille dans un abri recouvert d'une toile grossière au fond du transbordeur où traînaient une table, des chaises et un hamac suspendu à l'armature du cagibi. À l'odeur, on imaginait que la fosse d'aisance du bout du bateau, perforée à même le plancher, était cachée sous le revêtement de l'abri. Un réchaud au charbon de bois servait à chauffer la cabane où des écuelles, quelques tasses et des débris de poisson frit faisaient état d'un repas grossièrement terminé. Un récipient d'une eau qui avait réussi à bouillir sur la braise presque éteinte de la cheminée de fortune, dont le tuyau tordu sortait du revêtement, faisait office de théière. Dans un dernier sursaut d'instinct de vie, une étincelle jaillit du réchaud et s'écrasa au pied du capitaine.

– Voilà que le feu s'en mêle, jeune fille. Alors, dites-moi toute la vérité cette fois-ci.

– Je ne vous ai dit que la vérité.

– Et vous êtes la fille du procureur général ?

– C'est mon père. Le confident du gouverneur de Callière.

– Et votre père vous permet de vous balader comme cela sur les navires sans en parler à personne. Et si, moi, je parlais de votre escapade à votre père ? C'est ce que je vais faire de toute façon dès que nous arriverons à l'Îsle-aux-Grues. Je vais vous confier au premier bateau qui remontera vers Québec.

– Non, non, je vous en prie, n'en parlez pas à mon père.

– Et pourquoi pas ? Vous avez fugué, à ce que je vois !

– Je veux voir l'endroit où mon père s'est noyé.

– Votre père est mort ? Je l'ai vu hier sur le chantier, il me semblait bien vivant !

– Lui, c'est mon père adoptif ; mon vrai père s'est noyé au bout de l'île d'Orléans.

À ces mots, le capitaine s'affala sur une vieille chaise défraîchie. Son regard devint lointain et brumeux comme s'il cherchait dans ses souvenirs de marin. La Nouvelle-France comptait quelques naufrages, certes, mais bien peu au pied de l'île d'Orléans. Sa mémoire le ramena vite à un macabre souvenir d'il y a deux ans, alors qu'il transportait une cargaison de bois pour le chantier.

— Un de mes amis s'est noyé là en chavirant, il y a de cela quelques années, ajouta le capitaine d'un air songeur.

La jeune fille raconta au capitaine qu'elle souhaitait connaître l'endroit où son père s'était noyé et comment, toute petite, avec ses parents et ses frères, elle aimait se promener le long du quai de Québec, lors de la fête de Sainte-Anne, afin de voir les voiliers et les bateaux qui partaient à l'est vers les mers et à l'ouest vers les Grands Lacs. Elle confia même au capitaine son rêve de devenir un jour comédienne.

En l'écoutant, le capitaine se dit qu'il n'avait pas une minute à perdre et qu'il serait mieux de faire demi-tour vers Québec avant que la famille de la jeune fugueuse ne s'inquiète. Il ne tenait pas à être associé à un autre drame familial.

Déjà, Mathilde avait noté l'absence de l'adolescente. Alarmée, elle avait immédiatement avisé son mari et Thomas Frérot, le « parrain » de la jeune fille. Ce dernier, qui connaissait la témérité de sa filleule, puisqu'il la considérait comme telle, avait fait appareiller quelques embarcations pour faire les recherches le long du fleuve et des rives de l'île d'Orléans. Il tenait également à faire enquête aux environs du port de Québec.

Quand le capitaine revint sur ses pas, il croisa une grosse chaloupe à la hauteur de la pointe est de l'île d'Orléans. Thomas, justement, était à la barre et dirigeait lui-même les recherches. Thomas Frérot et le capitaine se croisèrent à l'endroit même où François Allard avait péri. Le petit voilier de Thomas aborda la barque.

— C'est bien toi ou est-ce que je me trompe? dit Thomas, en reconnaissant les silhouettes familières du capitaine, puis de sa passagère.

– C'est bien moi, tu l'as dit, Thomas !

– Alors, Pierre, continua Thomas, tu me ramènes ma pupille !

Cette dernière, par gêne, s'était réfugiée derrière un ballot de marchandises lorsqu'elle aperçut Thomas.

– Elle m'a avoué qu'elle avait fugué, Thomas, alors que je voguais vers l'Îsle-aux-Grues. J'ai ordonné immédiatement que l'on fasse demi-tour, répondit le capitaine.

– C'est bien, je t'en remercie en mon nom et en celui de sa mère Eugénie et de ses parents soi-disant adoptifs, les L'Escuyer.

Puis Thomas ajouta, en baissant le ton :

– À propos, tu ne lui as rien dit à propos de François, j'espère !

– Comment ça ? Elle m'a dit que ses parents étaient les L'Escuyer !

– Tu sais, cette petite a un talent de comédienne. En quelque sorte, il lui est facile de déformer la vérité. Comme François, son père, est mort noyé, elle recherche l'endroit précis du naufrage et de la noyade.

– Elle m'a dit que sa mère – laquelle ? – lui en avait parlé, mais pas moi. Tu sais, Thomas, cette catastrophe aurait pu être évitée.

– Oui, je sais. Il ne faut pas qu'elle en sache davantage toutefois. C'est déjà assez triste comme ça. Je veux que tout le monde croie encore à un accident. C'en était un, de toute façon.

– Compte sur moi, Thomas.

– Je la ramène aux L'Escuyer, là où elle demeure, puisque sa mère demeure toujours à Charlesbourg. Eh bien, merci, Pierre, et à un de ces jours. Allons, Marie-Chaton, dit Thomas en haussant la voix, nous retournons à la maison.

– Marie-Chaton, quel drôle de nom ! Elle m'a dit qu'elle s'appelait Marie-Renée. Elle aurait deux prénoms et deux noms de famille !

– On l'appelle affectueusement Marie-Chaton. Mais son prénom de baptême est Marie-Renée, comme ma fille, Marie-Renée Frérot, qui est sa marraine. Elle est effectivement originale. Une vraie comédienne. Sa fugue nous le prouve bien ! Elle a la détermination de sa mère, Eugénie. Elle est étudiante chez les Ursulines.

– Ressemble-t-elle à François ?

– C'est une artiste, elle aussi. En plus, elle chante merveilleusement bien comme sa mère. Mais les travaux d'art qui demandent de la patience ne l'intéressent pas. La magie, l'illusion, la comédie deviennent souvent son monde. Comme elle veut naviguer depuis longtemps sur un voilier, eh bien, elle va en avoir l'occasion. Nous partons maintenant.

Marie-Chaton avait réussi à capter quelques bribes de la conversation, malgré le vent contraire.

– Comment se fait-il que vous connaissiez le capitaine, parrain ? Et vous parliez de mon père comme s'ils avaient été amis. Est-ce vrai ?

– Le capitaine et ton père étaient des voisins. Ils s'appréciaient beaucoup. Viens, maintenant.

– Mon père aussi était capitaine, n'est-ce pas ?

– Non, ton père était un sculpteur et un colon.

– Pourquoi s'est-il noyé à cet endroit s'il n'était pas capitaine ?

– Parce qu'il aidait son ami à transporter le bois pour le chantier naval.

– S'il était son ami, pourquoi ne l'a-t-il pas sorti de l'eau?

– Parce qu'il n'a pas pu.

– Oui, oui! Il aurait pu, c'est vous qui disiez qu'il fallait que les gens croient à un accident.

– Ça suffit, maintenant! Rentrons! Il y a beaucoup de monde à aviser de ton absence, à commencer par tante Mathilde et la supérieure des Ursulines. Surtout, il ne faut pas que ta mère Eugénie et ton frère Jean-François, de l'archevêché, l'apprennent maintenant. Ça les inquiéterait trop.

La jeune fille regarda le capitaine et lui lança avec colère:

– C'est vous qui avez noyé mon père. Vous êtes un assassin.

– C'était un accident, lui répondit-il, le visage tout en sueur.

– Cela suffit, je ne le répéterai pas trois fois, ajouta Thomas, agacé.

– Je vais le dire à mon père qui le dira à son tour au gouverneur, reprit-elle.

– Ne sois pas inquiet, Pierre, elle ne parlera pas. Je vais tout lui expliquer, ajouta Thomas pour calmer le capitaine.

– Je compte sur vous, Thomas, c'est notre secret.

Thomas ne put fournir d'explications satisfaisantes à la jeune fille qui le menaça à cor et à cri de tout raconter à Eugénie.

Arrivés à Québec, devant Mathilde et Guillaume-Bernard, elle accusa Thomas de cacher la vérité.

— Le capitaine le sait, lui !

— Quel capitaine ? Vous savez ce qu'elle dit, Thomas ? demanda Mathilde.

— ...

— Cela cause-t-il un problème, Thomas ? ajouta Guillaume-Bernard.

— Un embarras : le mot est plus approprié. J'aimerais qu'on en parle une autre fois.

— Si vous nous cachez quoi que ce soit, pour le bien de la petite, il faut quand même que nous soyons au courant. François était votre cousin, certes, mais Eugénie est ma meilleure amie, continua Mathilde.

— Une autre fois, je vous le promets.

— Non, maintenant, cria Marie-Chaton en martelant les bras de Thomas.

— Une autre fois, Marie-Chaton, il faut te reposer pour le moment. Thomas nous l'a promis, reprit Mathilde qui comprit l'embarras de Thomas.

Calmer Marie-Chaton ne fut pas chose facile. La fatigue de la journée fit le reste. Aussitôt la jeune fille endormie, crevée par les péripéties de sa fugue, Mathilde et son mari sommèrent Thomas Frérot de tout leur raconter.

Thomas n'eut pas le choix de leur dévoiler son secret.

CHAPITRE XXIV
Le secret de Thomas

Thomas avait cru bon d'amener Anne, son épouse, chez leurs amis, les L'Escuyer.

— C'est sûrement sérieux si tu prends cette tête d'enterrement.

— De la plus haute importance, Anne. Je tiens à ce que tu y sois, car Mathilde l'exigerait de toute façon.

Nerveuse, Anne se risqua :

— En quoi cela me concerne-t-il, Thomas ?

Thomas prit son temps pour répondre. Le silence parut interminable. *Qui a bien pu lui rapporter ce qui s'est passé entre Pierre de Troyes et moi pour qu'il veuille prendre Mathilde à témoin ?*

— En fait, cela concerne Eugénie et Marie-Chaton, et moi, particulièrement.

— Eugénie ? Eh bien ! Que lui est-il arrivé ? réagit Anne, étonnée.

– Plutôt François.

– Des problèmes de succession? Comme notaire, je suppose!

– Non, cela concerne plutôt sa noyade.

Aussitôt dit, Thomas éclata en sanglots. Anne ne l'avait pas vu pleurer depuis la mort de leur petit Clodomir. Thomas avait peine à prononcer des paroles audibles, tant sa voix était étranglée.

– Tu le sais bien… Je l'aimais comme un frère… Je ne voulais pas lui faire de mal… et encore moins le voir mourir… Je lui avais même réglé ses dettes. Tu t'en souviens?

– Bien sûr que je m'en souviens. Un geste honorable de ta part. Ce n'est pas ça qui l'a fait mourir de honte, j'espère! Il ne s'est pas suicidé, au moins!

– Non, non, ne crains rien. Mais l'entêtement de François à vouloir me rembourser l'a tué.

– Ce n'est quand même pas toi qui l'as jeté à la mer?

– Non, non. Mais je suis en partie responsable de négligence!

– Voyons, Thomas. Comment ça? Essuie tes yeux et tu me raconteras cela devant Mathilde et Guillaume-Bernard. Ça va te soulager. Tu n'es pas un criminel, tout de même!

– Merci, Anne.

Arrivés chez leurs amis, Thomas ne voulait pas tarder à raconter les péripéties de la mort de François. Confortablement assis sur le canapé, il commença son récit.

– Tu te souviens, Guillaume-Bernard, de mes débuts comme marchand de *batelée*? Tu m'as octroyé un contrat de transport maritime pour le bois de charpente destiné au chantier naval.

– En effet, je m'en souviens.

– Eh bien, j'ai fait l'acquisition à l'époque d'une barque à voile pouvant naviguer aisément sur le fleuve par grand vent, en plus d'une grosse chaloupe. Je les ai eues à bon prix. Elles étaient encore sécuritaires, si on savait les manœuvrer.

Thomas racontait son récit avec gravité et d'un ton mesuré, ce qui soulignait la tragédie de son propos. Il avait desserré son col pour donner plus d'air à sa respiration difficile. Il était assis au salon des L'Escuyer où un valet avait servi le thé et des biscuits. L'estime que lui portaient ses hôtes et l'amour de Marie-Chaton en dépendaient. Il savait qu'après ce récit, sa réputation pourrait être entachée. Il continua.

– Il me fallait un homme de navigation expérimenté, un contremaître pour effectuer le transport des marchandises. François m'avait déjà dit qu'un ancien voisin, Pierre Laviolette, était pilote de cargo en France et qu'il préférait davantage la mer à la terre. François et moi sommes allés le rejoindre à l'île d'Orléans où il vivait et, là, je l'ai engagé d'après les références de François sans faire enquête. Ce fut une erreur. Je ne savais pas que Pierre Laviolette buvait plus qu'à son tour. Sinon, je n'aurais jamais accepté que François l'accompagne.

Thomas prit un peu de thé avant de continuer. Les L'Escuyer ainsi qu'Anne Frérot écoutaient attentivement, en silence.

– François avait besoin d'argent pour acquérir de nouvelles terres et pour prospérer. Sans trop le dire, parce qu'il était avare de paroles et qu'il préférait s'exprimer par son art, il voulait impressionner Eugénie qui est d'un tempérament très ambitieux, entre nous...

– Eugénie est une bonne mère, une femme remplie de talent, mais doux Jésus qu'elle est exigeante. Je m'en suis rendu compte à la Confrérie de la Sainte-Famille, répliqua Mathilde.

– Je t'en prie, Mathilde. Si la petite t'entendait, réagit le procureur général.

– Ce que dit Mathilde est juste, Guillaume-Bernard, s'interposa Anne pour appuyer le commentaire de son amie.

– Vous n'avez pas tort, Mathilde, ajouta à son tour Thomas. François le savait, lui! Je ne sais pas si Eugénie l'exigeait, mais François se sentait forcé de performer sans cesse. Ce n'était pas dans son tempérament; c'était un artiste, un intuitif, pas un entrepreneur. Il voyait ses garçons grandir et il voulait leur assurer un avenir prometteur. Il avait besoin d'argent et vite.

– Est-ce un tort? Ce n'est pas la raison de sa mort? s'inquiéta Guillaume-Bernard.

– Non, mais quand Pierre Laviolette s'est mis à recruter des acolytes pour le printemps, juste avant les semailles, François s'est porté volontaire. Pierre Laviolette connaissait le sérieux de François, mais il ne savait pas que celui-ci avait peur de l'eau et ne savait pas nager. Ainsi, il le nomma responsable du commandement de la chaloupe, assisté de deux adolescents. Ces trois-là n'avaient aucune expérience de la navigation et n'étaient pas assez rompus à la manœuvre de la chaloupe, encore moins de sa voile.

Les auditeurs suivaient le récit avec circonspection, toujours en silence.

– Avec son expérience, François et moi avons fait confiance à Pierre Laviolette. Cette journée-là, celle de la noyade, le vent soufflait fort et il y avait de la houle. Pierre Laviolette aurait pu louvoyer et aller moins vite. Il avait bu. Il s'est enhardi à braver le fleuve et son tumulte. En fait, il n'aurait pas dû naviguer par ce temps-là. Mais il l'a fait, entraînant François à sa perte.

– Comment cela est-il arrivé? demanda Mathilde d'un ton grave.

– La chaloupe de François, dont il avait hissé la voile, fut prise dans un fort remous à la pointe de l'île. Un des mousses m'a dit que François, dans de grands gestes, essayait d'aviser Pierre Laviolette du danger qui les menaçait. Laviolette aurait dû venir en aide à François et le prendre dans sa barque. Ivre, il n'était plus conscient du danger. Il fonçait au plus fort de la tempête naissante. La chaloupe de François chavira. Comme il ne savait pas nager et qu'il n'a pu s'agripper aux billots ou aux montants de la chaloupe, il s'est noyé. Juste avant, toutefois, un de ses gars m'a dit qu'il l'avait entendu crier : « Eugénie ! Eugénie ! Je t'aime ! Prends soin des enfants. Je t'aime ! »

– Mon Dieu, que c'est triste, pleurnicha Mathilde en se mouchant avec un carré de dentelle.

Anne la regarda avec scepticisme.

– Était-ce vraiment le genre à François de s'exclamer de la sorte ?...

– Vous savez maintenant pourquoi je ne voulais pas que la petite l'apprenne. Cela pourrait émousser sa sensibilité, continua Thomas.

– Et après ?

– Quand Pierre Laviolette se rendit compte que la chaloupe avait sombré, il était bien trop tard pour récupérer le corps de François. Il ramena les deux matelots qui s'étaient agrippés à des radeaux de fortune et revint aussitôt à Québec, non sans avoir noyé son désarroi dans le rhum. J'étais au port cette journée-là. Quand je l'ai vu revenir, j'ai pressenti un malheur. C'est là qu'il m'a appris la tragédie et sa responsabilité dans ce drame. Oh, pas tout de suite ! J'ai dû le questionner pendant quelque temps. Il pleurait, le gaillard, à chaudes larmes.

Thomas enchaîna :

– Est-ce un accident ? Bien sûr. Aurait-on pu l'éviter ? Probablement, si François avait su nager, si Pierre Laviolette avait été sobre et si j'avais été plus perspicace !

« Dès que la tempête s'estompa, j'ai procédé aux recherches au cas où François aurait été encore vivant. Je ne voulais pas aviser Eugénie immédiatement. Pierre Laviolette devait être sobre. Nous nous sentions tellement coupables. Je venais de perdre mon seul parent, et lui, un ami. Vous avez su la suite par Eugénie. Quant à moi, j'ai cessé ce commerce immédiatement. Ma barque a servi uniquement à tenter de retrouver le cadavre de François. Par la suite, je n'ai plus revu Pierre Laviolette, sauf aujourd'hui. Paraît-il qu'il est devenu sobre après le drame, une promesse faite à la bonne sainte Anne à la chapelle de Beaupré.

« Chose certaine, l'intempérance de Pierre Laviolette et l'imprudence de François lui ont été fatales. Lorsqu'il a su l'identité de Marie-Chaton, Laviolette s'est vite empressé de la reconduire au quai. Il est facile de comprendre pourquoi ! Le poids de sa culpabilité, je l'ai senti, est encore bien présent. Je ne crois pas qu'il faille l'alourdir davantage. C'est un homme malheureux dont le sort a ravivé un triste souvenir. N'allons pas le détruire encore plus ! Je maintiens toujours que c'est un accident. Très lourd de conséquences, certes, mais un accident quand même. »

Aussitôt que Thomas eut fini son récit, Anne s'approcha de lui et, admirative, lui prit la main.

Mathilde regarda son mari, puis elle prit la parole :

– Vous avez raison, Thomas. N'allons pas remuer un passé si douloureux. Ce qui est arrivé est d'une grande tristesse, mais déterrer le passé ne ramènera pas François à Eugénie et à ses enfants. J'en conclus avec Guillaume-Bernard que c'est un bête accident qui était inévitable à cause de la tempête sur le fleuve. Maintenons cette version. Marie-Chaton est déjà une jeune adolescente difficile et perturbée. Ce sera beaucoup mieux ainsi.

– Mathilde a raison, Thomas. Ne laissons pas le doute du passé gâcher l'avenir de la petite, ajouta Guillaume-Bernard.

– Que cette tragédie reste strictement entre nous ! Pierre Laviolette, pour sa part, ne s'en vantera probablement pas, reprit Anne.

– Je suis heureux d'entendre cette conclusion pour la bonne entente de nos familles et le bonheur de Marie-Chaton, continua Thomas.

– Et pour Eugénie, que va-t-on faire ? Elle a tout de même le droit de savoir comment est décédé son mari ! reprit Mathilde.

– C'est vrai, Thomas. Eugénie, il faut qu'elle le sache, ajouta Guillaume-Bernard.

Anne intervint aussitôt.

– Puisque François était le cousin de Thomas, nous aviserons Eugénie dès que le moment approprié se présentera. Trop de secrets à la fois, la fugue de Marie-Chaton, la mort tragique de François, ça fait beaucoup. Eugénie est une femme intuitive. Elle a déjà fait son deuil. Raviver ses souffrances ne ferait qu'ajouter à la peine qu'elle traîne depuis la mort de François

Thomas était admiratif de la solidarité de son épouse qui continua :

– Quant à moi, rien ne presse de lui décrire ce qu'elle sait déjà par instinct. Et comme ses bons souvenirs de François sont intacts, j'hésiterais à lui raconter ces péripéties douloureuses. On ne raconte pas toutes les souffrances d'un agonisant sur son lit de mort à ses proches ! Et pourtant, tout le monde souffre en mourant. Alors, c'est la même chose dans le cas de la tragédie de la mort de François. Une tragédie différente, plus spectaculaire que la variole ou les fièvres pourpres, certes, mais c'est la tragédie de la fin de la vie humaine.

Thomas Frérot avait enfin confié son secret. Il s'était en même temps déchargé du poids de sa négligence dans la mort de son cousin. Il put dès lors préparer l'avenir de Marie-Chaton, en l'absence de tout remords.

CHAPITRE XXV
Le legs du procureur général

Malgré l'austérité de la demeure princière, reflet de la fortune de ses propriétaires, Marie-Chaton réussissait, les dimanches, à égayer l'ambiance par ses éclats de rire et les jolies mélodies qu'elle jouait sur le clavecin reçu en cadeau de Mathilde. Eugénie avait expressément demandé à son amie à ce que Marie-Chaton puisse s'épanouir dans une ambiance d'art et de culture. Elle reçut donc des leçons privées de clavecin du chanoine Charles-Amador Martin qui l'avait lui-même appris d'Eugénie, sa mère.

Malgré sa facilité à interpréter les œuvres sur le magnifique instrument, elle préférait chanter les partitions. Au dire du chanoine Martin, elle chantait divinement, comme sa mère et ses frères Jean-François et Georges. Paradoxalement, elle était fascinée par les aventures maritimes de son vrai parrain, François Guyon, devenu marchand et flibustier.

Depuis sa tendre enfance, Marie-Chaton avait entendu parler du péril iroquois par Thomas Frérot. Il racontait la fondation du poste de traite des Trois-Rivières que les Indiens appelaient « Tourbillons de vent » à cause du sol sablonneux qui favorisait leurs campements d'été. Elle sut que Pierre Boucher avait réussi à sauver Trois-Rivières en repoussant l'attaque iroquoise dirigée par Bâtard Flamand.

Thomas Frérot lui avait tellement parlé de ce grand homme et de la grâce de l'un de ses protégés, un condamné du nom de Thierry Labarre. Il lui avait raconté maintes fois comment celui-ci avait échappé *in extremis* à la pendaison. Marie-Chaton avait voulu répéter cette étonnante histoire à Eugénie. Cette dernière, d'un ton qui ne permettait pas la réplique, lui avait répondu :

– Ne me raconte pas de telles sornettes, Marie-Chaton ! Il doit y avoir d'autres anecdotes plus intéressantes à savoir. Une jeune demoiselle de bonne famille apprend des historiettes dignes de son rang. Je ne te le répéterai plus.

Marie-Chaton était fascinée, depuis qu'elle était toute petite, par le fait d'armes d'une jeune fille de quatorze ans, Madeleine Jarret de Verchères, un beau matin d'octobre 1692. Madeleine de Verchères fut surprise par de féroces Iroquois au moment où elle était en train d'étendre le linge, à l'extérieur du fort et de la palissade.

En ce matin d'automne, quarante Iroquois, commandés par le redoutable chef « Chaudière noire », surgirent des buissons et de la rive du fleuve Saint-Laurent. Deux par deux, l'un maniant le tomahawk et l'autre, une corde de chanvre tressée, ils firent une vingtaine de prisonniers parmi les colons de la seigneurie de Verchères qui travaillaient aux champs. Ils les jetèrent assommés ou blessés dans leurs canots d'écorce, accostés et camouflés près des petites îles de la rive, et les amenèrent aussitôt dans leur pays.

Madeleine entendit les cris de désespoir des malheureux. Bouche bée, elle courut vers le fort afin de s'y réfugier au plus vite. Deux Iroquois la talonnèrent. L'un réussit à agripper le foulard enroulé autour du cou de la jeune fille. Madeleine défit son écharpe, ce qui désarçonna son assaillant et lui donna une seconde de répit, le temps de franchir la palissade et de fermer la porte du fort. Elle cria aussitôt « aux armes ! », grimpa jusqu'au bastion nord de la palissade, promena un chapeau militaire au bout d'un fusil pour tromper les Iroquois en leur donnant l'impression qu'il y avait plein de soldats à l'intérieur du fort.

Ses deux jeunes frères, âgés de dix et douze ans, gagnèrent la redoute et distribuèrent des fusils.

Madeleine tira du canon et encouragea les femmes et les quelques hommes du fort à tenir bon avec elle. Elle resta éveillée pendant deux jours et deux nuits à tenir en respect les Iroquois qui avaient été rejoints par d'autres guerriers. Finalement, la milice de Montréal fut alertée et vint à sa défense. La comtesse de Maurepas, épouse du ministre de la marine de Louis XIV, ayant entendu le récit de cet exploit, versa à la jeune héroïne une rente viagère très avantageuse.

Marie-Chaton était aussi enthousiasmée par l'extraordinaire aventure de Radisson, légende vivante du commerce de la fourrure en Nouvelle-France. Il avait été capturé à l'âge de seize ans par les Iroquois au lac Saint-Pierre, alors qu'il était à la chasse. Ses trois années de captivité lui avaient appris à vivre et à devenir coureur des bois. C'est ainsi qu'il découvrit la baie d'Hudson.

Marie-Chaton avait également été frappée par l'esprit d'aventure d'Isabelle Couc Montour, fille d'un soldat français de Trois-Rivières marié à une Indienne de la nation atticamègue. Elle travaillait comme interprète en Nouvelle-Angleterre, à cause de sa connaissance de plusieurs langues indiennes. Isabelle vécut plusieurs années chez les Mohawks d'Albany avec Ange-Aimé Flamand, le fils de la religieuse iroquoise, amie de sa mère, avant d'épouser un sachem outaouais. Son parrain Thomas Frérot, anciennement notaire à Trois-Rivières, la connaissait personnellement.

Marie-Chaton avait aussi une autre héroïne dans son entourage. Il s'agissait de l'ancienne compagne de René-Robert Cavelier de LaSalle, Madeleine de Roybon d'Allonne. Elle aussi fille du Roy de la traversée de 1671, elle s'était liée d'amitié avec Mathilde.

Madeleine d'Allonne racontait inlassablement la découverte en 1682 d'un territoire à l'embouchure du fleuve Mississippi que Cavelier de LaSalle s'empressa de nommer la Louisiane en l'honneur du roi Louis XIV. Elle relatait avec passion ses combats face aux pirates espagnols qui écumaient la mer des Antilles et le naufrage dans le golfe du Mexique de deux de ses navires, l'*Aimable* et le *Belle*. Elle pleurait encore, puisqu'elle était toujours célibataire, le chef impétueux qui avait été la victime d'un coup de feu fatal tiré par l'un de ses hommes en 1687.

L'insistance de Marie-Chaton à vouloir fréquenter le port de Québec, en désertant le couvent de la rue du Parloir, et à discuter avec les marins et les débardeurs, faisait l'effroi d'Eugénie et de Mathilde. Il tardait à l'adolescente de voguer sur les eaux du Saint-Laurent, malgré sa connaissance de la manière dont les flots avaient été le tombeau de son père et les réticences de ses proches à ce type d'aventure. Marie-Chaton disait à sa mère qu'elle était en âge de se marier et qu'à ce titre, sa liberté lui appartenait, même si elle était encore loin de sa majorité.

L'indépendance opiniâtre de la jeune fille était d'ailleurs un sujet de discussion constant entre Eugénie et Mathilde, quand les deux amies se rencontraient.

Madeleine d'Allonne avait beau rassurer Mathilde du caractère autonome de Marie-Chaton et de la nécessité de permettre aux femmes de courage de s'exprimer par l'aventure et par l'action, Mathilde restait inquiète et perplexe.

— Il faut bien qu'il y ait d'autres Madeleine de Verchères pour résister à nos ennemis, Mathilde! L'exploration ne peut que forger le caractère trempé de nos découvreurs. Marie-Chaton est jeune et inspirée. Je suis convaincue qu'elle tiendra son rang et conservera sa dignité. Moi-même, je recommencerais mes découvertes, si j'étais plus jeune.

— Mais cette enfant-là a une voix unique. Encore plus belle que celle d'Eugénie, sa mère. Elle ne doit pas la perdre près des batayoles[61] d'un navire, renchérit Mathilde avec émotion.

---

61. Chacun des montants reliés par des barres, que l'on place au bord extrême d'un pont pour empêcher de chuter.

– Alors, suit-elle des leçons de chant ? Car je connais à Québec une ancienne cantatrice de la cour…

« Des leçons de chant ? Madeleine a peut-être raison. Il faudrait que j'en parle à Eugénie. »

À cinquante-huit ans, Madeleine de Roybon d'Allonne était respectée de son entourage. Par ailleurs, elle était considérée comme marginale. Célibataire, la vie d'une femme seule paraissait louche. Et puis, n'avait-elle pas été la maîtresse d'un aventurier ? Sans le lui dire, Eugénie ne voulait pas que Marie-Chaton suive son exemple inquiétant. Malgré ses faits d'armes, elle demeurait une célibataire.

Un jour, lors d'un dîner du temps des Fêtes, en présence de Thomas et d'Anne Frérot, Mathilde aborda le sujet :

– Ne trouvez-vous pas que notre petite fille est bien aventurière. Je crains qu'elle ne compromette son avenir à ne penser qu'aux grands espaces et qu'à fuguer constamment du couvent des Ursulines. Moi, je ne peux plus la surveiller. Et, surtout, je ne peux plus intercéder auprès de la supérieure des Ursulines. C'est la fille d'Eugénie, pas la mienne. Les religieuses veulent la renvoyer du couvent. Il va falloir qu'Eugénie soit au courant avant que son fils, l'abbé Jean-François, ne le sache. Elle qui s'imagine que sa fille est bien sage à Québec !

– Ça, j'en doute. Eugénie connaît sa fille. Seulement, ce n'est pas à Charlesbourg qu'elle deviendra comédienne professionnelle. Elle préfère sans doute que les religieuses prennent une décision pour elle, intervint Guillaume-Bernard.

– Ce n'est pas le genre d'Eugénie, ça. Seulement, elle sait que les Ursulines donnent une excellente instruction, en plus des cours de diction, dit à son tour Thomas.

– Il faudrait qu'elle suive des cours de chant professionnel. Je sais que les Ursulines en ont donné dans le temps. Mais ce n'est pas leur mission d'éducatrices. Et cette lubie de vouloir prendre le large. D'où tient-elle ça ? continua Mathilde.

— Tu sais, Mathilde, nous avons tous goûté à l'aventure en immigrant en Nouvelle-France. Quant à Marie-Chaton, elle a beaucoup du tempérament volontaire et même quelque peu opiniâtre d'Eugénie. N'a-t-elle pas, à sa manière, convaincu le propriétaire et seigneur de l'île d'Orléans, Monseigneur de Laval, de lui permettre d'enseigner aux petits Hurons de la bourgade ? Même toi, Mathilde, à son âge, tu la voulais, cette aventure, n'est-ce pas ?

— Je n'avais pas vraiment le choix si je voulais quitter la Piété Salpêtrière. J'étais orpheline et je voulais fuir la pauvreté. De plus, quand madame Bourdon nous a visitées, accompagnée de Dame de Houssy, notre supérieure, cette dernière nous a avisées que nous partions par ordre du Roy. Quand nous avons été conduites au Pont-Rouge, Violette, moi et les autres, par les ecclésiastiques et le chirurgien de l'hôpital, on nous disait que nous allions accomplir notre devoir de peupler la Nouvelle-France.

— N'empêche que vous auriez pu refuser ! Si tu as accepté, c'est parce que tu pensais avoir une vie meilleure qu'en France, nonobstant les mésaventures que tu pourrais y vivre. C'est cela aussi, l'esprit d'aventure. Risquer sa vie pour un monde meilleur.

— Cela suffit, Thomas ! s'objecta Anne. J'y ai vécu, moi aussi, à cette maison royale de charité et nous n'avions pas vraiment le choix de partir si nous voulions améliorer notre sort. C'était déjà une grande chance d'avoir été désigné par le Roy ! Lors de ma traversée, nous étions soixante jeunes filles choisies sur mille. Mère Bourgeoys, mesdames Bourdon et Elizabeth Estienne nous ont permis d'envisager une vie meilleure. Cela ne nous étique-tait pas d'aventurières pour autant. Nous étions des jeunes filles pures et respectables !

À ces derniers mots, Mathilde rougit instantanément, Guillaume-Bernard baissa la tête et Thomas Frérot détourna le regard.

– Ai-je dit quelque chose de répréhensible ? Nous étions invitées à nous marier en Nouvelle-France. Ce n'est pas cela que j'appelle de la prostitution. Nous avons été mariées religieusement. Souvent, pour les huit cents filles du Roy que nous avons été, nous avons repoussé la limite des quinze jours obligatoires, imposée par le gouverneur et l'intendant Talon. Et qui plus est, nous avons reçu cinquante livres au moment de notre mariage, au lieu des quatre cents livres promises par le Roy parce que les finances publiques ne le permettaient plus. Nous n'étions pas des aventurières, nous étions des héroïnes !

Thomas reprit la parole afin de dissiper la gêne de ses hôtes et de couvrir les éclats de voix de son épouse.

– Que diriez-vous si l'on se rendait tous à Bourg-Royal chez Eugénie ? La fête de Sainte-Anne est une belle tradition, certes, mais cela n'empêche pas que nos familles se revoient durant la période des Fêtes. De plus, Marie-Chaton est à Charlesbourg. Cette enfant-là a trop de mères et de parrains. Elle y navigue à son avantage. Il est temps qu'elle sache que c'est Eugénie qui décidera de son avenir. Et Eugénie en est bien capable !

– Excellente idée, Thomas. Je crois sincèrement toutefois qu'Eugénie acceptera les conseils de ses amies, ajouta Guillaume-Bernard.

– Et de Thomas et de toi aussi, rétorqua Mathilde.

Pour l'Épiphanie de 1703, les familles de L'Escuyer et Frérot se mirent en route pour Charlesbourg, les carrioles chargées de nourriture.

Mathilde et Guillaume-Bernard étaient les parents de cinq grands garçons qui étaient déjà tous bien ancrés dans l'administration de la colonie : deux militaires, deux fonctionnaires de promesse et un clerc de l'entourage de Monseigneur de Saint-Vallier. Marie-Chaton était leur adoration. Ils ne ménageaient aucune marque de considération pour lui prouver leur affection. Tous se rendirent chez Eugénie pour la voir.

Quant à Anne et Thomas, ils étaient venus avec Marie-Renée et son mari, Charlotte et leur fils Charles, un militaire de carrière.

À leur arrivée, Eugénie était en train de préparer le gâteau des Rois avec Marie-Chaton. Quelle ne fut pas sa surprise d'apercevoir tout ce monde qui occupa en un rien de temps tous les recoins de la maison ! Le temps de le dire, les victuailles s'accumulèrent dans les armoires, les huches et même dans les assiettes.

— Mais, mon doux Jésus, quelle belle surprise ! Je suis tellement fière de vous voir tous. On a beau dire, quelques mois sans nous voir changent quand même notre aspect.

— Que tu as de beaux garçons, Mathilde…

— Et tes filles, Anne, sont splendides…

— Regardez-moi ces beaux militaires dans leurs uniformes ! Les Anglais n'ont qu'à bien se tenir ! Enlevez vos vêtements d'hiver et chauffez-vous près de l'âtre…

— Toute cette nourriture ! J'en avais assez pour vous accueillir, vous savez ! », dit Eugénie avec précipitation, tant elle était heureuse de revoir les visiteurs.

— Personne n'a pensé que tu n'avais pas tout ce qu'il fallait ! Seulement, nous étions gênés d'arriver les mains vides… Joyeux Noël et Bonne Année, Eugénie, et que la paix soit dans cette maison !

— Pareillement, Mathilde. Embrassons-nous. Je ne trouve pas les mots pour te remercier pour tout ce que tu fais pour Marie-Chaton.

— C'est facile, elle est comme la fille que j'aurais tant voulue.

Là-dessus, les deux femmes s'étreignirent de nouveau.

– Joyeux Noël, Eugénie, répétèrent à leur tour Anne, Thomas et Guillaume-Bernard.

Et puis ce fut le tour des enfants. Marie-Chaton prit un plaisir certain à faire le tour de la visite et à offrir ses vœux.

– Maintenant, passons à table ! Vous devez bien avoir un petit creux après cette route.

– Plutôt grand que petit, certes. Mais moi, je prendrais bien un petit réchauffant. Qu'en penses-tu, Guillaume-Bernard ? annonça Thomas pour agacer Eugénie.

– Jean va vous servir ça. Du cidre, de la bière ? Ah oui, du vin de cerises. Mais c'est pour les femmes !

« Georges, va donc annoncer notre belle visite à André et à Marie-Anne pour qu'ils se joignent à nous…

« J'ai de la tarte aux pommes chaudes pour ceux qui veulent manger maintenant, avec de la crème fraîche de ce matin. Ou avec du fromage blanc baratté d'hier, si vous préférez. »

– Moi, c'est de la crème fraîche d'habitant.

– Je crois bien que je vais me laisser tenter par le fromage blanc. Comme en Normandie, au lait de vache bien gras, ajouta Thomas.

– Et que je vais pouvoir manger avec mes doigts. Il y a si longtemps ! ajouta Mathilde.

Malgré son existence obéissant au protocole de la haute administration coloniale et à cause de ses origines issues de la petite noblesse normande – de fait, Mathilde avait été élevée dans un orphelinat –, elle ne s'habituait guère à l'étiquette de son rang social.

Guillaume-Bernard pinça les lèvres, tandis que leurs enfants la regardèrent, surpris.

– Tiens, Mathilde, je vais te le servir, ce fromage. Beaucoup mieux qu'à la Piété de la Salpêtrière de Paris, avança Eugénie.

– Et qu'est-ce que tu en sais, toi ! Quand tu es venue donner ton concert à l'orphelinat, tu as été accueillie au réfectoire des religieuses, répondit Mathilde en riant.

– Laisse, Eugénie, je vais servir les affamés. Occupe-toi d'être heureuse, c'est tout, intervint Anne, pour libérer Eugénie.

Au moment du dessert, Guillaume-Bernard trouva le pois dans sa portion de gâteau et fut coiffé de la couronne de roi. Eugénie trouva la fève et fut désignée la reine de la soirée. Mais devant l'air dépité de Marie-Chaton, elle abdiqua au profit de sa fille.

– Bah, c'est davantage de son âge que du mien. Elle fait tellement la princesse qu'elle mérite la couronne royale ! Tiens, prends-la, Marie-Chaton, dit Eugénie, avec un regard attendri et admirateur sur sa fille.

Anne et Mathilde se regardèrent, perplexes. Elles anticipaient que leur prochaine conversation relative à Marie-Chaton allait être difficile.

Le lendemain des Rois, assez tôt, au moment du déjeuner, alors que les plus jeunes dormaient encore, Mathilde et Anne avisèrent Eugénie qu'elles désiraient lui parler à propos de Marie-Chaton, avec Thomas et Guillaume-Bernard.

– Mais ça m'a tout l'air d'un conseil de famille ! A-t-elle fait quelque chose de grave ?

– Pas particulièrement. Mais, comme nous la considérons comme faisant partie de notre famille, tu comprendras que nous nous soucions de son bonheur. Mais c'est toi, sa mère ! Et jamais nous n'interviendrions sans ton autorisation. Comprends-le bien! commença Mathilde.

– Assez de préambule, Mathilde. Qu'a-t-elle fait?

– D'abord, elle fugue.

– Une fois, deux fois…

– Souvent. Trop souvent au goût des Ursulines. Mais le pire, c'est qu'elle rôde au port, avec les marins, les militaires et les débardeurs. Tu peux t'imaginer le mauvais sang que je me fais!

Pensive, Eugénie n'eut pas de réponse à donner immédiatement, sinon qu'elle questionna:

– Est-ce que Jean-François est au courant?

– Non, je ne le pense pas. Pas encore!

Eugénie parut soulagée. Alors, pour la première fois de son existence, elle demanda à ses amis:

– Vous l'avez vue grandir mieux que moi, mon bébé. Que me conseillez-vous?

La réaction d'Eugénie, énoncée avec calme, sérénité et surtout humilité, surprit ses amis.

Mon Dieu! Que lui arrive-t-il? C'est bien la première fois qu'elle ne trouve pas de solution et qu'elle demande conseil. Le chêne commence à plier. Elle devient plus humaine. Enfin! pensa Anne.

Pauvre Eugénie! François lui manque beaucoup plus qu'elle ne semble vouloir le démontrer! Il y a quand même des limites pour une femme à vivre sans homme. Ça commence à paraître. Il faudrait qu'elle se remarie. Elle ne viendra pas à bout de

Marie-Chaton, pas plus que je n'y ai réussi. Heureusement que je ne suis pas sa mère !» réfléchit Mathilde.

C'est l'occasion ou jamais de suppléer François ! Comme elle n'a plus de père, cette petite, et comme ça me donne l'impression qu'elle n'en aura pas de sitôt – Eugénie est trop difficile –, c'est moi qui vais me proposer pour devenir officiellement son tuteur, du moins financièrement. Après tout, nous avons les mêmes ancêtres, comme cousins. Je me sens toujours un peu coupable de la mort de François. C'est stupide mais c'est comme ça. Cette petite n'est pas bête, elle l'a flairé. Quel don pour le théâtre ! Mais Marie-Chaton nécessite de l'encadrement, et seul un homme qui y prend le temps le mérite ! Guillaume-Bernard n'a pas le temps et il lui passe tous ses caprices. Et puis, il n'est pas son parent», se dit Thomas, calculateur.

Que je la plains, cette Eugénie. À vouloir tout régenter, cela nous revient derrière soi, tôt ou tard. Non seulement la petite est bourrée de talent, mais elle a un tempérament du tonnerre de Dieu. Ce n'est plus Mathilde qui peut s'en occuper. Elle est trop émotive. Et moi, mes charges coloniales m'accaparent trop. D'autant plus que le scandale nous souffle dans le cou tant les débordements de Marie-Chaton risquent d'être explosifs.

Il faudra plus que des prières pour la guider comme il se doit ! Je n'en connais qu'un qui puisse le faire adroitement et c'est Thomas. Je peux lui proposer, mais j'aimerais que la proposition vienne de lui. Il doit bien ça à Eugénie et à François. Ses manigances avec Pierre Laviolette, son secret, comme il le dit, ce n'est pas tout à fait clair ! Enfin ! Si ça pouvait lui libérer la conscience...

Je ne sais pas s'il a parlé à Eugénie de la noyade de François. Moi, à sa place, je ne le ferais pas. Il est mieux de réparer sa cupidité par une bonne action... telle que d'assurer l'avenir de Marie-Chaton...

Ces commerçants de la fourrure ! L'argent leur tombe du ciel ! Thomas est peut-être différent, sans doute... mais c'est l'exception. Et dire que je connais leurs magouilles en étant obligé de fermer les

yeux... Mais cela ne concerne pas Marie-Chaton, de toute façon »,
raisonna Guillaume-Bernard.

S'ils s'imaginent que je ne comprends pas leur petit jeu. Ils se
la sont déjà accaparée. Je ne veux surtout pas que Marie-Chaton
devienne une monnaie d'échange. Mais ils me connaissent mal. Je
ne me laisserai pas faire. Ce n'est pas possible que ma fille agisse
comme ils le disent ! C'est ma plus talentueuse et elle me ressemble
tellement. À croire Mathilde, elle va bientôt faire les manchettes
et alimenter les ragots scandaleux de Québec. Si c'était vrai,
Jean-François m'aurait avisée. Ce n'est pas possible qu'elle devienne
comme Anne ! Une... dévoyée !

Divine Providence ! C'est encore le Malin qui me met ces idées
en tête ! Vade retro Satana ! Ce sont mes grandes amies, Mathilde
et Anne, qui viennent me visiter avec leurs familles, moi, une veuve.
Elles doivent avoir de la considération, tout de même ! Sans doute
de l'affection. Si elles prennent à cœur l'avenir de Marie-Chaton,
c'est que la petite en vaut la peine...

Comme François n'est plus là pour me conseiller, je ne devrais
pas ignorer leurs recommandations. Un conseil ne m'oblige en
rien. Nous verrons bien. L'avenir pour une artiste à Charlesbourg
est limité à ce que j'ai fait : l'harmonium à la messe du dimanche.
Est-ce ça que je veux pour Marie-Chaton ? Tout se passe à Québec,
je le sais bien. Et puis, je ne nage pas dans l'argent, comme Thomas.
Comment le lui demander ! Il a toujours été si généreux avec
François, qu'il considérait comme un frère...

« Nous verrons bien ! », délibéra Eugénie.

– Alors... qui parle en premier ? questionna-t-elle.

De façon inattendue, Guillaume-Bernard prit la parole :

– Tu sais, Eugénie, que nous aimons Marie-Chaton comme
la fillette que nous n'avons pas eue. Mais elle a vieilli et,
malheureusement, Mathilde n'a plus l'autorité comme mère
substitut pour veiller sur elle. Nous le regrettons, mais pour le

bien de la petite, il va falloir penser à une autre solution. Savoir qu'elle pouvait venir à la maison les dimanches et les jours de fête a sans doute encouragé ses désirs de liberté. Soit qu'elle reste en permanence au couvent des Ursulines ou qu'elle revienne à Bourg-Royal. Là-dessus, j'ai une recommandation à faire.

– C'est raisonner comme un fonctionnaire, Guillaume-Bernard. L'éducation artistique de cette petite commence à peine. Elle devrait suivre des leçons de chant à Québec, s'indigna Mathilde.

– Et quelle est cette recommandation, Guillaume-Bernard? demanda Eugénie.

Contrarié d'avoir été rabroué par sa femme, Guillaume-Bernard continua:

– Eh bien, une demande de théâtre de marionnettes vient d'être formulée pour venir s'installer à Charlesbourg. Des gens de Marseille. Nous envisageons cette possibilité à mon office. Marie-Chaton pourrait commencer à se familiariser avec ce métier. Ici même à Charlesbourg.

– Une troupe de théâtre de marionnettes? questionna Eugénie.

– La demande est pour l'installation de l'emplacement d'un théâtre. Je n'en sais guère plus pour le moment.

– De Marseille? Auront-ils le parler des gens du sud de la France?

– Sans doute. Évidemment, ce n'est pas le parler de Paris.

Eugénie étudiait mentalement Guillaume-Bernard.

– Et toi, Mathilde, tu parlais de leçons de chant?

– Oui. Je connais une ancienne cantatrice de la cour qui vit maintenant à Québec et qui donne ces leçons. De plus, elle s'est déjà produite au théâtre. Les Ursulines se défendent bien d'enseigner l'art dramatique à leurs pensionnaires.

Mathilde ne voulait surtout pas prononcer le nom de Madeleine d'Allonne, pour ne pas indisposer Eugénie.

– Évidemment. Mais comment Marie-Chaton, en étant pensionnaire, pourrait-elle concilier les leçons de chant si elle ne peut plus avoir ses dimanches, comme auparavant ses cours de clavecin, chez toi ?

Embarrassée, Mathilde se mordit la lèvre. C'est ce moment-là que choisit Thomas pour intervenir.

– Marie-Chaton pourrait demeurer chez nous, Eugénie. En quelque sorte, nous sommes ses parrain et marraine. N'est-ce pas, Anne ?

Surprise par la proposition de Thomas, Anne renchérit :

– Bien entendu, Eugénie. Avec le plus grand bonheur. Sans faire de critique à Mathilde, j'ai déjà élevé deux filles qui sont devenues des femmes vertueuses, Marie-Renée et Charlotte. Ne sois pas inquiète pour ta Marie-Chaton. Nous allons en faire une vraie demoiselle. Si Mathilde veut bien déménager son clavecin pour quelque temps…

– Bien sûr, Anne, avec plaisir, répondit Mathilde, trop heureuse de confier Marie-Chaton à Anne.

Cette dernière n'était pas peu fière de son invitation.

Vois-tu, Eugénie, il n'y a pas que toi qui puisses symboliser la vertu ! Je vais te montrer qu'Anne Frérot est capable d'être une femme modèle.

– Que je suis heureuse, mes amis, s'exclama Eugénie, les larmes au bord des yeux.

– Mais ce n'est pas tout, Eugénie. J'ai une autre proposition à te faire pour les vacances de l'été prochain. En attendant la venue du théâtre de marionnettes, ce qui n'est d'ailleurs pas bête du tout comme idée, Guillaume-Bernard! dit Thomas en esquissant un léger sourire, satisfait de ne pas être écarté de la discussion.

– L'été prochain? Et quelle est cette proposition, Thomas? s'enquit Eugénie, curieuse.

Thomas énonça sa proposition, lentement, comme s'il rédigeait un contrat notarié.

– Nous pourrions permettre à Marie-Chaton de naviguer vers le poste des Trois-Rivières. Elle me l'a si souvent demandé...

Thomas venait d'énoncer un mensonge pieux. C'est lui qui avait déjà abordé la question avec Marie-Renée, sa fille et marraine de Marie-Chaton, afin qu'elle sonde les intentions de cette dernière. Marie-Renée, maintenant âgée de vingt-huit ans, mariée et mère de deux enfants pas si loin de l'âge de Marie-Chaton, parut à la fois heureuse et craintive pour sa filleule. Elle la savait volontaire, intrépide et presque téméraire. De la façon dont elle la voyait, à la dérobée, déambuler le long du quai de Québec, en pleine activité et parfois à la pénombre, en cachette des religieuses du couvent des Ursulines qui exerçaient par surcroît une surveillance monacale, elle se disait que cette petite avait l'aventure dans le sang. Il y avait une grande complicité entre la marraine et la filleule.

Marie-Renée et Thomas savaient que Marie-Chaton se confierait.

– *Quel est ton plus grand rêve, Marie-Chaton?*

– *J'aimerais être comédienne... et chanter... Vivre avec les Indiens comme Radisson et le gouverneur Boucher, les amis de*

Thomas, et découvrir de nouveaux espaces, comme Madeleine d'Allonne.

– Que dirais-tu d'un séjour dans la région des Trois-Rivières?

– Oh oui! Ça serait la première fois que je naviguerais sur un voilier qui me permettrait de voir Québec d'en face. Il paraît que le lac Saint-Pierre est aussi étendu que l'océan.

– D'être accueillie et de vivre chez les amis de Thomas, les Banhiac Lamontagne, qu'en penses-tu? Tu pourrais accompagner de nouvelles amies aux champs et dans les bois. Ils ont plusieurs filles, et Étiennette est de ton âge. C'est une grande chance que tu as, Marie-Chaton. Je n'ai pas eu la même, tu sais. Mon père ne m'a jamais emmenée!

Thomas continua son plaidoyer envers Eugénie :

– Marie-Chaton pourrait être hébergée par une famille de mes censitaires, les Banhiac Lamontagne, qui ont une jeune fille du même âge que notre petite. Justement, l'épouse, Marguerite Pelletier, sage-femme de profession, t'a aidée à accoucher d'André, ton premier fils. Nous étions tous là. Tu t'en souviens?

– Mademoiselle Marguerite Pelletier devenue madame Banhiac Lamontagne! Si moi, je l'oublie, qui d'autre s'en souviendra, Thomas! Ça fait trente ans, l'âge d'André, bien sûr. A-t-elle d'autres enfants?

– Les Banhiac Lamontagne sont les parents de huit enfants, six filles et deux garçons, dont Étiennette qui a l'âge de Marie-Chaton. Les Banhiac Lamontagne vivent le long du fleuve sur un lopin de terre dont l'horizon par beau temps se rend jusqu'à Saint-François-du-Lac, de l'autre côté du lac Saint-Pierre. Notre fille Marie-Renée, la marraine de Marie-Chaton, a eu la chance de les connaître et même de les accompagner à Saint-François-du-Lac, lors d'une attaque iroquoise.

Thomas venait de commettre son deuxième mensonge. Dans les faits, Anne, la mère de Marie-Renée, lui avait toujours refusé cette possibilité par crainte des Iroquois. Mais cette stratégie faillit lui être fatale.

Eugénie bondit de sa chaise.

— Est-ce vrai, Anne?

Pour toute réponse, cette dernière qui ne voulait pas se faire complice du mensonge de Thomas répondit:

— C'est la première nouvelle que j'en ai. Je sais qu'elle est allée visiter sa seigneurie à la Rivière-du-Loup, il y a plusieurs années, avant son mariage…

Eugénie avança:

— Je ne veux surtout pas que ma petite tombe entre les mains de ces sauvages, ces impies! Cela ruinerait ma vieillesse. Et puis elle doit continuer ses leçons de chant, renchérit Eugénie.

Mathilde regarda Anne d'un œil amusé.

Mais qu'elle laisse d'abord Marie-Chaton commencer ses leçons! Notre Eugénie est déjà conquise à l'idée que sa fille devienne cantatrice! Eh bien, cela promet pour l'avenir de la petite!

— Ne crains rien, Eugénie. Depuis le Traité de paix[62], les Iroquois ne sont plus une menace, en tout cas jusqu'à Montréal. Qu'est-ce que tu penses de ma suggestion? Le voyage ne sera pas bien long. Les leçons de chant pourront attendre un petit peu!

Eugénie connaissait bien le sens des responsabilités de Thomas Frérot et d'Anne Ollery, son épouse, une fille du Roy et une grande amie. Les filles du Roy, c'était son monde, à Eugénie, et davantage que l'entourage de la chancellerie de Québec. Elle

---

62. La Grande Paix de 1701.

pouvait faire confiance à Thomas qui parrainait somme toute Marie-Chaton.

Eugénie demanda à ce dernier de préparer le voyage.

– Tu es certain, Thomas, que tu ne succombes pas à un caprice d'adolescente?

Thomas lui rappela le caractère impétueux de l'adolescente et son grand désir de voir d'autres horizons. Il valait mieux que ce périple fût préparé par sa famille que de risquer une escapade aux conséquences incertaines. La raison l'emporta sur l'angoisse de son cœur de mère.

Quand Marie-Chaton eut pris son déjeuner, Eugénie, en présence d'Anne et Thomas et de Mathilde et Guillaume-Bernard, aborda sa fille afin de connaître ses intentions.

– Marie-Chaton, après en avoir discuté avec tes tantes et tes oncles, voici ce que nous avons décidé à ton sujet.

– À propos de quoi, maman?

– Ton avenir, mon bébé.

Eugénie résuma à Marie-Chaton les propositions de Thomas et d'Anne. La proposition enchanta Marie-Chaton qui se mit à rêver de grands espaces, de navigation, de nature sauvage, bref, d'aventure.

– Oh! Mère, ce serait merveilleux. Enfin, j'aurai la chance de rencontrer Isabelle Couc et de vivre avec les sauvages au poste des Trois-Rivières. Je pourrai chasser, pêcher et découvrir la nature sauvage de notre pays. Enfin, l'aventure!

– Écoute-moi bien, ma petite fille. Tu iras là-bas seulement si tes notes sont bonnes au couvent, si ta conduite est sans reproche, tu sais ce que je veux dire, n'est-ce pas? Plus de fugues. Je l'ai su!

Et si tes leçons de chant te sont profitables! Au moindre accroc, tu reviens à Bourg-Royal nous aider aux foins.

« Ah oui, c'est une jeune fille de ton âge que tu vas rencontrer et non une sauvagesse aventurière. C'est une jeune fille de ton âge et non une sauvagesse aventurière que tu as avantage à connaître, n'est-ce pas?

« À ces conditions, je consentirai à ce que tu puisses accompagner Thomas. Et seulement à ces conditions! »

– Oui, mère.

– Maintenant, va embrasser tes tantes et tes oncles et dis-leur un gros merci. Tu en as de la chance de les avoir. Ils t'aiment beaucoup. Tu es grandement choyée.

Aussitôt, Marie-Chaton fit une démonstration de tendresse, comme elle seule pouvait le faire. Mais de façon sincère. Ensuite, elle habilla Catherine, la petite d'André, et tante et nièce allèrent s'amuser à construire un bonhomme de neige. Eugénie avait demandé à Anne et Thomas de ramener Marie-Chaton au couvent des Ursulines pour son semestre académique.

Marie-Chaton se souvenait des récits de Thomas Frérot concernant les raids iroquois à Trois-Rivières et au lac Saint-Pierre et les horreurs des massacres de Lachine, de Lachenaie et de l'île Jésus. Madeleine de Roybon d'Allonne connaissait personnellement des parents de Cavelier de LaSalle qui demeuraient encore dans Lachine, seigneurie nommée ainsi par dérision à la suite de l'expédition ratée de l'explorateur pour trouver la route menant en Chine. Elle se souvenait aussi du récit de la riposte du gouverneur de la Nouvelle-France, Frontenac, à la Nouvelle-Angleterre. Le cousin de Guillaume-Bernard Dubois de L'Escuyer, Nicolas d'Ailleboust, avait assisté Pierre Le Moyne d'Iberville et de Repentigny au commandement de l'expédition qui partit de Montréal.

Marie-Chaton était intriguée par les Iroquois qui avaient le génie de la guérilla forestière et de l'embuscade à l'improviste. Ils vivaient en symbiose avec la forêt, dont ils connaissaient tous les secrets. Par Thomas, elle avait su que les gens des Trois-Rivières s'étaient défendus héroïquement depuis les débuts de la colonie, et que Pierre Boucher avait joué un rôle considérable dans la défense du poste et dans les discussions des traités de paix avec les Iroquois.

Marie-Chaton avait entendu parler, par ses frères, de la liberté sexuelle des sauvagesses jusqu'au jour de leur mariage et de leur facilité à divorcer. Elle avait du mal à y croire.

Thomas lui parla de l'arrivée du régiment de Carignan en 1665, soldats qu'il avait côtoyés au moment de sa traversée en provenance de Normandie. Il lui parla notamment de son amitié pendant le voyage en mer avec le jeune vicomte de Manereuil, enseigne du régiment de Carignan, qui s'était installé à la Rivière-du-Loup, plus à l'ouest des Trois-Rivières.

Cette rivière venait se perdre dans le lac Saint-Pierre avec sa végétation de pins, de chênes, d'érables et de cèdres, et ses berges qui étaient la terre d'accueil des oiseaux aquatiques et migrateurs au printemps. Le sol était fertile, le gibier et le poisson, abondants. Il lui disait que le fleuve et les rives étaient les seules voies d'accès. Par ailleurs, l'habitant récoltait assez de blé pour nourrir sa famille, il élevait des volailles, entretenait au moins une vache et cultivait quantité de légumes. En plus, l'habitant pouvait compléter son garde-manger par la chasse et la pêche. Il lui parla des mines de fer de Trois-Rivières sur lesquelles il fondait beaucoup d'espoir comme industrie du futur.

Marie-Chaton écoutait attentivement quand Thomas parlait des cultivateurs de sa seigneurie de la Rivière-du-Loup, de vrais colons qui avaient été d'anciens officiers et soldats du régiment de Carignan, venus en 1672 à la seigneurie pour cultiver et s'y marier. Il lui parla notamment de deux soldats de la Compagnie La Fouilleavec lesquels il s'était lié d'amitié. D'abord Jean-Jacques de Gerlaise, un Belge, et François Banhiac Lamontagne.

À quatorze ans à peine, l'imagination de Marie-Chaton était fertile et elle se voyait avec Étiennette comme des Madeleine de Verchères, défendant leur vertu devant les Iroquois, au péril de leur vie.

Au courant du printemps, les Ursulines de Québec reçurent la recommandation de leur prieuré de Paris d'offrir des leçons d'art dramatique à leurs pensionnaires et d'organiser des spectacles de théâtre de marionnettes, au grand dam de l'archevêché qui n'y voyait que l'œuvre du diable. Mais monseigneur de Saint-Vallier mit cette fois une sourdine à ses récriminations quand il se rendit compte qu'il désavouerait la décision du Roy Louis XIV qui l'avait désigné, somme toute, comme successeur à monseigneur de Laval.

Les religieuses choisirent de monter la pièce de Racine, *Mithridate*, et Marie-Chaton y personnifia, avec brio, Monime.

Quelques semaines après avoir été couronné roi de la Fête de l'Épiphanie, Guillaume-Bernard Dubois de L'Escuyer apprit la nouvelle inattendue de son anoblissement de la part du gouverneur, en reconnaissance de ses loyaux services à la Nouvelle-France. Il s'appellerait désormais le chevalier d'Ailleboust, du célèbre nom de ses oncles qui avaient été à la magistrature et à la gouverne de la colonie. Il se dépêcha d'en informer Mathilde en l'appelant de son nouveau nom : madame d'Ailleboust, au grand étonnement et à la grande joie de cette dernière. Mais Guillaume-Bernard ne put célébrer avec ses amis l'obtention de son titre honorifique car il décéda chez lui d'une attaque subite du cœur, peu de temps après. Sa dernière heure avait sonné. Il approchait la soixantaine.

La Nouvelle-France venait de perdre son procureur général, à la feuille de route impressionnante, pour avoir été le premier Canadien de naissance, anobli de surcroît, à occuper cette fonction qu'il conserva près de trente-cinq ans, jusqu'à son décès. Mathilde, pour sa part, perdait un époux bien-aimé, le père de ses cinq garçons. Pour elle, Guillaume-Bernard avait toujours été un aristocrate de cœur, bien avant son titre de noblesse.

Le gouverneur de Callière mit le drapeau de la France en berne. Il décréta des funérailles civiques et les obsèques furent célébrées en grande pompe à la basilique Notre-Dame par le prélat de Québec et de la Nouvelle-France, en présence des gouverneurs de Québec, de Montréal et des Trois-Rivières et d'une assistance attristée, nobiliaire et roturière, venue rendre un dernier hommage à leur bien-aimé procureur général et offrir leurs condoléances à la famille éprouvée.

Guillaume-Bernard, dans son testament, avait recommandé à Mathilde de pourvoir financièrement aux études de Marie-Chaton, si cette dernière émettait le désir de les poursuivre en Europe.

L'abbé Jean-François Allard, de l'archevêché de Québec, permit à sa petite sœur Marie-Chaton d'assister à la veillée funéraire et aux obsèques de celui qui la considérait comme sa propre fille. Cette dernière, qui se souvenait peu des funérailles de son père, François, ressentit une peine immense à la suite du décès de son protecteur. Guillaume-Bernard, un peu avant son décès, autorisa la venue d'un théâtre à Charlesbourg, la troupe de Marseille.

Eugénie vint passer quelques semaines, rue du Sault-au-Matelot, afin de consoler Mathilde de son immense chagrin. Elle prit en charge l'organisation domestique avec une grande dextérité. Marie-Anne, la femme d'André, lui avait proposé de prendre le relais de la maisonnée à Charlesbourg.

Eugénie et Mathilde en profitèrent pour se recueillir aux différents lieux saints de la ville de Québec. Leurs lieux de prédilection furent la chapelle des Ursulines, le petit oratoire de mère de l'Incarnation et surtout le petit oratoire de madame de la Peltrie, où les deux amies avaient logé. Eugénie réussit même à avoir l'opportunité, pour elle-même et son amie, de participer à une retraite fermée avec les moniales. Quelle ne fut pas la surprise de l'abbé Jean-François Allard, le prédicateur, d'apercevoir sa mère et Mathilde parmi les pénitentes! La surprise fut encore plus grande pour Marie-Chaton d'entendre Eugénie en duo avec Mathilde au jubé de la chapelle des Ursulines!

Eugénie réussit tant bien que mal à maintenir le moral de son amie et à lui faire promettre de venir assister, l'été suivant à Charlesbourg, à une représentation de marionnettistes, une des dernières initiatives administratives de Guillaume-Bernard à titre de procureur général.

CHAPITRE XXVI
La visite au lac Saint-Pierre

Dès le printemps de 1703, Thomas Frérot se dépêcha de visiter ses amis des Trois-Rivières et ses censitaires de sa seigneurie de la Rivière-du-Loup, afin d'organiser le séjour de sa filleule, Marie-Chaton.

– Dorénavant, Thomas, mon prénom sera Cassandre. Tout de même, qu'aurais-je l'air! À quatorze ans, je n'ai plus l'âge de jouer avec des chatons.

– Cassandre? Tiens donc. Tu imites Ronsard, maintenant. Remarque que c'est mieux qu'«Ode à Marie-Chaton», n'est-ce pas?

– Très drôle, parrain!

Comme marchand, Thomas avait l'habitude de visiter ses amis quand ses affaires le lui permettaient. Mais avant la Grande Paix de 1701, c'était plutôt occasionnel, puisque le péril iroquois menaçait à tout moment. À ce moment-là, la grande majorité des habitants de la région se réfugiait à la moindre alerte au fort de Saint-François-du-Lac. Lors de ses trajets vers Montréal, il s'arrêtait à l'embouchure de la Rivière-du-Loup et prenait des nouvelles de la région et de sa seigneurie auprès de Judith

Rigaud, belle-mère de ses employés. Depuis 1701, naviguer sur le fleuve était dorénavant sécuritaire.

Judith Rigaud avait été obligée par le gouverneur de Montréal de rejoindre ses enfants sur leurs terres de la Rivière-du-Loup, sous peine d'être fouettée pour avoir mené une vie considérée scandaleuse par ses amours illicites. Elle avait été veuve deux fois, avait eu six enfants, dont un mort-né, avait raté son troisième mariage et s'était réfugiée dans les bras d'un Montréalais criblé de dettes. Elle avait déjà fait la traite des fourrures et avait été condamnée en 1679 à l'exil pour dix ans.

Judith Rigaud connaissait la région de Trois-Rivières depuis 1654. Son audace suscitait la curiosité des femmes de la région. Elle s'habillait, autant que possible, à la mode de Paris. Elle avait assisté au mariage de Pierre Couc et de son Atticamègue et avait été l'amie du couple jusqu'à la mort de Pierre en 1690. Leurs enfants étaient très liés. Judith avait fait rêver Isabelle Couc, la sœur de Pierre, lorsqu'elle lui racontait les aventures héroïques des Indiens et des voyageurs canadiens et la miroitante liberté de l'Ouest. Mais depuis l'escapade d'Isabelle Couc avec Ange-Aimé Flamand et son mariage, plus tard, avec un chef iroquois des Grands Lacs, Judith ne vivait que du souvenir de ses propres frasques.

Judith fascinait toujours par sa personnalité colorée, son élégance de la vieille France et son passé matrimonial. Ses fils et ses gendres faisaient la traite des fourrures et s'absentaient souvent. Elle était au courant de toutes les nouvelles allant de Québec jusqu'aux Grands Lacs, en passant par Montréal. Mémoire vivante de la grande région du lac Saint-Pierre, c'est elle qui avait annoncé à Thomas la mort de leur ami commun, Pierre Couc.

Thomas apprit un jour que les Mohawks, dans un raid éclair à la Rivière-du-Loup en 1688, avaient décapité un habitant, Jacques Julien, et qu'ils avaient mis sa tête au bout d'une pique devant la maison de Pierre Couc. Quatre anciens soldats du régiment de Carignan devenus cultivateurs, dont François

Banhiac Lamontagne, avaient décidé de braver les Iroquois. Ce fut Isabelle, la fille de Pierre, qui négocia la trêve avec Diable rouge, la terreur iroquoise, et qui finalement s'était enfuie avec lui, au grand dam de Judith Rigaud.

Thomas apprit aussi à Cassandre que Marguerite Banhiac Lamontagne accoucha d'une petite fille au début d'octobre et qu'on s'était empressé de baptiser la petite Étiennette au manoir du seigneur Crevier sur la rive sud du lac Saint-Pierre, à Saint-François-du-Lac, le 6 octobre 1688. Pierre Couc avait dirigé la fuite des habitants de la Rivière-du-Loup. François Banhiac Lamontagne voulait rester avec ses compagnons d'armes afin de nettoyer le paysage des Iroquois, mais ses compagnons avaient jugé qu'il devait veiller sur sa petite famille. Le père Dominique, un curé volant, avait procédé au sacrement du baptême.

Thomas Frérot s'était dit que les Banhiac Lamontagne pourraient bien pour quelques mois accueillir une adolescente de plus à leur table familiale.

Cassandre partit, un matin de la mi-juin 1703, avec son tuteur, Thomas Frérot, sur un voilier qui faisait le transport de Québec à Montréal. On avait planifié un séjour de deux mois, le temps qu'elle puisse participer aux semailles et aux moissons dans ce cadre champêtre. Mathilde, Anne et Marie-Renée Frérot assistèrent au départ. Mathilde versa quelques larmes. Pour sa part, Eugénie, à Bourg-Royal, avait confié à sa petite plus de lainage qu'il n'en fallait, en lui demandant d'être respectueuse de son rang chez sa nouvelle famille.

Le voyage de quelques jours comportait peu de risques. Les courants étaient moins rapides vers l'ouest. Le capitaine, qui connaissait bien son métier, longea la rive nord du fleuve. Cassandre, accoudée au bastingage à longueur de journée, ne perdait rien du paysage. La première nuit dans sa cabine lui parut une révélation. Elle se mit à rêver d'explorations et de découvertes. Thomas, à cause de la fraîche malfaisante, l'empêcha de s'éterniser sur le pont à contempler les étoiles.

Thomas prit le temps d'instruire sa pupille, devant l'îlot Richelieu en face du cap Lauzon, du rôle qu'il avait joué dans l'arrestation de l'ami de son père, Thierry Labarre, qui avait fugué avec une Iroquoise. À Sainte-Anne-de-la-Pérade, Thomas lui parla de la naissance des quadruplés Baril, de leur mère Violette, une brave femme qui était la protectrice de Mathilde et l'amie d'Eugénie. Cassandre l'ignorait. Elle connaissait par contre Marie-Noëlle Baril qu'elle avait déjà visitée chez les Asselin.

À la hauteur de Batiscan, Thomas indiqua à l'adolescente, en souriant, qu'une amie de sa mère, Marie Lagarde, s'appelait en réalité Marie Chaton.

– Je vous l'ai dit, parrain, que je ne voulais plus porter ce prénom. Ce n'est plus de mon âge!

Devant la paroisse nommée Champlain, en l'honneur du fondateur de Québec, il lui apprit que ce dernier avait appelé l'élargissement du fleuve le lac Saint-Pierre pour souligner l'anniversaire de l'apôtre.

Thomas Frérot continuait à s'enrichir comme marchand de transport maritime et avec la traite des fourrures. Il engageait des trappeurs qui vivaient à l'indienne dans les bois pour lui fournir des peaux de castor. Louis Couc, le fils de Pierre, les fils et les gendres de Judith Rigaud, avaient été ses engagés. Tous parlaient la langue algonquine, ce qui facilitait les communications avec les Indiens. Même si Judith Rigaud vivait à la Rivière-du-Loup, elle encourageait ses fils et ses gendres à faire la traite des fourrures, comme elle l'avait faite avec leur père. L'amitié de Judith était importante pour Thomas, même si elle était censitaire de sa seigneurie.

Thomas venait récupérer les stocks de peaux, après la visite de son comptoir de Montréal, et naviguait habituellement sur une grande barque à voiles vers son autre comptoir à Québec. Il en profitait pour saluer ses censitaires, dont Judith, installés dans sa seigneurie de la Rivière-du-Loup, tout en se tenant à distance des Iroquois. Il était toujours accompagné d'hommes armés à sa solde, un petit canon faisait figure de proue à l'avant de la barque, même si la paix avait été signée avec les Iroquois.

Thomas, s'il en avait le temps, s'arrêtait pour saluer le seigneur Alexandre de Berthier, un des officiers du régiment de Carignan qui s'était distingué face aux Iroquois, ainsi que son beau-frère de l'autre côté du fleuve, grand ami et compagnon d'armes, le seigneur Pierre de Sorel. Les deux hommes étaient mariés aux filles de Charles Le Gardeur. Anne et Thomas Frérot avaient assisté à leurs mariages à l'église Notre-Dame de Québec, ainsi que les autres notables de la ville. La seigneurie de Berthier avoisinait la Rivière-du-Loup et ses habitants vivaient sur les rives du chenal du Nord.

Thomas avait acheté l'île Dupas, en face de Berthier, parce qu'elle se trouvait sur la route du commerce des fourrures. Donc, il était voisin de ses amis et allait les visiter lorsqu'il faisait escale sur son île. Il y avait une petite demeure qui faisait office de poste de traite avec les Indiens qui descendaient des territoires plus au nord par les rivières qui se jetaient dans le fleuve.

Passé Trois-Rivières, le voilier arriva à l'embouchure de la Rivière-du-Loup et du lac Saint-Pierre. Comme ce lac était peu profond, afin d'éviter d'être coincé dans les sables du fond, c'est par chaloupe que l'on se rendait sur la berge.

Le lopin de terre des Banhiac Lamontagne, d'environ trois arpents de front de lac, se situait un peu plus à l'ouest de la Rivière-du-Loup. La façade de leur maison pointait vers le large et un petit quai s'avançait dans les eaux pour y amarrer la barque, unique moyen de transport soit vers Trois-Rivières, soit vers Berthier.

Thomas et Cassandre, cette dernière avec un peu d'appréhension, se rendirent jusqu'au quai devant la petite maison des Banhiac Lamontagne. Déjà, au loin, se profilait une certaine animation. Des mains s'agitaient en guise de bienvenue.

Marguerite et François Banhiac Lamontagne vinrent à la rencontre de Thomas et tous se saluèrent chaleureusement. Jean-Jacques Gerlaise de Saint-Amand était également là. Marguerite accueillit affectueusement Cassandre et lui présenta ses enfants, Geneviève, Marie-Anne, Agnès, Madeleine, Antoinette, Charles et François les jumeaux, ainsi qu'Étiennette, du même âge que Cassandre.

Étiennette était une brunette coiffée de tresses. Elle était déjà de taille adulte. Elle sympathisa immédiatement avec Cassandre qui contrastait par le blond de ses cheveux et la minceur de sa taille. Elles surent à l'instant qu'elles étaient pour s'entendre. Les jeunes filles Banhiac Lamontagne entourèrent Cassandre et lui posèrent mille questions concernant la ville de Québec: Était-il vrai qu'elle vivait dans une maison luxueuse avec plusieurs serviteurs? Était-il vrai qu'elle avait joué du clavecin devant l'archevêque de Québec? N'avait-elle pas été à un bal chez le gouverneur et invitée à danser par quelques gentilshommes?

Cassandre répondait aux questions, qui fusaient de partout, davantage par des éclats de rire qui démontraient qu'elle était déjà heureuse et bien adaptée à ses nouvelles amies. À son tour, elle leur demanda s'il était possible de visiter le fort de Saint-François-du-Lac, de connaître Isabelle Couc Montour et d'aller à la pêche sur le fleuve.

C'est dans l'allégresse qu'on amena les nouveaux arrivés dans la maison pour boire le thé parce que le fond de l'air était froid, même en plein soleil, à ce moment de la saison. Étiennette fit les frais de la visite de la maison des Banhiac Lamontagne. Cette demeure était bâtie en prévision du froid, d'un périmètre de dix-huit pieds de long sur seize de large. Un mur de pierre, une couche de paille et de terre protégeaient le soubassement. Les murs étaient recouverts de planches de bois franc, troués de petites fenêtres en façade, ornées de volets rouges. Le toit était fait de bardeaux de cèdre, bois très présent dans la région.

Un petit potager avoisinait la demeure. Déjà, à l'arrière, on voyait le labeur du colon qui avait réussi à rendre fertile près de la moitié de sa terre, encore parsemée des blessures béantes causées par l'essouchement. Le dortoir commun des filles impressionna Cassandre avec ses paillasses de foin éparpillées au second étage. On y accédait par une échelle jusqu'au plafond du rez-de-chaussée, le niveau de l'étage principal. Une petite lucarne donnait sur le fleuve. La cheminée à l'arrière de la pièce réchauffait tant bien que mal le second étage. La chaleur venait davantage de l'entrée au plancher, contrecarrée bien souvent par le froid qui s'infiltrait entre les planches du mur. Les garçons couchaient aussi à l'étage, isolés des filles par un drap servant de cloison.

– Eh bien, Cassandre, comment trouves-tu notre chez-nous? Et vous, Thomas, avez-vous fait un bon voyage?

Marguerite encadrait l'animation désordonnée de la conversation tout en servant la soupe et le bon pain chaud qu'elle venait de cuire. Chez les colons du pays, une marmite de potage aux fèves ou aux pois pendait en permanence à la crémaillère de la cheminée tandis qu'une théière de grès reposait sur la braise. Ces effluves invitants d'arômes odorants chatouillaient l'appétit et rendaient l'accueil chaleureux. Particulièrement, l'odeur du pain fraîchement cuit parfumait la pièce et animait les retrouvailles. Personne ne se fit prier pour attaquer son repas. Les tranches de lard et le beurre vinrent donner de la consistance à la collation. Nous n'étions pas encore à la saison des légumes.

Cassandre mangea du bout des doigts tout en remarquant l'aisance avec laquelle Thomas Frérot trempait son pain dans sa soupe. À Québec, son épouse Anne incitait ses convives à se servir d'ustensiles. Chez Mathilde, l'étiquette interdisait les manières paysannes. Après la collation, qui devint un repas complet puisque le pain fut saupoudré de sucre de canne et arrosé de crème et de réduit de sève d'érable comme dessert, Étiennette invita Cassandre à l'observation des oiseaux aquatiques qui revenaient de leur migration d'hiver. Il fallut emprunter la chaloupe et les adolescentes eurent un peu de difficulté à faire bouger l'embarcation.

Pendant ce temps, Thomas, François, Marguerite et Jean-Jacques Gerlaise parlaient d'actualité. Évidemment, de la Grande Paix de Montréal qui fut conclue par le gouverneur de Callière avec les Iroquois, deux ans plus tôt, et de la situation précaire du fort de Détroit au carrefour des Grands Lacs, à la porte de leur pays.

Plusieurs garçons de la région de Trois-Rivières s'étaient engagés à titre d'interprètes. Isabelle Couc habitait cette région avec son sachem outaouais, mais du côté américain. Isabelle revenait de temps en temps à Trois-Rivières, clandestinement, quand son amant le comte Joli-Cœur était de passage, et y résidait, chez sa sœur Madeleine, veuve de Maurice Ménard et remariée à Mathieu Delorme. Elle y était justement ces jours-ci.

— Pensez-vous, Marguerite, qu'il est possible et de bon aloi d'organiser une rencontre avec Isabelle Couc ? Cassandre me le demande sans cesse depuis Québec, questionna Thomas.

Le fait d'appeler Marie-Chaton Cassandre sonnait bizarrement à l'oreille de Thomas.

— Je n'aime pas tellement cette femme. Je ne lui fais pas confiance. Elle a abandonné son fils chez les Fafard et elle a eu plusieurs maris, comme une sauvagesse. C'est moi qui l'ai accouchée. D'ailleurs, on ne sait pas trop si elle a un ou plusieurs maris légitimes ! Sans parler de ce noble français ! Je ne souhaite pas que mes filles puissent la rencontrer, répondit Marguerite.

— Voyons, Marguerite ! Judith Rigaud en pense beaucoup de bien. Isabelle Couc est soi-disant une femme de courage qui défend nos intérêts en territoire sauvage, s'empressa d'ajouter François Banhiac Lamontagne.

— Judith Rigaud et Isabelle Couc se chauffent du même bois. Isabelle, une menteuse qui s'est donné le nom de Montour pour obtenir les faveurs d'un noble français, un certain comte Joli-Cœur, sans doute son amant ! Ce sont deux aventurières qui se sont employées à faire la traite des fourrures, continua Marguerite, sur sa lancée.

À ces mots, un ange passa.

– Je t'en prie, Marguerite, Thomas exerce un métier honorable, encouragé par le gouverneur de Callière, rétorqua subitement François de crainte de voir Thomas s'insurger.

– Oui, mais c'est un honnête homme, lui. Je ne crois pas, Thomas, que les femmes qui fréquentent les postes de traite soient de grande vertu! Il n'y a même pas de prêtre au fort de Détroit. D'ailleurs, Judith Rigaud, à ce que l'on dit, n'a pas été bannie de Montréal pour rien. Qu'elles soient de par ici, je n'y peux rien, mais que mes filles les fréquentent, il n'en est pas question! Cette Isabelle Couc Montour m'apparaît avoir une existence louche. Elle vit avec un chef iroquois, un ennemi, en territoire anglais! Que voulez-vous de plus pour être convaincus de sa roublardise? Elle est pour les Anglais.

– N'oubliez pas, Marguerite, que ses parents ont fait beaucoup pour la région comme pionniers. Ils ont réalisé le rêve de Champlain d'unir les nations française et sauvage en se mariant. Vous-même étiez proche des filles Couc à la mission des Jésuites! risqua Thomas, voyant le reflet de scandale dans les yeux de Marguerite.

– Je me suis mariée à un honnête homme, moi, qui s'est battu à plusieurs reprises avec ces vauriens d'Iroquois quand j'ai accouché d'Étiennette. François les a repoussés après quatre jours de combats et d'escarmouches, sans presque dormir. C'est Jeanne Trudel, l'épouse de Jean-Jacques, qui m'a emmenée chez sa sœur à la Pointe-du-Lac, en barque, au péril de nos vies. Elle, Jeanne, une vraie femme de courage. Pas cette intrigante qui travaille comme agent double et qui couche de surcroît avec l'ennemi. En fait, elle me donne l'impression de coucher avec le premier venu.

– Marguerite! s'exclama François.

– Comme le disait notre ami et voisin, et notre ancien officier de régiment, le seigneur Alexandre de Berthier, la « Grande Alliance » signée à Montréal permet à la France de surveiller et de contrôler le commerce de la fourrure du Saint-Laurent jusqu'aux Grands Lacs et même jusqu'au Mississippi. La contribution d'Isabelle Couc permet de profiter de ses talents d'interprète. Elle n'est l'ennemie de personne. Elle me permet d'approvisionner en fourrures mon comptoir de Montréal et de l'île Dupas aussi. Elle a le droit à sa vie privée même si elle préfère vivre à la « sauvage ». D'ailleurs, elle l'est à moitié. On ne peut pas lui en faire reproche. C'est ce que le Roy souhaitait. Je vais lui faire rencontrer Cassandre, sans Étiennette toutefois. Je comprends vos réticences et les respecte, conclut diplomatiquement Thomas.

L'issue proposée par Thomas eut l'heur de contenter tout le monde et de décharger l'atmosphère, même si Marguerite acquiesça avec une moue désapprobatrice. Thomas se disait en son for intérieur que Cassandre serait sous bonne surveillance pendant son été chez les Lamontagne. Marguerite veillerait à sa bonne conduite comme une mère supérieure. Il pourrait en témoigner devant Eugénie. Comme Thomas devait partir vers Montréal pour ses affaires en passant par l'île Dupas, il invita ses amis Banhiac Lamontagne et Gerlaise de Saint-Amand à l'accompagner. Ces derniers le remercièrent en lui disant que c'était le temps des semailles et qu'il ne fallait pas s'absenter, surtout pas lorsque la nature était favorable.

Cassandre, aussi imprévisible que décidée, demanda à Thomas si elle pouvait l'accompagner, au risque de déplaire à ses hôtes. Pour alléger l'atmosphère, Thomas consentit à l'amener avec lui jusqu'à Berthier à condition qu'elle se fasse accompagner par Étiennette, si les parents de cette dernière étaient d'accord. Ceux-ci acceptèrent, à la grande joie des deux adolescentes, mais faisant l'envie des sœurs d'Étiennette.

Thomas décida de partir le lendemain dans la barque à fond plat prêtée par François, en longeant la baie et le chenal du Nord le long du lac Saint-Pierre après avoir dépassé l'embouchure des rivières Maskinongé et Chicot. Thomas Frérot, sieur de

Lachenaye, avait acheté l'île en 1680 du sieur Dupas et les îles adjacentes alors que ses affaires nécessitaient un relais entre Montréal et Québec.

Thomas savait que de belles peaux de fourrure de castor pouvaient lui être acheminées des Pays-d'en-Haut par les Indiens qui empruntaient les rivières Yamachiche, Maskinongé, Chicot, Bayonne et La Chaloupe vers le fleuve pour faire le plein également de poissons. Son poste de traite était prospère et il y demeurait quelques semaines par année. Il vendit l'île en 1690 à Jacques Brisset sieur Courchesne et Louis Dandonneau sieur Dusablé, deux nobles, beaux-frères, qui voulaient la rendre cultivable et colonisable.

Déjà, il y a deux années, Courchesne, un ancien capitaine du régiment commandé par le marquis de Vaudreuil qui demeurait à Champlain, avait consenti à concéder des terres à des résidants de cette localité.

Si l'île Dupas avait l'avantage de se trouver sur la route du commerce de la fourrure, elle était aussi à l'embouchure de la rivière des Iroquois. Le poste de traite de Thomas fut quelques fois attaqué par ces derniers qui s'en prenaient aux Algonquins venus échanger leurs peaux. Isabelle Couc lui avait été déjà d'une grande aide dans les négociations avec les Indiens des territoires plus au nord.

Depuis peu, on avait commencé à bâtir une petite église en bois sur la pointe de l'île tournée vers Montréal. C'est un sulpicien qui devait faire office de curé, aussitôt la construction terminée. Les quelques habitants se rendaient à Sorel pour le culte. Alexandre de Berthier avait autorisé, en vertu du droit féodal, un pâturage collectif sur une île de sa seigneurie. Par amitié pour Thomas Frérot, alors seigneur de l'île Dupas, il lui avait assuré que ses futurs censitaires pourraient faire paître leur bétail sur cette commune.

La colonisation et la traite des fourrures ne faisaient pas obligatoirement bon ménage. Les sieurs Courchesne et

Dandonneau avaient suggéré fortement à Thomas d'établir son poste ailleurs, parce que les habitants de l'île ne supportaient pas la présence des Indiens et leurs comportements déplacés occasionnés par l'alcool, principale monnaie d'échange dans la traite. La peur d'une reprise de la guerre iroquoise restait toujours présente, même voilée.

Anne insistait depuis quelque temps auprès de Thomas pour qu'il puisse abandonner le commerce des pelleteries et rester à Québec où ses affaires prospéraient. Par ailleurs, l'administration l'avait déjà pressenti pour qu'il puisse succéder à Guillaume-Bernard Dubois de L'Escuyer comme procureur général à la suite de son décès.

Thomas doutait, malgré la paix franco-iroquoise, d'un autre âge d'or pour le commerce de la fourrure. Il lui fallait aller de plus en plus loin pour chercher les peaux. L'organisation commerciale demandait de plus une disponibilité et une surveillance rigoureuses. Avec l'âge, Thomas se sentait de moins en moins enthousiaste à se déplacer longtemps et fréquemment de Québec vers Montréal. Ses absences prolongées durant la belle saison contrariaient Anne de plus en plus. Leur fortune lui permettait plus de temps libre et il pouvait s'en tenir à son comptoir de Québec pour maintenir leur train de vie. D'autant plus qu'une industrie nouvelle pointait à l'horizon à Trois-Rivières : le fer.

Thomas désirait prendre conseil auprès de son ami, le seigneur de Berthier, avant de prendre une décision déterminante. La qualité des peaux venant des Pays-d'en-Haut serait à l'ordre du jour. Il était maintenant le seul marchand de Québec à commercer avec ces tribus qui pratiquaient la trappe de plus en plus au nord de la région. Les prix sur les marchés de Paris fluctuaient selon les humeurs de la mode qui devenait capricieuse. Déjà, Thomas avait dans son inventaire à Québec une grande quantité de peaux stockées qui s'écoulaient mal.

CHAPITRE XXVII
Le seigneur de Berthier

Alexandre de Berthier avait un caractère combatif qui s'était bien acclimaté à la proximité des Iroquois. Il aimait les narguer tout en les voyant venir. Son domaine seigneurial était situé tout près de la rivière Bayonne sur la rive nord du fleuve. Il avait concédé ses premières terres sur le bord du fleuve dans la Grande-Côte à l'extrémité ouest de la seigneurie, près de Lanoraie et D'Autray. Il ne fallut à Thomas que quelques heures, le lendemain matin, pour se rendre à l'embouchure de la Bayonne, au manoir seigneurial. Cette longue habitation en bois, à plusieurs pièces, avec son toit en pente et ses nombreuses petites fenêtres pour mieux surveiller les allées et venues à l'extérieur, avoisinait un moulin banal où les censitaires venaient faire moudre leur grain. Un périmètre de pieux servait de palissade, vestige de la protection contre les Iroquois.

De son manoir, avec sa lunette d'approche, le seigneur de Berthier pouvait observer ses visiteurs d'un côté ou de l'autre. Un peu en retrait du fleuve, la perspective lui permettait de jauger leur arrivée et d'évaluer l'accueil qu'il fallait réserver. Si la situation l'exigeait, un de ses aides pouvait monter au sommet du moulin, qui servait de poste d'observation pour la circonstance particulière. De cette façon, il avait pu repérer le passage d'Iroquois à plus d'une reprise.

Deux soldats, accompagnés d'un chien pisteur peu commode, vinrent accueillir Thomas et les deux jeunes filles sur la berge, au petit débarcadère du manoir. Thomas, qu'on reconnut aussitôt, fut introduit dans la demeure seigneuriale, d'ailleurs beaucoup plus accueillante que son titre de noblesse pouvait le laisser imaginer.

— Il me fait plaisir de saluer notre ancien officier de régiment, preux pourfendeur des Iroquois, s'il en fut, entonna Thomas, en se mettant au garde-à-vous.

Thomas qui n'avait jamais été soldat déclara son boniment de façon courtoise. Il savait qu'il plairait au seigneur de Berthier, enclin à la parade militaire. Berthier ne fut pas dupe des prévenances de Thomas. Sa prestance hautaine laissait place, lorsqu'il le fallait, à un caractère bon enfant qui appréciait la plaisanterie.

— Suffit, Thomas ! Au repos ! Si vous continuez de la sorte, je vais vous prendre à mon service. Il fait bon de revoir ses amis. Vous venez me parler d'Iroquois, sans doute, et de cette paix signée à Montréal. Ça sent le traquenard à plein nez, répondit Berthier de sa voix puissante.

— Capitaine, permettez-moi de vous présenter Étiennette Banhiac Lamontagne et ma pupille Marie-Renée, continua Thomas.

— Banhiac Lamontagne de la Rivière-du-Loup ! Un soldat, un vrai, de la Compagnie La Fouille !

— Et moi, Cassandre, capitaine, avança rapidement la pupille de Thomas, de façon résolue.

Berthier, qui était dur d'oreille, n'avait saisi que la seconde syllabe du mot pupille. Il répliqua aussitôt :

— Votre fille, Thomas ? Alors, elle doit ressembler à sa mère ! ricana Berthier.

– Pas sa fille! Sa pupille! s'insulta bien haut Cassandre.

– Alors, qui êtes-vous, belle demoiselle? Vous ressemblez étrangement à une adorable jeune femme que j'ai connue autrefois à Québec, rétorqua Berthier qui s'amusait de la vive répartie de la jeune fille.

– Cassandre Allard pour vous servir, Monseigneur.

– Je vois que vous avez de belles manières. Aussi, les cheveux, les yeux et le visage de la jeune femme que j'ai tant aimée.

– Et aussi la voix, capitaine. Marie-Renée est la fille d'Eugénie Languille qui a épousé mon cousin, François Allard, renchérit Thomas en prenant Berthier par surprise.

– Cassandre, parrain! s'insurgea l'adolescente.

Alexandre de Berthier regardait la jeune fille. Pensif, il ressassait ses souvenirs.

– Elle ressemble comme deux gouttes d'eau à sa mère! Étonnant! Comment l'avez-vous su, Thomas, que... que j'avais été amoureux de sa mère?

– Comme tout le monde en ce temps-là, par la gazette de Québec, capitaine. Vos frasques avaient alimenté bien des rumeurs.

– Tant que cela, Thomas?

– Allez, Thomas, racontez-moi. Après tout, il s'agit de ma mère! s'enthousiasma Cassandre

– C'est vrai, mais ce n'est ni le moment ni l'endroit, euh... Cassandre!

– Alors, c'est le capitaine qui me le dira, s'entêta la jeune fille.

Ce dernier regarda la jeune fille, amusé. Son attitude lui plaisait.

Plus délurée que sa mère, à ce que je vois!

— Comment va ta mère, mon enfant? avança Berthier.

Thomas prit en main la tournure de la conversation.

— Eugénie est veuve et vit à Charlesbourg tout près du plus vieux de ses fils.

— Je vois! L'a-t-il rendue heureuse? Une adorable jeune femme, Eugénie, adorable... murmura Berthier, tout à ses pensées.

— Moi aussi, je suis adorable! Qu'est-ce que tu en penses, Étiennette? reprit aussitôt Cassandre.

Cette réplique irrita Thomas.

— Je t'en prie! Le capitaine va trouver que tu ressembles de moins en moins à ta mère! s'exclama Thomas.

L'allusion réveilla Berthier qui ne tint pas à la relever. Il préféra ajouter:

— Alors, comment se portent vos parents, mademoiselle Étiennette?

— Au mieux, monsieur le capitaine, répondit timidement Étiennette.

— Bien, bien. Vous les saluerez de ma part. Et maintenant, entrons!

Thomas et les jeunes filles furent rapidement intro-duits à l'intérieur du manoir. Le vent frais du début mai avait laissé son empreinte durant les quelques heures de navigation.

Le capitaine Berthier était entouré de sa famille. Sa femme d'abord, Marie Le Gardeur, son fils Alexandre sieur de Villemure, officier de marine et nouvellement marié à Françoise Viennay Pachot de Québec, ainsi que sa fille Charlotte-Catherine. Le capitaine fit les présentations d'usage. Le prénom de Cassandre intrigua Charlotte-Catherine qui s'en confia à la jeune fille.

– Vous aimez la poésie, mademoiselle?

– Je veux faire une carrière au théâtre et à l'opéra, à Versailles, dans l'entourage du Roy.

La répartie en disait long sur la personnalité de la jeune fille.

Thomas connaissait la famille depuis longtemps, excepté la nouvelle mariée. Le mariage venait d'être célébré à Québec en grande pompe et il y avait été invité avec son épouse. Ce mariage d'apparat où le monde militaire, milice et marine, était en grand nombre n'offrit pas beaucoup de moment pour converser avec les nouveaux mariés, sinon les féliciter brièvement. Thomas tint donc, au nom de son épouse et de sa famille, à féliciter le jeune couple, dont Françoise n'était âgée que de quinze ans.

– Je suis heureux de pouvoir vous féliciter à nouveau pour votre mariage. Mon épouse et moi avons été honorés de votre invitation.

Berthier était heureux de la visite inattendue de Thomas. Il semblait l'apprécier comme son égal et son ami. Ses titres de seigneur de l'île Dupas et de la Rivière-du-Loup et son anoblissement comme sieur de Lachenaye n'étaient pas pour le diminuer dans son estime. D'autant plus qu'il préférait la compagnie, comme voisin, d'un dynamique commerçant plutôt que Courchesne et Dandonneau, les administrateurs choisis par Thomas, des colonisateurs terriens qui développaient pour lui la seigneurie et qui se cachaient des Iroquois, à son dire, plutôt que de les combattre. Thomas savait que la géographie des seigneuries était à l'avantage de Berthier qui s'en servait comme bouclier militaire.

Depuis le Traité de paix de 1701 mettant fin à la guerre iroquoise, le capitaine de Berthier s'ennuyait. Les travaux de ferme l'exaspéraient. L'administration de ses quelque vingt censitaires l'occupait à peine. Thomas, ayant flairé depuis quelques années cette lassitude, avait contracté une alliance avec Berthier pour son commerce de la fourrure, ce qui arrangeait les deux parties.

Berthier organisait la traite des peaux avec les Indiens d'en haut des rivières Maskinongé, Chicot, Bayonne et la Chaloupe. Il s'occupait lui-même des négociations des rivières La Chaloupe et Bayonne qui baignaient sa seigneurie. Cela lui permettait d'être toujours actif malgré ses soixante ans passés, de bien connaître son domaine et d'ajouter un peu plus d'argent à ses rentes.

En fait, Berthier menait un train de vie décent alors que la gestion de sa seigneurie lui rapportait peu. Il stockait les peaux et les acheminait lui-même au poste de traite de l'île Dupas. Les Indiens veillaient à ce que Thomas évalue leur marchandise, même si ce dernier était conscient du pourboire dont Berthier se prévalait.

Depuis les réticences de Courchesne et Dandonneau qui prenaient de plus en plus d'ascendant à la gouverne de l'île, à la venue d'Indiens pour la traite sur l'île Dupas, Thomas avait décidé de récupérer les stocks de peaux au manoir de Berthier. Cela convenait à tout le monde. Il y avait moins de critiques, moins de manutention et moins de danger d'escarmouches avec les Indiens.

Devant un goûter au fumet des grosses prises du fleuve du printemps, du brochet, du maskinongé et de l'esturgeon, servies par un domestique qui était embauché comme homme à tout faire, un rebelle aux manières de Paris, Thomas arriva droit au but de sa visite. C'est d'ailleurs ce que Berthier appréciait le plus.

– Que pensez-vous, capitaine, des mines de fer de la région? Y a-t-il un avenir dans cette industrie? À Québec, on y voit un bel horizon.

– Tu veux faire bifurquer ton négoce vers le fer maintenant, Thomas ? Tes comptoirs de traite ne suffisent plus ! Pourquoi ne développes-tu pas ta seigneurie de la Rivière-du-Loup ? Y construire un manoir et un Moulin banal[54] approprié ? Tes censitaires méritent bien ça.

– À vrai dire, capitaine, c'est plus compliqué que cela. Ma femme a toujours eu peur des Iroquois et je crois qu'elle préfère vivre à Québec. Oh, elle a bien essayé, mais sans succès. Et puis, moi, je ne suis pas un propriétaire terrien comme vous. Je suis un commerçant.

– Alors, vends-la, ta seigneurie.

– Pour faire quoi ? Je ne me sens plus le cœur à la traite. Tout marchand que je suis, je me rends bien compte que le castor se fait de plus en plus rare par ici et qu'il faut le chercher de plus en plus au nord. Les gendres et les fils de Judith Rigaud me fournissent à partir des Grands Lacs. Quant à nous, vous me dites que l'inventaire s'appauvrit en qualité, n'est-ce pas ? Ma seigneurie me rapporte un peu, tout de même.

– Mais tu ne la développes pas !

Thomas regarda Berthier avec circonspection. De quoi le capitaine se mêlait-il, après tout !

Berthier le comprit et voulut modifier la tournure de la conversation.

– Ah ! Judith Rigaud ! Cette Parisienne savait les mettre en joue, ces Iroquois. Je l'aurais bien prise dans ma compagnie. Tu la revois ?

– À l'occasion.

54. À l'usage de tous.

– Rappelle-moi à son souvenir. Après tout, nous sommes voisins.

– Bien entendu.

– Ah oui! Le fer.

Berthier prit l'air réfléchi de celui qui transmet son savoir. Il aborda le sujet de façon magistrale :

– Il y a certainement plus de fer à l'horizon que de belles fourrures, surtout à la rivière Yamachiche[55]. Peut-être à la rivière Maskinongé et à la Rivière-du-Loup. Mais tiens, c'est sur ta seigneurie! Comme la géographie fait bien les choses pour toi, Thomas. La rivière Chicot[56] est moins rougeâtre. C'est plutôt là que les gros brochets vont frayer. J'ai un de ces voisins, un colosse qui nous sert de maréchal-ferrant et qui va chercher son minerai dans la région pour alimenter sa forge, paraît-il! Tu devrais le rencontrer, Thomas. Il se nomme Pierre Latour. Son point de vue te permettra de te faire une opinion de la richesse des gisements à ciel ouvert. Tu pourrais même l'accompagner. Après tout, tu es chez toi.

– Vous me rendez un grand service, capitaine.

– Ce n'est rien. Je pourrai te le présenter avec plaisir. Il est établi tout près de la rivière Chicot, en bordure du chenal du Nord. Quand tu le désireras, nous nous mettrons en chemin. As-tu l'intention d'entreprendre un commerce plus florissant?

– À vrai dire, je n'en sais toujours rien pour le moment.

– Tu es toujours notaire, à ce que je sache!

– Je suis toujours notaire. D'ailleurs, mon poste de traite me sert aussi d'étude notariale. Les habitants de l'île sont des clients

55. Ces rivières voisines, Yamachiche, Rivière-du-Loup, Maskinongé, Chicot, Bayonne, se jettent dans le lac Saint-Pierre.
56. La rivière Chicot arrose la paroisse de Saint-Cuthbert.

devenus des amis. Avant d'explorer certaines avenues, je voulais vous demander conseil.

« Avez-vous encore confiance dans le commerce de la fourrure ? Les prix à Paris ont chuté. Ce n'est plus aussi lucratif. Mes stocks de peaux s'empilent. J'ai peur de les perdre avant de les écouler. De plus, l'approvisionnement en peaux de qualité me revient de plus en plus cher. Il faut que je paie mes voyageurs, leurs trappeurs, leurs interprètes. Les Indiens deviennent de plus en plus exigeants quant à la marchandise d'échange. Le gouvernement nous empêche de fournir l'eau-de-vie. Vous me dites de votre côté que le commerce est de moins en moins facile, n'est-ce pas ? »

– C'est exact. Nos Indiens ne croient pas à la paix avec les Iroquois. Moi non plus, d'ailleurs. Même si le gouverneur de Callière a signé la paix avec tout près d'une quarantaine de tribus indiennes, j'ai pour mon dire que les Iroquois, moins ramollis qu'ils ne le sont maintenant, vont rebondir. Pour ma part, je suis obligé de me rendre maintenant jusqu'à la croisée de la Bayonne[57] et du Cordon[58] pour négocier mes peaux. J'ai tout de même quelques portages à faire pour éviter les rapides ! Les Indiens me disent qu'ils ne viendront plus si bas. Il faudra négocier maintenant chez eux, au lac Maskinongé[59].

Berthier continua :

– Mais je n'irai pas aussi haut. Pas à mon âge. Vous savez, dans ce lac, le poisson est aussi gros que dans le chenal. Il y a aussi la marchandise à transporter. Bientôt, Thomas, je devrai

---

57. La rivière Bayonne prend sa source au nord-ouest de Saint-Cléophas, sillonne Saint-Félix de Valois et Sainte-Élisabeth de Joliette, avant de se jeter dans le lac Saint-Pierre en aval de Berthierville.
58. Aujourd'hui, au village de Sainte-Élisabeth de Joliette, à la croisée des rues Principale et du Ruisseau (Cordon).
59. Aujourd'hui, dans la municipalité de Saint-Gabriel de Brandon, dans Lanaudière.

me contenter de gérer mes terres. Par la rivière la Chaloupe[60], la navigation est moins compliquée, mais les réserves de peaux sont limitées. Vous savez qu'il y a une immense savane qui rend ma seigneurie improductive. J'ai une vingtaine de colons qui sont installés, je pourrais en ajouter d'autres, peut-être une autre vingtaine. Pour le moment, nous sommes une centaine d'habitants avec ceux de l'île Dupas. Courchesne et Dandonneau évitent le commerce, vous le savez! Peut-être bien que l'industrie de l'avenir soit le fer!

L'ancien militaire s'enflammait. Son visage était pourpre.

– La colonie va se transformer avec l'industrie du fer. Mais dans combien de temps? Nous pourrions aussi nous concentrer sur le commerce du bois. Nous n'en manquons pas et l'industrie navale militaire est en demande, même vers la France et les îles. Seriez-vous preneur, capitaine, pour me seconder dans ces travaux? Nous pourrions en parler à votre fils, et j'ai aussi mes contacts au ministère de la Marine, se permit de proposer Thomas.

– Ce n'est plus pour moi, Thomas. Mon fils serait plus apte puisqu'il est officier de marine, comme vous le savez, et il pense toujours aux conflits avec l'Angleterre et ses colonies.

– Déjà une belle carrière.

Alexandre de Berthier, fils, qui n'était pas loquace et surtout absent de la conversation, à son tour, fit le salut militaire.

– Voyez-vous, Thomas, je ne peux vous conseiller. Mais, pour moi, la fourrure n'est plus aussi prometteuse malgré cette soi-disant paix. Quant au fer, cela viendra dans un jour pas si lointain. Peut-être de mon vivant. La région est prometteuse.

---

60. Petit cours d'eau tributaire du fleuve Saint-Laurent, aujourd'hui mouillant les municipalités de Berthierville, de Saint-Thomas de Joliette, de Sainte-Élisabeth de Joliette, de Notre-Dame-des-Prairies, la rivière La Chaloupe se déverse en amont de Joliette dans la rivière l'Assomption, dont elle est un des sept affluents.

Avons-nous davantage besoin d'ouvriers que de colons? Les deux, sans doute. Il m'est d'avis que chaque chose arrive en son temps. Rien n'empêche toutefois que vous puissiez vous en intéresser. Parlez-en à Courchesne et Dandonneau, quand vous les verrez. Mais votre meilleure piste sera de rencontrer ce Pierre Latour. Après, vous déciderez.

– Eh bien, soit! Je devais rédiger quelques contrats, mais ça attendra encore un peu. Tout d'abord, j'ai promis aux filles de leur faire visiter mon poste de traite de l'île Dupas. Après, nous rencontrerons ce Latour.

Thomas salua respectueusement la famille Berthier et se faufila jusqu'à l'île Dupas en zigzaguant dans l'archipel composé de battures, d'îles, de presqu'îles et d'îlets entrelacés de chenaux où s'infiltrent les eaux du fleuve. Sa maison était située vis-à-vis de Sorel. On y accédait par un petit bras de mer dans la partie continentale.

Thomas expliqua à Étiennette et à Marie-Chaton que le poste ressemblait à un fortin par sa palissade de pieux et son enceinte intérieure qui protégeaient le comptoir d'échange. Un grand bureau faisait office d'étude de notaire. On y trouvait aussi une table et un grabat avec sa paillasse. Un grand magasin, plutôt un établi de grande dimension, accueillait les pelleteries qu'on empilait.

– C'est magnifique, l'île Dupas, Thomas. J'aimerais bien y vivre. Qu'en penses-tu, Étiennette? entonna Cassandre, émerveillée.

Thomas était décidé à repenser à sa présence commerciale sur l'île. Fermer son relais de traite à l'île Dupas signifiait pour Thomas se couper définitivement d'une aussi belle région en plus d'arrêter d'y professer le notariat, comme il l'avait fait à Boucherville.

Plus tard, se dit-il. Il faut que je reconduise mes deux jeunes filles à la Rivière-du-Loup chez les Banhiac Lamontagne.

Ce qu'il fit. Aussitôt, il revint à l'île Dupas.

À son retour, les administrateurs de Thomas, Courchesne et Dandonneau, avaient commencé à concéder la seigneurie en roture à des propriétaires qui leur payaient des impôts au lieu des obligations d'allégeance à leur seigneur, à l'insu de Thomas. Quand ce dernier apprit que François Hénault dit Canada avait acquis le fief où se situait le poste de traite et que le notaire Normandin qui résidait dans les îles était intéressé à acquérir son étude s'il voulait s'en départir, Thomas, devant la conjoncture qui se compliquait, arrêta sa décision.

Thomas négocia son retrait de l'île et la vente de son étude d'un même bloc, à la condition d'être réglé, séance tenante, en argent comptant, quittance incluse. L'argent était rare, Thomas le savait. Il profita de l'appétit foncier pour conclure le marché. Il vendit l'île pour mille cinq cents livres tournois à raison de trois cent cinquante francs à la signature du contrat. Les autres mille cent cinquante francs devaient lui être réglés à raison de 5 % de cette somme annuellement ou d'un seul paiement à la discrétion de l'acheteur.

Thomas revint chez Berthier et convint avec ce dernier de rencontrer ce Pierre Latour avant de retourner chez les Banhiac Lamontagne afin que Cassandre ne s'inquiète pas de son absence.

CHAPITRE XXVIII
Pierre Latour Laforge

Le lopin de terre de Pierre Latour se situait à la croisée de la rivière Chicot et du chenal du Nord et faisait partie de la seigneurie de l'île Dupas. Pierre Latour comptait parmi les nouveaux propriétaires fonciers puisqu'il avait acheté son fonds de terre dès que les coseigneurs en eurent donné la possibilité, il y avait de cela deux années. Pierre Latour n'était plus le censitaire de personne. Il gérait ses propres biens. Cette condition convenait bien à son caractère indépendant. Il était forgeron avant d'être cultivateur. L'éloignement du moulin de l'île Dupas, puisqu'il avait à traverser le chenal du Nord pour y accéder et zigzaguer à travers les îles, représentait un inconvénient majeur dont il s'était vite rendu compte.

Installé dans la région en 1698, Latour devint vite propriétaire de sa terre dès qu'elle fut disponible. Tous les colons de Berthier et de l'île Dupas étaient forcément un peu forgerons vu les nécessités des travaux de ferme. Mais Pierre Latour s'était vite imposé comme maréchal-ferrant dans la région par la qualité de son fer et son adresse à manier le marteau et l'enclume.

Pierre Latour, âgé de trente-six ans, était arrivé en Nouvelle-France une première fois à l'âge de quinze ans en 1687. Il travailla aussitôt comme domestique chez le sieur Laverdure à Beauport.

Ensuite, les pères Jésuites lui recommandèrent d'assister François Allard à la réfection de la chapelle du Petit Séminaire de Québec. Parisien d'origine, son père était forgeron aux écuries du Roy à Versailles. Le jeune Pierre y avait commencé son apprentissage à la dure dès l'âge de huit ans. Son physique imposant faisait la fierté de son père. Son ardeur à la tâche était remarquée. Il savait ferrer un cheval avec force et dextérité sans causer la moindre souffrance à l'animal. Forger le fer rougi pour lui donner la forme souhaitée était sa passion. Il avait l'œil. Son père lui prédisait un bel avenir comme armurier.

Pierre rêvait d'aventure. Il s'enrôla dans la marine marchande comme matelot sur les péniches de la Seine. À la première occasion, il se fit embaucher sur un convoi naval partant de Normandie en direction de la Nouvelle-France, qui fit escale à La Rochelle pour se ravitailler et embarquer de nouveaux passagers. Pendant la semaine de relâche, il fit la connaissance du sieur Hameau, maître de forge et réputé fondeur. Le Roy l'envoyait en Nouvelle-France pour évaluer la qualité et la rentabilité des mines de fer à ciel ouvert aux Trois-Rivières.

Le jeune Latour développa une réelle sympathie pour ce fondeur qui lui demanda de faire partie de son équipe de prospection dès qu'il serait en mesure de commencer les travaux une fois arrivé en Nouvelle-France. Pour une raison inconnue, sans doute par manque de fonds, Hameau ne commença ses recherches qu'en 1688, après avoir recruté quelques soldats pour le protéger des incursions des Iroquois qui commençaient à se manifester, lui avait-on dit, dans la région du lac Saint-Pierre et des Trois-Rivières. Hameau relança Pierre Latour qu'il réussit à contacter au moment de son arrivée à Québec. Aussitôt, la petite équipe de prospecteurs se mit en route vers les rivières Yamachiche, Saint-Maurice, du Loup, Maskinongé et Chicot.

L'équipe du sieur Hameau ne ramena que quatre-vingts livres de sable ferrugineux. Il pointa les rivières Yamachiche et Saint-Maurice comme les sources les plus abondantes en minerai de fer. Hameau compléta son rapport au Roy en indiquant l'importance de faire venir une équipe de mineurs de France pour exploiter ces gisements. Le Roy ne donna pas suite à ces recommandations parce que la France pouvait fournir tout le fer nécessaire au Canada. Les mines de fer restèrent inexploitées.

Pierre Latour connaissait les endroits féconds en fer. On les retrouvait aussi le long des rivières du Loup et Maskinongé, en moindre quantité toutefois. Hameau, à son départ pour la France, lui avait remis croquis et cartes géologiques de la région qui indiquaient précisément les mines à fort potentiel. Ce jeune forgeron avait sa confiance.

Pierre Latour, malgré son physique impressionnant, n'était pas un soldat ni un coureur des bois. Il craignait la menace iroquoise qui terrorisait la région. Il voulait exercer son métier de forgeron. La petite ville des Trois-Rivières avait son maréchal-ferrant. Il aurait pu s'installer au Cap-de-la-Madeleine et se construire une forge. Avec le temps, il aurait eu le loisir d'agrandir son domaine en achetant les terres avoisinantes. L'argent lui manquait toutefois. Par ailleurs, à vingt-deux ans, l'idée d'être marchand ne l'effleurait pas. Ce n'était pas dans son tempérament. Il eut la possibilité de travailler comme second du forgeron des Trois-Rivières, Nicolas Pelletier, qui vit en lui sa relève. Le forgeron n'avait que deux filles.

Pierre avait sensibilisé son patron à la qualité du fer que l'on retrouvait dans la région à ciel ouvert, preuves à l'appui. La boutique de forge se convertit en armurerie. On y continua, certes, à ferrer les rares chevaux de la région et à confectionner les socs de charrue. Mais l'acier trempé se métamorphosait en épées, en sabres et en objets décoratifs. Pierre se plaisait à travailler le fer forgé. Le secret de Pierre que lui avait confié Hameau se trouvait à la Pointe-du-Lac.

La mine à ciel ouvert semblait intarissable et très facile d'accès par le fleuve, à peine à quelques lieues de trajet par barque des Trois-Rivières ; Nicolas Pelletier se porta acquéreur de ce fonds de terre. Il avait idée que son adjoint épouserait un jour sa plus jeune fille, Madeleine, et que le couple pourrait s'y établir. Sa première fille, Marguerite, était mariée à un sabotier et cultivateur, ancien soldat du régiment de Carignan, du nom de François Banhiac Lamontagne. Le couple vivait à la Rivière-du-Loup et avait déjà plusieurs enfants.

Madeleine et Pierre se marièrent en 1690. Pierre avait vingt-quatre ans, Madeleine, dix-sept. Ils s'installèrent à la Pointe-du-Lac, au plus fort de la reprise des hostilités avec les Iroquois. Madeleine fut éventrée par l'un d'eux qui s'était embusqué près de la résidence, deux années plus tard. Elle était enceinte de huit mois.

Pierre Latour ne se remit jamais du décès de son épouse. Complètement dévasté par cette épreuve, il continua sa besogne de forgeron pendant une autre année, mais le cœur n'y était plus. Il ne se contentait que de son travail routinier à la réparation des instruments de labour et d'autres bricoles. Il n'y avait pas d'autres femmes dans sa vie. Il maintenait toujours contact avec sa belle-famille. François Banhiac Lamontagne lui présenta un jour un de ses amis, le seigneur de la Rivière-du-Loup, Thomas Frérot, qui aborda le sujet de la richesse du gisement de fer à ciel ouvert de la Pointe-du-Lac. Latour démontra un intérêt mitigé. Son esprit était ailleurs.

Pierre Latour n'avait plus la passion de son métier. Il décida abruptement de retourner en France après avoir vendu ses avoirs à un jeune marchand de Montréal, François Poulin, qui voulait y établir un relais pour la traite des fourrures. Quand Thomas Frérot l'apprit, il s'en montra déçu quoique non étonné après que François Banhiac Lamontagne lui eut expliqué le chagrin et le désarroi de son beau-frère.

Le forgeron retourna à Versailles à la maison de ses parents qui venaient de décéder. Son père l'avait déshérité puisqu'il le croyait mort. D'ailleurs, Pierre n'avait pas eu la décence de communiquer avec ses parents. Il ne savait pas écrire de toute façon. Sa sœur aînée, mariée à un fondeur de Paris, hérita de tout le patrimoine de ses parents, c'est-à-dire assez pour devenir propriétaire à son tour de la forge de son mari. Pierre travailla pour son beau-frère qui devint attitré aux installations de

Notre-Dame de Paris. Le travail prenait la majorité de son temps et son avenir semblait assuré en France, jusqu'au jour où il revit, en février 1698, le sieur Hameau qui demeurait à la Fosse à Nantel et qui travaillait au ministère de la Marine.

Hameau reparla à Pierre des gisements prometteurs de la région des Trois-Rivières et de sa nostalgie de cet immense pays. Pierre n'avait pas refait sa vie. Sa cassette lui permettait de se payer un autre voyage en Nouvelle-France et d'y acquérir une terre et une forge bien à lui. Hameau lui présenta une de ses relations à Paris, le comte Joli-Cœur, un noble qui projetait de retourner à brève échéance là-bas, à la demande du gouverneur Frontenac, puisqu'il espérait créer une alliance franco-anglo-indienne dans la traite de la fourrure comme responsable du commerce français de la région des Grands Lacs et de l'Ouest du pays. Le comte, d'ailleurs, devait faire brièvement escale à Trois-Rivières, où il avait déjà vécu, le temps de retracer une interprète prometteuse, moitié Française, moitié Atticamègue, du nom d'Isabelle Couc. Latour connaissait de réputation sa famille.

Pierre Latour eut le goût de repartir pour la Nouvelle-France et d'accompagner ce noble aux fines manières, à l'esprit d'entreprise et aux visées enthousiastes. Fin causeur, on le disait charmeur de ces dames. Il entourait sa jeunesse d'une auréole mystérieuse. Sa cassette bien remplie lui permettait de soulager les misères et d'attirer les plus jolis minois. C'était un riche au grand cœur, comme son nom le laissait supposer, capable de séduire les plus récalcitrants. Hameau en disait le plus grand bien. Pierre Latour fut conquis à son tour et s'embarqua pour l'Amérique avec le comte Joli-Cœur vers Michillimakinac.

À son escale à Trois-Rivières, le comte, à regret, ne put rencontrer l'interprète métisse, partie pour Michillimakinac avec un Métis mohawk, lui aussi interprète. Pour sa part, Pierre Latour eut le goût de saluer brièvement François Banhiac Lamontagne et sa famille qui s'agrandissait à la Rivière-du-Loup. Il apprit que ses beaux-parents étaient décédés et que la forge de Nicolas Pelletier avait été vendue. François lui apprit la déception de Thomas Frérot de ne pas avoir été avisé de son intention de vendre sa terre et ses installations. Ce à quoi Latour répondit :

— Mais Thomas ne me l'a jamais proposé. Avoir su…

Pierre Latour annonça à François Banhiac Lamontagne son intention de s'installer au poste de Michillimakinac. Il leur présenta le comte Joli-Cœur que François semblait vaguement reconnaître. Devant la réserve du noble, qui sembla soudainement inhabituelle à Pierre, François en conclut à une méprise et ne reparla plus à Pierre de ce concours de ressemblance. Marguerite et François souhaitèrent bonne chance à Pierre tout en lui répétant qu'il était toujours le bienvenu à la Rivière-du-Loup.

Michillimakinac était le carrefour du commerce du castor de l'ouest. Le poste était composé de coureurs des bois, d'artisans, de marchands, de soldats et d'Indiens. L'église des Jésuites, en son centre, était protégée par une solide palissade. Le comte Lamothe-Cadillac, le prédécesseur de Joli-Cœur, avait baptisé le poste « Fort de Buade » en l'honneur de Frontenac qui lui avait donné l'autorisation de développer l'emplacement, par recommandation de la Cour de France.

La promiscuité avec les Iroquois raviva de mauvais souvenirs à Pierre Latour qui s'en confia à Isabelle Couc, rencontrée au fort de Michillimakinac et qui essaya de le raisonner du mieux qu'elle le put. Entre-temps, quand le comte Joli-Cœur revint à Québec pour rendre compte à Frontenac de sa mission diplomatique, Isabelle décida de visiter sa famille aux Trois-Rivières avec Kawakee, son compagnon. Au mois de juillet 1698, Pierre Latour quitta Michillimakinac, près de Détroit, pour toujours avec eux. À Montréal, Isabelle délaissa Kawakee. Certains pensèrent qu'Isabelle se réfugierait un jour ou l'autre dans les bras du colosse. Mais tel ne fut pas le cas. Latour s'arrêta aux Trois-Rivières alors que le comte Joli-Cœur et Kawakee continuèrent leur périple jusqu'à Québec.

À son retour chez les Banhiac Lamontagne, François suggéra à Latour de s'établir chez l'ancien capitaine du régiment de Carignan, le seigneur de Berthier, en aval de Montréal. Il lui offrit même de l'accompagner pour faciliter le contact. Les deux hommes se plurent immédiatement. Ils étaient francs, directs et de haute stature. Latour apprécia la prestance de l'un, Berthier, la carrure de l'autre. Berthier voulait l'avoir comme censitaire. Latour voulait gagner sa vie comme forgeron. Finalement, Berthier trouva un compromis, il le présenta à Courchesne de l'île Dupas qui lui offrit une concession à la rivière Chicot. À la condition toutefois de la lui vendre aussitôt que l'administration coloniale lui en donnerait la possibilité et qu'il puisse être le forgeron en titre de la seigneurie, ce que Berthier ne pouvait lui garantir.

Quand Thomas Frérot, Marie-Chaton, Étiennette et Alexandre de Berthier arrivèrent chez Pierre Latour, ce dernier était en train d'activer le feu de sa forge en actionnant l'énorme soufflet, ce que lui permettait son énorme gabarit. Le feu crépitait en dévorant le bois franc et la chaleur de la fournaise faisait contraste avec la fraîcheur de l'air de ce mois de mai.

Le forgeron avait mis sur le feu quelques morceaux de métal qu'il s'apprêtait à façonner. Un peu plus loin, au bout du feu, une marmite de fonte bouillait d'une soupe aux pois et au lard qui allait être son dîner. Un pot de grès, en guise de théière, accompagnait le récipient de la pitance de l'artisan. Dans un coin, deux chaises rudimentaires composaient la salle d'attente. Latour suait à grosses gouttes, son tablier de cuir élimé protégeait son thorax de géant des morsures des étincelles incandescentes. Ses fortes épaules laissaient entrevoir le combat quotidien de ce Vulcain. Lorsqu'il reconnut Berthier, il déposa le soufflet, s'épongea le front et vint à sa rencontre avec une certaine appréhension. Berthier le salua directement sans ambages et lui présenta sa compagnie.

— Alors, mon cher Laforge, toujours bien occupé, à ce que je vois.

– Que me vaut l'honneur de votre visite, capitaine ?

Latour, que l'on appelait communément Laforge à cause de son métier et aussi pour le différencier des deux autres Pierre Latour aussi citoyens de Berthier, n'avait pas encore aperçu Thomas Frérot. Il s'avança vers Berthier en époussetant les cendres de son tablier. La chaleur était moins intense. On pouvait y renifler une odeur de métal en fusion, de cuir chauffé et de crottin de cheval. La masse des épaules du forgeron plaidait pour sa capacité de manier le marteau et l'enclume.

– J'aimerais te présenter un ami, mon ancien voisin du temps, seigneur de l'île Dupas, du fief Chicot et de la Rivière-du-Loup, le sieur de Lachenaye.

– Vous pouvez m'appeler Thomas, Thomas Frérot, tout simplement, capitaine.

Pierre Latour parut estomaqué et figé par la visite soudaine du personnage. Son silence en disait long sur la gêne qui l'habitait.

– Bonjour, Pierre. Capitaine, Latour et moi, nous nous connaissons par son beau-frère et mon ami et censitaire, François Banhiac Lamontagne.

– Pourquoi ne pas me l'avoir dit plus tôt, Thomas ? Moi qui croyais faciliter votre visite.

– Bonjour, Monseigneur. Votre visite me surprend.

Reconnaissant difficilement sa nièce, il la salua :

– Étiennette ! Comment va ma nièce Étiennette ? Quel bon vent t'amène ? Pas de mauvaises nouvelles, j'espère ?

Latour trouva cette nièce bien jolie avec ses cheveux sombres, son teint légèrement olivâtre et ses yeux pétillants. Son nez retroussé lui donnait un air espiègle. Son sourire, largement moqueur, accompagnait un visage délicat. C'était une grande jeune fille, presque une femme, aux longues tresses, qui se dandinait au gré de mouvements amples et harmonieux. Le forgeron ressentit une attirance pour cette nièce, malgré la différence d'âge.

Étiennette reconnut facilement cet oncle d'une taille de géant qu'on ne pouvait pas oublier.

— Bonjour, mon oncle. Nous avons visité le poste de traite à l'île Dupas du parent de Cassandre qui est en visite chez nous pour l'été. À la maison, tout va bien, répondit Étiennette, gênée d'avoir à s'expliquer.

— Tant mieux ! Tu les salueras de ma part, ajouta le géant en se raclant la gorge.

— C'est moi, Cassandre Allard. Mais vous pouvez m'appeler Cassandre, comme dans le poème de Ronsard. Je suis heureuse de faire votre connaissance, avança la jeune fille, de manière audacieuse.

Pierre Latour Laforge fut muet devant la beauté de la jeune fille. Lui qui n'était pas loquace d'avance ne put que balbutier une courte phrase de circonstance.

— Bonjour, je m'appelle Pierre et je suis forgeron, dit-il, en fixant les yeux azur de la jeune fille.

— Alors, je suis heureuse de vous connaître, monsieur le forgeron ! continua, amusée, Cassandre qui, connaissant les bonnes manières, lui tendit sa main gantée.

Pierre Latour dévisagea Cassandre.

— Vous dites bien, Allard ? J'ai connu François Allard, sculpteur de Québec. J'ai même travaillé pour lui à mon arrivée au Canada.

– Mais c'est mon père. Il est mort.

Latour garda le silence, gêné d'avoir pu rappeler ces tristes souvenirs à l'adolescente.

Berthier crut bon d'intervenir :

– Eh bien, Latour a travaillé pour ton père et moi, j'ai été amoureux de ta mère. Nous sommes de la même famille, dirait-on !

Cette réplique eut l'heur de détendre l'atmosphère qui ne se prêtait pas au protocole.

Pierre ne s'attendait pas à autant d'esprit et de spontanéité de la part de l'adolescente. Il accueillit la moquerie avec mutisme. Il se sentit désemparé par l'assurance de cette jeune fille de Québec. Au moment où il tentait d'essuyer sa grosse main noircie de suie afin de retourner la politesse à Cassandre, Thomas reprit la parole :

– Justement, capitaine, je tenais à ce que vous soyez témoin de notre entretien. Vous avez la réputation d'une grande sagesse. Vos conseils ont déjà été pris en considération par le Conseil souverain.

– Il y a longtemps de cela, Thomas ! répondit Berthier en bombant le torse.

Alexandre Berthier était considéré comme l'un des vingt principaux notables du Canada. Il avait conseillé Frontenac, une première fois, sur le commerce de l'eau-de-vie avec les Sauvages. Il soutint que ce commerce était nécessaire à l'économie du pays. Avec son beau-frère Sorel, ils assurèrent au gouverneur qu'il n'y avait jamais eu de crime imputé à l'ivrognerie dans leur région. Déjà à ce moment, à Québec, on les soupçonnait de distiller leur propre alcool. Berthier, en fait, faisait clandestinement la traite. Il possédait cinq canots qui sillonnaient les rivières avoisinantes, deux employés par canot. Quand Thomas Frérot lui demanda d'être un de ses fournisseurs de peaux, Berthier, parfaitement organisé, accepta avec plaisir.

La passion de Berthier consistait à discuter du péril iroquois et de la façon de le combattre. Il avait même participé à une attaque comme l'un des quatre capitaines de la milice au printemps 1687. Ce fut la dernière guerre à laquelle il prit part. Il fut longtemps commandant du fort de Sorel, à l'embouchure du Richelieu. Il prit sa retraite sur sa seigneurie de Berthier peu après.

Le parcours d'Alexandre Berthier était aussi direct et remarquable que sa personnalité. À l'âge de vingt-six ans, il accompagna le marquis de Tracy comme capitaine de compagnie, afin de déloger les Hollandais des Antilles. En 1666, toujours avec Tracy, il rejoignit le régiment de Carignan et combattit les Iroquois au sud du lac Champlain avec son futur beau-frère, Pierre de Sorel. Il se lia d'amitié avec l'un de ses lieutenants, Séraphin de la Valtrie, qui deviendra plus tard son voisin comme seigneur de Lavaltrie. C'est à son retour qu'il assista à l'arrivée du contingent des filles du Roy à la fin juillet de cette même année et qu'il tomba amoureux, peu de temps après, d'Eugénie Languille, la mère de Cassandre, qui l'éconduisit pour son ivrognerie.

Le cœur brisé, il lui fallut plusieurs mois pour s'en remettre. Il croyait sincèrement que sa confession protestante plus que sa tendance à l'alcool, de monnaie courante chez les officiers, avait été la cause de son chagrin d'amour. Il décida de se convertir au catholicisme, épousa quelques années plus tard une fille de la Nouvelle-France, Marie le Gardeur, et devint seigneur de Bellechasse.

En 1673, il accompagna Frontenac dans une mission commerciale et pacifique auprès des Iroquois. La même année, pour se rapprocher de son beau-frère, il acheta d'Hughes Randin, un ancien officier du régiment de Carignan de la compagnie de Pierre de Sorel, la seigneurie qui devait porter son nom. Rapidement, il agrandit sa seigneurie sur le fleuve, des limites du fief Dorvilliers[63] jusqu'à la rivière Chicot. Une centaine d'habitants peuplaient la seigneurie de Berthier en 1702.

Pierre Latour invita les deux hommes à s'asseoir en conservant le mutisme de circonstance. Pendant ce temps, les deux jeunes filles décidèrent de visiter la forge sous le regard inquiet du forgeron. Thomas se sentit obligé de poursuivre la conversation.

– Latour et moi avons déjà été sur le point de conclure la transaction de ses biens à la Pointe-du-Lac. C'est surtout la mine de sable à forte densité de fer qui m'intéressait à l'époque. C'est François Poulin, mon rival, qui en a été l'heureux propriétaire, mais qui ne l'a jamais exploitée. Est-ce que vous savez pourquoi, Latour?

– Le Roy de France ne voyait pas la nécessité de l'exploiter, compte tenu de l'abondance du minerai de fer là-bas. Enfin, c'est ce que le sieur Hameau, directeur du projet, m'a donné comme explication. Je n'en sais rien de plus, répondit le forgeron.

– Sinon que vous possédiez les croquis qui notent les emplacements ferrugineux de la région, m'a-t-on dit. Les avez-vous toujours? Je suis venu pour en discuter. Si possible pour faire des affaires. Le capitaine m'est témoin.

– Les Iroquois ne seront plus là pour vous ennuyer, Laforge, quoique l'on ne puisse jamais se fier à ces Peaux-Rouges, ajouta Berthier.

La réserve du forgeron s'estompait graduellement. Il offrit du thé à ses visiteurs. Étiennette et Cassandre avaient préféré prendre le grand air. Latour se servit de l'eau. La chaleur de la pièce était toujours suffocante. Berthier et Thomas souhaitèrent eux-mêmes une eau bien froide.

63. Aujourd'hui, la municipalité de Lanoraie.

– Le sieur Hameau, que j'ai accompagné pour explorer la région, croyait à la richesse des mines. Il disait que le propriétaire des lieux deviendrait extrêmement riche à cause du sous-sol.

– Bien sûr, il a recommandé au Roy d'y créer une nouvelle industrie et ce dernier a refusé, ajouta Thomas. À votre avis, Latour, qu'en est-il?

– Les gisements de surface que j'ai vus sont intéressants à la Rivière-du-Loup et à la rivière Maskinongé. J'en ai même un qui me permet d'enrichir ma fonte au bout de ma terre. Et ainsi de suite, les gisements s'échelonnent çà et là, jusqu'aux rivières Saint-Maurice et Yamachiche, en partant du fleuve.

– Pensez-vous qu'on puisse extraire assez de fer de ce sable? Comme seigneur, je pourrais sensibiliser mes censitaires que je considère presque comme des copropriétaires. Comme commerçant, je pourrais l'écouler, renchérit Thomas.

– Les gisements appartiennent aux propriétaires fonciers, Thomas. Au fief Chicot, les terres des censitaires appartiennent aux coseigneurs de l'île Dupas. Il y a dix ans, c'est vous qui en étiez le propriétaire. Il faudrait que vous rachetiez le fief et que vous deveniez seigneur de nouveau. Est-ce là votre intention? ajouta catégoriquement Berthier.

– J'ai déjà une seigneurie… Ça dépend de l'évaluation de Pierre, répondit Thomas.

– De mémoire, les gisements suffisent. Mais avec Hameau, nous n'en avons ramené que quatre-vingts livres. Nous aurions pu en ramasser davantage, si nous avions eu le temps nécessaire. La richesse, toutefois, me semble être cachée sous terre. Mes connaissances s'arrêtent ici. Je suis forgeron, pas mineur. Hameau, lui, semblait le croire, allégua Latour Laforge.

– Y a-t-il moyen de faire équipe et de visiter les sites de surface? Nous pouvons être associés dans ce commerce, Latour.

Vous aussi, capitaine. Vous me faites voir ces gisements et si cela en vaut la peine, nous en faisons le commerce.

— Vous aurez à vous entendre avec Courchesne et Dandonneau, Thomas. Ce sont des cultivateurs, pas des commerçants. Je doute qu'ils puissent donner leur accord à votre projet, se permit de dire Berthier.

— Je dois retourner bientôt à la Rivière-du-Loup auprès de Marguerite et de François pour y raccompagner Étiennette et Cassandre. Nous pourrions y aller ensemble et en parler avec François. S'il y a lieu, nous pourrions visiter les sites de la Rivière-du-Loup. Qu'en penses-tu, Pierre?

— Justement, il y en a un qui n'est pas si loin de la terre de François. Il est situé sur la propriété de Judith Rigaud.

— Décidément, celle-là, je l'aurais prise dans ma compagnie. Quel fusil! s'exclama Berthier, les yeux pleins d'admiration.

Judith Rigaud était de son âge. Sa vie tumultueuse alimentait déjà les rumeurs quand Berthier était arrivé au Canada.

— Cela tombe bien, je voulais la présenter à Cassandre qui voulait connaître aussi Isabelle Couc Montour, ajouta Thomas.

— Isabelle est dans la région? s'enquit le forgeron.

— Vous la connaissez, Laforge? s'inquiéta Berthier.

— C'est une connaissance, sans plus.

— Eh bien, ne le dites pas trop fort, parce que l'on pourrait s'inquiéter de vos relations! Si Madame Berthier savait ça. Il est vrai que vous êtes toujours veuf...

Laforge durcit les traits. Berthier s'aperçut qu'il en avait trop dit. Thomas, diplomate comme à l'accoutumée, ajouta:

– Quand partons-nous? Vous venez avec nous, capitaine?

– J'ai déjà assez empiété sur les terres de mes voisins. Ma femme doit s'impatienter. Je dois la retrouver. Saluez mes amis de ma part. Judith Rigaud, en particulier.

Il avait conclu sa tirade d'un clin d'œil. Ses huit années de célibat au Canada lui rappelaient sans doute des souvenirs guillerets. Il retourna en chaloupe chez lui. Laforge et Thomas convinrent de partir vers la Rivière-du-Loup aussitôt que le feu de la forge se fut éteint. Il y avait une heure de navigation, à peine.

Pendant le trajet, le forgeron tenta d'expliquer à Thomas les raisons de sa volte-face en faveur de François Poulin. L'urgence de son retour en France avait motivé la transaction. D'ailleurs, Thomas Frérot n'avait jamais fait d'offre ferme. François Poulin, oui.

Étiennette était assise en face du géant et retenait malgré lui les regards de ce dernier avec ses longues jambes fines, qu'elle essayait maladroitement de replier sous la planche de bois qui servait de banquette.

« Mon Dieu que ma nièce a grandi ! Elle est devenue une ravissante jeune fille. »

Le malaise du géant était devenu apparent à Cassandre qui chercha à retenir son attention :

– Connaissez-vous Isabelle Couc Montour, monsieur le forgeron?

– Certainement, Cassandre. J'ai même navigué avec elle ! répondit Latour en ne quittant pas du regard la silhouette profilée d'Étiennette.

– Ah oui ! Il y a longtemps?

— Il y a longtemps, lors d'un voyage aux Grands Lacs avec le comte Joli-Cœur.

— Que drôle de nom pour un comte! J'aimerais le connaître, moi aussi, clama Cassandre.

— Je le connais, moi, avança Étiennette d'une voix affirmée, contrairement à son habitude.

— Comment se fait-il, Étiennette? s'inquiéta Thomas.

— Parce que le comte est venu chez nous. Je m'en souviens, ajouta Étiennette.

— Quand, Étiennette? demanda Thomas.

— Avec moi, il y a quelques années. Étiennette n'était qu'une enfant, répondit Latour à la place de sa nièce.

— Je m'en souviens très bien et je n'étais pas une enfant, rétorqua Étiennette, déçue de l'intervention de son oncle.

Latour se rendit compte que sa nièce répondait comme une jeune femme humiliée. Il se mit à la détailler des pieds à la tête. Effectivement, Étiennette était devenue une ravissante jeune fille certainement en âge de se marier.

— Alors, Étiennette, est-il aussi beau que son nom? demanda effrontément Cassandre.

— Cela suffit, Marie-Chaton, ce n'est pas le moment, intervint Thomas.

— Marie-Chaton? interrogea Étiennette.

Cassandre rougit. Étiennette n'insista pas.

Pierre Latour Laforge prit la parole:

– Quand je suis revenu de France pour aller m'installer à Michillimakinac, sur le bateau du comte, ce dernier voulait engager Isabelle Couc et son Métis mohawk comme interprètes. En faisant escale aux Trois-Rivières, Isabelle n'y étant pas, j'en ai profité pour aller visiter ma belle-famille à la Rivière-du-Loup. Le comte Joli-Cœur a tenu à m'accompagner.

– Il est très beau, affirma Étiennette en terminant l'épisode du forgeron.

– Tu en as de la chance, Étiennette! J'aurais aimé être là. Le connais-tu, parrain?

– Pas encore. Mais cela ne devrait pas tarder.

– Nous devrions l'inviter à Charlesbourg lorsqu'il viendra à Québec, clama Cassandre.

– C'est Eugénie qui devra en décider, semonça Thomas en concluant la conversation.

Homme d'honneur et de compassion, Thomas Frérot fut attentif aux explications du géant. Leur sympathie augurait bien pour une association future. Latour Laforge lui expliqua qu'il aimait son métier qu'il considérait comme un art. S'il pouvait aider Thomas dans son commerce, tant mieux. Il le faisait davantage pour corriger son erreur passée. En plus, Thomas Frérot n'était-il pas le grand ami de son beau-frère et son ancien seigneur? Outre les Banhiac Lamontagne, Berthier et Isabelle Couc Montour, les deux hommes ne se connaissaient pas d'autres amis communs. Dans le temps, Thomas Frérot était déjà installé à Boucherville et par la suite à Québec quand le gaillard arriva à Trois-Rivières.

Les deux marins de fortune ainsi que leurs passagères arrivèrent à la Rivière-du-Loup en fin d'après-midi. Les Banhiac Lamontagne qui n'attendaient pas un visiteur aussi particulier furent à la fois surpris et heureux de l'évènement. La température était clémente pour un 20 mai et les filles étaient en train de jouer à l'extérieur. Marguerite et Agnès s'affairaient à bêcher le potager. Les jumeaux barbotaient dans les eaux glacées du lac Saint-Pierre et contrevenaient aux directives de Marguerite qui criait encore à pleins poumons. Quand cette dernière reconnut les visiteurs, elle détourna la tête et héla son homme engagé qui dessouchait en donnant des ordres à son attelage de bœufs.

– Eh bien, nous avons de la visite rare. Continuez votre travail, Symphorien.

Aussitôt dit, elle dégrafa son tablier, demanda à sa fille Agnès d'aller chercher son père aux champs et se rendit sur le quai en agitant la main. En plus de Thomas Frérot, elle avait reconnu son beau-frère, Pierre Latour Laforge, qu'elle n'avait pas revu depuis trois années.

Aussitôt la chaloupe sur la berge, elle s'avança vers Pierre et le salua.

– Eh bien, pour de la visite, c'est de la grande visite! Je dirais un survenant. Alors, comment ça va, Pierre? Tu nous avais oubliés, ma parole!

– Pas tout à fait.

– Mais presque. Ce sont les enfants qui seront heureux de te revoir, ajouta-t-elle en riant.

– Savais-tu, Marguerite, que tu n'as pas changé! Toujours sage-femme?

– Oui, mais pas toujours sage. C'est ce que les enfants me disent. Tiens, j'aimerais te les présenter.

Marguerite présenta ses enfants, un par un, que le forgeron eut peine à nommer correctement. Rendu au tour d'Étiennette qu'il avait accompagnée, il lui sourit. Étiennette tenait le bras de Marie-Renée Allard.

Le maître des lieux était revenu du champ sur les entrefaites. Il avait reconnu la haute silhouette de Pierre. Une visite inattendue. Les deux hommes se serrèrent la main chaleureusement. Ils avaient toujours eu beaucoup d'estime l'un pour l'autre.

— Alors, Pierre, te revoilà! Tu nous avais oubliés, ma foi! Il a fallu que Thomas te persuade de venir nous voir! Enfin, mieux vaut tard que jamais. Mais comment se fait-il que vous vous connaissiez?

— Tu ne t'en souviens pas, mon cher François? C'est toi qui nous avais présentés. Oh! Il y a de cela plusieurs années, à la Pointe-du-Lac. En fait, nous voulions ton avis sur une affaire d'importance.

— En effet, il y a de cela longtemps. Vous m'intriguez. Quelle affaire? rétorqua François Lamontagne.

— J'imagine que cette affaire peut attendre le temps que nous entrions à la maison pour le thé, proposa Marguerite qui tenait à accueillir convenablement ses invités.

Les adultes entrèrent dans la chaumière. Le grand Pierre se pencha pour franchir le porche. Les jeunes filles restèrent à l'extérieur tout en s'animant. Seule Étiennette avait suivi sa mère en ramenant les jumeaux qui se débattaient, un à chaque bras. Pierre remarqua qu'Étiennette, malgré sa stature mince, était solide.

Assis autour de la table, alors qu'elle servait les tasses de grès et les écuelles, Marguerite, en vraie maîtresse de maison, orchestrait l'ambiance.

— J'espère, Pierre, que tu resteras ici le temps qu'il faudra. Ta place est toujours ici dans la famille, tu le sais bien. À moins que tu viennes nous annoncer qu'une nouvelle épouse a su t'arracher à ton veuvage.

Pierre Latour rougit. Étiennette le regardait de l'embrasure de la porte avec étonnement. Elle ne semblait pas croire qu'un être de cette stature pouvait rougir comme une jeune fille. Marguerite qui voyait tout à la ronde arrêta son regard sur celui de sa fille, cherchant à deviner la signification de son expression. Sans doute, de l'étonnement vis-à-vis de cet oncle qu'elle venait de revoir, se dit-elle intérieurement. Si elle était sage-femme, Marguerite avait la réputation d'être la marieuse du coin. Quelques couples avaient uni leurs destinées par ses bons soins.

— La famille s'est agrandie, à ce que je vois ! Des jumeaux, n'est-ce pas, Marguerite ?

— Oui, Charles et François-Aurèle. Ils sont âgés de trois ans.

— Et les filles, elles sont devenues des femmes ! continua Pierre.

— Qui n'ont pas vu leur oncle depuis longtemps d'ailleurs ! Tu aurais pu nous visiter plus souvent, Pierre ! Il paraît que tu t'es rendu jusqu'à Détroit ? interrogea Marguerite.

À ces mots magiques, Antoinette, Marie-Anne, Agnès, Geneviève, Madeleine, Étiennette ainsi que Cassandre Allard venaient à leur tour d'entrer et de se rapprocher de l'oncle près de la table. Cassandre avec un naturel déroutant posa la question à Pierre :

— Oh oui ! Parlez-nous de Michillimakinac et de la vie aux Grands Lacs. Avez-vous rencontré Isabelle Montour et son galant, le sachem outaouais ? Et le comte Joli-Cœur ? Est-il toujours aussi séduisant que le Roy ?

— Cassandre, essaie d'être plus réservée ! Monsieur Latour n'est pas venu raconter ses voyages, intima Thomas Frérot.

— Parrain, j'aimerais tellement en entendre parler !

Marguerite était frappée par le tempérament volontaire de la jeune fille. Elle se dit qu'elle ressemblait à sa mère, Eugénie, du moins d'après un souvenir vieux de trente ans. Prenant sa défense, elle ajouta :

– Voyons, Thomas, si Pierre a le goût d'en parler, laissons-le faire. Les filles ne rencontrent pas beaucoup d'explorateurs par ici.

– Moi, oui, à Québec, Madeleine d'Allonne m'en a présenté. Mais, moi, j'aimerais mieux me produire au théâtre et à l'opéra, osa ajouter Cassandre.

– Au théâtre et à l'opéra ! Comment se fait-il ? s'émerveilla Agnès qui enviait la jeune fille.

– Parce que l'on dit que j'ai une jolie voix et que je pourrais me produire au théâtre, à Paris, à la cour de Versailles et partout en Europe.

– Ah ! Oui !

– Chez les Ursulines de Québec, nous recevons une instruction classique comme les garçons peuvent en avoir au Petit Séminaire. J'y ai fait du théâtre. Sans parler de mes leçons de chant avec une vraie diva et de clavecin avec l'abbé Martin.

La Nouvelle-France devait son ouverture à l'art dramatique à Frontenac qui avait été un passionné de théâtre. Il avait fréquenté Corneille, Racine, La Fontaine et Molière.

– Cela suffit, maintenant. Tu deviens impertinente. Tu donnes le mauvais exemple à tes nouvelles amies, ajouta Thomas en haussant le ton.

Eugénie Allard avait tenu à ce que Cassandre reçoive l'éducation des Ursulines qui préparait à la haute société. En plus des belles manières requises dans les réceptions de salon et des travaux d'aiguille, Cassandre apprenait les matières scolaires qui permettaient d'acquérir de la culture, tels le latin, la littérature, la grammaire et les auteurs classiques.

Cassandre s'intéressait particulièrement à la poésie de Ronsard, de qui elle avait emprunté le prénom de l'héroïne, de Joachim Du Bellay, de François Villon et à la « Querelle des anciens et des modernes » à laquelle prit part Charles Perrault, malgré son jeune âge. Mais les *Contes de ma mère l'Oye* du même auteur, qu'il publia en 1697 sous le nom de son fils Perrault d'Armancour, la ravissaient particulièrement pour leur amusement enfantin. C'était plus jeune que son âge, certes, mais Cassandre jouait sur les deux registres, tout comme sa voix pouvait aussi franchir plusieurs octaves.

Il ne faut pas s'étonner si Cassandre connaissait sur le bout de ses doigts la Comédie allant de la farce à l'œuvre de Molière, au grand dam de son professeur de chant qui la destinait au chant classique et à l'opéra.

Cassandre se renfrogna. Il y eut une gêne perceptible qui se dissipa quand Marguerite ajouta :

– Alors, Cassandre, il faut que l'on entende ta jolie voix. Peux-tu nous chanter un air que tu aimes bien ?

– Oui, oui, entonnèrent en chœur les autres jeunes filles.

– Que diriez-vous du chant « Margoton » ? demanda Cassandre.

– Oui, oui !

Cassandre exécuta avec la plus grande facilité, de sa voix haut perchée qui résonnait, cette chanson française vieille du XVe siècle :

Margoton va-t'à-l'iau avec-que son cruchon (bis)
La fontaine était creuse, elle est tombée au fond (bis)
Par là, passèrent trois jeunes et beaux garçons (bis)

Que donn'rez-vous, la bell, nous vous retirerons? (bis)
C'est votre cœur en gage, savoir si nous l'aurons... (bis)

La clarté de sa voix vibrante effraya les petites poules d'eau de la plage. Une volée de canards perturbés dans leur tranquillité répondirent par leur coin-coin à la chanson populaire ponctuée de formation classique.

À leur tour, les filles de Marguerite avaient commencé à fredonner la réplique à Cassandre, timidement, en cherchant l'approbation de leur mère qui comprenait l'impertinence du chant et qui avait déjà formellement défendu à ses filles de la fredonner à la maison.

– Cette chanson n'est bonne que pour des femmes comme Judith Rigaud! affirmait-elle catégoriquement.

Marguerite élevait ses filles dans le plus grand scrupule, elle qui, par son métier de sage-femme, connaissait les débordements de la nature humaine. Cependant, elle ne s'objecta pas cette fois-ci, puisque la chanson qu'elle considérait comme grivoise était rendue avec la pureté d'une voix divine. La magie vocale transcendait, pour le moment, les principes rigoureux de cette mère autoritaire.

Cassandre encourageait ses nouvelles amies par des œillades amusées. La chorale improvisée dévoilait de jolies voix qui firent sursauter François Banhiac Lamontagne devant le talent familial qu'il découvrait. Sa surprise n'échappa pas à Marguerite qui susurra à l'oreille de son mari:

– Pourtant, nous n'avons pas de professeur de chant à la Rivière-du-Loup, François.

Quand Cassandre termina par:

Mon petit cœur, Messir`, n'est pas pour un baron (bis)
Ma mère me le gard` pour mon joli mignon (bis)
Le mien, c'est le comte Joli-Cœur, voyons.

Marguerite stoppa la jeune cantatrice en disant de sa voix forte des grandes occasions :

– Cassandre aura une grande carrière en Europe, Thomas. Pour le moment, restons au Canada !

La chanson s'arrêta instantanément sur cette note discordante. Le sourire disparut des lèvres des filles de Marguerite. Cassandre en eut le souffle coupé. Marguerite, pour conserver la direction qu'elle voulait donner à la réunion familiale, continua :

– Alors, Pierre, tu nous disais t'être rendu à Michillimakinac ?

Immédiatement, les yeux de l'assemblée se retournèrent vers le géant. Cassandre, perdant ainsi l'attention, en fut grandement déçue.

Pierre Latour, surpris par le ton et la gouverne de sa belle-sœur, continua, même à regret :

– Ce fut une belle expédition vers Détroit. Le pays est magnifique. Le gibier et le poisson, en abondance. Les truites sont grosses comme la cuisse.

Tous les regards se portèrent vers la cuisse du géant, en imaginant la grosseur du poisson. Le forgeron continua :

– Le ciel est lumineux, même la nuit. Il fait toujours frais. Il y a de hautes falaises couvertes de forêts de sapins. Il y a une multitude d'îles, d'étangs et de rivières.

– Et les Indiens ? risqua Agnès.

– Ils sont plusieurs milliers. Des Hurons surtout et des Ottawas. Ils cultivent leurs champs au bord du détroit lui-même. J'ai connu leur chef appelé « Le Rat ».

– Celui-là même qui a négocié la paix avec le gouverneur de Callière et qui est mort devant lui, ajouta Thomas.

– Oh ! reprit en chœur la maisonnée tout impressionnée.

– Les Iroquois et Isabelle Montour ? demanda Cassandre.

– Ah non ! pas celle-là ! affirma sèchement Marguerite.

– Et le comte Joli-Cœur ? s'entêta Cassandre.

– Je l'ai connu à Paris, je vous l'ai déjà dit. C'est lui qui m'a ramené en Nouvelle-France. Je l'ai déjà présenté à votre père, il y a quelques années, continua Pierre.

– Intrigant personnage, celui-là, avança François.

– François, je t'en prie, ne jugeons pas ceux que l'on ne connaît pas.

– Alors, mère, pourquoi ne pas vouloir que l'on connaisse Isabelle Montour si vous ne la connaissez pas personnellement ? brava Étiennette.

Marguerite la foudroya du regard. La sage-femme avait déjà accouché la Métisse qui avait donné naissance à un enfant naturel. Marguerite avait conservé le plus grand secret de cet acte médical. Son libertinage ne plaisait pas à Marguerite, qui ne voulait pas la donner en exemple à ses filles. Mais Marguerite n'en revenait pas de la réplique d'Étiennette qui avait déjà bien changé depuis quelques jours. La venue d'une nouvelle amie aurait-elle été la cause de son insolence ?

François Banhiac Lamontagne qui voyait se dessiner la colère dans les yeux de sa femme brisa l'orage naissant en offrant aux hommes du tabac maladroitement haché pour qu'ils puissent charger leur pipe. Marguerite faillit échapper sur la table la terrine de rôti de lard désossé. Agnès et Marie-Anne s'empressèrent de mettre le couvert pour apaiser les gestes maladroits de leur mère. Thomas prit la parole :

— Ces belles jeunes filles ont certainement des cavaliers qui font leur ronde.

Les paroles surprirent et eurent l'effet d'accélérer le service.

— Le jeune Branchaud n'a pas l'air de trouver mon Agnès trop laide ; il rôde par ici, plus souvent qu'à son tour, hasarda François.

Agnès rougit subitement. Elle répondit instantanément :

— Père, je vous en prie. Ce n'est qu'un voisin.

— Un voisin très attentionné, s'esclaffa Marie-Anne.

— Oh ! toi, tu peux bien rire. Si l'on parlait maintenant de Gustave Charron. Hein ! Je trouve qu'on le voit souvent par ici, celui-là. Il me semble qu'il te trouve pas mal à son goût, répliqua Agnès.

— Mère, empêchez-la de dire des sottises, poursuivit Marie-Anne.

— En tout cas, quand j'aurai un galant, ça sera un explorateur comme Cavelier de LaSalle ou le comte Joli-Cœur. Je ne me contenterai pas d'un paysan. J'épouserai peut-être un sachem outaouais comme Isabelle Montour, que j'ai bien hâte de connaître, s'exclama Cassandre.

La remarque hautaine de la jeune fille glaça l'atmosphère. Thomas Frérot se sentit gêné par tant de prétention. Le malaise dura jusqu'au moment où Thomas rendit les armes et ajouta, pour éviter le courroux de ses hôtes :

— Si tu veux la rencontrer, Isabelle Couc, alors je vais demander à Pierre de nous y conduire puisque Isabelle est une de ses bonnes amies. Il paraît qu'elle loge chez sa sœur Madeleine.

Cassandre se gonfla de pouvoir. Encore une fois, elle eut la confirmation de sa domination.

– Plutôt chez Judith Rigaud, Thomas. C'est ce que m'a dit mon ami Gerlaise, avança François Banhiac Lamontagne.

– Moi aussi, j'aimerais la connaître, mère, osa dire Étiennette.

– Quoi! Ma fille chez deux pécheresses? Jamais! L'une a quitté son mari ou peut-être un amant, que sais-je, et l'autre a abandonné son enfant. C'est encore pire. Quelle honte pour le pays! tonitrua Marguerite d'un ton qui ne tolérait pas la réplique.

Thomas d'une voix sirupeuse se risqua à proposer:

– Nous partirons demain matin, si vous le voulez bien, en autant que vous nous offriez le gîte, évidemment, Marguerite.

Cette dernière était encore rouge de colère.

– Thomas, si vous tenez à compromettre l'avenir de cette enfant, je n'y peux rien. Vous êtes son tuteur, après tout. Mais je vous préviens qu'elle court de grands risques.

– Voyons, Marguerite! Isabelle Couc ne fait qu'obéir à son sang indien, interrompit Pierre Latour.

– Allons donc, Pierre. Elle préfère le libertinage. Vous voyez ce que je veux dire! C'est plutôt commode de vivre à l'indienne. À propos, que fait-elle de son sang français et de son instruction chrétienne? continua-t-elle en se signant.

– Cela ne nous regarde pas, Pierre, mais es-tu venu spécialement avec Thomas pour revoir Isabelle Couc? Aurais-tu envie de vendre ta forge et de retourner à Michillimakinac? questionna François.

— Non, non! Ma place est ici à la rivière Chicot. J'ai une bonne clientèle. Retourner là-bas? Non, pas une seconde fois. Je ne suis pas un conquérant, moi, mais un forgeron, François, répondit Latour Laforge.

À cette réponse, Cassandre se sentit visée et se mit à rougir d'inconfort.

— François, Pierre est venu parce que je lui ai demandé de m'aider à visiter et à évaluer les sables de fer. D'après lui, un des bons gisements se trouve au bout de la terre de Judith Rigaud. Il y en a d'autres dont il est le seul à connaître l'emplacement, précisa Thomas.

— Est-ce que tu abandonnes la traite, Thomas? Et tes comptoirs? continua François.

— Je viens de vendre celui de l'île Dupas. Oui, si le fer est en quantité et de bonne qualité et si le commerce se fait bien, alors pourquoi pas?

— Toujours le commerce, Thomas! Et le notariat?

— J'ai vendu mon étude en même temps au jeune notaire Normandin de l'île.

— Sans doute, vous resterez plus souvent à Québec. C'est Anne, votre épouse, qui sera contente, ajouta Marguerite.

— Surtout si j'accepte l'offre du gouverneur de devenir procureur général. Je dois donner ma réponse au gouverneur de Callière, bientôt… Au fait, est-ce que tu nous accompagnes, François? invita Thomas.

Marguerite dévisagea son mari avec autorité. François, ennuyé par cette menace, répondit précipitamment:

— Il me reste quelques souches à déterrer avant les semailles. Non, merci de l'invitation. J'ai beaucoup à faire ici.

Le petit sourire victorieux de Marguerite, à la commissure de ses lèvres, confirma l'ascendant de la maîtresse de maison. Thomas n'insista pas.

Latour Laforge regardait dans la direction d'Étiennette. Lui non plus n'avait plus le goût de partir. À la vue de cette adolescente, aux longues jambes et au visage percé de deux yeux pénétrants qui lui donnaient l'assurance des êtres qui connaissent et qui cheminent vers leur destin, il en oubliait qu'il était son oncle. Il en oubliait sa différence d'âge.

Étiennette, de son côté, tenant par la main un des jumeaux, n'était pas insensible au regard du géant. Seulement, par pudeur, elle détourna le regard en s'affairant à desservir la table avec son petit compagnon qui la gênait dans ses mouvements. Marguerite, par instinct, suivait le regard de Pierre et essayait d'analyser les réactions de sa fille. La mère était à la fois surprise par la spontanéité de son beau-frère et par la réaction de sa fille. Étiennette, sans soutenir le regard de Pierre, ne le rejetait pas non plus.

Marguerite se dit qu'elle devra porter une attention particulière à cette attirance soudaine. Pourquoi Étiennette ? Pourquoi pas Agnès ou Marie-Anne, plus âgées, qui n'avaient pas encore de cavaliers avoués ? Et puis, Pierre était leur oncle, dont elles ne se souvenaient plus, certes, mais leur oncle tout de même, était un homme ébranlé par le destin.

Que pouvait espérer Étiennette de Pierre Latour Laforge ? Il pourrait être son père. Marguerite se dit en son for intérieur qu'elle en aviserait François aussitôt que Pierre se montrerait plus insistant auprès d'Étiennette. Le feu n'était pas encore pris dans la demeure.

— Alors, Pierre, quand sera le meilleur moment pour évaluer l'état de la mine ? demanda Thomas.

— J'imagine que demain matin serait le mieux. Le temps de se rendre chez Judith Rigaud, répondit Pierre Latour.

– Moi aussi, je tiens à y aller! Vous me l'avez promis, parrain! avança Marie-Chaton.

– Bien entendu. Mais il faudra que tu te lèves à l'aube, sans rechigner, ajouta Thomas. Prépare dès ce soir ton barda. Est-ce que tu me prêtes ta chaloupe, François? demanda Thomas.

– Elle est à toi! Vous les saluerez de notre part, ces dames, ajouta François par politesse.

– Pas de la mienne, en tout cas! Revenez vite, parce que dans trois jours, juste avant les semailles, nous allons fêter le mai, reprit Marguerite.

– Fêter le mai? Oui, oui, j'en ai entendu parler chez les Ursulines. Il paraît que c'est une occasion d'aller au bal!
– Je t'en prie, Cassandre, nous ne sommes pas au château Saint-Louis chez le gouverneur, avança Thomas.

– C'est vrai qu'il y a bien peu de gentilshommes par ici, ironisa Cassandre.

– Ça suffit, Cassandre, sois moins insolente et aie plus de respect pour tes nouvelles amies, répliqua Thomas.

La superbe de Cassandre avait refroidi l'enthousiasme de l'annonce de la fête du mai. Marguerite prit sur elle de détendre l'atmosphère.

– Gentilshommes ou pas, nous avons pour notre part de bien gentils habitants qui nous conviennent tout à fait. À ton retour, Cassandre, tu auras l'occasion de t'en rendre compte par toi-même.

– Est-ce qu'Isabelle Montour viendra fêter le mai?

Le silence plana. C'est alors que Thomas Frérot reprit:

– Demain, tu la connaîtras, cette Isabelle, si elle est toujours chez Judith Rigaud.

Dès l'aurore, le petit équipage se mit en route après avoir avalé un petit déjeuner composé d'œufs arrosés de réduit d'érable et de crème d'habitant. Comme casse-croûte, on avait apporté du brochet fumé et de l'anguille. Pour Judith Rigaud, Marguerite avait consenti à se départir, mais avec réticence, d'un pain de viande de gibier. Thomas, pour sa part, lui offrait une petite cape de loup-marin. Il était certain que Judith apprécierait la fourrure de phoque.

CHAPITRE XXIX
La Rigaude

Judith Rigaud ne parut pas surprise de la venue de Thomas qui l'avait visitée le mois précédent. Elle s'attendait à le voir accompagné d'une adolescente intimidée. Quelle ne fut pas sa surprise d'apercevoir une jeune fille aussi délurée et d'une grande beauté. Aussi, quand Thomas la lui présenta, Judith émit le commentaire suivant:

– C'est le soleil du printemps que tu m'amènes, Thomas.

– Marie-Chaton, voici madame Judith Rigaud que tu voulais tant connaître, introduisit Thomas.

– Eh bien! Comme ça, ma jolie, tu quittes Québec pour venir nous voir! Et qu'espères-tu trouver dans ce coin perdu? Certainement pas le prince charmant! À moins que tu ne préfères un trappeur ou un cul-terreux. À ton âge, et avec ton joli minois, tu pourrais espérer mieux. Mais les vrais héros, il ne s'en fait plus en Nouvelle-France.

– Je me contenterais d'un explorateur ou d'un sachem outaouais comme l'amant d'Isabelle Montour!

– Si dormir avec toute la tribu est ton ambition, cela te regarde, mais il faut avoir du sang indien dans le corps pour tolérer ça. J'ai eu plusieurs maris, ma petite, mais c'est moi qui étais la reine ! Et je tenais à être traitée comme telle. Je n'aurais jamais accepté d'être la squaw d'un Indien, chef ou pas. Isabelle fait ce qu'elle veut. Elle a la peau à moitié rouge de toute façon. D'ailleurs, je ne suis pas sa mère. Elle serait encore mieux avec son noble, s'enflamma la Rigaude.

– Le comte Joli-Cœur, reprit rapidement Cassandre.

– Cré-yé ! Cette petite est au courant de tous les potins de Michillimakinac ! C'est chez les Ursulines que l'on apprend tout cela ? s'amusa Judith.

– Sois plus distinguée, Cassandre ! Si Étiennette, Agnès et Marie-Anne t'entendaient… s'indigna Thomas.

– Ce sont les filles de la sage-femme, n'est-ce pas ? Celle-là s'imagine être la perfection même ! ajouta Judith, perfidement.

Judith Rigaud venait de régler ses comptes avec Marguerite Banhiac Lamontagne qui la critiquait ouvertement.

Fidèle à son excentricité, Judith portait une robe en mousseline et taffetas, des bottines de cuir de chevreau importées de Paris et était coiffée d'une perruque à boudins rouge betterave qui chapeautait un visage très maquillé de fard cramoisi. Cassandre, devant la truculente légende vivante, ne pouvait réprimer un fou rire qui ne laissait aucune emprise aux bonnes manières héritées de son éducation. Judith s'en aperçut et ne releva pas l'affront. Au contraire, elle lui dit :

– Je sens que nous allons bien rire toutes les deux.

– Alors, quelles sont les dernières nouvelles de la traite, Judith ?

– À Montréal ou à Michillimakinac ? J'imagine que tu es au courant de celles des Trois-Rivières, Thomas ! Mes fils sont retournés en haut jusqu'au lac Supérieur. Ils achemineront leurs peaux sans problème jusqu'à Détroit. Isabelle me l'a juré. Après, vous les aurez à Montréal.

– Justement, Judith, je songe à ralentir mes activités de commerce des pelleteries. Je viens d'abandonner mon relais à l'île Dupas.

– Qu'as-tu dans la tête, Thomas ? Tu dois avoir une sérieuse raison pour agir ainsi, depuis la paix avec les Iroquois…

– La qualité des peaux, Judith. Et puis, Paris ne les achète plus. Mes inventaires se perdent.

– Tu pourrais en parler à Isabelle qui les acheminerait, par New-Amsterdam, vers Londres ou Amsterdam.

– Je suis toujours loyal à la France, Judith, cela dit sans référence à qui que ce soit. Non ! J'avais une autre idée que je voulais partager avec vous.

Sur les entrefaites, apparut Isabelle Couc Montour dans l'entrebâillement de la porte. Judith s'aperçut qu'elle avait oublié d'inviter son monde à l'intérieur. Thomas n'en revenait pas de l'effronterie de Judith Rigaud. Elle venait de critiquer ouvertement la vie sentimentale d'Isabelle, alors qu'elle accueillait cette dernière chez elle.

Isabelle avait reconnu Pierre Latour.

– Pierre, que fais-tu ici ?

– On m'avait dit que tu étais dans la région, Isabelle.

– Ouais ! Mais je remonte bientôt.

Isabelle s'aperçut de la présence de Cassandre. Cette dernière la dévisageait avec curiosité.

– Comment t'appelles-tu, ma petite ? demanda Isabelle.

– Cassandre. Je suis la pupille de Thomas. Il m'a souvent parlé de vous. Je veux vous suivre aux Grands Lacs pour découvrir un nouveau monde, naviguer et habiter chez les Indiens. Je veux être interprète comme vous et m'habiller à votre manière, répondit la jeune fille.

Isabelle s'habillait à la canadienne lorsqu'elle revenait dans la région. Ce matin-là, elle portait une robe ample qui lui allait jusqu'aux chevilles, ajustée à la taille par un large ceinturon de laine. Elle refusait les accoutrements de Judith Rigaud de façon systématique. Il pouvait lui arriver de porter la *khakare* iroquoise, uniquement en présence de Judith et de sa famille. Par contre, sa sœur Marguerite, qui vivait à Trois-Rivières maintenant, la boudait depuis qu'elle vivait avec un chef outaouais.

Isabelle amenait ses mocassins de marche qu'elle remisait pour des bottines de travail. Ce matin-là, toutefois, elle portait ses mocassins. Encadré de longues tresses scintillantes de fils d'argent, son visage reflétait une beauté empreinte de maturité, avec des yeux noirs légèrement en amande et un regard d'une intelligence supérieure. Ses dons d'interprète en avaient fait une légende.

Les traits légèrement indiens de la Métisse, aux pommettes à peine saillantes et aux lèvres pleines et sensuelles, attiraient inévitablement les prétendants masculins. Blanc ou Indien, Français ou Anglais, noble, chef ou engagé, son charme teinté de mystère sauvage et altier savait inviter les avances des messieurs. Mais c'est Isabelle qui choisissait et son carnet de prises de choix était bien rempli. On y retrouvait des ambassadeurs, un gouverneur, des trappeurs, un Métis mohawk et, maintenant, ce chef outaouais.

Le comte Joli-Cœur était semble-t-il son amant, mais on le considérait aussi comme son entremetteur. C'était du moins l'opinion des mégères du coin, exception faite de Judith Rigaud qui revivait sa jeunesse en entendant les ragots amoureux de son invitée. Isabelle n'en parlait jamais. La légende venait de loin et on préférait y croire. On devinait qu'avec son attrait sauvage les occasions de pécher ne manquaient pas.

La dernière rumeur voulait qu'elle alternât le lit du comte Joli-Cœur et la natte du chef indien. Pierre Latour pouvait confirmer ou non les dispositions de courtisane d'Isabelle. Non pas qu'ils furent amants! Elle aimait le géant tranquille pour son honnêteté et sa force. Ils étaient devenus rapidement des amis en se confiant leurs petits secrets, comme deux êtres taciturnes peuvent le faire, davantage par le regard et la télépathie que par la parole.

Quand Cassandre eut prononcé ces mots, Isabelle regarda Pierre pour deviner ce qu'il en pensait. Le géant était désemparé devant l'audace de la jeune fille. Il se disait qu'Étiennette aurait plus de réserve.

– J'aimerais aussi connaître le comte Joli-Cœur. Je pense être assez séduisante pour lui plaire, exagéra Cassandre.

Isabelle questionna le géant du regard pour savoir si cette indiscrétion venait de lui. La jeune fille répondit à l'interrogation.

– C'est Madeleine d'Allonne qui m'en a parlé! Je pense qu'elle a été sa maîtresse.

Isabelle ferma les yeux pour ne pas relever l'affront qui venait de lui être fait. Son menton pointait vers l'horizon pour mieux canaliser sa colère. C'est alors que Judith Rigaud, ayant capté les propos scabreux de l'adolescente, répliqua:

– Voyons, ma petite! Madeleine de Roybon d'Allonne n'a jamais couché avec aucun homme. C'est Cavelier de LaSalle qui me l'a dit! Il était bien placé pour le savoir, lui qui la considérait comme une collaboratrice. Mes enfants, à vouloir trop découvrir, il ne reste plus d'énergie pour la chose. Croyez-moi, c'est mon ancien mari, le médecin de Trois-Rivières, qui me l'a dit. Les Indiennes n'ont pas plus d'enfants que nos bonnes Canadiennes, peut-être même moins. De toute façon, Madeleine d'Allonne, à s'habiller comme un homme, n'attire pas les regards. Les mâles ne sont pas dupes.

À ces mots, les regards masculins se portèrent vers l'accoutrement de Judith en se demandant comment un tel déguisement pourrait attiser l'appétit charnel masculin. Cassandre continua sur le même ton :

— En tout cas, les Indiennes sont libres de leur corps, enfants ou pas. À mon âge, elles ont plusieurs maris.

Thomas était rouge de honte. Il ne pensait pas que sa pupille irait aussi loin.

— Assez! Si Eugénie t'entendait… Tu offenses madame Couc Montour.

— Cette petite commence à me plaire! Qu'en penses-tu, Isabelle? Et si elle t'accompagnait à Détroit?

— Elle doit rentrer à Charlesbourg. Sa mère Eugénie l'y attend, dit Thomas.

— Dites oui, dites oui! Ma mère comprendra, rétorqua Cassandre de façon vive.

— Eugénie me renierait comme cousin pour toujours!

Silencieusement, Thomas imaginait la discussion qu'il aurait avec Eugénie. Il continua :

— Pour le moment, Latour et moi avons à sensibiliser madame Rigaud de la raison de notre visite, ordonna Thomas.

– Judith suffira, Thomas. Et quel est ce pourquoi, Thomas ?

– Nous nous intéressons au minerai de fer de la région. Latour me disait que vous en aviez au bout de votre terre.

– Me semblait que je te reconnaissais, mon grand ! Tu étais avec ce vieux cochon de Hameau, il y a de cela une bonne vingtaine d'années, pour espionner mon champ au nom du Roy. En plus de vouloir me prendre le cul, il m'aurait pris tout mon bien, celui-là. Ma parole, il me semble que tu as grandi. Tu n'aurais pas marié la plus jeune de Nicolas Pelletier, le forgeron ? Pauvre toi, tu dois en vouloir aux Iroquois, s'enhardit Judith, sans égard pour lui-même et pour Isabelle.

Elle était comme cela, Judith Rigaud, sans vergogne, étalant ses impressions à la volée sans se soucier de la sensibilité des gens. Isabelle intervint :

– Nos vies privées ne te regardent pas, Judith ! Si l'on commençait à déballer la tienne, tu rougirais tellement que tu n'aurais plus besoin de ton mauvais maquillage qui te donne l'air d'une catin de Versailles, bonne pour le vieux duc de Richelieu.

Ma mère était une Algonquine, une Atticamègue, et elle valait toutes les Françaises de ton genre qui se prétendent de la noblesse parce qu'elles portent des crinolines à cerceaux et sentent le parfum de Paris. Tu as insulté ma race, Judith, et mon sang. Surtout, n'épate pas cette petite par tes fanfaronnades ; je t'en empêcherai. Thomas est, sans en douter, mal placé, mais pas moi.

Judith Rigaud blêmit de façon perceptible malgré son maquillage opaque. La réplique venait de jeter un froid entre les deux femmes de façon évidente. Elle répondit avec ironie :

– Les Indiens sont très souvent imprévisibles, c'est dans leur nature sauvage, comme les animaux qui doivent tuer. Ces Peaux-Rouges toutefois boivent souvent le sang de leurs amis comme des cannibales. Cette sauvagesse est une chauve-souris. Aussi laide et aussi velue.

Elle ajouta dans un râle qui ne prévoyait rien de bon :

– Que je ne te revoie plus jamais ici, sinon c'est moi qui vais te scalper. Pars immédiatement ! Sale traîtresse à la France !

Elle se retourna vers Thomas et lui dit d'un ton sans équivoque :

– Allons-y, au bout de ma terre. Moi non plus, la traite ne m'intéresse plus.

Isabelle rentra dans la maison en claquant la porte. Cassandre la suivit d'instinct. Judith avait entraîné d'un pas décidé Thomas et Pierre avec elle dans son champ. Thomas avait esquissé un geste de retenue vers la jeune fille. Dans sa rage, Judith l'avait prise par le bras de manière autoritaire. Elle marchait d'un pas militaire, sonnant la charge de sa forte voix contrariée :

– J'espère qu'il vaut de l'or, ce fer. Marcher dans ce bourbier n'a rien de réjouissant.

Ses jupes volaient au vent et laissaient entrevoir une fine combinaison qui modelait des jambes d'un autre âge. Les hommes suivaient ce tourbillon sans rien dire.

– Ça y est, nous y voilà, à ma sablière, s'époumona-t-elle autant pour évacuer sa frustration que pour contrer le souffle du vent.

Un monticule de sable rouge et noir pointait comme une bravade aux efforts de défrichement. Des souches pourries traînaient çà et là autour de ce cimetière macabre et préhistorique.

– Il n'y a jamais rien qui poussera ici. La terre est rongée par ce sable noirci, ajouta Judith.

Thomas semblait perplexe devant l'aspect du lieu. Il comptait sur Pierre Latour pour se faire une appréciation de la valeur du gisement.

– Qu'en penses-tu, Pierre ? dit-il, en observant du sable à cristaux au creux de sa main.

Le forgeron égrenait l'arène entre ses gros doigts qui servaient de sas. La matière ferrugineuse scintillait au soleil de cette fin de mai. On aurait dit des éclats rubis qui cherchaient à se frayer un chemin entre les résidus de sable noir. Laforge se contentait pour le moment de dire :

– Hum, hum !

Ce qui eut l'air d'exaspérer Judith qui se risqua en disant :

– Je le savais bien ! Ce bout de terre ne vaut pas plus que la noirceur qui s'en dégage. C'est-à-dire rien.

– Alors, Pierre ? se risqua à son tour Thomas.

– Ça vaut ce que ça vaut ! répondit le forgeron.

– Ah ! Ah ! Je vous l'avais bien dit, les gars, enchaîna Judith Rigaud.

Thomas n'était pas dupe de la réserve de Latour. En retournant vers la maison de Judith, il lui demanda discrètement :

– Et puis, Pierre, qu'en penses-tu réellement ?

– Je ne suis qu'un forgeron, Thomas. Je n'ai pas les compétences de Hameau ! Mais je crois que cette sablière vaut de l'or.

– Que veux-tu dire, Pierre ? reprit Thomas, tout excité par cette perspective.

– Que ce gisement de fer est si riche qu'il y aura des réserves de minerai en abondance pour longtemps!

– Que l'on pourra y faire fortune?

– Si telle est ton intention, oui.

– Alors, tu me recommandes d'exploiter la terre de Judith?

– Sans doute. Cette portion, du moins. Après tout, tu es le seigneur. Elle n'a rien à redire.

– Mais elle va rouspéter. Elle a toujours vécu ici! Tu sais, Pierre, depuis ton départ de la Pointe-du-Lac, j'ai considéré mes censitaires comme des copropriétaires. Ils ont exploité leurs lopins de terre. Si j'étais demeuré au manoir, sur place… ça serait sans doute différent…

Thomas réfléchissait à ses responsabilités seigneuriales.

J'aurais pu faire davantage pour mes censitaires! Et ça ne s'arrangera pas pour eux si je deviens le procureur général!

Thomas continua:

– Les autres gisements à ciel ouvert des rivières Yamachiche et Saint-Maurice, dois-je les acheter?

– Probablement. Faudrait voir.

– C'est toute une nouvelle, Pierre!

– Il n'en tient qu'à toi de t'enrichir, Thomas. Cette région pourrait devenir l'industrie des prochaines années. Mais il faudra beaucoup d'argent pour bâtir tout cela, Thomas. Il te faudra l'aide du Roy de France lui-même.

Thomas observa le silence. Puisque dans le passé il n'avait pas donné suite aux espoirs royaux de déloger le commerce anglais de la fourrure des territoires de la baie d'Hudson, Thomas se dit qu'il valait mieux oublier cette éventualité. Néanmoins, l'achat et la revente des terres ferrugineuses pourraient lui rapporter très gros. N'était-ce pas là le bien-fondé du négoce pour un marchand?

Pendant que des idées commerciales germaient dans l'esprit de Thomas, en gagnant la chaumière de Judith avec le forgeron, il entendit cette dernière qui avait pris les devants sur les deux hommes s'exprimer à pleins poumons:

— À qui ai-je l'honneur, Messire?

Un bel homme était à sa porte. Il portait en guise de couvre-chef un chapeau de castor de la meilleure qualité. Grand, sa tenue d'aristocrate davantage à l'aise à la Cour et parmi la haute société le distinguait des Canadiens de la région et même de Québec. Ses bottes à mi-cuisses permettaient à Judith de discerner de la fortune aux bouts de tissu qui en dépassaient. Le dandy était en grande conversation avec Cassandre.

— Je cherche madame Isabelle Couc. Cette charmante jeune fille toutefois vient de m'apprendre qu'elle venait de quitter précipitamment cette adresse, lui répondit le galant gentilhomme de sa voix douce et envoûtante.

— C'est bien vrai et qu'elle n'y revienne plus. Quant à « madame », elle ne le mérite pas. Je m'appelle Judith Rigaud, Messire.

— Et moi, Cassandre Allard.

Le comte Joli-Cœur resta estomaqué par la ressemblance de cette jeune fille avec une compagne de traversée de 1666, l'année de son arrivée en Nouvelle-France. Mêmes cheveux, mêmes yeux et même allure. Plus effrontée, certes, parce que d'une autre génération, mais avec la même obstination. Et ce nom de famille si fréquent dans son patelin natal! Non, il ne pouvait pas y avoir de coïncidence!

– Allard, vous dites… répondit-il songeur.

Il s'empressa de continuer :

– Madame Rigaud, je vous connais de réputation.

– Et moi, je ne vous connais pas encore, Messire. À qui ai-je l'honneur ?

– À un ami d'Isabelle, le comte Joli-Cœur. Je suis votre obligé, madame Rigaud.

Joli-Cœur avait terminé sa phrase en faisant la révérence avec une élégance rare, le chapeau de castor en main, dévoilant une perruque argentée superbe, à l'égal de sa réputation de séducteur.

– Enfin, je vous rencontre, monsieur le comte au nom si séduisant, s'empressa de dire Marie-Chaton.

– Moi aussi, je suis contente de vous rencontrer. Un si bel homme. Mais j'ai une bien mauvaise nouvelle à vous apprendre, Messire. Vous êtes cocu. Ouais ! Vous avez été remplacé dans le lit d'Isabelle par un Outaouais et elle a été la concubine d'un Mohawk. Tiens ! Pour la salope qu'elle a toujours été !

Thierry pensa immédiatement à son fils Ange-Aimé Flamand. Décidément, le monde était bien méchant de penser qu'il aurait eu une liaison avec la concubine de son fils.

Piqué au vif, Joli-Cœur répliqua sans ambages, mais avec subtilité :

– Vaut mieux un Iroquois avec qui la Nouvelle-France a fait la paix que de travailler pour les Anglais avec lesquels nous sommes en guerre.

Subitement, Judith, d'un ordinaire bravache, se tint coite. Elle avait très bien capté l'allusion à la défection de Radisson,

son ancien amant, qui selon les rumeurs était passé au service de l'Angleterre il y a vingt ans et s'était même marié à une Anglaise.

– Alors, madame Rigaud, où pourrais-je la rejoindre?

– Si vous en avez toujours le goût, chez sa sœur Marguerite, probablement.

– Merci. Je m'y rends à l'instant.

Le comte Joli-Cœur savait très bien où demeurait Marguerite Couc Delorme, parce qu'il en revenait. C'est cette dernière qui lui avait dit qu'Isabelle vivait chez Judith Rigaud lorsqu'elle revenait aux Trois-Rivières. C'était sa façon à lui de disparaître élégamment. Il avait bien hâte de déguerpir des pattes de cette harpie de Judith Rigaud. Cassandre ne le voyait pas du même œil, elle qui voulait faire davantage connaissance avec le beau comte, si élégant.

Sur les entrefaites, Thomas Frérot et Pierre Latour Laforge arrivaient à la maison où discutaient Judith, Cassandre et Joli-Cœur. Aussitôt qu'elle les vit, elle s'écria:

– Tenez, Messire le comte, j'aimerais vous présenter mon parrain, Thomas.

Les deux hommes se dévisagèrent longuement pendant que Latour avait baissé les yeux. Thomas semblait reconnaître ce visage malgré l'horloge du temps. Joli-Cœur avait fait le lien facilement avec le prénom Thomas et le nom de famille de Cassandre. Il se garda bien de dévoiler sa véritable identité à Thomas.

– Comte Joli-Cœur, votre obligé. Sieur de Lachenaye, n'est-ce pas?

– Je vous ai cherché à travers la France, mais sans succès. Vous êtes vif comme un poisson dans l'eau. Mais, au fait, qui vous a dit mon titre, Messire? Vous ne connaissiez que mon prénom par Cassandre!

— Mon amie Isabelle Couc m'a souvent parlé de vous. Et je suis un marchand et un ambassadeur très occupé.

— Vous voulez dire votre maîtresse! ironisa Judith Rigaud.

Cette dernière remarque ne sembla pas plaire au comte, qui la toisa d'un regard moins séducteur qu'à l'habitude..

— On m'a déjà dit que vous aviez déjà vécu aux Trois-Rivières. Est-ce vrai? questionna Thomas.

— C'est exact. Oh! Il y a de cela bien longtemps, répondit le comte qui reconnut Latour. Pierre Latour! Quelles retrouvailles! Tu habites la région ou tu courtises Isabelle?

— Il ne manquerait plus que Pierre pour garnir son carnet galant, à celle-là, se dépêcha de dire Judith qui perdait l'attention de la conversation. Le comte ne voulut pas relever le dernier affront.

— Comment allez-vous, monsieur le comte? Retournez-vous à Détroit? avança Latour qui retournait la politesse au comte.

— Tout juste. Et je viens chercher mon interprète! dit le comte en insistant sur le mot interprète, en fixant Judith droit dans les yeux.

Cette dernière resta muette, pour une fois.

— Alors, je prendrai sa place, dit subitement Cassandre.

Une remarque inattendue de la part du comte permit de lever un pan de son identité mystérieuse.

— Je ne crois pas que vos parents soient d'accord avec une telle initiative! Me tromperais-je? À moins qu'ils aient bien changé!

– Mais je suis son parent, monsieur le comte, répliqua Thomas, intrigué, en étudiant le visage du célèbre courtisan. De qui voulez-vous parler, au juste?

Cassandre, qui devenait de plus en plus circonspecte lorsqu'elle entendait parler de ses parents, ajouta:

– Lesquels parents, Messire?

– De votre père et de votre mère. Enfin, je suppose!

– D'Eugénie, qui est ma mère, ou de Mathilde chez qui je me retrouve les dimanches à Québec?

– Mathilde?

Thomas prit la parole.

– Un instant, comte Joli-Cœur. Vous semblez connaître bien des gens de l'entourage de Cassandre.

Joli-Cœur prit soudainement conscience de sa méprise. Il reconnaissait l'interrogatoire de celui qui l'avait déjà défendu en Cour de justice. Il savait qu'on ne déjouait pas facilement l'avocat doué, Thomas Frérot. Il préféra laisser tomber le masque.

– D'Eugénie Languille et de François Allard, n'est-ce pas? La petite ressemble tellement à sa mère. On dirait son sosie.

Un lourd silence régna sur la petite assemblée en plein air. Seuls les croassements de corneilles du printemps réussissaient à percer l'atmosphère chargée de mystère.

– Vous avez connu mes parents? demanda Cassandre au comte.

– Et Mathilde aussi, l'amie de ta mère.

– Comment se fait-il qu'elle ne m'ait jamais dit qu'elle vous connaissait? Il n'y a que Madeleine d'Allonne qui m'a parlé de vous. Ce n'est pas correct de la part de Mathilde, n'est-ce pas, Thomas?

– Je pense, Cassandre, que Mathilde ne le savait pas et ne le sait toujours pas, tout comme moi jusqu'à maintenant. N'est-ce pas, Thierry Labarre, devenu le comte Joli-Cœur?

– Tout juste, Thomas.

– Était-ce la raison pour laquelle nos chemins ne se croisaient toujours pas en France, Thierry?

Thierry conservait le silence.

– Tu ne voulais pas que je parle du cap Lauzon, hein, Thierry? Tu avais peur que je dise que tu avais échappé à la potence de peu?

– C'est un peu de cela, Thomas. Je m'en excuse.

– Mais tu sais bien, Thierry, qu'en tant qu'avocat et ami, tu n'avais rien à craindre de moi.

– Si tu savais le nombre de fois que j'ai voulu te le faire savoir, mais je n'ai pas pu.

– Alors, le fameux comte a frôlé la potence pour avoir couché avec une Iroquoise! Alors, Isabelle n'a pas de leçon à prendre de vous! Les deux font la paire, à ce que je vois, darda Judith Rigaud.

– Donne-moi l'accolade, Thierry. Je suis très heureux de te revoir en meilleure forme que la dernière fois.

– Si tu savais à quel point le plaisir est pour moi, Thomas.

– Pour moi aussi ! Je veux que vous me fassiez le baisemain comme à Paris, comte Joli-Cœur, qui semblez connaître tous mes parents, avança Marie-Chaton.

– Alors, comment vont François et Eugénie ? Et Mathilde, comment va-t-elle ?

Thomas prit sur lui de faire un rappel des trente-cinq années d'absence de Thierry Labarre dans l'entourage de la recrue de 1666.

Cassandre écouta en silence pour une fois, elle qui attendait une telle circonstance depuis qu'elle était en âge de comprendre.

Thomas lui raconta le mariage d'Eugénie et de François et celui de Mathilde et de Guillaume-Bernard Dubois de L'Escuyer qui avaient hébergé souvent la fillette malgré leurs cinq garçons. Il lui dit que François était devenu un sculpteur de renom à Québec tout en étant un colon bien établi à Charlesbourg. Il lui dit qu'Eugénie était veuve depuis quelques années. Que lui-même s'était marié à une fille du Roy et qu'il était le seigneur de la Rivière-du-Loup, en plus d'être marchand de fourrures.

Thomas raconta à Thierry que Mathilde était récemment veuve et qu'elle désirait s'occuper, avec sa femme Anne, des œuvres auprès des Ursulines et de l'éducation de Cassandre. Cette remarque fit sursauter Thierry et le laissa songeur. Thierry était très attentif au récit de Thomas, surtout quand il lui dit que Cassandre avait hérité du talent vocal d'Eugénie et qu'elle souhaitait faire carrière au théâtre et surtout à l'opéra.

Cassandre en profita pour demander à brûle-pourpoint au comte s'il pouvait l'emmener en Europe avec lui. Celui-ci, devant le dynamisme de la jeune fille, lui répondit spontanément :

– Cela dépend d'Eugénie, Cassandre. Si Eugénie le veut bien.

La jeune fille lui répondit aussitôt :

– Alors, Thomas, nous retournons à Québec et à Charlesbourg dès demain pour le lui demander.

– Nous en parlerons, Cassandre. Allons retrouver Étiennette, répondit Thomas.

Thomas remercia Judith Rigaud et lui dit qu'il reviendrait sous peu la saluer. Judith, qui n'était pas fâchée de voir disparaître autant de monde, en même temps que l'allusion du comte Joli-Cœur à Radisson, comprit que Thomas voulait réfléchir.

Entendre le nom d'Étiennette avait fait rougir le forgeron. Thomas sut aussitôt que le géant n'était pas insensible à la jeune fille.

Marie-Chaton était accrochée aux basques du comte Joli-Cœur et n'avait de cesse de le dévisager malgré les mimiques de Thomas qui lui recommandait plus de retenue. La jeune fille semblait ne pas comprendre ce vocabulaire muet. Profitant d'un moment de distraction de la jeune fille, Thomas dit à Thierry :

– Tu sais, je pense que Mathilde ne t'a pas réellement oublié malgré son mariage heureux avec Guillaume-Bernard. Elle l'a déjà dit à Anne, mon épouse. Tu as été son premier amour. Cela compte, naturellement, Thierry.

– Le penses-tu vraiment, Thomas ? Est-elle toujours aussi belle ? répondit Thierry, intrigué.

– S'il y en a une qui n'a pas changé, c'est bien Mathilde. Toujours aussi sentimentale et belle, répondit Thomas.

– Alors, il me tarde de la revoir et le plus tôt possible, dit spontanément Joli-Cœur.

– Et tes affaires à Michillimakinac, monsieur le marchand ? avança Thomas avec humour.

– Elles peuvent attendre encore un peu, monsieur le commerçant, répondit du tac au tac Joli-Cœur.

Les deux compères se mirent à rire en même temps et se passèrent le bras sur l'épaule comme les deux amis d'autrefois.

Le petit groupe se dépêcha de rejoindre la maison des Banhiac Lamontagne avant la fin de l'après-midi. Thomas présenta le comte Joli-Cœur à Marguerite et à François comme étant un ancien copain de ses premières années aux Trois-Rivières. Il avisa ses amis qu'il devait retourner de façon subite à Québec avec le comte pour régler une affaire urgente. Le prétexte était plausible. La soirée se déroula de façon un peu plus troublante pour Cassandre qui se vit empêcher par Thomas de retourner, elle aussi, dans la capitale. Elle se consola en restant toute la soirée près du beau comte qui lui demanda de lui interpréter quelques pièces vocales de son répertoire.

Non seulement Cassandre avait une voix remarquable, mais elle interprétait son chant avec les mimiques et la gestuelle d'une actrice en herbe. Ébahi, le comte lui dit à l'oreille :

– Si Eugénie le veut bien, tu as de grandes possibilités en Europe. Seulement, tu devras étudier fort pour être la meilleure. Je te ferai avoir les meilleurs professeurs et connaître les hommes de théâtre les plus grands.

– Alors, quand partirai-je, Messire Thierry ?

– Il faut que j'en parle à Eugénie, d'abord. Tu comprends cela, Cassandre, n'est-ce pas ? C'est le but de mon voyage rapide à Charlesbourg.

– Oui, je comprends bien.

– Alors, c'est notre secret. Thomas ne le sait pas.

– Merci, Messire Thierry.

– Je veux que tu restes ici avec tes amies encore un peu, le temps de convaincre Eugénie.

– D'accord.

– Cela peut prendre un peu de temps avant qu'elle dise oui. Thomas va m'aider à la persuader. Mais elle finira par consentir, j'ai mon plan.

– Lequel, Messire Thierry?

– C'est un plan infaillible. Fais-moi confiance. Mais il demeure mon secret. Tu connais la valeur d'un secret? C'est l'effet-surprise.

– Bien entendu, c'est votre secret. Il ne faut pas le divulguer.

– Même à sa meilleure complice.

– Même si cette complice vous aime bien?

– Justement, si elle m'aime bien, elle n'insistera pas, n'est-ce pas?

– Bien entendu. Même si elle aimait le faire.

– Alors, nous ferons une équipe formidable, Cassandre.

– Formidable.

En moins de deux, Joli-Cœur pensait avoir fait la démonstration de son grand pouvoir de séduction, fidèle à sa réputation. Mais c'était sans connaître vraiment Cassandre.

CHAPITRE XXX
Le retour de Thierry

Le lendemain, Thomas et le comte Joli-Cœur voulurent se mettre en route assez tôt pour arriver à Québec au début de l'après-midi. Latour était déjà retourné à la rivière Chicot.

Marie-Chaton avait mal dormi à quatre dans le même lit, habituée qu'elle était à un grand lit de plume bien à elle. Elle se leva du mauvais pied quand elle entendit les préparatifs de la barque. Elle décida qu'elle se rendrait, elle aussi, à Québec. Devant le refus de Thomas, elle se mit à simuler un malaise soudain. Seul l'hôpital Hôtel-Dieu de Québec pourrait la soigner convenablement, compte tenu de la réputation des chirurgiens et des sœurs hospitalières.

Personne parmi les adultes présents ne fut dupe de la comédie de la jeune fille. Thierry put constater à quel point cette mince jeune fille avait un réel talent pour le théâtre. Pour ne pas perdre contenance, il demanda à Marguerite si Cassandre pouvait revenir une autre fois visiter ses nouvelles amies qui parurent surprises du départ précipité de la jeune fille. Marguerite de répondre:

— Tu pourras revenir visiter Étiennette, Cassandre. N'est-ce pas, Étiennette?

– Avec plaisir, mère! Reviens me voir vite, Cassandre. Tu chantes si bien.

Alors, de façon inattendue, Cassandre se jeta dans les bras d'Étiennette en lui disant:

– Je viendrai chanter à ton mariage, Étiennette.

À ces mots, Étiennette rougit bien malgré elle. C'est normal qu'une adolescente perde contenance lorsqu'on lui parle d'un prince charmant. Il y en avait cependant un devant elle, le comte Joli-Cœur, et elle ne semblait pas en faire de cas. Étonnée, Marguerite, sa mère, eut subitement peur que son valeureux cavalier soit plutôt forgeron. Latour et Étiennette! L'oncle et la nièce! Mon Dieu!

Il faudra que j'en glisse un mot le plus tôt possible à mon mari, se dit-elle intérieurement.

Finalement, le convoi composé de Thomas, Cassandre et Joli-Cœur se mit en route après un petit déjeuner composé de rillettes, d'œufs frais du poulailler, de gelée de groseille, de pain de ménage et de crème d'habitant. La barque par bon vent dans sa voile unique dépassa rapidement les tourbillons des Trois-Rivières.

En passant devant Cap-Lauzon, Cassandre, qui, apparemment, avait retrouvé ses forces, insista pour qu'on puisse casser la croûte du midi sur la plage d'une petite baie ensoleillée. L'idée, issue de bonnes intentions, eut l'heur d'attrister la bonne humeur de Thierry. Thomas se rendit compte de la maladresse inconsciente de sa pupille. Il prétexta que le ciel pouvait à tout moment se couvrir de nuages si l'on ne pressait pas pour entrer à Québec. Cassandre, tout à sa peine de ne pouvoir pique-niquer avec un si galant gentilhomme, lui répondit:

– Je suis certaine que le comte aime les femmes plus jeunes. Telle que moi. Ai-je raison, Thierry?

C'était la première fois que Cassandre appelait Joli-Cœur par son prénom. Elle l'avait dit par astuce, car elle voulait connaître l'effet qu'elle produirait chez lui. C'est plutôt Thomas qui réagit subitement :

– Cassandre, tu indisposes monsieur le comte ! Tu n'es qu'une adolescente !

– Parce que j'ai dit qu'il devait aimer les femmes plus jeunes ? Alors, il devrait rencontrer ma mère ! Elle est veuve.

– Si cette dernière t'entendait, tu ne le dirais pas deux fois, crois-moi ! tonna Thomas.

– Alors, pourquoi pas Mathilde ? Elle est veuve, elle aussi.

– Mathilde ? reprit Thierry.

– Voulez-vous dire, comte Joli-Cœur, que vous connaissez Mathilde ?

– Assez bien, puisque nous avons fait la traversée en 1666 avec ton père, mon copain de village en Normandie, et ta mère, Eugénie. Les deux apprirent à se connaître sur le bateau. François et moi, nous agissions comme brancardiers alors que Mathilde et Eugénie et d'autres filles faisaient office d'infirmières, répondit Thierry.

Thomas, pour faire dévier la conversation, demanda :

– As-tu eu des nouvelles du capitaine Magloire, Thierry ?

– Le capitaine est décédé peu de temps après notre arrivée en France. Mais j'ai eu la possibilité d'être son second en reconduisant des ambassadeurs jusqu'en Russie.

– La Russie ? Cette contrée si lointaine où il fait si froid et où les cosaques dorment à cheval ? s'inquiéta Cassandre.

– Pas tout à fait, répondit le comte en souriant. Mais il fait froid, c'est vrai. Très froid.

– Plus froid qu'à Québec?

– À Moscou, parfois.

Thomas prit la parole:

– En parlant de Québec, nous y voilà!

La barque s'engagea dans l'Anse-aux-Foulons, face à la falaise de la plaine d'Abraham, à la gauche de l'embarcation qui se faufila jusqu'au quai. Même si Abraham Martin était décédé depuis longtemps, la population de Québec continuait à appeler son lopin de terre du prénom du pionnier, l'un des dix qui avaient porté ce titre honorifique en Nouvelle-France. Les autres étaient Noël Langlois, Charles Lemoyne, Paul de Rainville, Nicolas Bélanger, Jacques Gourdeau, Gaspard Boucher, le père de Pierre, le gouverneur-recruteur Louis Hébert, Guillaume Couillard et Jean Côté.

La rade de Québec était engorgée de bateaux nouvellement arrivés. Au débarcadère, une cohue qui ressemblait à celle des jours de fête encombrait les allées et venues de la populace de la basse-ville. Une fois la barque amarrée, le petit équipage s'empressa de héler un coche en direction de la rue du Sault-au-Matelot, la résidence de Mathilde.

Thierry, en plus de sa malle, avait amené un étui en cuir hermétiquement fermé par une courroie solide. Marie-Chaton en parut intriguée, mais ne voulut pas en rajouter pour ne pas indisposer son mystérieux invité.

Quand Cassandre sonna à la porte de la résidence pour faire montre de ses belles manières, alors que le cocher venait de déposer les voyageurs presque sur le seuil, Mathilde était en conversation avec Anne Frérot, la femme de Thomas. Un serviteur en livrée vint accueillir les visiteurs.

– Bonjour, Philibert. Est-ce que tante Mathilde est là? demanda Marie-Chaton.

– Comment allez-vous, mademoiselle Chaton? Je vois que vous avez échappé aux Iroquois!

– Vous pouvez disposer, Philibert. Marie-Chaton est une grande fille, maintenant. Cessez de la traiter comme un bébé. Elle visitera Paris, sous peu. Vous verrez! ordonna Mathilde.

Cassandre, avant de se rendre à la bibliothèque, se jeta rapidement au cou de Mathilde et lui glissa à l'oreille:

– Je vous ai ramené un beau gentilhomme.

– Quoi! s'étonna Mathilde.

Et plus fort à l'endroit de Philibert:

– Mon nom de scène sera Cassandre. Dorénavant, ne m'appelez plus Marie-Chaton, mais Cassandre!

– Cassandre? Eh bien… ajouta Mathilde, bousculée par tout ce va-et-vient.

Sans trop y penser, elle ajouta:

– Vous avez compris, Philibert? Dorénavant, notre petite s'appellera Cassandre.

– Très bien, madame… Cassandre. À propos, il y a un gentil-homme qui accompagne monsieur Thomas, madame.

– Un gentilhomme, Philibert? Est-il déjà venu ici?

– Je ne crois pas, madame.

Mathilde, curieuse de connaître l'identité de l'inconnu, laissa Anne avec son mari Thomas qui était déjà en grande conversation et s'avança vers le portique où avaient été accueillis Thomas et Thierry. Mathilde s'arrêta net à la vue du bel étranger. Elle sentit tout son intérieur remué par une forte sensation d'inconfort. Elle avait la conviction d'avoir déjà rencontré cet homme. Mais où et quand?

Ce dernier prononça son prénom de sa belle voix de baryton, étonnamment suave, qu'elle aurait pu reconnaître à travers la nuit des temps, à n'importe quel moment:

– Bonjour, Mathilde. Comment vas-tu, après toutes ces années?

Mathilde resta bouche bée. Elle regarda le gentilhomme de ses grands yeux de velours d'où coulaient déjà deux larmes sur ses joues, tels deux diamants enfouis dans leurs écrins, qu'elle pensait oubliés pour toujours. Certes, elle reconnaissait le bel étranger, mais l'émotion qui gagnait son cœur l'empêchait d'exulter, tant son sentiment était trouble.

– Mathilde, c'est moi, Thierry, dit le comte en s'avançant d'un pas.

– Thierry! C'est toi?

– Mathilde! Tu es toujours aussi belle! Toutes ces années ne t'ont pas changée, ajouta Thierry en avançant vers elle un peu plus.

– Oh! Thierry.

Mathilde s'empêcha de se jeter dans les bras du revenant et repoussa délicatement le gentilhomme qui tentait de se rapprocher.

– Oh! Mathilde! Je t'aime toujours autant.

Des mimiques de confusion convulsaient le visage de Mathilde qui était baigné de larmes.

– Thierry, Thierry… Il y a si longtemps ! Mais je ne peux pas… Je n'ai pas fini mon veuvage… Guillaume-Bernard est décédé il y a à peine six mois. Que diraient mes garçons… mes amies, Anne et Eugénie… la population de Québec… ?

Thierry la regarda amoureusement, langoureusement, lui essuya les joues avec la dentelle de son jabot et lui répondit :

– Je suis certain que ta peine t'a semblé durer une éternité !

– Oui… Oui… répondit Mathilde en reniflant.

– Alors, tu vois, l'éternité, c'est beaucoup plus long que six longs mois. Il faudrait que tu reprennes goût à la vie !

– Et mes garçons ?

– Invite-les pour qu'ils me connaissent. Après tout, je n'ai pas pris la place de leur père… Pas encore.

– Et Eugénie ?

– Nous irons la visiter sous peu à Charlesbourg.

– Mais j'en reviens.

– Elle sera d'autant plus surprise.

En lui disant cela, Thierry l'embrassa passionnément. Mathilde, loin de résister, se laissa aller à l'étreinte du comte, pendant qu'Anne et Thomas s'éclipsaient pour laisser les tourtereaux à leurs épanchements. Mathilde en redemanda à Thierry qui n'hésita pas à vouloir rattraper toutes ces années. Après un long moment, Mathilde recula d'un pas, tenta de remettre sa coiffure en place et regarda l'accoutrement de Thierry en souriant. Elle lui demanda spontanément, avec un brin de malice :

– Quel est ce gentilhomme qui a l'effronterie de m'embrasser de façon si résolue ?

– Le comte Joli-Cœur, madame, de la haute société, lui répondit Thierry d'un ton amusé.

– Alors, Joli-Cœur, tu es un bel hardi[64], lança Mathilde en se jetant dans ses bras de nouveau. Cette fois-ci, c'est elle qui lui réclama un long baiser langoureux.

Les nouveaux amoureux, prenant un répit, se regardèrent amusés, comme si l'horloge du temps s'était arrêtée depuis trente-cinq années. Retournant prestement la tête, Thierry dit subitement à Mathilde, le plus sérieusement du monde :

– Dépêchons-nous à recommencer avant que madame Bourdon ne vienne nous surprendre.

Ce à quoi Mathilde répondit :

– Rien à craindre, Joli-Cœur. Mes amies font le guet. Nous serons avertis à temps.

Les deux témoins de leur intimité retrouvée n'étaient pas tout à fait complices, toutefois. Anne et Thomas se regardaient, pantois, embarrassés, en essayant de se donner bonne contenance en parlant à voix basse de la rencontre de Marie-Chaton, devenue Cassandre, et d'Étiennette.

N'y pouvant plus, Anne interrogea Thomas :

– Les as-tu vus, Thomas ? Qui est ce gentilhomme ? Mathilde a l'air de bien le connaître. Même très bien, je dirais.

---

64. Mot d'amour de Mathilde à Thierry lors de la traversée de l'Atlantique en 1666. Voir *Eugénie, Fille du Roy*, tome 1.

– C'est le comte Joli-Cœur. En fait, un covillageois de François, en Normandie. J'ai été son avocat, ici. C'était avant ton arrivée.

– Est-ce que ces créances l'autorisent à embrasser Mathilde si goulûment? Je n'aurais jamais cru cela d'elle, une nouvelle veuve! Comme on ne connaît pas vraiment son monde!... Pauvre Guillaume-Bernard!

– Tu n'as pas le droit de la juger, Anne! Thierry, Thierry Labarre a été son premier amoureux. Ils se sont rencontrés sur le bateau avant d'arriver à Québec.

– Alors, pourquoi ne l'a-t-il pas épousée?

– Thierry ne voulait pas respecter son contrat d'engagement de trente-six mois. Il a fugué avec une Iroquoise, tu sais, celle qui est devenue ursuline!

– Dickewamis! Alors, serait-il le père du Métis Ange-Aimé Flamand, celui qui voulait fréquenter notre Marie-Renée? L'âge du Métis coïnciderait!

Puis, observant avec soin le gentilhomme, Anne ajouta:

– Et sa silhouette aussi. C'est un bel homme. Il n'y a pas de doute.

– Évidemment, tu t'y connais en beaux hommes, Anne!

– Que veux-tu dire par là, Thomas? s'enquit Anne, soucieuse, croyant que Thomas avait eu vent de son penchant pour le chevalier de Troyes.

– Bien... Je ne suis pas si mal! Tu ne l'avais pas remarqué?

Soulagée de la réplique de son mari, Anne se jeta à son cou et l'embrassa, à la grande surprise de ce dernier.

— Est-ce l'influence de Thierry? Si oui, je vais l'amener plus souvent.

— Non, comme tes absences sont devenues de plus en plus fréquentes, j'en profite, voilà tout, répondit Anne.

Elle continua:

— À propos, quelle est ta décision quant à la proposition du gouverneur de remplacer Guillaume-Bernard comme procureur général?

— Si tu me promets, Anne, de m'accueillir tous les soirs de cette façon, ma réponse risque d'être positive.

Thomas voyait des étincelles de joie briller dans l'iris des yeux d'Anne. Plus sérieusement, il ajouta:

— Jusqu'à maintenant, je craignais qu'une réponse favorable ajoute à la peine de Mathilde. À ce que je vois, les enjeux sont différents. Je ne crois pas que Mathilde m'en tienne rigueur. Ma réponse est donc oui.

Aussitôt, Anne s'exclama:

— Je suis la plus heureuse des femmes!

Anne étreignit Thomas et l'embrassa avidement. Puis Thomas dit à Anne:

— Viens, Anne, que je te présente le comte Joli-Cœur.

Ce dernier lui fit le baisemain, au ravissement d'Anne à qui le geste rappelait de tendres souvenirs.

— Mes hommages, Anne, lui dit ce dernier en la regardant directement dans les yeux.

Et pour dissiper une gêne naissante, Thierry leur dit:

– Il semblerait, mon cher Thomas, que nous savons comment nous y prendre pour rendre nos femmes heureuses.

Aussitôt, il pressa Mathilde contre lui, avec insistance tout en restant pudique. Mais les deux couples n'avaient pas pu voir venir Cassandre qui surprit Mathilde et le comte à se regarder tendrement. Elle en fut offusquée. Elle se mit à vociférer :

– Tu aurais pu me le dire que tu étais amoureux de Mathilde, au lieu de me faire du plat devant mes amies, Thierry !

– Voyons, Marie… Cassandre ! Fais attention à ton langage. Ce ne sont pas là les manières d'une demoiselle devant un gentilhomme ! répondit Mathilde, gênée devant Thierry, Anne et Thomas.

Cassandre avait le visage rouge de colère et crispé de mépris. Il régnait une atmosphère lourde de reproches. Convulsée, la jeune fille s'était jetée par terre et martelait le parquet de ses poings. Les adultes présents se regardaient, médusés. Thomas tenta de s'approcher de la jeune fille quand Thierry lui fit signe de n'en rien faire. Thomas se retint.

S'avançant près de Cassandre, Thierry lui offrit la main en faisant une légère révérence comme il savait si bien le faire à la Cour de Versailles. Quand la jeune fille l'accepta, il l'entraîna à l'écart, son bras autour de son épaule pour qu'elle se calme. Alors, il lui dit à l'oreille :

– Tu te souviens de mon secret, Cassandre ?

– Oui, Thierry. Je m'en souviens.

– Bien, c'était mon amour pour Mathilde.

Cassandre resta estomaquée. Tous ses espoirs étaient désormais perdus. Pourquoi le comte s'intéressait-il à une femme vieillie, alors qu'elle-même était au printemps de la vie ? Elle se tenait figée comme une statue de marbre. Son ressentiment était masqué par l'orgueil qui cachait sa défaite.

Thierry lui prit de nouveau la main, fermement, comme un père l'aurait fait pour sauver sa fille de la noyade. Soudain, Cassandre réalisa que cet homme était le copain d'enfance de son vrai père, François. Et probablement du même âge. Aurait-elle le goût d'aspirer à l'amour d'un homme qui la considérerait comme sa fille? Elle se dit que non. Délaissant sa mine dépitée, elle retrouva la façade qu'elle jouait si bien sur la scène du couvent. Alors, d'un air détaché, elle regarda Thierry et lui dit avec désinvolture :

– Alors, pourquoi ne pas me l'avoir dit?

– Tu ne voulais quand même pas l'apprendre avant Mathilde?

– Bien sûr que non! Alors, je comprends. Tante Mathilde ne savait pas que vous reveniez!

– Comment aurait-elle pu? Elle ne savait pas que j'étais vivant depuis toutes ces années.

–Êtes-vous marié, Thierry?

– Non, Cassandre.

– Mathilde est veuve. Alors, vous pourriez vous marier?

– Si nous le voulons, oui.

– Alors, je vais le lui demander!

– Tu ne crois pas que c'est à moi de le faire?

Cassandre regardait le comte avec des yeux qui n'étaient plus tout à fait ceux d'une enfant. Elle le regardait comme une femme conquise aurait pu le faire. Elle lui répondit :

– Parce que j'aimerais tellement que Mathilde dise oui!

– Je pense que c'est elle qui doit répondre, n'est-ce pas?

– Et si elle disait non?

– Je connais Mathilde. Elle dira oui, crois-moi. Elle ne pourra pas refuser. Mais il faudra que tu m'appuies si elle hésite. N'est-ce pas?

Cassandre donna son consentement en se disant que sa tante avait bien de la chance d'être demandée en mariage par un tel homme. Le conciliabule terminé, Thierry et la jeune fille revinrent retrouver les autres, inquiets de la tournure des évènements. Tout revint à la joie des retrouvailles quand Mathilde se rendit compte que Thierry avait réussi à amadouer la jeune fille avec autant de doigté. Elle lui en fit la remarque:

– Je vois que la séduction t'est restée bien facile, Thierry!

Celui-ci lui répondit spontanément:

– Tu sais, Mathilde, il faut s'efforcer d'amadouer la pupille, si on veut avoir la tante!

Là-dessus, il ouvrit l'étui en cuir qui intriguait tant Cassandre et en sortit un manteau de zibeline de Russie, d'un blanc immaculé.

– Tiens, Mathilde. C'est pour toi.

– Pour moi, Thierry?

– C'est mon présent de demande en mariage.

Mathilde ne put rien faire d'autre que pleurer.

– Mon Dieu! Qu'il est beau! C'est trop, Thierry.

– Il n'y a rien de trop beau pour celle que j'ai toujours aimée.

Mathilde s'essuyait les yeux avec son mouchoir de dentelle quand Thierry s'enhardit :

– Veux-tu m'épouser, Mathilde ?

Il y eut un long silence empreint d'émotion. Anne et Thomas souhaitaient tellement en silence qu'elle réponde oui. Pour une fois, Cassandre respectait la sensibilité de sa tante. Devant le déluge de larmes, Thierry interpella Cassandre :

– Cassandre, puis-je te demander la main de Mathilde ?

Surprise, la jeune fille répondit en riant :

– Je vous l'accorde, comte Joli-Cœur.

En disant cela, Cassandre se jeta au cou de Mathilde.

– Alors, tante Mathilde, dites oui, sinon c'est moi qui vais l'épouser à votre place.

Anne et Thomas se mirent à rire, ainsi que Thierry qui apprécia la spontanéité de la jeune fille. Confuse et gênée, Mathilde était incapable de prononcer un seul mot entre ses sanglots.

– Allons ! Qui ne dit mot consent !

Mathilde, à la remarque de Cassandre, esquissa un timide sourire. Elle balbutia dans son mouchoir :

– Oui !

– Encore ? ajouta Cassandre.

— Oui… Cela suffit, répondit Mathilde, en ayant retrouvé ses sens.

Alors, Thierry s'approcha d'elle et lui dit en lui baisant la main :
— Vous me rendez le plus heureux des hommes, comtesse.

— J'avais perdu un prince charmant, j'ai retrouvé un comte amoureux. C'est moi qui suis gagnante.

Remise entièrement de ses émotions, Mathilde ajouta :

— Maintenant, il nous reste à annoncer cette grande nouvelle aux garçons… Et à Eugénie. Nous partirons vers Charlesbourg après-demain, tous les quatre.

— Tous les cinq, avec Cassandre. Nous avons à discuter de son avenir avec Eugénie, n'est-ce pas, Thomas ? intervint Thierry.

— Absolument. Pour le grand avenir de Cassandre !

CHAPITRE XXXI
L'avenir de Cassandre

Quelle ne fut pas la surprise d'Eugénie de voir arriver le coche de Mathilde avec les passagers Anne et Thomas, Cassandre et un bel inconnu.

– Mathilde, tu t'ennuyais vraiment de Bourg-Royal pour y revenir dans l'intervalle d'une semaine.

– Comme tu vois, Eugénie, j'ai tellement aimé ton hospitalité que je me suis permis d'amener des invités de marque.

– Tu as bien fait.

– Mère, mère, venez, que je vous présente le comte.

– Au moins, Marie-Chaton, commence par embrasser ta mère et la saluer ! Quelles sont ces manières devant un étranger !

Eugénie, du coin de l'œil, essayait de reconnaître l'inconnu.

L'adolescente répliqua :

– Ne m'appelez plus Marie-Chaton, mais plutôt Cassandre, c'est mon nom de scène. Et il est de notre famille !

Eugénie resta saisie.

– Comment ça, ton nom de scène ? Est-ce que d'actionner des marionnettes nécessite un nom de scène ?

– Je vais me produire en Europe, à la cour. C'est monsieur le comte, notre parent, qui me l'a dit !

– Notre parent ! Aurions-nous des nobles dans notre famille ? Ah oui, Thomas, le sieur de Lachenaye, j'oubliais. Marie… Cassandre a une imagination débordante.

Avant que Cassandre n'annonce les surprenantes fiançailles de Mathilde et de Joli-Cœur, Thomas prit la parole :

– Ne trouves-tu pas curieux que nous nous retrouvions tous à Charlesbourg ?

– En effet, Thomas. Que se passe-t-il ? répondit Eugénie.

Mathilde prit le relais de Thomas :

– Il se passe, Eugénie, que je viens te présenter mon fiancé. En fait, j'ai accepté sa demande en mariage.

– Mathilde, ai-je bien compris ? Tu as l'intention de te remarier ?

– Oui, avec le comte Joli-Cœur.

Eugénie détailla la silhouette du mystérieux comte qui se tenait tout près de Mathilde et que sa fille semblait très bien connaître.

Ce personnage ne m'est pas inconnu ! C'est même une silhouette familière. Mais où donc ai-je bien pu le rencontrer ? À Québec, à l'évidence ! Mais pas dernièrement, à moins que ce ne soit au théâtre ou, avant, au château Saint-Louis. Mais non. Pas à l'ordination, en tout cas.

Alors, le mystérieux parent de Cassandre s'approcha d'Eugénie et lui dit de sa belle voix :

– Eugénie, ne me reconnais-tu pas ? Ai-je changé à ce point ?

Eugénie se laissa aller à mentionner un nom, avant que sa fille ne le fasse.

– Thierry Labarre ?

– C'est Thierry, c'est Thierry, mère.

Eugénie se surprit à penser :

Je le savais bien qu'elle ne l'avait jamais oublié, celui-là. J'espère pour elle qu'elle ne se mettra pas dans de mauvais draps. Après ce qu'il lui a déjà fait. Mais les humains peuvent changer. On verra bien. En tout cas, ce n'est pas moi qui prendrais ce risque, comte ou pas. Mais j'y pense... comment diable a-t-il pu être anobli, lui, le fils du boucher de Blacqueville ! Les titres ont toujours eu de l'importance pour Mathilde. Après tout, elle est elle-même de la petite noblesse normande.

– Pour un revenant, c'est toute une surprise, n'est-ce pas, Eugénie ? s'exclama Mathilde.

– Eh bien, vous avez le don de me faire nager dans les surprises, aujourd'hui. Eh bien !

Eugénie n'en revenait pas.

– Toutes mes félicitations, Mathilde et Thierry. Si François était là pour voir ça !

Un ange passa. Eugénie continua :

– Thierry qui revient et qui demande la main de Mathilde qui, elle, accepte ! Venez que j'embrasse les futurs mariés. À quand le mariage ?

– L'été prochain, le 15 août, à la fête de l'Assomption.

– Cette date commémorative aura lié bien des destins, reprit Eugénie.

Une fois les embrassades exécutées, Eugénie lança à la blague :

– Y a-t-il d'autres surprises, mes amis, que vous voudriez me faire ?

Cette fois-ci, Thomas prit la parole à l'étonnement de tous, excepté d'Anne :

– Oui, Anne et moi avons une annonce à vous faire. Je vais accepter la charge de procureur général de la Nouvelle-France, à la demande du gouverneur.

Étonnée, Mathilde se mit à pleurer, mais de joie.

– Je suis si contente que ce soit toi, un ami de Guillaume-Bernard, qui ait cette fonction. Mon défunt en serait fier. On m'avait dit que tu avais été pressenti, Thomas, mais je ne voulais pas influencer ta décision.

– Et moi qui hésitais à la prendre, cette charge, de peur de te chagriner davantage.

– Permets-nous de te féliciter, Thierry et moi, Thomas.

– Et moi aussi, relança Eugénie.

La ronde des embrassades recommença. Aussitôt après, Eugénie ajouta :

– C'est grandement temps que je vous invite à l'intérieur pour arroser ces évènements heureux. Venez.

– Et aussi pour t'entretenir d'un projet des plus sérieux, Eugénie ! avança Thomas.

Intriguée, cette dernière questionna :

– Mais lequel, Thomas ?

– L'avenir de notre chère Cassandre.

L'adolescente, devenue soudain le point de mire, roucoulait d'aise.

– Eh bien, si tous mes amis se préoccupent de ton avenir, ma fille, c'est qu'il doit être prometteur.

– En effet, Eugénie, en effet, ajouta Thierry.

Autour de la table, devant une bolée de cidre, Eugénie et ses amis élaborèrent leur vision de la préparation de la carrière de Cassandre.

Thierry proposa une idée qui répondit aux espoirs de tous. Il suggéra à Eugénie qu'il était souhaitable que Cassandre continue ses études de théâtre et de chant à Paris, la capitale européenne de la culture. De cette manière, Mathilde pourrait continuer à veiller sur la jeune fille, sur place, tout en accompagnant son mari en France. Thierry possédait toujours son hôtel particulier, rue du Bac, au centre de Paris. Il pourrait la recommander aux hommes de théâtre de renom. Il avait son idée sur la façon dont il pourrait aussi introduire Cassandre à l'opéra de Paris.

– Je connais bien le monde artistique du théâtre et de l'opéra, Eugénie. À Versailles, à Paris, en Italie et en Russie particulièrement. Cassandre pourrait y faire une grande carrière pourvu qu'elle soit bien formée auprès des meilleurs professeurs. Je les fréquente dans les différents salons. D'abord, il faut qu'elle complète ses études chez les religieuses à Paris.

– À Paris ? Mais vous n'y pensez pas. Elle est encore toute jeune.

– Mais je serai là pour la surveiller, Eugénie. En effet, après notre mariage à Québec, nous nous installerons à Paris, Thierry et moi, ajouta Mathilde.

– Oui, Eugénie. Mes affaires y prospèrent. D'ailleurs, je dois y retourner absolument après notre mariage, allégua Thierry.

– Mais, Mathilde, tu ne pourras pas surveiller la petite à Paris. Tu n'as pas été capable de le faire à Québec !

L'assemblée fut saisie de la répartie directe d'Eugénie.

– C'est pour cela qu'elle sera pensionnaire dans un bon couvent de religieuses où le théâtre est estimé, Eugénie, répondit sereinement Mathilde, calmée par la présence de Thierry.

– Pourquoi pas les Ursulines ? Une congrégation qui enseigne la rigueur, les bonnes manières et les lettres classiques, ajouta Eugénie, conquise.

– Bien sûr, Eugénie. Va pour les Ursulines. Une fois ses études classiques et de chant terminées, nous l'inscrirons à la Comédie française pour le théâtre et à l'Opéra de Paris. Nous l'hébergerons le moment venu. Sois sans crainte. Mathilde la considère comme sa propre fille, continua Thierry.

– Tu me jures qu'elle ne courra aucun danger, Mathilde ?

– Tu sais que tu peux avoir confiance en moi, Eugénie.

– Eugénie, tu pourras venir visiter et voir se produire Cassandre. Tout le monde en sera des plus heureux.

– Anne et moi, nous te forcerons à nous accompagner, Eugénie, ajouta Thomas.

– Cette fois-ci, sans madame Bourdon, reprit ironiquement Mathilde.

Tout le monde s'esclaffa. Puis Eugénie ajouta :

— Permettez-moi d'y penser sérieusement.

— Dites oui, mère, dites oui. J'aimerais tellement devenir une diva.

— En tout cas, tu en as le talent, Cassandre, confirma Thierry.

Eugénie conclut :

— Toi, Cassandre, tu vas me prouver que tu es une enfant sage. Tu vas rester avec moi à Charlesbourg jusqu'à la reprise de tes classes en septembre. Selon ta conduite, à partir de maintenant jusqu'à l'été prochain, je dirai oui ou non. C'est clair ? C'est ta conduite qui va décider de ton avenir, mon enfant.

L'assemblée d'amis reconnut qu'Eugénie était toujours capable de dominer les situations et les évènements.

— Je vous remercie de vous préoccuper de l'avenir de Cassandre. Et pour vous le prouver concrètement, vous resterez à Bourg-Royal pour souper et pour coucher. S'il n'y a pas assez de paillasses, ici, il y en aura chez André.

Quand Cassandre comprit que son avenir dépendait de sa conduite, elle se lança le défi de répondre aux exigences de sa mère pour pouvoir réaliser tous ses rêves : étudier le théâtre, chanter à l'opéra et traverser l'Atlantique comme les filles du Roy l'avaient fait, quelques décennies plus tôt. Elle se prépara sagement tout l'hiver pour son départ prévu peu de temps après le mariage de Mathilde et Thierry, à la fin août 1704.

Eugénie, sans trop le laisser paraître, était aussi enthousiasmée que sa fille. À la fin des classes, elle lui proposa :

— Que dirais-tu si Étiennette venait passer l'été à Charlesbourg ? Si tu vas à Paris, ce n'est pas certain que tu la reverras de sitôt! Je vais demander à Thomas de lui faire l'invitation. Si tu as toujours envie d'étudier en Europe, bien entendu?

Ravie, Cassandre répondit:

– Oh, merci, mère. Je vous aime tellement.

Là-dessus, Cassandre se jeta au cou de sa maman pour l'embrasser.

– Bon, maintenant que tu es décidée, préparons ton trousseau. Hein, ma fille? Il faut que tu nous fasses honneur dans ce grand monde!

– Je vous jure, mère, que vous serez fière de moi.

CHAPITRE XXXII
Des études en Europe

Thierry s'était installé pour l'hiver à Québec, rue Royale, chez Thomas. Mais il passait toutes ses journées chez Mathilde. Il lui tardait cependant de retourner en France afin de veiller à ses activités commerciales. Mathilde avait tenu à se marier le 15 août à la basilique Notre-Dame. Elle voulait corriger, plus de trente-cinq ans plus tard, l'affront que le gouvernement de la Nouvelle-France leur avait infligé, à Thierry et à elle, en les empêchant de s'unir en même temps que les autres filles du Roy.

L'abbé Jean-François Allard officia. Le plus vieux des garçons de Mathilde, dans son costume d'officier d'apparat, servit de témoin à sa mère. Thierry avait demandé à Thomas d'être le sien. Ce dernier accepta la tâche comme un honneur que Thierry lui faisait, en lui disant qu'il préférait ce rôle à celui d'avocat de la défense. Ce qui fit rigoler Thierry de bon cœur.

Cassandre avait tenu à ce que Étiennette Banhiac Lamontagne, son amie de la Rivière-du-Loup, vienne passer les dernières semaines avec elle et qu'elle assiste à leur départ.

Les deux jeunes filles firent le tour des boutiques de Québec afin de garnir la malle en bois cerclée de métal des vêtements qui conviendraient à sa tenue d'étudiante parisienne. Les robes, crinolines, tulle, jupons s'entassèrent au point de faire éclater le coffre. Thierry avait eu le malheur de dire à Cassandre qu'elle trouverait tout ce qui pourrait lui convenir et qu'il lui ferait plaisir de payer les dépenses. Elle l'écouta à la lettre. Une deuxième malle vint s'ajouter au bagage de la jeune fille qui essuya les réticences de sa mère. Elle y avait même placé une fiole de fragrance de muguet des bois.

– Voyons, Cassandre. Tu verras, la cale n'est pas si grande. Le capitaine du bateau pourrait refuser que tu en aies autant, s'alarma Eugénie.

– Je suis certaine que Thierry trouvera un arrangement avec le capitaine. Il est comte et riche. L'autre, sans doute pas.

Cassandre s'était fait raconter maintes et maintes fois les vicissitudes de la traversée en mer. Elle savait par Thierry que la « sainte-barbe », le dortoir des passagers, n'avait aucune intimité, salubrité et confort. Elle avait demandé à Thierry de lui favoriser une cabine ou à la rigueur de dormir dans leur cabine. Thierry lui répondit qu'elle n'avait rien à craindre pourvu qu'ils aient une cabine. Les autorités gouvernementales avaient préséance.

Eugénie avait tenu à organiser une petite fête d'adieu, chez Thomas et Anne, où se trouvaient présents leur garçon et leurs filles accompagnées de leurs époux, les garçons de Mathilde et leurs épouses, les frères de Cassandre, Marie-Anne, l'épouse d'André ainsi que Catherine, leur fille, le chanoine Charles-Amador Martin en qualité de professeur de clavecin de sa fille. Il y avait aussi les amies de couvent de Cassandre et, bien sûr, Étiennette que Thomas s'était engagé à reconduire à la Rivière-du-Loup après le départ fatidique. Évidemment, sa mère était aussi de la fête.

Eugénie avait prévenu sa petite Marie-Chaton de la levée de corps matinale d'avant le départ. Mais les deux jeunes filles avaient tant à se confier que leur nuit fut écourtée.

En effet, Cassandre n'avait pas pu fermer l'œil de la nuit précédant le départ. Elle avait bavardé nerveusement avec Étiennette de leurs projets d'avenir. Cette dernière, qui enviait la chance de Cassandre, se destinait à fonder une famille dans son coin de pays avec un gars de la région des Trois-Rivières ou des environs. Cassandre lui demanda s'il y en avait de son âge. Étiennette lui répondit qu'il y avait plus de filles à marier chez les Banhiac Lamontagne que de garçons disponibles de leur âge. Cassandre lui dit alors, spontanément :

– Étiennette, il faudra que tu en maries un plus vieux, s'il y en a qui ne sont pas accaparés par des veuves comme Judith Rigaud.

Aussitôt, elle se mit à rire, oubliant un court instant l'aventure qui l'attendait. Devant le regard perplexe d'Étiennette, Cassandre ajouta :

– Mais quoi ? Pierre Latour, le forgeron, il est veuf, si je ne m'abuse ! Je te verrais mener ce géant par le bout du nez.

Ce fut au tour d'Étiennette de s'esclaffer.

Eugénie alla les réveiller bien avant l'aurore, car le départ du bateau avait été prévu à l'aube, alors que la ville de Québec tardait à se réveiller.

Dans la crainte d'avoir oublié quelque chose de précieux à apporter, ils avalèrent à la hâte une collation composée de viande fraîche, d'œufs et de pain du pays, nourriture que les passagers du bateau ne pourraient déguster avant quelques mois. Puis, un coche vint chercher Mathilde, Cassandre et Thierry pour les amener au quai d'embarquement.

Déjà, l'embarcadère grouillait des allées et venues des hommes d'équipage, même au pas de course, ainsi que des débardeurs et manutentionnaires qui transportaient les marchandises des charrettes à bœufs dont les naseaux fumaient dans l'air frisquet du fleuve. Les passagers de la traversée arrivaient déjà en grand nombre, encombrant le trafic routier de coches et de voitures à différentes dimensions de roues. Un représentant du Conseil souverain s'y présenta en carrosse.

Surprise ! Tous les frères de Cassandre et Eugénie étaient là. Thomas et Étiennette aussi. Cassandre exultait de voir ceux qu'elle aimait l'entourer. Elle n'avait de cesse d'aller de l'un à l'autre, à la fois pour exprimer sa joie et pour contenir sa nervosité. Sa fébrilité à l'idée de voir Paris et Versailles était à son paroxysme. Sa famille savait que Cassandre pouvait exprimer des attitudes bien théâtrales. Il valait mieux l'entourer pour éviter des débordements larmoyants inutiles. Par ailleurs, trouver les mots qui convenaient pour la rassurer, alors que la jeune fille était un véritable tourbillon, n'était pas une tâche facile.

Anne Frérot était restée à la maison. Elle participait à la frénésie du départ à sa façon, à la fenêtre d'une des pièces de la rue Royale, située à l'étage au-dessus d'une corbeille en guise de balcon qui faisait face au fleuve. Malgré la fraîcheur du matin, Anne portait encore son vêtement de nuit. À son cou, s'enroulait une écharpe de laine bien chaude qui l'empêchait de prendre froid malgré la brise piquante du matin. Elle scrutait l'horizon, sa main droite protégeant sa vue, pour apercevoir dans les brumes du matin la silhouette de la goélette en partance vers La Rochelle, mais elle n'y parvenait pas.

Deux autres femmes, deux religieuses, faisaient de même dans un établissement dominant la Basse-Ville, dans la tourelle surmontant le toit du cloître des Ursulines. Onaka et Dickewamis surveillaient aussi le départ d'un être cher, Cassandre pour Onaka, la fille d'Aataentsic, et Thierry pour Dickewamis, dans la crainte de ne plus jamais en entendre parler.

Le bateau était ancré assez loin dans la rade pour éviter d'être avarié par la marée basse. Ses voiles s'affairaient à flairer le vent favorable au départ. Déjà, on commençait à faire la queue devant le comptoir d'embarquement. Sur le quai, on retrouvait encore des tonneaux de victuailles et des bagages de passagers qui attendaient d'être transportés sur le bateau. Certains étaient assis sur leur malle en guise de fauteuil en attendant de voir leurs effets pris en charge par les débardeurs. Comme le port de Québec servait aussi aux pêcheurs de petites prises des bancs longeant la côte menant à Charlevoix et jusqu'à Tadoussac, on retrouvait éparpillés çà et là des filets, des voiles avariées, des amarres délaissées et même des ancres épuisées par leur dur labeur.

Du quai, on entendit soudainement le craquement du navire *Le Corsaire* qui cherchait à répondre à l'appel du large. D'instinct, l'équipage sut par cette réaction viscérale que le vent venait de se lever et qu'il fallait accélérer les procédures d'embarquement. Sur le bateau, le capitaine jaugeait le ciel afin d'y voir le commandement suprême d'un vent dominant.

Il n'eut pas longtemps à attendre. Soudain, du quai, on entendit le ressac des vagues qui se fendaient sur le rempart de roches et de billes de bois entourées de filins. Le second de bord, au son de sa trompette de mer, envoya le signal aux membres de l'équipage encore à terre d'accélérer la navette des passagers en barques. Le départ était imminent. Déjà, à tue-tête, puisque le vent bifurquait la portée de la voix, on incitait les retardataires à écourter leurs adieux.

Cassandre n'en finissait plus d'embrasser les siens, les joues ruisselantes. Mathilde et Thierry attendaient avec impatience dans la grande chaloupe à huit rameurs en uniformes qu'ils avaient louée à grands frais pour y inviter les passagers de marque tels que l'archevêque du diocèse de Québec, Monseigneur de Saint-Vallier, en mission apostolique, quelques ursulines qui se rendaient à Paris à la maison mère de leur congrégation, le chirurgien de bord ainsi qu'un membre du Conseil souverain et des officiers de la noblesse qui venaient de finir leur service en Nouvelle-France. Thierry avait aussi, à la demande de Mathilde, affrété un chaland pour transporter leurs bagages afin qu'ils soient livrés à bord de manière sécuritaire.

Quand le dernier batelier entendit le sourd grincement du cabestan qui actionnait lentement le câble de l'ancre et le claquement du vent dans la voile de misaine qu'on tentait de hisser à son mât, il admonesta Cassandre d'une façon qui fit sursauter une accorte dame qui prenait place dans la chaloupe. Mathilde grimaça de dépit tandis que Thierry fixa de son mauvais œil le matelot en guise de remontrance. En mer, les bonnes manières étaient reléguées au second rang devant l'urgence de la situation.

La dernière à monter à bord, Cassandre, se fit bénir par son frère, l'abbé Jean-François. Elle embrassa de nouveau sa mère, tendrement.

– Fais bien attention à toi, ma petite fille. Et surtout, obéis à Mathilde. C'est elle qui va veiller sur toi.

– Ne craignez rien, mère, je vous aime. Vous viendrez me rejoindre, dites?

Pour toute réponse, Eugénie, qui s'essuyait les yeux, lui répondit:

– Garde ton châle sur tes épaules. L'air frais me brûle les yeux.

Cassandre se retourna vers Étiennette et l'embrassa sur les deux joues. Elle lui dit à l'oreille:

– N'oublie pas, Étiennette: j'irai chanter à ton mariage.

– Et moi, j'irai t'entendre à l'opéra de Paris, répondit Étiennette sans trop y croire.

Les deux amies se mirent à rire jusqu'au moment où Cassandre éclata en sanglots.

Il fallut que Thierry agrippe Cassandre pour éviter qu'elle ne reste à l'embarcadère.

Déjà, Mathilde agitait son mouchoir de dentelle en direction de ses garçons. Debout dans la chaloupe bondée, au mépris des règles les plus élémentaires de sécurité, Cassandre gesticulait pour renforcer l'intensité de ses adieux.

Du quai, les proches des passagers du *Corsaire* envoyaient la main tout en souhaitant que la traversée se passe au mieux! Certains agitaient des mouchoirs pour attirer davantage l'attention. Aussitôt que la dernière retardataire fut montée à bord, le capitaine fit tonner le canon pour indiquer que le compte des passagers était bon. Les canons de la batterie de la Citadelle répondirent par une salve bien nourrie.

Le Corsaire quitta rapidement la rade, aussi vite que le bon vent le lui permit. Le bateau avait déjà disparu de la vue des curieux que Cassandre, au bastingage, agitait encore les bras.

SOMMAIRE

Imprimé sur du Rolland Enviro100, contenant 100% de fibres recyclées postconsommation, certifié Éco-Logo, Procédé sans chlore, FSC Recyclé et fabriqué à partir d'énergie biogaz.

La production du titre *Cassandre, fille d'Eugénie* sur du papier Rolland Enviro100 Édition, plutôt que sur du papier vierge, réduit notre empreinte écologique et aide l'environnement des façons suivantes :

Arbres sauvés : 110
Évite la production de déchets solides de 3 173 kg
Réduit la quantité d'eau utilisée de 300 129 L
Réduit les matières en suspension dans l'eau de 20,1 kg
Réduit les émissions atmosphériques de 6 967 kg
Réduit la consommation de gaz naturel de 453 m^3

IMPRESSION
IMPRIMERIE GAGNÉ

Québec, Canada,
novembre 2007